Marco Goldin

VAN
TRA IL GRANO
E IL CIELO
GOGH

Linea d'**ombra**

In copertina
Vincent van Gogh
Il ponte di Langlois ad Arles, 1888
Colonia, Wallraf-Richartz-Museum & Fondation Corboud
Collezione dei dipinti
acquistato nel 1911, inv. n. WRM 1197

ISBN 978-88-89902-50-9

VAN GOGH
Tra il grano e il cielo

Vicenza, Basilica Palladiana
7 ottobre 2017 - 8 aprile 2018

Sindaco di Vicenza
Achille Variati

Vicesindaco e assessore
alla Crescita
Jacopo Bulgarini d'Elci

Direttore Settori Musei, Cultura
e promozione della Crescita
Loretta Simoni

Comune
di Vicenza

Linea d'**ombra**

IN COLLABORAZIONE CON
KRÖLLER-MÜLLER MUSEUM,
OTTERLO, THE NETHERLANDS

MAIN SPONSOR

Linea d'**ombra**

Direttore
Marco Goldin

Area tecnica, web, editoriale
Davide Martinelli

Ufficio prestiti e iconografico
Caterina Barbini, *responsabile*
Marta Marcolin

Settore prenotazioni
Ketty Niero, *responsabile*
Roberta Giacomini
Raffaella Piria

Merchandising
Monica Braun

Area amministrazione,
contabilità e personale
Francesca Povelato, *responsabile*
Anna Iacoboni

Grafica
Giovanni Donadini

Redazione
Silvia Zancanella

Consulente per il personale in mostra
Eugenio Astone

Progetto di allestimento
Edoardo Gherardi
con la collaborazione di
Annachiara Marcon

Realizzazione allestimenti
Colorcom srl

Impianti illuminotecnici
Bibetech S.p.A.

Programmazione luci
Denis Vinante

Impianto di climatizzazione
Gaetano Paolin S.p.A. - Padova

Allestimento grafico in mostra
Segnobit Pubblicità - Creazzo
(Vicenza)

Condition reports
Laboratorio di Restauro
Nuova Alleanza - Ponzano
(Treviso)

Trasportatore ufficiale
Arterìa

Broker assicurativo ufficiale
Assigeco Srl - broker assicurativo
Lloyd's di Londra

Responsabile sicurezza in mostra
Roberto Scandiuzzi

Servizio guardie armate
Sicuritalia

Ufficio stampa
Studio Esseci
di Sergio Campagnolo
Padova
www.studioesseci.net

Sistemi software
Domenico Marangoni

Sito internet
www.lineadombra.it

Audioguide in collaborazione con
Antenna International

Il film documentario che
accompagna la mostra,
Van Gogh. Storia di una vita,
è stato scritto e raccontato
da Marco Goldin.
Regia di Marco Goldin,
Fabio Massimo Iaquone e
Luca Attilii.

Catalogo

Progetto grafico
Giovanni Donadini

Redazione
Silvia Zancanella

Traduzioni dall'inglese
Silvia Zancanella

Realizzazione
Grafiche Antiga S.p.A.
Crocetta del Montello
(Treviso)

Coordinamento
Piero De Luca
con la collaborazione di
Marianna Antiga

Per secoli la Basilica Palladiana è stata il centro della vita cittadina, sia per quanto riguarda la sfera pubblica che per quella produttiva e commerciale. Dalla riapertura nell'ottobre del 2012, dopo il lungo e delicato restauro, la "Dama bianca" ha avuto anche una nuova vocazione, quella di straordinario contenitore d'arte grazie a esposizioni di altissimo livello.

Da allora, in cinque anni, oltre un milione e mezzo di visitatori ha ammirato le mostre nel grande salone, camminato lungo i loggiati, salito le scale fino a raggiungere la terrazza da cui si gode di una vista unica sulla città.

Il merito del grande successo riscosso dal monumento simbolo della città di Vicenza dipende da tanti fattori. Ma un ruolo di primaria importanza lo hanno avuto sicuramente le grandi mostre organizzate da Linea d'ombra e curate dal professor Marco Goldin, anche grazie al sostegno di sponsor sia privati che pubblici.

Tra Vicenza e Linea d'ombra si è stabilito un rapporto virtuoso che ha costruito una storia importante arrivata oggi al suo quarto capitolo con questa mostra dedicata al genio di Van Gogh, uno fra gli artisti più amati in Italia e all'estero, in grado di suscitare l'interesse degli appassionati d'arte ma anche di chi non è assiduo frequentatore di mostre.

Van Gogh. Tra il grano e il cielo rappresenta la consacrazione della vocazione della Basilica Palladiana come luogo dove vivere l'arte e di Vicenza come città della cultura e del turismo.

Il rilancio culturale della nostra città, patrimonio mondiale dell'Unesco, ha il proprio epicentro proprio nella Basilica Palladiana e da qui si propaga nelle piazze e nelle vie del centro storico, nelle quali si possono ammirare le creazioni di Andrea Palladio. L'invito al visitatore è quindi a lasciarsi trasportare dall'emozione lungo il percorso espositivo dedicato a Van Gogh, ammirando al contempo la bellezza della Basilica Palladiana, per poi proseguire il suo viaggio nell'arte alla scoperta dei tesori architettonici di Vicenza.

Achille Variati
Sindaco di Vicenza

Sono passati cinque anni, esattamente cinque anni, dalla riapertura della Basilica Palladiana. In quell'ottobre del 2012 la città avrebbe riabbracciato, dopo un lungo e complesso cantiere sviluppato tra più amministrazioni, il proprio monumento per eccellenza. Ma quale Basilica sarebbe stata riconsegnata ai vicentini e, senza enfasi, al mondo, essendo il capolavoro palladiano patrimonio dell'umanità? Quella di prima, solo occasionalmente frequentata, aperta sporadicamente, parte più del paesaggio urbano che del vissuto di tutti i giorni?

L'intuizione dell'amministrazione fu di segno opposto e, per la nostra città, rivoluzionaria: fare della Basilica non solo lo splendido monumento da ammirare da fuori, ma un cuore pulsante di attività e progetti. Un luogo in cui vivere e respirare concretamente, e quasi quotidianamente, quella vocazione alla bellezza – storica e contemporanea, di antica e nuova fattura – che Vicenza scopriva di voler coltivare.

Quell'intuizione associò la riapertura della Basilica alla prima grande mostra curata da Marco Goldin: una prima volta, in questi termini, per la nostra città, che si tradusse in un trionfo ma soprattutto mostrò come l'idea potesse dare frutto. Unire i grandi eventi al recupero strutturale e innovativo di monumenti e luoghi conveniva, e poteva aiutare Vicenza a trovare una vocazione al turismo culturale che era rimasta, nella sostanza, negletta per decenni.

E così, accanto ai grandi eventi e alla serie di mostre che avrebbero via via confermato e ampliato l'iniziale successo, la città ha con forza e coerenza percorso la parallela e complementare strada del rafforzamento della propria intrinseca e strutturale capacità di attrazione. Restaurando e riempiendo di attività e di vita, come si era fatto in Basilica, luoghi straordinari come Palazzo Chiericati, capolavoro palladiano e Pinacoteca Civica, il Teatro Olimpico, il teatro coperto più antico e straordinario del mondo, la Chiesa di Santa Corona, scrigno di tesori pittorici.

Il visitatore che, oggi, sfoglia questo libro, e che magari ha già negli ultimi anni scoperto Vicenza grazie alle grandi mostre di Linea d'ombra, si accorgerà che – pur in pochi anni – potrà trovare novità da esplorare e approfondire, luoghi da scoprire, capolavori da ammirare.

È il segno più tangibile di una città che sta mutando profondamente: non per negare bensì per rivendicare, pienamente, una propria identità storica, e rilanciarla in modi e linguaggi vicini alla sensibilità del nostro tempo.

Alla fine, la scommessa era semplice, e al contempo ambiziosa: provare a collocare Vicenza nella mappa dei desideri di viaggiatori e amanti delle cose belle. Se state sfogliando queste pagine, e avete visitato questa mostra e la nostra città, forse quell'obiettivo è stato centrato.

Jacopo Bulgarini d'Elci
Vicesindaco, assessore alla Crescita

Il Kröller-Müller Museum di Otterlo, nei Paesi Bassi, possiede la seconda più vasta collezione di opere di Van Gogh al mondo. Nel corso degli anni il museo ha avuto modo di conoscere molto bene Marco Goldin, storico dell'arte, e Linea d'ombra, la società organizzatrice di mostre da lui diretta.

Sin dal 2002 sono state numerose le occasioni in cui il Kröller-Müller Museum ha sostenuto i progetti espositivi di Linea d'ombra con prestiti dalla nostra collezione, in particolare opere di Vincent van Gogh.

L'attenzione di Marco Goldin, in qualità di studioso dell'opera di Van Gogh, lo ha portato a stabilire un rapporto con la nostra istituzione, dato che in essa si trova non solo una notevole collezione di opere dell'artista olandese, ma anche dei suoi contemporanei, così come opere degli inizi dell'arte moderna.

La nostra decisione di concedere in prestito un grande gruppo di dipinti e disegni, deriva dal fatto che siamo convinti che queste mostre nascano da una precisa ricerca estetica e storica e che siano organizzate in modo serio e professionale. E naturalmente siamo lieti che il pubblico italiano possa apprezzare la nostra collezione.

La mostra oggetto di questo libro, Van Gogh. Tra il grano e il cielo, *che si terrà nella Basilica Palladiana di Vicenza, ruota attorno a un concetto originale che ricostruisce, con precisione, l'intera storia biografica dell'artista olandese, supportata, in questo, dalle lettere fondamentali che Van Gogh ha inviato soprattutto al fratello Théo nel corso degli anni.*

Il Kröller-Müller Museum ha dunque deciso di contribuire a questa interessante esposizione come partner importante di Linea d'ombra, concedendo in prestito 110 opere di Van Gogh, tra quadri e opere su carta.

Vorrei porre l'accento sul Ritratto del sottotenente Milliet (L'amante), *del 1888, sulla versione del* Seminatore, *del 1890 e sul* Giardino dell'istituto a Saint-Rémy, *del 1889, così come su molti disegni che raramente sono stati esposti in luoghi che non fossero il nostro Museo e che rivelano la concezione della vita rurale di Van Gogh.*

La nostra speranza è che queste opere possano ispirare sia il pubblico di Vicenza che tutti coloro che in questa città arriveranno da altri luoghi.

Per tutti questi motivi siamo estremamente felici di sostenere un'altra mostra di Marco Goldin e di Linea d'ombra e siamo altrettanto felici del fatto che il Kröller-Müller Museum svolga un ruolo importante in questo entusiasmante progetto.

Lisette Pelsers
Direttrice del Kröller-Müller Museum

È ancora vividamente impressa nei miei occhi l'emozione di un anno fa, quando il dipinto simbolo della mostra Storie dell'impressionismo, *il ritratto della* Piccola Irene *di Renoir, è stato presentato in anteprima nella sede della nostra Direzione Generale. Pur senza conoscere alcun dettaglio del progetto a cui Marco Goldin stava già lavorando per il futuro – non sapevo né il tema esplorato, né quando o dove avrebbe preso forma – gli ho promesso in quella circostanza che sarei stato al suo fianco anche nella nuova avventura. Perché queste straordinarie emozioni devono poter essere condivise il più possibile. E dunque, come uomo e imprenditore, sono fiero di poter contribuire a suscitarle, tanto più in chi è il protagonista finale del nostro successo, a cui va il nostro pensiero e ringraziamento.*

Di questo piacere Segafredo Zanetti si è sempre fatta promotrice, per dare visibilità alla "bellezza" nel senso più esteso del termine; perché bellezza e armonia si ritrovano nelle arti, nella letteratura, nella musica, nello sport, così come in molteplici altri ambiti culturali.

Nello specifico delle grandi mostre di pittura, il nostro impegno è frutto della collaborazione con Linea d'ombra, intrapresa continuativamente dal 2013, attraverso il sostegno a una serie di esposizioni tra le più amate e visitate, tra le quali quella incentrata sulla Ragazza *con l'orecchino di perla – il capolavoro proveniente dalla Pinacoteca Reale dell'Aia, unanimemente riconosciuto come uno dei tre quadri più noti e riprodotti al mondo – per la prima e unica volta in Italia.*

A suggello del forte legame che ci lega all'Olanda – Paese in cui ha sede una storica società del nostro Gruppo, fondata nel 1870 e che annovera uno tra i pochi marchi a potersi fregiare del prestigioso riconoscimento "By Appointment to the Court of the Netherlands", conferito proprio dalla Real Casa d'Olanda –, siamo particolarmente fieri di poter collaborare a questo ambizioso progetto culturale incentrato sul geniale artista olandese Vincent van Gogh.

Nel breve volgere del decennio in cui si è dedicato all'arte, ha prodotto con incredibile energia una serie sconvolgente di capolavori. Il suo lavoro è stato tanto incompreso all'epoca quanto apprezzato dopo la sua morte, a tal punto che oggi è indubbiamente considerato tra i più grandi pittori di tutti i tempi.

Siamo dunque convinti della grande fascinazione che potrà esercitare lo scoprire come si siano svolti gli anni della sua formazione artistica, oltre al poter ovviamente ammirare un'ampia rassegna tra dipinti e disegni anche dei suoi successivi, e così amati, anni francesi.

Massimo Zanetti
Fondatore e Presidente
Massimo Zanetti Beverage Group

SOMMARIO

ARGOMENTI

TAVOLE

PICCOLO ATLANTE TRA OLANDA E FRANCIA

Ciò che temevo era la notte, l'oblio;
era una lacerazione abbandonare al silenzio ciò che avevo visto,
sentito, amato.

Simone de Beauvoir, *Memorie d'una ragazza per bene*

ARGOMENTI

DISCORSO SULL'ANIMA
Emozione e pensiero da Platone a Van Gogh

Ottimo uomo, dal momento che sei ateniese, cittadino della Città più grande e più famosa per sapienza e potenza, non ti vergogni di occuparti delle ricchezze per guadagnarne il più possibile e della fama e dell'onore, e invece non ti occupi e non ti dai pensiero della saggezza, della verità e della tua anima, in modo che diventi il più possibile buona?

E se qualcuno di voi dissentirà su questo e sosterrà di prendersene cura, io non lo lascerò andare immediatamente, né me ne andrò io, ma lo interrogherò, lo sottoporrò a esame e lo confuterò. E se mi risulterà che egli non possegga virtù, se non a parole, io lo biasimerò, in quanto tiene in pochissimo conto le cose che hanno il maggior valore, e in maggior conto le cose che ne hanno molto poco.

Infatti, io vado intorno facendo nient'altro se non cercare di persuadere voi, e più giovani e più vecchi, che non dei corpi dovete prendervi cura, né delle ricchezze né di alcun'altra prima e con maggiore impegno che dell'anima, in modo che diventi buona il più possibile.

Platone, Apologia di Socrate

Bene, anche se ora quell'ambiente intorno a me non c'è più, quella cosa che chiamiamo anima si dice che non muoia mai e viva sempre e cerchi sempre e sempre, e sempre ancora.

Vincent van Gogh, Lettera a Théo, 24 giugno 1880

Mi chiedo se nell'universo intero esista qualche cosa di paragonabile agli occhi, quale fiore, quale oceano. Il capolavoro della Creazione è forse questo, nello splendore dei suoi colori primordiali. Il mare non è più profondo. In questo minuscolo abisso traspare quel che vi è di più misterioso al mondo, un'anima – e non vi è anima che sia perfettamente identica a un'altra.

Julien Green, Diario

I

Nel suo *Simposio*, Senofonte così scrive, citando un frammento attribuito ad Antistene: «E tu, o Antistene, suvvia dicci com'è che, pur possedendo tanto poco, sei così orgoglioso della tua ricchezza?» Poco dopo venne questa risposta: «Perché secondo me, amici, ricchezza e povertà gli uomini l'hanno non in casa, ma nell'anima. Il nostro Socrate, dal quale l'ho acquistata, non la misurava né la pesava con me, ma me ne dava tanta quanta potevo portarne e io non ne sono geloso con nessuno e a tutti gli amici la mostro senza gelosia e divido con chiunque la voglia la ricchezza della mia anima.» E in una testimonianza attribuita ad Aristippo, si legge questo: «Come i nostri corpi crescono se sono nutriti e si irrobustiscono se sono esercitati nella ginnastica, così anche la *psyché* si sviluppa se curata, diventa migliore se fortificata.» E la fortificazione dell'anima passa sempre dalla fortificazione dell'amore. Quando si afferma, «il mio amore per te si è fortificato», si immagina che anche l'anima sia diventata migliore, perché entrata in una relazione con l'essere profondo che appunto solo nell'anima trova la sua sede. Per questo motivo, anima e amore sono una cosa sola, inscindibili. In tal modo, il compito più vero dell'uomo appare quello di esperire ogni strada per essere pienamente se stesso.

Ho scelto di cominciare da qui, dall'anima, un libro che accompagna una mostra dedicata a un grande pittore, qual è stato Vincent van Gogh. Forse strano, ma forse anche no e invece necessitato e vero. Van Gogh nelle sue lettere, dal primo all'ultimo giorno, nomina la parola anima, vi fa continuo riferimento come al termine irrinunciabile di una vita autentica, dominata da un amore che avrebbe desiderato spargere a piene mani e che nella realtà non ha mai potuto dare. Se non a piccoli brandelli, sventrati lacerti, con i suoi occhi sgranati sul mondo, un po' verdi e un poco azzurri, del color del muschio e del color del cielo. Da qui, da questo ciglio che è insieme confine e radura − nel senso in cui Heidegger l'ha intesa, la radura, come generatrice di luce − parte dunque questo viaggio. Attorno e dentro l'anima, che tante volte ritornerà nelle mie pagine, al di là di questo primo capitolo, a essa, ma vorrei dire a lei, interamente dedicato. Perché Van Gogh nell'anima ha visto la sola possibilità di esistere, la sola cosa, la sola sostanza, il solo respiro, che hanno dato senso anche al suo mettere, e talvolta buttare, colori su una tela.

Platone, nel *Carmide*, enuncia una teoria che Van Gogh avrebbe potuto far propria: «Zalmosside, il nostro re che è anche un dio, afferma che, come non si possono curare gli occhi senza prendere in esame la testa, né la testa indipendentemente dal corpo, così neppure il corpo senza l'anima, e che questa sarebbe la ragione per cui ai medici greci sfugge la maggior parte delle malattie, poiché essi trascurerebbero di prendersi cura della totalità dell'uomo, senza la cui piena salute non è possibile che la singola parte sia efficiente. Infatti, tutti i mali e i beni per il corpo e per l'uomo nella sua interezza, soggiungeva, nascono dall'anima, come per gli occhi derivano dalla testa e a essa innanzitutto e soprattutto bisogna rivolgere la cura, se si desidera ottenere la salute sia per la testa che per il resto del corpo. E l'anima, caro, si cura con certi incantesimi.»

Gli «incantesimi» di cui parla Platone sono i valori spirituali, incarnati nella filosofia, perché la cura della propria anima è il modo per prendersi cura di se stessi, ben al di là dei rapporti non del tutto autentici e veri e di quanto ci tocca, più o meno, come beni materiali: «Questi incantesimi sono i bei discorsi, da cui nell'anima si genera la temperanza; una volta che questa sia nata e si sia radicata, allora è facile ridare salute alla testa e a tutte le altre parti del corpo.» Platone l'aveva perfettamente capito e splendidamente enunciato, ma anche Van Gogh, nel nominare senza sosta l'anima con la quale si confrontava, l'aveva compreso: per liberarsi da ogni dolore, da ogni insicurezza, per essere in equilibrio e non nel disequilibrio, bisogna curare l'anima. Senza la cura dell'anima, la vita non è compiuta, poiché non la si può ritenere tale solo nel ronzio, stordente e anestetizzante, di una quotidianità che nel suo ritmo ripetitivo, così falsamente rassicurante, annulla la discesa verso la profondità dell'essere. L'anima non può essere tenuta nascosta, non può essere sepolta sotto una botola sigillata che solo per intermittenze balugina, magari di notte, quando i confini si allargano e si può vedere e riconoscere liberi e senza paura. Ma poi quando torna la luce del giorno, l'anima non viene più seguita e curata, perché di essa, della sua autenticità, certo anche difficile, si ha spavento. Ma Van Gogh ha insegnato più di ogni altro, come senza l'anima e la sua cura non sia possibile vita autentica. A volte bruciante, ma molto più spesso con equilibrio.

È interessante quanto afferma Epicuro nella sua *Lettera a Meneceo*, assegnando alla filosofia la cura dell'anima e di conseguenza il sorgere di una vita felice: «Né quando uno è giovane esiti a filosofare, né quando è vecchio si stanchi di filosofare. Infatti, per nessuno è ancora venuto il momento di acquistare la salute dell'anima. Perché, chi afferma che non è ancora il tempo opportuno per filosofare o che questo tempo è ormai passato, assomiglia a chi dicesse che non è giunto ancora il momento per la felicità o che non lo è più. Cosicché deve occuparsi di filosofia sia un giovane sia un vecchio, il primo perché invecchiando possa essere giovane nei beni in grazia di ciò che è stato, l'altro per essere al contempo giovane e anziano, in virtù della mancanza di paura verso quanto deve ancora avvenire nel futuro. Occorre, dunque, avere cura di tutto quanto produce felicità, se è vero, come è vero che, quando essa è presente, abbiamo tutto, mentre, quando è assente, agiamo al fine di poterla avere.» L'anima quindi regola anche il rapporto con il tempo, insegnando a vivere la felicità nel presente senza la paura del futuro. Nell'anima sorge quella che si definiva *eudaimonia*, ciò che Martha Nussbaum rende come "il fiorire dell'umano". Senza questo dato di umanità, senza questa adesione alla vita autentica e profonda, non c'è anima. E se non c'è anima, non c'è vita autentica.

Seneca pensa che per raggiungere la pienezza dell'anima, non sia il mondo a doversi modificare, quanto invece l'anima stessa nel suo rapporto con le cose e con le persone. È una visione particolarmente bella, perché è l'anima che accoglie, in un modo piuttosto che in un altro, ciò che arriva dall'esterno. Si configura così una sorta di maturità dell'anima, la quale sola attribuisce il vero valore a quanto viene vissuto. È nell'anima che si manifesta il vero valore della vita, degli incontri, di tutto ciò che sta attorno e che talvolta si dispone a entrare dunque proprio nell'anima. Per riconoscere l'autenticità. Riconoscere l'amore che muove alla relazione con l'anima stessa. Nelle sue *Lettere a Lucilio*, Seneca introduce un concetto fondamentale per la rettitudine dell'anima e il senso di scoprire la verità senza paura: «Delle cose grandi bisogna giudicare con animo grande; altrimenti attribuiamo alle cose difetti che, invece, sono nostri. Così un'asta drittissima, quando è immersa nell'acqua, appare a chi guarda curva e spezzata. Ciò che conta è non solo che cosa guardi, ma in che modo la guardi: il nostro animo si annebbia guardando la verità.»

La cura autentica della propria anima toglie la paura di incontrare la verità e ci si può così abbandonare al flusso dell'amore e dell'essere, al di là delle convenzioni e dell'usurata quotidianità che genera falsi miti di sicurezza. Spazzati via quando, per un inciampo o un imprevisto, si spalanca una finestra proprio su di lei, sull'anima. Improvvisa questa luce, però abbagliante, alla quale non si riesce a resistere perché si comprende perfettamente come, finalmente, si sia toccato il punto vero dell'interiorità. E al quale poi talvolta ci si sottrae, sospinti dalla preoccupazione che quella profondità d'anima possa recare anche dolore, nell'impegno dichiarato a se stessi di ricercare sempre la verità dell'amore e dell'essere. Un viaggio dentro la coscienza che amplifica la parte più recondita del pensiero e dell'emozione. Per questo, talvolta, l'anima torna a essere nascosta, non visibile, se non per anfratti, piccoli muschi e luci e colori nel nostro mar dei Sargassi. E serve dargli spazio, a quel mare, e non soffocarlo dentro i transiti della sola quotidianità.

E nell'anima è meravigliosamente contenuta l'idea di tempo, che sempre ha a che fare con la verità, con il vincere la paura di un futuro ipotetico e che non si sa se mai arriverà, scansando così il vivere la pienezza e l'amore contenuti nel presente. Un eterno presente che dona invece alla vita il suo senso più pieno. Maria Zambrano identifica benissimo questa situazione nello sfiorare «qualche estremo, quasi atemporale, della nostra anima.» Ecco, ancora una volta l'anima, nella quale risiede il tempo. Giovanni Reale ha detto parole molto belle sulla possibilità di sottrarsi al flusso cieco proprio del tempo, per essere in grado di alzare la testa sopra quello scorrere ed essere quindi capaci di prendere decisioni che siano a stretto contatto con l'anima: «Per scoprire il tempo, occorre scoprire il senso dell'agire umano in tutte le sue valenze positive e negative, così da comprendere il valore o disvalore delle cose che si fanno e di quelle che non si fanno, e di conseguenza operare un'avveduta cernita. Solo in questo modo ci si può riscattare da un assorbimento nell'azione travolgente del tempo, dall'essere trascinati senza sosta dal suo flusso vorticoso. Ma questo è assai difficile.» Difficile certo, ma anche la sola strada da percorrere per incontrare l'anima in sé. E dopo averla incontrata, magari non avendolo previsto, riconoscerla come la sola parte che possa aprire la via all'autenticità e alla verità.

Sono su questo ancor più che significative le parole di Seneca in un altro passo delle *Lettere a Lucilio*: «E allora? Non rivolgerai piuttosto le tue cure a mostrare a tutti che con gran dispendio di tempo si cercano cose superflue e che molti hanno passato tutta la vita andando in cerca di mezzi per viverla? Passali in rassegna uno alla volta, considerali tutti assieme: non ce n'è uno la cui vita non sia rivolta al domani. Chiedi che male ci sia in questo? Immenso. Infatti non vivono, ma sono in attesa di vivere: rimandano ogni cosa. Anche se stessimo ben attenti, la vita ci sfuggirebbe innanzi, mentre noi indugiamo, essa passa oltre, come se appartenesse ad altri, e pur finendo con l'ultimo giorno, se ne va giorno per giorno.» La previsione del futuro e di quanto potrà accadere, annulla la forza e la verità del presente, impedendo la vera felicità. L'anima vive nel presente e in esso trova la sua consacrazione, perché del domani, come è stato cantato, non esiste alcuna certezza. Ancora Seneca su questo: «Se si potesse presentare a ciascuno un numero d'anni futuri, come si possono contare quelli passati, quanto vedresti trepidare coloro che sanno che gliene avanzano pochi, che economia ne farebbero! Già, è facile amministrare un bene certo, anche se esiguo; ciò che non si sa quando finisca, lo si deve serbare con tutte le attenzioni.»

È così che l'anima risplende quando si impara a comprendere il valore del tempo, che non si misura nella sua maggiore o minore distensione ma nell'intensità e nel sentimento generati dal vero amore, da non disperdere mai, da non scansare mai quando lo s'incontra. Tanto che Seneca potrà dire: «Insegnami che il valore della vita non consiste nella sua lunghezza, ma nell'uso che se ne fa.» E se non è possibile modificare una gran parte delle cose che ci stanno attorno o che ci accadono, è possibile invece che l'anima possa indirizzarci verso una più piena comprensione di quanto avviene o è avvenuto, secondo la legge dell'amore. Seneca ancora una volta sintetizza così: «La natura governa con i mutamenti questo regno che tu vedi: alle nuvole succede il sereno; il mare si agita dopo essere stato calmo; i venti soffiano a turno; il giorno segue la notte; una parte del cielo si leva, un'altra tramonta; l'eterno andare delle cose si basa sulla legge dei contrari. La nostra anima si deve adattare a questa legge; la segua, le obbedisca; si persuada che tutto ciò che avviene doveva avvenire.»

II

Una sera della mia vita arrivai per caso sulla cima di un'altura, e vidi in basso il mare con le sue correnti di un azzurro più freddo del giorno. E vidi in alto tutta la vastità del cielo e le sue stelle mirabili, che se avessi potuto avrei nominato una per una. Perché pronunciare un nome, è già amare. Non si riflette mai abbastanza sul fatto che la parola sia subito un mondo esso stesso e che nella parola si possa riconoscere la verità, in questo modo detta e portata alla luce. La parola è la coscienza rivelata, la profondità che si incarna in uno sguardo da cui nasce l'attesa dell'ora e del per sempre. Talvolta non comprendiamo come la parola debba essere solo e fino in fondo verità e che la parola pronunciata spalanchi il mondo nella sua pienezza, che dunque si lascia accogliere in immagine e previsione del futuro. La parola anticipa il tempo del cuore e della carne, così come anticamente il Verbo si fece carne. La parola è un lume che rischiara, rende comprensibile il tempo e il destino. Indica la strada. Ma tu devi parlare con voce retta. La parola è una lampada che si rifà nuova ogni giorno, nel suo olio antico da versare per tenerla viva, accesa. La parola detta con verità copre il mantello del buio che spaura, e soprattutto dichiara in silenzio l'esistenza dell'anima. Perché l'anima solo nella verità si manifesta.

Una sera nell'universo è il colore del cielo che si allarga sul mare, e sono il rosa, il celeste e l'indaco che tutto accolgono nel grembo misterioso e segreto, bellissimo. Strisce e strade di nuvole nel cielo che sono correnti su quel mare, prima della sera completa, prima della notte. Prima che annotti e si rimbocchi il manto del silenzio nel cosmo che piano risuona. E la luce delle prime stelle benedice lo spazio del mondo, benedice l'universo e l'acqua del mare e le nuvole e tutte le storie di chi vive sulla terra. Sotto questo cielo che tra poco diventerà notte e sarà il cotone azzurro e tutto dilatato di un cielo che si tende dal principio alla sua fine. E mai finisce e sempre ricomincia, perché nel principio noi possiamo sentire il battito della vita, anche quando siamo condotti lontani dalla verità. Solo sulla strada senza verità, fatta di apparizioni che scompaiono, di parole che non coltivano la profondità dell'essere e il suo bordeggiare l'infinito, solo lì l'anima non esiste, sulla strada senza verità. L'anima esiste quando l'io si apre al mondo e c'è relazione piena e costante tra l'essere nella profondità e la distensione dell'io medesimo nell'immenso. La storia dell'anima è in questo trasporto sublime e incandescente, silenzioso e vociante, che tiene insieme, come per un miracolo, la segretezza di un luogo protetto e lo spalancare le braccia nel segno dell'amore. L'atto del donarsi e dell'aprirsi all'altro e ugualmente, nella stessa, identica frazione di vita, il porto riparato del prendersi cura. L'anima è lo spazio del giardino e della foresta senza limiti, di uno spicchio di cielo e della volta celeste.

E quando ci si sente presi, in un lungo rotolare del giorno, prima di sera, nella luce dell'universo che magari sale dal mare, allora si capisce meglio, e quasi d'incanto, come siamo parte di tutto e sospinti verso quel luogo dal quale siamo venuti. Ed è in quel momento, allora, che appare chiaro quanto l'anima sia non per se stessa soltanto, ma dalla sua relazione con l'anima del mondo. È attraverso l'anima che proviamo la vera felicità, la compiutezza della vita, proprio perché in essa è il punto di equilibrio tra ciò che siamo stati e ciò che saremo, prima e dopo di noi. Nell'anima risiede il tempo, ed è soltanto prestandole ascolto che possiamo stare in contatto con l'autenticità dell'essere. Non appena veniamo disarcionati dall'anima, oppure non ne percepiamo la presenza, la nostra parola non ha più il suo valore di verità e confondiamo la presenza con l'assenza, soprattutto confondiamo il falso e il vero, l'apparire e l'essere. L'anima nella sua imprendibilità, nella sua evanescenza e nell'impossibilità di definirla compiutamente, regola la nostra vita quando è autentica. L'anima si può solo ascoltare e ha il suono impercettibile della neve che cade.

E forse solo allora quindi, ascoltandola come si fa con una musica che viene dal profondo, si può capire come niente sia se non dall'amore, che dall'universo scende come un fiotto sottile e profumato. In silenzio e invisibile, eppure si fa in noi ed è un annuncio, un'attesa. Quanto si manifesta nel momento mai precisato, mai scelto, mai previsto, eppure arriva e non potevi saperlo, non ti eri preparato, ma è l'amore che l'universo ha deciso di concederti, mentre si distende il giorno nella luce prima che sia il tramonto. In quella luce lunga che viene danzando sull'acqua del mare e ti tocca il cuore. Lo tocca e lo modifica in un'altra cosa di noi.

L'anima viene da lontano, poi si fa vicina e allora ci è concesso di capire, ma senza forzature e solo se si è disposti ad accogliere questo vento leggero, che non di sola contingenza di giorni noi siamo, ma di profondità e mistero. E tutto questo entra in noi e si fa anima e si esprime magari in un volto, nel sorriso di un incontro. O nella dimensione infinita dello spazio a cui non riusciamo ad attribuire confini. E pur se ne abbiamo paura, desideriamo che quello spazio immenso fuori di noi si faccia infine dentro di noi. Sia cosa che ci riguardi, indirizzi il nostro cammino e sia punto fondamentale di equilibrio. Perché l'anima è sommamente il luogo in cui l'equilibrio si manifesta, e non nell'alternanza del bene e del male, ma nella sovrapposizione loro, a generare un unico, continuo e benedetto sorgere della vita nella verità. L'anima non si può evocare come un semplice nome, è quasi un delitto parlarne se non la si percepisce, perché è flusso di energia e sospensione che crea il pensiero. E lo spazio del pensiero è nell'anima il movimento dell'amore. Dal quale solo noi siamo se alla vita ci accostiamo con profondità e ricchezza di spirito.

Si potrebbe dire, adesso sì senza timore, che una corrente si forma nell'anima e quasi ci viene imposto di seguirla. Ed è appunto una corrente d'amore, la sola in grado di avvicinarsi all'anima e al suo mistero nascosto in noi. A me, a te che mi guardi, a te che resti in silenzio, a tutti coloro che sentono l'anima come un respiro che non muore mai e a lungo, anche oltre tutto il tempo della nostra vita, si distende e copre le distanze dell'universo. Che altrimenti sembrerebbero non percorribili e per ciò stesso recanti paura. L'anima è quanto ci fa vincere quella paura, che talvolta si fa terrore nell'incapacità di amare e di riconoscere la verità come la sola cosa dentro la quale abitare. Chi non ascolta l'anima, o ne sminuisce la presenza o la allontana da sé, potrebbe non essere degno della vita.

L'anima è sacra e non va tradita con parole vuote e inutili. Nell'anima è il centro di noi e delle stelle, dei molti cieli che ci girano intorno e nei quali il nostro cammino nell'etere si conduce. L'anima è il centro dell'universo, dal quale viene l'amore. Ed è meraviglioso scoprire quanto essa sia nella tensione irrisolta, e per questo sublime, dal rapporto costante, profumato e silenzioso, tra il vicino e il lontano, tra l'essere e lo scomparire, tra una giornata di sole tenendo la mano di chi si ama e il cammino nell'azzurro. Chi tradisce l'anima, rinnega l'universo e la sua luce che sale dal mare prima di sera. Rinnega la vita, confondendola con la più banale sequenza irrisolta dei giorni.

Ma l'anima copre anche la distanza che sempre più si spalanca, nell'universo, nel momento di un'assenza, quale di quell'assenza sia la causa. L'anima allora congiunge il respiro di chi è partito e di chi è rimasto. L'universo contiene tutto, l'anima e lo spazio. Chi è partito. Svanito poco per volta come una lana che si sfili a lungo, si sgomitoli e infine si dissolva. E non si veda più. O mancato alla vista d'improvviso, scomparso. Ciò che non era atteso e nemmeno attendibile. Quando il viaggio comincia e non lo si era preparato, così da non conoscerne le tappe e nemmeno il punto di arrivo. Che è nascosto a tutti coloro che d'un tratto pensano a chi più non si vede, senza potere immaginare il luogo e l'ora. Si prova a darsi un appuntamento, tra chi è partito e chi resta, per avere conoscenza di ciò che è e di quanto non è più. E su questo si costruiscono storie di viaggio, di spazi, d'amore e d'assenza. Si tende a immaginare un luogo infinito, che tutti insieme raccolga coloro che sono partiti da lungo, coloro che stanno, chi parte e chi partirà. Insieme, nella distesa e immensa scatola dell'universo. Di notte e di stelle, d'azzurro e di cielo. E questo può recare conforto. In questo l'anima ci soccorre e in essa, e soltanto in essa, noi sentiamo la forza dell'esistere, anche se il viaggio e ciò che comporta ci pare non abbiano senso. Ha detto Lucrezio, nel *De rerum natura*, parole meravigliose sull'infinitudine, sulla mai espressa maestà dello svaporare:

Tutto ciò che esiste è dunque illimitato in ogni senso;
infatti diversamente dovrebbe avere un estremo.
Ma appare evidente che nessuna entità può avere un estremo,
se al di là di essa non vi sia qualcosa che la limiti, così che appaia
un punto che la facoltà dei sensi non riesce a seguire né a superare.
Ora poiché si deve riconoscere che fuori del tutto
non può esistere nulla, l'universo non ha estremo, né confine, né misura.
Né importa in quale sua parte tu sia situato;
sempre, in qualunque luogo uno si fermi,
da ogni lato lascia ugualmente infinito l'universo.

Mi ricordo che una sera, forse quasi trent'anni fa, ma non avrebbe alcuna importanza il tempo preciso, ero disteso su un muretto di pietra a secco in Sicilia a guardare le stelle. La pietra rilasciava ancora il grande calore del giorno d'estate, quando il sole quasi si schianta sulle cose e le annulla in una loro percettibile assonanza. Tutte si richiamano, ma la loro voce e il loro suono sono quasi annullati in una distanza che si fa magma dell'atmosfera, materia di una luce abbagliante, e padrona. Non avevo ancora trent'anni, ma era come ne avessi avuti molti di meno. Forse poteva essere il medesimo stupore infantile di quando, nel tempo estivo in campagna durante le vacanze della scuola elementare, andavo con mio fratello a prendere le mele togliendole direttamente dagli alberi, disposti in lunghi filari. Il senso che la vita fosse tutta aperta, fosse tutta una lunga stagione, un viaggio, fosse quelle cose legate strette al tempo. Quando il viaggio ti appare una strada infinita e non c'è tempo per il tempo e tutto va e va, nell'inconsistenza di ciò che appare e subito si discosta dal cammino.

Stare su quel muretto a guardare le stelle nel cielo immenso e senza pieghe, posato come un mantello sugli occhi e forse di più sul cuore. Ancor di più sull'anima. Senza conoscerla, avevo capito che c'era un luogo in me nel quale tutto quello che di vero e autentico sentivo, risiedeva. Commuoversi, respirare ascoltando il rumore del respiro. Le costellazioni, Aldebaran, la via Lattea, il grande Carro, le Perseidi a San Lorenzo, la prima stella della sera, lo spolverio gettato come in una manciata fa il seminatore con il grano. Il largo giro del vento e delle cose, tutto sotto il cielo sparso di strade e reticoli e vicoli. Come potevo viaggiare in quel momento se non con lo sguardo che cercava l'anima? Il sole che di notte ancora scotta sulla schiena posata sulla pietra, lo sguardo rivolto all'insù. Cielo, stelle, l'immenso. E l'anima che tutto in sé raccoglie. Il sudore che scende e la sabbia che si appiccica, il ricordo del giorno che si è fatto sera e poi notte attraversata dalle stelle. E poi gente attorno, un poco più lontano, che manda voci che sono un lieve sottofondo, un brusio. Come se le stelle, in tanto loro clamore silenzioso, emettessero un fiato tutto arrotolato, che senza scivolare via si sospendesse in una matassa di braci chiare.

E ho visto un uomo che raccoglieva capperi sulle rocce davanti al mare. La pelle bruciata dal sole, assediata dal vento, toccata dal sale e dalle maree. Mi è sembrato, nel suo silenzio ostinato e misterioso, che il suo viaggio fosse cominciato nel mare dell'anima e che da lì fosse uscito con il passo dell'alba, per un incontro previsto o imprevisto, non avrei saputo dire. Il luogo di quell'appuntamento che coinvolge chi è partito e chi resta. Chi d'improvviso ha fatto di sé assenza e ha lasciato alle sue spalle questa traccia vibrante che si fiuta come nella sera odorosa di mare e lavanda. E tutto appare come la prima volta, e non c'è strada e non c'è spazio e nessun cielo dove il viaggio del volto non sia. L'odore nelle stanze della casa, una traccia che si segue anche da lontano, perché a lungo nell'anima se n'è fatta esperienza.

Già, come la prima volta che si vede il volto di una donna e si capisce forse immediatamente, o forse non subito, cosa essa sarà, in quale viaggio condurrà. Il viaggio del volto non è meno decisivo, né meno graffiante tra pienezza e stordimento dell'anima. L'amore si misura da una presenza senza fine, si misura dal tempo dell'assenza diventata viaggio, costanza di un sentimento, muoversi nello spazio alla ricerca dei luoghi nei quali siamo stati, nei quali siamo e saremo. L'amore si misura nel salire le montagne, nel volare nel cielo, nel percorrere un mare, nell'attraversare un fuoco restando vivi, nel seguire un vento, nel rincorrere un profumo, in una sera d'elicriso e rosmarino. Essere in due è il *per sempre*, vincere anche la morte e la sua paura, il suo terrore. L'amore che risiede nell'anima, vince la morte. Essere in due, sempre, anche dopo avere attraversato il confine della vita, quando più non saremo e più non sapremo. Ma l'anima ci conduce per mano e ci fa sperare, nel segno dell'amore, che l'essere in due vinca anche il tempo. E questa, nell'anima, non è illusione ma certezza nella verità.

Così, per un momento o chissà, ci sembra che il tempo si pieghi a noi. È un azzardo questo pensiero, e un ardimento. Eppure culliamo questo stesso pensiero, che ci porta a voler viaggiare per un tempo senza fine, che morbidamente avvicina l'amore infinito e la scomparsa di tutto. Scriviamo per questo, per questo parliamo dell'anima, la cerchiamo in noi e negli altri, per avvicinare quanto più possibile l'amore, e abbracciarlo, e allontanare il freddo della scomparsa. La distanza nostra e di chi parte dal mondo. La distanza da noi di chi abbiamo amato ed è svanito. In uno dei frammenti di Menandro, in effetti si legge: «La parola è rimedio ai mali dell'uomo.» Cicerone e Seneca la pensano allo stesso modo, così come ben prima di loro Crántore e Antifonte. Scriviamo dunque per sentire che l'amore è in noi, si rivolge, si presenta e si dichiara. E da qui possa partire un viaggio, che è il viaggio che vogliamo riconoscere non solo nelle parole ma anche nella pittura e nella musica. È il viaggio che riguarda l'anima. Perché vogliamo sentire la trasmissione dell'amore come la cosa più importante di noi, il suo calore che vince ogni cosa. Sovrano sia su tutto. Ed esiste quell'amore infinito che lega come per un miracolo la presenza all'assenza, il viaggio che allontana e il viaggio che avvicina, sigillando gli opposti.

Distesi sul muretto a guardare il cielo di stelle, si vedono coloro che sono partiti per un viaggio che conduce sempre più lontano. L'amore li sommerge, li rende immortali, li dischiude nuovamente come la crisalide nel bozzolo e il viaggio può ricominciare. E ricomincia. Quando il luogo e l'ora non importano più e noi dobbiamo essere solo esploratori. Ogni stella è un viaggio, ogni stella è un volto. A ognuno si desidera dare un nome, perché solo chi ha un nome soltanto vive. Non si può credere all'esclusiva indeterminatezza di un viaggio, sia pure quello di chi abbiamo amato e ancora amiamo. Verrebbe da chiedere verso dove e perché, e quando e come. Eppure non sempre questo è possibile, e allora tu lasci che il viaggio sia. E allora provi a farti cielo e stelle, sei il tumulto del vento nell'erba, sei il profumo di un fiore d'alta montagna, la brace e la cenere, sei il vento e il mare, sei la neve. In ogni cosa e in ogni pensiero il viaggio accade e chi amiamo viene a visitarci. Compiono ancora una volta un lungo cammino e noi continuiamo a camminare con loro. Ritornano e noi seguiamo i loro passi. Essi ci guardano e ci indicano la strada, ci fanno partecipi di un viaggio. Senza timore stendono la mano a indicare uno spazio che era stato comune, quando l'anima e il corpo sono una cosa sola. Una regione non più nominata e mai nominabile, ma che temerariamente bisogna raccontare e descrivere. Cui occorre avvicinarsi in nome dell'anima.

Alcuni pittori, straordinari oltre ogni dire, e a me pare Vincent van Gogh sopra a tutti nel tempo, con la loro opera ne hanno saputo raccontare l'intensità e la forza struggente. Per questo non mi curo del fatto che egli abbia potuto dipingere accarezzando una forma o facendola scomparire del tutto. Perché ciò che è rimasto, altro non è se non l'essenza assoluta e indivisibile del viaggio nell'anima, nella sua forma primitiva. Il viaggio che in lui ha toccato paesaggi e territori inesplorati, il viaggio nell'usualità quotidiana ma anche il viaggio dentro le stanze della casa, in quell'odore misterioso che è un profumo da cui non ti puoi staccare, mai. Quelle stanze che rappresentano l'essere se stessi e il mondo, una finestra da cui si grida «Terra!», quando la si vede. E si comincia a raccontare, si comincia a dipingere. Si racconta e si dipinge l'inafferrabilità e la necessità dell'anima. Il suo esistere, al di là di tutto e di ogni assenza e scomparsa, di ogni partenza e di ogni viaggio. Perché l'anima è l'essere nella sua forza di presentazione di spirito e materia.

III

Il momento in cui l'anima si manifesta nel suo grado più alto e comprensibile, è nello sguardo che si scambiano, quasi attonite e incredule per quella forza che appare, due persone innamorate. Incredule perché in questo sguardo si fa l'esperienza del divino sulla terra, nelle stanze della casa o nella notte di stelle, e nessuno lo penserebbe mai se non nel momento in cui accade. In cui d'incanto comprendi come sia veramente possibile l'esistenza, nello sguardo, di quanto ci supera, e tuttavia trova in noi una rappresentazione d'esistenza, qui nel mondo. Negli occhi e nello sguardo dell'amore, dunque l'infinito. E l'anima risiede proprio in quegli occhi che guardano senza guardare, poiché ciò che si guarda non è più soltanto un volto ma è proprio l'anima, di cui ci s'innamora. Gli occhi dell'amore sono la porta dell'anima, ed è per questo che due persone innamorate sono le più vicine all'anima.

In un libro molto bello, intitolato *Totalità e infinito*, Emmanuel Lévinas scrive: «Il volto si sottrae al possesso, al mio potere. Nella sua epifania, nell'espressione, il sensibile, che è ancora afferrabile, si muta in resistenza totale alla presa. Questo mutamento è possibile solo grazie all'apertura di una nuova dimensione. Infatti la resistenza alla presa non si produce come una resistenza insormontabile, come durezza della roccia contro cui è inutile lo sforzo della mano, come lontananza di una stella nell'immensità dello spazio. L'espressione che il volto introduce nel mondo non sfida la debolezza del mio potere, ma il mio potere di potere. Il volto, ancora cosa tra le cose, apre un varco nella forma che per altro lo delimita. Il che significa concretamente: il volto mi parla e così mi invita a una relazione che non ha misura comune con un potere che si esercita, foss'anche godimento o conoscenza.»

Il volto quindi parla, libero da qualsiasi potere, in qualsiasi area lo si voglia costringere. Ci parla il volto degli altri, il nostro volto parla agli altri. In un dialogo che è sostenuto dallo sguardo, del quale anzi lo sguardo è lo snodo. Lo sguardo che allontana e avvicina, che si allontana e si avvicina, secondo un ritmo binario che è quello dell'inspirazione e dell'espirazione. Lo sguardo che non si lascia catturare e che è tutta presenza e tutta assenza, tutta sostanza e tutto vuoto. Lo sguardo che, appunto, è l'anima che appare.

Ciò che con lo sguardo si percepisce, non è il puro essere, perché lo sguardo fa parte della storia individuale. E l'anima parte dalla storia d'ognuno. Lo sguardo è esperienza, è motivo della nascita e luogo del dopo nascita, cammino nel mondo della vita. Per cui lo sguardo non percepisce il puro mondo, quanto piuttosto il mondo ricostituito. E ricostruito attraverso l'esperienza dello sguardo soggettivo, che si concentra, si fissa, si distingue. Sulle cose e sul volto amato. Tutto ciò presuppone quindi l'aver lasciato tracce che vengono da una precedente storia individuale. Di tale ricchezza occorre dunque parlare quando si racconta dello sguardo e ancor di più dell'anima a cui dà accesso. E del modo in cui Van Gogh ha cicatrizzato sul volto quel fissarsi o roteare d'occhi.

Chi sono io che sono guardato e la cui forma incarnata si fissa su un foglio, su una tela? L'imitazione è certamente un punto centrale nella descrizione di un volto, nel suo essere raccontato attraverso l'immagine. Ma non il solo. Riprodurre un volto nelle sue fattezze esatte, costruisce il senso della rivelazione, che è uno degli aspetti fondanti dell'attività ritrattistica. Perché la rivelazione è l'offrirsi di una persona, offrire non soltanto lo sguardo, ma anche il corpo quale forza che consenta quasi di uscire dai confini del quadro, forzando quell'ipotetico mondo. E sappiamo come la tensione principale in Van Gogh non sia esclusivamente quella di rendere quasi fotograficamente perfetto il sembiante, quanto piuttosto condurre lo sguardo a tracciare un'apparizione. Apparizione che è un disvelamento, un uscir fuori, un galleggiare su quel punto di confine che non è mai cesura ma armonia tra colui che vede e colui che è visto. Da questa armonia, e non da uno squilibrio, appare l'anima.

Nel ritratto di Giovanna Tornabuoni eseguito da Ghirlandaio, compare un'iscrizione fondamentale: «Arte, possa tu esprimere il carattere e lo spirito: non ci sarebbe sulla terra un più bel ritratto.» Questa frase sembra parlare per i ritratti di ogni tempo, perché l'invito è a guardare e a guardare ancora. Guardare per vedere bene, vedere bene per scoprire, affinché l'anima sia una figura rivelata. E questo aspetto è certamente quello fondamentale quando si ragiona sulla riproduzione di uno sguardo, sulla riproduzione di un volto. In poche parole, quando si pensa a un ritratto. Il quale, secondo una più che normale definizione, non sarebbe altro che la rappresentazione di un uomo o di una donna, quanto più rispondenti possibile al vero. Dal che sembrerebbe di poter affermare come la fotografia sarebbe il massimo della perfezione, il culmine di un processo identificativo con il reale. Tuttavia, questa definizione non coglie assolutamente i vari aspetti della questione. E soprattutto non coglie quelli fondamentali. Occorre infatti immaginare quella vastissima congerie di relazioni che si viene attuando oltre l'immagine pura di uno sguardo. Relazioni che interrogano il mondo esterno, verso il quale lo sguardo è rivolto, ma moltissimo interrogano il sé più profondo. E l'anima abita proprio nel profondo e per questo con fatica la possiamo definire e con fatica ne cogliamo i tratti.

In un libro che resta fondamentale, *Le meraviglie della natura*, Elémire Zolla ha scritto parole da non dimenticare sull'occhio nel tempo del principio: «Empedocle parlò dell'inizio, cioè della verità, in cui l'occhio andò cercando la fronte dove incastonarsi, come a dire: in cui l'intelletto, il sole, cercarono il corpo, il cosmo (in cui la polarità cercò il ritmo, il ritmo il suono, il suono la luce, la luce il visibile) […]. Goethe raccolse la tradizione di meditazioni sull'occhio chiamandolo "prima creatura della luce", poiché la luce trasmette la realtà visibile all'occhio e questo la trasmette all'uomo intero. L'intuizione goethiana ripristina le antiche cosmogenesi inscritte nell'uomo. Il

Verbo è luce, la luce genera l'occhio, l'occhio l'uomo. L'uomo infatti è ciò che vede, specie ciò a cui guarda; l'anima diventa ciò che conosce. L'occhio è dunque la forma formante dell'uomo, incarnata.» E poco più avanti, Zolla prosegue: «L'occhio nasce dalla luce, per la luce: la Luce lo chiama in vita affinché la luce interna vada incontro all'esterna. Nell'occhio la luce è in potenza, i colori la attuano. I colori esterni sono a loro volta di natura oculare, quanto l'interna fantasia, dice Goethe.» E nella stessa pagina, aggiunge: «La fantasia è – nella sublime, semplice definizione che diede Aristotele nel *De Anima* – "la facoltà in virtù della quale diciamo che un'immagine si presenta a noi", e il suo nome viene da "luce" (φαίνω), egli avverte, perché senza la luce non si vede e, aggiunge, la luce è l'occhio.» Del resto era stato lo stesso Goethe, in una frase rivelatrice della *Teoria dei colori*, a scrivere: «Nell'occhio dimora una luce che riposa.»

Nell'occhio nasce lo sguardo e lo sguardo è in cerca della bellezza che si faccia anima, la evochi, manifestandosi senza preavviso. Lo sguardo è quanto abbiamo per svelare la bellezza che si cela, il punto di svolta nel nostro cammino verso il conoscere. Così, bellezza e mondo sorgono da una profondità, poi galleggiano sulla superficie dell'infine visibile, dopo il lungo tragitto compiuto per farsi manifestazione del reale percepito. È da questa meravigliosa sensazione che nasce ciò che non era atteso, che si presenta inaspettato. E attributo dell'inatteso, è lo stupore. Lo stupore infantile, quello della prima ora del mondo, che si genera al contatto dello sguardo con le cose, con lo spazio che tutto contiene e accoglie. Al contatto dell'anima scoperta attraverso gli occhi. E uno sguardo innamorato, perduto negli occhi dell'amata, è quanto maggiormente spinge verso l'anima.

Con il bellissimo termine *Stimmung* si definisce il risultato perfetto di questa stupita percezione. Nel suo libro fondamentale, *L'armonia del mondo*, Leo Spitzer ne definisce il senso, appoggiandosi a un'antica lingua: «Forse in sanscrito si trova il termine più affine a *Stimmung*. Due termini, anzi, ove coesistono il riferimento allo stato d'animo e quello dell'atmosfera. I due termini sono *dhvani* e *rasa*. Il primo, che letteralmente significa "tono, risonanza, riverbero", è impiegato dall'*ars poetica* indù per esprimere "significati poetici non detti o suggeriti" (i significati "suggeriti" essendo i soli veramente poetici); essi sono l' "anima" ("il respiro vitale") della poesia, di contro al suo "corpo", proprio come il fascino di una donna bella è qualcosa di distinto dalla bellezza fisica, più o meno analizzabile, della sua anatomia. […] Il secondo termine *rasa*, letteralmente "aroma, sapore" costituisce un'importante specificazione del generico termine letterario *dhvani* […]. Ambo i termini sono paralleli a *Stimmung* in quanto metafore derivate dalla percezione sensoriale ("tono", "gusto") ed entrano nella terminologia tecnica della poetica.»

Entro l'idea della *Stimmung*, il mondo sul quale lo sguardo si posa è il luogo della meraviglia. L'anima scoperta nella sua bellezza di armonia e profondità, è meraviglia. Lo sguardo incontra ciò che non era conosciuto e così fa esperienza del nuovo. Per questo l'incontro tra un uomo e una donna, presi nell'amore, apre all'infinito. Apre confini che non erano mai stati considerati, e non per una volta soltanto. La magia dello sguardo tra due persone innamorate che stanno abbracciate o si tengono per mano, è che esso possa avvenire senza fine, accada e accada ancora. Lo sguardo è immortale ed eterno, non si offre mai come rinuncia del guardare. Perché esso viene dall'uomo, sorge in lui, sta al centro di una vita concepita quale ripetizione senza fine, eterna. E come ci ricorda per esempio Salvatore Natoli, per essa i greci avevano un nome, *zoé*. In greco infatti *zên* significa "vivere", però il vivere inteso in senso generale, quello delle piante, degli animali. Gli stessi greci infatti denominavano come *bíos* la vita con caratteristica d'individualità, quella d'ognuno, che dunque ha un inizio e una fine. Eternità e transitorietà, sono perciò caratteristiche dello sguardo. Che incontra la vita, un'esistenza che vuole senza fine se stessa, si desidera, al di là di ogni male possibile. Perché lo sguardo, e il ritratto che nasce dallo sguardo, hanno la più alta funzione di elevarsi contro l'abbandono e la morte. Il proteggere e il prendersi cura di qualcuno. L'anima scoperta attraverso gli occhi ha questa dolcissima presunzione d'eternità attraverso la transitorietà.

Lo sguardo si approssima, viene al mondo, sorge, nasce, quindi dimostra di esistere, di essere al mondo e nel mondo. Venire al mondo è lo spalancarsi dei fenomeni dinanzi a noi, la rottura di ogni argine. Perché questo fa lo sguardo, dilagare nel tempo, che dall'altra parte è il tempo non conosciuto. E sempre riconoscendo che senza sguardo non c'è anima. Ma poi lo sguardo, anche dentro il non conosciuto, forse il non conoscibile, entra in una palese sintonia con lo spazio, perché quello è il luogo dell'abitare, quello il luogo dell'essere. Luogo tutto colmo del nostro passare e della previsione di un futuro radicato nel presente. E poiché l'esperienza più autentica dello sguardo/anima è individuale ma emerge nel rapporto d'amore, si comprende come da ciò nasca il tempo primordiale, nasca uno sguardo che è antecedenza rispetto a tutto. E poiché l'anima si rivela in maggior misura nel tempo dell'amore, si intuisce allora perfettamente come essa si manifesti quale espressione assoluta dell'equilibrio e dell'armonia.

Una ricchezza che si esprime anche attraverso quanto apparentemente annuncia la scomparsa dello sguardo, una spoliazione completa che conduca a un non-sguardo, a una non-visione. Così, per andare incontro all'essenza e non all'apparenza, lo sguardo conduce alla radice del mondo, partecipando del segreto divenire delle cose. Conduce alla radice dell'essere profondo. L'anima è fino in fondo questo essere profondo, quando lo sguardo innamorato non ha nemmeno più bisogno di un volto, ma si perde proprio dentro quell'essenza che è l'anima dell'altro. Si perde dentro l'immenso dell'amore.

È questo lo sguardo che libera la mano di Van Gogh, quello che autorizza il vero ritratto e apre a una condivisione con la risonanza universale. Un vedere tutto significante, privo di pause, che si esprima nell'adesione dell'occhio che nasce alla luce e in essa si manifesta come immagine percepita. E quell'immagine non può che essere l'anima. Non può essere taciuta l'importanza di questa idea del sorgere della visione come una seconda nascita, una nuova nascita. Il nominare come fossero le prime cose del mondo, il ridare loro un senso, nel protrarsi di quella stessa nascita che più che iterazione e ripetizione, è accadimento inedito, formatosi per la prima volta. Perché l'anima sorge ogni volta nuova in noi, e noi ne siamo espressione attraverso lo sguardo innamorato. Per questo due innamorati usano senza alcun problema la frase simbolo dell'amore: io mi perdo in te e nei tuoi occhi vedo l'infinito. Nei tuoi occhi sento l'infinito. Lo sguardo contribuisce alla creazione di un nuovo mondo. Anzi, lo sguardo fattosi anima è oltre quella linea di galleggiamento sulla quale scompaiono le apparenze e si manifesta la verità. È per questo che anima e amore appaiono come una cosa sola.

IV

E vorrei adesso dire come lo sguardo porti a una delle cose più commoventi della vita. Lo sguardo genera un incontro e l'incontro con lo sguardo spalanca, nella luce dell'amore, il territorio misterioso e segreto dell'anima. Quello dal quale non si vorrebbe più venire via e nel quale sempre si vorrebbe vivere. Perché quando, negli occhi perduti nell'immenso di uno sguardo innamorato si è incontrata l'anima, ci si è installati al centro del mondo e della vita, al centro dell'amore. E non si vuole, e non si può, abbandonare quella regione dell'essere.

L'essere anima unito all'essere armonia, condivisione, distanza che diventa poco per volta vicinanza, prossimità, condivisione di corpo e spirito. Il posarsi di uno sguardo fa accadere le cose, e prima ancora le autorizza come vere, come potenzialmente accadenti. Il posarsi di uno sguardo trae le immagini – del mondo, di noi, della natura, dei volti, dei volti amati e di cui s'immagina magari la scomparsa – per una seconda, e più importante volta, alla vita. Dando loro un senso, il senso di avere un'anima. Pone il sigillo, parla senza invadere il cerchio dell'intimità, che deve essere mantenuta segreta, mostrarsi senza esibirsi. Perché l'anima è un incontro d'amore e non tollera sovrapposizioni false.

Ma uno sguardo di questo tipo, il più bello, il più denso d'amore, il più aperto verso il futuro, vive anche sul piano della memoria, richiamando a sé tutte le vite passate. Perché uno sguardo che si posa sul volto amato, si ricongiunge a tutti gli sguardi passati che salgono in una lunga teoria non vista, e nemmeno razionalmente percepibile. Conosciuti, o molto più probabilmente non conosciuti, si associano agli sguardi presenti, e offrono in questo modo anche il senso fondamentale della durata, quella che porta allo sguardo originario che vede e governa l'universo che è insieme in noi e fuori di noi, la sua energia senza inizio e senza fine. Perché l'anima sembra non avere inizio e fine, ma esistere da sempre, vagando negli spazi della volta celeste, fino al momento in cui la luce dell'amore la chiami proprio dentro a quegli occhi, e non altri. Con il linguaggio della poesia, un grande scrittore come Peter Handke ha potuto in questo modo sintetizzare:

E mi venne così di descrivere
la sensazione della durata
come il momento in cui ci si mette in ascolto,
il momento in cui ci si raccoglie in se stessi,
in cui ci si sente avvolgere,
il momento in cui ci si sente raggiungere
da cosa? Da un sole in più,
da un vento fresco,
da un delicato accordo senza suono
in cui tutte le dissonanze si compongono e si fondono assieme.
La durata ha a che fare con gli anni,
con i decenni, con il tempo della nostra vita:
ecco, la durata è la sensazione di vivere.

Mentre un filosofo, che al concetto della durata ha dedicato tante pagine fondamentali, Henri Bergson, in *Il pensiero e il movimento* ha tra l'altro scritto queste frasi, che ci aiutano a capire ciò che sto cercando di spiegare prima di tutto a me stesso: «Ma questa durata, che la scienza elimina, che è difficile concepire ed esprimere, la si sente e la si vive. Se cercassimo quella che essa è? In che modo apparirebbe a una coscienza che voglia solo vederla senza misurarla, che la colga quindi senza fermarla, che infine assuma se stessa come oggetto e che, spettatrice e attrice, spontanea e riflessa, avvicini sino a farli coincidere insieme l'attenzione che si fissa e il tempo che fugge?»

Lo sguardo si collega sempre al tempo, ne discende e ne fa parte, ne costituisce esso stesso memoria. Perché se entra nel tempo del mondo, nella moltitudine di tutti i tempi possibili, include in sé anche tutti gli sguardi che un unico soggetto ha potuto posare nel corso della sua vita. Sguardi che hanno indugiato su volti che altrove, in altri momenti, hanno determinato bellezza, armonia, annuncio della vita o dell'assenza. Perché lo sguardo non è un freddo e razionale catalogare il mondo, anticipando decisioni e vite in vista di un nulla più che ipotetico futuro. Gli occhi, mescolandosi con la propria passione, con il proprio slancio, con la propria adesione al tutto, rinominano ora dopo ora, andando a scoprire ciò che di più profondo è nello strato dell'essere. Lo sguardo è dunque evocazione, trar fuori alla luce quanto è dentro ognuno di noi da sempre, l'essere di noi stessi.

Per cui, guardando fuori lo sguardo guarda nel profondo. E per guardare nel profondo, nell'insondabile cavità dell'essere, serve la luce. Luce che attiva una duplice percezione: la luce fisica che consente la visione dello sguardo sulle cose e la luce spirituale che apre alla dimensione dell'interno e dell'eterno. È questa la luce dell'amore, nella quale riconosciamo la presenza dell'anima che dà senso all'infinito. L'uomo si stringe in una forte commozione, perché queste due diverse sorgenti luminose nello sguardo possono coincidere. È l'idea del "chiasma" di Merleau-Ponty, secondo il quale chi guarda è anche guardato. Il soggetto diventa oggetto. Dentro il trasporto dell'anima, se la si riconosce come vera, chi ama è dunque anche amato.

Lo sguardo compie il suo lungo percorso e va oltre la sola immagine sensibile, giungendo all'anima, che si manifesta entro l'aura della luce spirituale. Questa luce di uno sguardo diverso, tutto interiorizzato, non passa invano e pervade coloro che quello sguardo intrecciano. Perché a questo punto lo sguardo non è più solo visione, ma è vita del tutto. Del resto, vedere e vivere nascono dalla comune radice linguistica. Ma la luce spirituale fa ancora di più, poiché manifesta lo spazio infinito dell'interiorità, così che nominando lo spazio che sorge dalle origini si nomina il tempo. L'infinito si genera senza sosta e in questo modo lo sguardo evoca, prima ancora di averla nominata, l'anima. Forse niente più che lo sguardo, lo sguardo innamorato, e gli occhi che lo annunciano, conduce così profondamente nel luogo dove la verità vive.

Perché a un certo punto, quando lo sguardo approfondisce sempre di più se stesso, esso non sembra nemmeno più abitare il tempo e lo spazio, le ore e i luoghi, ma sembra essere riuscito a creare un suo tempo e un suo spazio. E questo tempo e questo spazio sono propriamente l'anima. Si dice come due innamorati siano lontani da tutto, in un loro tempo appunto, quando si guardano. Quando si ama, si dice: mi perdo in te. Guardare l'amata, o l'amato, è un'esperienza che ha a che fare, l'ho detto, con l'infinito, non se ne distanzia e se n'è anzi tutti attratti e catturati.

Lo sguardo ha questa potenza immensa che rende assoluta, invulnerabile, l'azione del guardare, creando un tempo e uno spazio indipendenti dal mondo. Questo tipo di sguardo lascia sorgere una risonanza quasi divina. È il senso del sacro nello sguardo. Poiché uno sguardo che ama, fa già essere. Crea non l'universo scientifico, ma lo spazio/universo in cui le storie degli uomini esistono in quanto essere che si tende fino alla rivelazione. Per cui, infine, lo sguardo diventa l'evidenza piena della verità, e tutto ciò si espone, e si offre, attraverso quello sguardo. Il ritrarre, il rendere l'effige di un volto o la trama di un paesaggio, diventerà pertanto per Van Gogh, nella sua pittura lacerata e vibrante, la possibilità di nominare l'anima. Ciò a cui egli ha sempre teso, fin dal momento in cui solo disegnava, o i suoi modelli franti e incatramati erano niente di più che i vecchi abbandonati nell'ospizio frequentato all'Aia. Abbandonati come un bianco cencio caduto a terra.

V

Nel suo fulminante, breve saggio scritto in uno dei luoghi cézanniani, Le Tholonet, nell'estate del 1960, e intitolato *L'occhio e lo spirito*, Maurice Merleau-Ponty si interroga tra l'altro sul fatto se sia possibile che la visione viva già prefigurata nello sguardo. Se, insomma, lo sguardo contenga già in potenza tutto l'esito della visione. Come a dire se lo sguardo contenga già tutto l'amore e serva solo un incontro benedetto, spesso inatteso, di sguardi per manifestarlo come verità. Per cui il filosofo si pone l'ulteriore domanda, se esista una sorta di previsione del vedere, quella che lui definisce come «chiaroveggenza». Questo perché, sembrerebbe di poter dire, lo sguardo che annuncia l'anima si protende sia verso il tempo passato che verso il tempo futuro, secondo la magnifica, e sempre nuova, indicazione eliotiana contenuta al principio esatto del *Burnt Norton*, il primo dei *Quattro quartetti*:

> Il tempo presente e il tempo passato
> sono forse presenti entrambi nel tempo futuro,
> e il tempo futuro è contenuto nel tempo passato
> se tutto il tempo è eternamente presente
> tutto il tempo è irredimibile.

Nella dimensione del tempo accennata da Merleau-Ponty a proposito dello sguardo, possiamo immaginare che il passato diventi l'invisibile, poiché si allontana, anzi si è allontanato già, dal momento della visione. Eppure, nella sublime inversione prodotta da Eliot nella sua poesia, l'invisibile diventa il visibile e ciò che non si percepiva con chiarezza si può adesso percepire. È esattamente in questo modo che colui che ama scopre l'anima negli occhi di colei di cui è innamorato. Quindi lo sguardo si costruisce tra la realtà e una memoria che non conosciamo, ma si affaccia in noi come qualcosa di preesistente e si incarna in un volto, che è il volto dell'amore. Si costruisce tra il tempo passato e il tempo futuro che si congiungono, generando armonia, nel tempo presente. Che è esattamente il tempo della visione, il tempo dell'essere. Con queste precise caratteristiche, dipingendo un volto si crea allo stesso tempo il ritratto dell'anima. Ciò che sembrava non rappresentabile. Van Gogh l'ha sommamente fatto, sia nei suoi così numerosi autoritratti che nei volti incontrati lungo il cammino. Quei volti amati, collocati grondanti negli interstizi e nelle fessure della sua vita. Poiché il visibile è certamente l'incontro avvenuto della molteplicità degli aspetti dell'essere, e lo sguardo vi conduce. L'essenza più profonda di quanto vediamo attraverso l'occhio non può che essere quell'invisibile che si manifesta, e si produce in immagine: ancora una volta il riflesso dell'anima in noi. La strada è quella che porta alla profondità del vedere e del sentire. Alla profondità dell'amore.

Lo sguardo vede la luce, è immerso in essa, poiché la luce – e l'abbiamo notato già nelle antiche cosmogonie e in Goethe – mostra il mondo, lo offre, lo presenta nella sua ricchezza tutta piena di significati. Si comprende bene quindi come lo sguardo viva il tempo primo del mondo perché prende parte della luce, e così facendo sia esso stesso origine, sia il principio del mondo. È così che l'origine è in noi e noi siamo origine attraverso l'anima. Il mondo ha avuto vita da uno sguardo, che attraverso la luce ha detto per la prima volta lo spazio e le cose. E come ci ricorda proprio Merleau-Ponty, l'idea greca di "fenomeno" designa ciò che brilla e si mostra nella luce.

E seguitando a pensare allo sguardo come a un atto d'amore che evochi l'anima e si esprima nella meraviglia di occhi innamorati che si incontrano, il primo sguardo è come il primo contatto, uno sfioramento, una carezza sul cuore. Il vedere del principio porta in sé il senso di un'iniziazione, l'apertura di infinite possibilità che saranno poi alla base di ogni accadimento futuro. Per cui, allo sguardo del principio tutti gli altri sguardi, gli sguardi del futuro, dovranno fare riferimento. Gli occhi del presente e gli occhi del futuro, insieme nello stesso tempo. Si costituisce così una memoria degli sguardi che è memoria della conoscenza del mondo e di sé, memoria dell'amore che si dà in un abbraccio. Lo sguardo quindi, e definitivamente, è la forma archetipica proprio dell'abbraccio e soprattutto, pensando ancora a Eliot, la compresenza di passato e futuro in un eterno presente. È in questo modo che lo sguardo valica il tempo e nominando l'amore nomina anche l'anima che vive.

Mette in gioco e si mette in gioco, con il suo tendersi in avanti, lo slanciarsi verso chi quello sguardo osserva. E lo ama, perdendosi in esso nella luce dell'anima. Fino al desiderio dello sguardo che qualcosa di sé venga restituito, per essere accarezzato, per lasciarsi toccare. È da questo rapporto di reciprocità che nasce il sentimento più bello contenuto nello sguardo. Guardare è alla base del sorvegliare, del custodire, del prendersi cura. Ecco, forse l'espressione migliore è proprio il prendersi cura. Lo sguardo, con i suoi occhi innamorati, abbraccia, protegge e sprofondando nell'anima dell'amata o dell'amato, li trae fuori dal pericolo. Perché il ritratto, nato da uno sguardo che protegge, è custodia, così come l'autoritratto è custodia di se stessi. Squadernarsi del proprio volto per proteggersi dal tempo. Gli autoritratti tardi di Rembrandt e soprattutto quelli arroventati di Van Gogh. Il volto che sale da una sua recondita profondità, che cerca la superficie, che s'incontra infine con la propria immagine vera. Il volto che tocca il confine dell'anima. Questo il percorso del volto incarnatosi nell'occhio, da cui si proietta lo sguardo. L'aveva detto

Wittgenstein: «Quando vedi l'occhio, vedi qualcosa uscirne. Vedi lo sguardo dell'occhio.» E vedi l'anima come non l'avevi mai vista prima. Negli occhi innamorati è la sua vita.

L'occhio genera anche la distanza. Che è necessità fondamentale per non confondere chi guarda con quanto viene guardato. Lo sguardo non può essere solo sprofondamento nell'essere, per cui il vedente e il visibile si incrociano tra essi. Lo sguardo tocca ma è ugualmente toccato, dal che ancora una volta comprendiamo come lo sguardo non sia solo pura visione attraverso gli organi oculari, ma sia anche corpo che si dà nell'amore. Al vedere, il corpo presta la sua forza di slancio, di presenza nello spazio. L'interazione è continua, il punto di vista mai univoco. In *Il visibile e l'invisibile*, Merleau-Ponty scrive: «Come l'uomo naturale, noi ci poniamo in noi e nelle cose, in noi e nell'altro, nel punto in cui, per una specie di *chiasma*, diveniamo gli altri e diveniamo mondo. La filosofia non rinnega se stessa solo se si astiene dalle facilitazioni di un mondo a entrata unica, così come da quelle di un mondo a più entrate, tutte accessibili al filosofo. Come l'uomo naturale, essa si trattiene nel punto in cui si effettua il passaggio del sé nel mondo e nell'altro, all'incrocio delle vie.»

È l'amore tra due persone che si guardano negli occhi a generare quell'incrocio delle vie, a far sì che l'anima emerga come da una polla segreta, e sia però visibile solo a chi quell'amore vive. Perché l'esperienza dell'anima si fa nel segreto dell'amore. Ciò che due persone vedono in quel momento, è invisibile agli altri. L'anima è uno scrigno che gli innamorati proteggono.

Il visibile, che è l'oggetto di questo guardare innamorato, si pone in una condizione di attesa, prima di essere colto. Così l'occhio entra d'incanto, per il miracolo della visione accesa dall'occhio, nel cuore stesso dell'anima. E tuttavia, come ho detto, colui che vede e il visibile non si possono sovrapporre e occorre che la distanza si percepisca nitida, pena l'assenza per scomparsa di vedente o visibile. O di entrambi, nascendo un magma indistinto che non sarebbe più utile al vedere. Si capisce quindi come lo sguardo abbia sempre in sé la caratteristica del movimento, sia da un avanzare, non possa farsi mai trovare a metà strada, nel punto della sosta. Lo sguardo nasce con l'obbligo di mettersi in cammino e andare incontro all'amore. Andare incontro, offrire il proprio corpo, sondare lo spazio, scandagliare. Prima di toccare, gettare un mantello, racchiudere, infine proteggere. Accarezzare gli occhi di chi si ama e non lasciarli mai soli.

La pura visione ottica si trasforma nella conoscenza che conosce tutti i luoghi e ogni sentimento profondo. E nel cuore abita. Nella molteplicità delle azioni, del vivere e del donarsi, lo sguardo ha il sigillo dell'incanto. Perché senza la rabdomantica azione dello sguardo, attraverso il vedere e lo sfiorare partecipe, lo spazio e i volti non sarebbero che una vaga possibilità. La conoscenza dello sguardo accade quando il contatto d'amore si genera negli occhi. Prima, è tutto solo in potenza. Non servirà dunque dire ancora quanto lo sguardo sia fondamentale nella relazione con il mondo. Quando questo sguardo accade, in quel momento e solo in quel momento la sensazione sarà di immersione cosmica: «Io che contemplo l'azzurro del cielo, non sono, *di fronte* a questo azzurro, un soggetto acosmico, non lo possiedo nel pensiero, non dispiego innanzi a esso un'idea dell'azzurro che me ne scioglierebbe il segreto, ma mi abbandono a esso, mi immergo in questo pensiero, esso "si pensa in me", io sono il cielo stesso che si riunisce, si raccoglie e si mette a esistere per sé, la mia coscienza è satura di questo azzurro illimitato», come scrive Maurice Merleau-Ponty nella *Fenomenologia della percezione*.

Lo sguardo apre in questo modo alla fondamentale percezione sinestetica, sguardo che si allarga oltre ogni misura, venendo a interessare tutti i sensi contemporaneamente. L'anima ha più di tutto questo immenso valore sinestetico, perché in essa i profumi sono suoni e con le mani si tocca il colore degli occhi. L'ultima fase dello sguardo, che genera la comprensione più chiara di una cosa, e il cui rilievo entra nell'anima, è quello dell'appercezione, il *perceptio ad* latino, la percezione verso, che è il movimento stesso dello sguardo che si spalanca sul mondo e sul volto di chi amiamo. La sinestesia, che Goethe nel suo *Faust* aveva eletto a motivo del procedere poetico, consente di cogliere quella che Spitzer definisce «l'armonia universale»: «L'appercezione sinestetica rivela sempre l'idea dell'armonia universale […] e tutti i sensi convergono verso una sensazione armoniosa.» È dall'armonia e dall'equilibrio, e mai dal disequilibrio, che si manifesta, nella luce dell'amore, l'anima. E sempre Spitzer prosegue: «La sinestesia, la *Doppelempfinden*, non è invero che un'altra manifestazione dell'armonia universale, e la storia della sinestesia si identifica, in gran parte, con la storia dello spirito rinascimentale, o, in altre parole, del panteismo. […] Le radici della teoria dell'arte non si trovano nei numeri, bensì nelle leggi della visione spaziale. A suscitare le consonanze sensibili può essere, secondo Keplero, tanto un suono quanto il raggio di una stella.» E tutto questo avviene, mirabilmente, nell'anima. Per cui, quanto sorge dall'anima mostra i segni della struttura interna delle cose, dei rapporti, dell'amore e con lo sguardo, e attraverso i suoi occhi, lungo i sentieri della sinestesia che parla a tutti i sensi, vediamo la profondità e vediamo nella profondità.

Nel novembre del 1959, in una sua nota di lavoro intitolata "Profondità", e poi confluita nel manoscritto rimasto incompiuto de *Il visibile e l'invisibile*, pubblicato da Gallimard nel 1964, Merleau-Ponty scriveva, tutto sintetizzando: «La profondità è il mezzo di cui le cose dispongono per restare nitide, per restare cose, pur non essendo ciò che io guardo attualmente. È per eccellenza la dimensione del simultaneo. Senza di essa non ci sarebbe un mondo, non ci sarebbe Essere, ma solo un'unica zona mobile di nitidezza che non potrebbe portarsi qui senza abbandonare tutto il resto, – e una sintesi di queste "vedute". Laddove, in virtù della profondità, a poco a poco esse coesistono, scivolano l'una nell'altra e si integrano.» Nella sinestesia dunque, in uno sguardo simultaneo che nasce e muore e per questo vive di una sua unicità, comincia e finisce il vedere. Entro un processo di alternanza che è come l'onda e il respiro. Ma cominciando e finendo continuamente, nella sua circolarità il vedere annulla il tempo lineare. Ed è proprio quel vedere che spalanca l'esistenza dell'anima, che vola nell'attesa di insediarsi in noi.

E se la sinestesia apre a una vastità, a un dilagare dei sentimenti, si comprende bene come lo sguardo sia tutto preso dalle ragioni del cuore. Esso si volge a una conoscenza emozionale che si indirizza verso il volto. Van Gogh ne ha fatto dottrina per sé e per il suo cuore straziato. Portati così fuori da noi, oltre i nostri confini visibili e invisibili, per contatto misterioso ci si approssima al respiro di chi in immagine si fa presente. È uno sguardo incandescente, acceso di mille fuochi. Uno sguardo fatto di braci mai spente, di stelle che si sfarinano nel cielo, di fango sparso di neve.

Il volto rappresentato dilata l'energia dello sguardo, lo rende elemento poetico, pieno di quelle risonanze che fanno di uno sguardo, una cura. È lo sguardo dell'amore, la porta dell'anima. Lo sguardo spera di essere accolto dal volto e nel volto, sempre vuole essere accolto negli occhi di chi ci ama, perché lì è il punto di arrivo, lì il punto in cui le tensioni si acquietano. Lo sguardo e il volto, rappresentati dall'anima, aprono al grande tema del dialogo, del colloquio. A quel percorso silenzioso che la parola annuncia, tra chi ritrae e chi del ritratto è oggetto. Colloquio che quando si spezza, induce nostalgia. E nell'anima certo vive la nostalgia.

Nostalgia che dalla radice greca della parola ha a che fare con il "dolore del ritorno". Nostalgia associata allo sguardo spezzato, allo sguardo che non c'è più, mentre nasce l'impossibilità del guardare ancora. La nostalgia si staglia al centro del percorso che lo sguardo compie tra presenza e assenza, in una zona di mezzo, in un territorio privo di ancoraggi che i poeti descrivono meglio dei filosofi e degli psicologi. Hugo von Hofmannsthal:

Una nostalgia senza nome piangeva in silenzio
nella mia anima, voleva la vita, piangeva
come piange chi in una grande nave
con vele gialle, enormi, verso sera
su acque azzurro cupe alla città
passa vicino, alla città natale. Allora vede
i vicoli, ascolta il mormorio delle fontane, sente
l'odore dei cespi di lillà, vede se stesso
bambino, ritto sulla riva, con occhi da bambino
che sono in ansia e vogliono piangere, vede,
per la finestra aperta, luce, nella sua stanza
ma la grande nave lo porta più lontano,
scivolando in silenzio su acque azzurro cupe
con gialle vele, enormi, di foggia straniera.

Lo sguardo diventa ritratto, così spesso, proprio colmando lo strazio di un'assenza, la nostalgia per una presenza svanita, per un luogo mai dimenticato ma irraggiungibile ormai. È in questo momento che lo sguardo, e il ritratto che ne consegue, hanno a che fare con l'impossibilità. Van Gogh in modo meraviglioso e sublime ce lo indica continuamente. Il ritratto resta come traccia visibile di questa impossibilità, ma resta soprattutto come traccia evidente della conservazione di qualcosa. Ciò che resta è lì, nell'ostensione forte e malinconica davanti a noi. Ciò che resta è il volto di una mancanza, ciò che resta sono gli occhi dell'assenza e sono gli occhi dell'anima. Il ritratto indica la volontà di tenere fissa una presenza, di incardinarla ancora una volta qui, in stanze e strade note. Perché quella presenza non scompaia, sia anima ancora, perché resti nel mondo e non si dissolva. Ritrarre è fissare un punto, è non farlo inghiottire dal tempo. Ritrarre è isolare il volto in un mondo che non sia mai preda delle tempeste. È proprio per questo motivo, che il ritratto non può che essere la conseguenza di uno sguardo che si prende cura e protegge. E nell'anima trova senso di verità quella cura e quella protezione da ogni male.

VI

Nel suo libro *L'amicizia*, Maurice Blanchot scrive: «Un ritratto, ce ne siamo accorti un po' alla volta, non è somigliante perché si renderebbe simile al volto, ma la somiglianza comincia ed esiste solo con il ritratto, e solo in esso, essa è la sua opera, la sua gloria o la sua disgrazia, esprimendo il fatto che il volto non è qui, che è assente, che appare solo a partire da quell'assenza che è precisamente la somiglianza.» Detta in questo modo, la forza di penetrazione di un ritratto è nella sua enorme carica riferita alla coscienza individuale, all'anima. Il volto vive per se stesso, è preda dell'assenza più che di una presenza che significa somiglianza. Si concentra, nel ritratto così descritto e immaginato, un grado di approssimazione che apre a quella interpretazione del soggetto che risulta essere fondamentale soprattutto tra il finire del XIX secolo e tutto il XX secolo. Non esiste in questo senso esempio migliore di Vincent van Gogh.

È la nozione che nasce, modernissima, dal pensiero aristotelico, per cui la somiglianza non ha più quell'aspetto platonico tanto importante, ma il volto nasce nella luce e per la luce, e il ritratto fissa nuove regole che non siano più soltanto quelle di "assomigliare". Il ritratto diventa una possibile soluzione dei contrasti, tra vero e non vero, tra luce e ombra, tra notte e giorno. Il volto si situa su quella linea mediana, che senza abbandonare del tutto la fedeltà al vero, si lascia percepire come legittima modificazione dell'essere. Modificazione operata dal pittore. Alla fine, si compie quell'azione rivelatrice che è l'ostensione, l'esposizione, il mostrare. Si scava oltre il volto per giungere all'anima.

Per cui, Elio Franzini, ha modo di sintetizzare quello che il pensiero greco lascia in eredità alla riflessione che riguarda l'imitazione artistica: «Espressività connessa al possibile artistico (Aristotele), tensione verso l'invisibile (Plotino), svalutazione gnoseologica (Platone).» E in effetti Aristotele, nella *Poetica*, si esprime in questo modo a proposito dei pittori: «Fanno dei ritratti che, rassomiglianti, sono anche più belli.» Quello che a questo punto è chiaro, è che il ritratto giunge a una sua forma assoluta di perfezione quando si stacca dal senso preciso del rassomigliare, per entrare, attraverso lo sguardo, nel territorio dell'anima. L'interiorità pesa sul volto, che non può ridursi a pura esteriorità. L'individuo è presente nel quadro, ma è presente per quella stranissima assenza che apre i confini dell'intimità della persona, apre la sua profondità. Ecco perché, a pieno titolo, si può parlare di intimità del ritratto. Intimità perché attraverso gli occhi si designa l'anima. Una zona di protezione e di custodia. Il quadro è il luogo magico nel quale il ritratto si specchia, nel quale una persona riconosce di essere se stessa ma anche altro da se stessa. Con linguaggio arcangeliano, potremmo dire che è l'uno e il due.

E se per un momento volessimo proseguire seguendo questo filo dell'intimità del ritratto, potremmo senza timore di smentita affermare come esso sia un appuntamento segnato nel libro delle ore d'ognuno. Una convocazione dello spettatore di fronte al volto, che fa nascere una nuova identità. Lo spettatore del ritratto non è più la stessa persona che aveva iniziato il viaggio del vedere. E soprattutto, chi si è perduto nello sguardo innamorato, si è perduto in quell'infinito, non è più la stessa persona di quando era partita. Con meravigliosa intuizione poetica, Eliot l'aveva scritto:

Avanti, viaggiatori! Senza fuggire dal passato
a vite differenti o a qualsiasi futuro;
voi non siete la stessa gente che ha lasciato la stazione
o che arriverà a una destinazione qualsiasi.

Perché l'esposizione di un volto, la sua collocazione nello spazio che diventa lo spazio del quadro, è prima di tutto, nel ritratto, un aver luogo. L'aver luogo dell'amore. Resta fondante il concetto di seconda nascita, perché in questo modo si viene creando quell'avvicinamento tra soggetto e oggetto che manifesta un rapporto. Per cui alla fine, al di là e ben oltre la somiglianza, quella che nel ritratto viene soprattutto dipinta è l'esposizione, il farsi guardare del volto.

Per questo è fondamentale la relazione tra il ritratto e chi lo guarda, tra il volto dipinto e chi ha compiuto quel lungo viaggio eliotiano per disporsi nella prossimità del ritratto stesso. Nel dilagare dello spazio attorno, la presenza del ritratto, la centralità del volto, sono una presenza che si fissa. Questa presenza è una certezza che dà fiducia in una percezione che salva, che trattiene sulla riva della vita. Perché autorizza la vita dell'anima. Anche per tale motivo possiamo parlare dello sguardo come cura, perché lo sguardo diventato ritratto infine salva. Riconoscendosi nello sguardo, la vita sembra incontrare un tempo infinito che da esso si genera, nel perpetuarsi della visione che si avvicina all'infinito. La pittura quindi è il luogo del miracolo, lo spazio in cui anche l'impossibile diventa possibile.

Il ritratto è dunque nato per preservare l'immagine di una persona in sua assenza. Il ritratto continua a vivere anche quando quella persona sia partita. Anzi, come per la figlia del vasaio di Sicione, il senso vero e unico del ritratto è proprio quello di rammemorare, di tenere vicino in assenza. Tenere vicina a sé l'anima di chi sia andato via. Il ritratto è una carezza, uno sguardo complice, la forza del destino. L'esserci indica una posizione nello spazio, una presenza, un luogo che non è un'isola alla deriva. L'esserci come qualcosa insieme al di fuori e dentro i confini dell'essere. Dentro i confini dell'anima. L'esserci come lume che non si lasci prendere alla deriva. Possiamo dunque dire come il fine del ritratto sia quello di rendere immortali già in vita, prima che la morte sia. È il senso ultimo, e più importante, dello sguardo. Lo sguardo salva nella vita e precede la morte. E precedendo la morte, autorizza una presenza infinita che non diventa mai assenza. In questo presentarsi infinito degli occhi, gli occhi stessi trovano la strada per un infinito ritorno. Ancora una volta, possiamo capire perché due persone innamorate dicano di perdersi nei loro sguardi, richiamando un loro infinito che evoca meravigliosamente un'anima vissuta in comunione ormai.

Non si può non definire come sacro, infine, questo aspetto del ritratto e, prima, del vedere. Uno spazio del tutto possibile e del tutto accadente. E il volto del ritratto non riesce a nascondere mai il riverbero di questa terra lontana dalla quale proviene. Il sacro è il viaggio che conduce al contatto ineludibile con l'intimità del mondo e l'intimità dell'essere. In ogni ritratto viene evocata dunque la presenza del sacro. Anzi, ogni ritratto è sacro, perché parla dell'anima. Il sacro è lì, nello sguardo, in quel tutto accadente che accade proprio nello sguardo, nell'intimità di una presenza che protegge, che si prende cura. Lo sguardo è silenzio, è sospensione, è quiete. Ma anche brama di vita. Negli occhi di chi amiamo, noi attraversiamo tutte le vite e ne abbiamo memoria, attraversiamo tutti i sogni, tutto il passato e tutto il futuro che avevamo previsto di vivere. Attraversiamo il silenzio e le voci, il brusio e la quiete, l'onda e la bonaccia. Attraversiamo tutto il mondo, il conoscibile e l'inconoscibile, la forza e il destino, per tornare all'unico punto di partenza, lo sguardo immenso, che sembra non poter avere mai fine, che apre la porta dell'anima. E ci commuove senza più parole. Lo sguardo che accade in noi, mentre pensiamo agli occhi che hanno spalancato l'anima.

VII

Non ho mai trovato altro pittore che più di lui abbia messo in gioco la propria anima. L'abbia tratta alla luce dalle profondità oscure e spesso piene di terrore. Un'anima che avrebbe voluto l'amore e la vita in due, e non ha potuto che bordeggiare ai confini di solitudini e silenzi abbaglianti e pieni di voci stordenti. Egli non ha esitato un solo momento a mostrarla, quella sua anima fatta di spine e di tramonti infuocati e di occhi che avrebbe voluto amare. L'ha mostrata nei suoi quadri, questa sua anima benedetta e maledetta. L'ha mostrata, ed è un tesoro prezioso, da non disperdere. Per questo, voglio farne una volta ancora racconto.

L'io che s'inabissa, perché questo è il suo destino. Insieme, la sua forza e la sua debolezza. L'io che scompare alla vista e tocca punti pericolosi, scende sprofondando in luoghi dai quali potrebbe non più tornare. Ma l'io forte che poi attraverso l'anima torna invece in superficie, e rinasce creando. Sono strade assai poco frequentate, scansate quasi da tutti, perché hanno a che fare con il pericolo. Mettono in gioco la vita, e quasi nessuno lo vuole fare, immaginando un futuro che ha da essere radioso, piuttosto. Eppure, nell'incerta previsione. E' però da qui che passa la vera ricerca del giardino dell'Eden, quel tempo del principio che lega l'anima a ciò che non trascorre in un lampo ma si fissa nella misura del tempo eterno, dove il passato e il futuro si sommano, in equilibrio e in armonia, in un continuo presente.

Per questo, partiamo tutti insieme per un altro viaggio con Vincent van Gogh. Colui al quale si adattano così bene le parole bellissime di Virginia Woolf, nel suo *Diario di una scrittrice*: «Continuerò ad azzardare, a cambiare, ad aprire la mente e gli occhi, rifiutando di lasciarmi incasellare e stereotipare. Ciò che conta è liberare il proprio io: lasciare che trovi le sue dimensioni, che non abbia vincoli.» Ciò che conta, infine, sempre, è liberare la propria anima in un canto.

SEGNI, DISEGNI, SOGNI
L'ora del destino

Vivo dunque come un ignorante, che sa con certezza solo una cosa: devo portare a termine in pochi anni un compito determinato; non c'è alcun bisogno di affrettarmi oltre misura, perché ciò non porterebbe a niente – devo occuparmi del lavoro con calma e serenità, il più regolarmente e ardentemente possibile; il mondo non mi interessa molto, se non fosse che ho un debito nei suoi confronti, e anche l'obbligo – perché ci ho camminato sopra per trent'anni – di lasciargli in segno di gratitudine qualche ricordo sotto forma di disegni o di quadri – che non sono stati fatti per piacere all'una o all'altra tendenza, ma per esprimere un sentimento umano sincero.

Vincent van Gogh, Lettera a Théo, 1883

I

Forse niente più che il disegno è per un artista la vera grammatica dell'anima. Da lì si parte per intraprendere quel viaggio che sia la rappresentazione del mondo e il suo riflesso nella profondità di un cuore emozionato. Il disegno sembra accorciare, o addirittura annullare, la distanza tra senziente e sentito, tra vedente e veduto. Esso ha la prerogativa sublime di elevare l'apparente pagina di diario a misura della riflessione *una volta per sempre*. Il disegno svela le strutture della realtà e costituisce quella trama, quel reticolo senza il quale, molto spesso, l'immagine non potrebbe manifestarsi nel regno dei fenomeni. È luce immediata, assoluta, abbaglio, è la presentazione di quanto avevamo atteso da lungo, senza dover passare per la sedimentazione della pittura. È l'odore della grafite e non dell'olio, non ha tempi di asciugatura ma si deposita istantaneamente nel cuore. Il disegno ti segue sempre, a qualsiasi ora del giorno e della notte, il disegno può cominciare in qualsiasi momento, senza preavviso. Nell'anima e nel mondo, nella penombra delle stanze di una casa o nel folto del bosco.

Il disegno è quasi impazienza, possibilità immediata che l'artista si dà di porsi d'incanto, e senza mediazioni, in contatto con l'essere dello spazio e dei volti. Il disegno ha nella sua rapacità, nel suo togliere dal buio, nel suo elevare un termine dal quotidiano all'infinito, la sigla meravigliosa che lo rende simile a null'altro. C'è nel disegno un senso di necessità che non esiste nemmeno nella pittura, come se il disegno stesso fosse una parola che non potesse non essere pronunciata. E una volta detta, si spande nell'aria e dilaga e si distende, fino a creare immagine di ciò che è nascosto, e che solo il segno così tracciato su un foglio può rendere visibile. Il disegno rivela l'invisibilità del visibile, come se in esso ci fosse una parte inaccessibile e che solo al disegno potesse essere accessibile. Ma il disegno rivela anche la visibilità dell'invisibile, dando sostanza, profumo e suono a uno sprofondamento nell'interiorità. Che è anima del mondo e anima di un volto.

Per questo è nel disegno che tutto comincia e per questo il disegno fa cominciare. E per questo dal disegno occorre partire. E non per un malinteso senso dell'abbozzo, quanto invece perché nel segno tracciato sul foglio, come gli uomini primitivi tracciavano segni sui muri delle caverne, possiamo scoprire quella verità assoluta che è la pietra fondante dell'arte. Il disegno non soltanto annuncia, questa verità, ma la rende per un momento evidente, e fa capire come da lì ci si debba levare nel mondo. L'azione dell'alzarsi e dell'andare. Non come un obbligo, ma appunto come una grammatica dell'anima. Vincent van Gogh, destinando la sua vita solo al disegno nei primi due anni della sua attività artistica, l'ha inteso meglio di chiunque altro. Non come un compito, ma quale necessità. Essendosi consacrato come avrebbe potuto fare un monaco nel momento dei voti, nel tempo della sua solitudine davanti a Dio. Solo lui e Dio, solo lui e il disegno.

Ma poi viene anche una parola. Più volte pronunciata in questi anni ragionando e scrivendo proprio di Van Gogh. Pensando alla vita, alle lettere, alle lunghe e irte sue frasi. All'opera intera, soprattutto. Ai respiri mozzati, ai singulti, ai silenzi improvvisi, agli occhi rovesciati sulla vita e sui volti. I volti, che sono lo spalancarsi violento del tempo. Sì, i volti soprattutto.

Questa parola, lo strazio. Il suo, lontano. Inconsapevole nella chiarezza di un pensiero che è folgorazione, contatto con la materia. Marcia abrasa dentro i giorni, graffiatura continua dello sguardo e del respiro. Cammino nella luce della solitudine come una folgore e, prima, passi disordinati nell'abbrunata bandiera di una nebbia lattiginosa. Lo strazio, la contemplazione. Non altro che in questa sospensione scarnificata, si vede l'opera. Nella giustezza di una distanza che al pittore non sempre fu concessa e che pure accese parole e segni infiniti, colori scavati quasi con le mani, lavati dalla pioggia e arroventati dal sole. Foglie nel tempo autunnale, tracce nella neve sporca di fango.

Questa parola, lo strazio. Il nostro, vicino. Sentimento in cui alberga la pietà, il senso di un'atmosfera violata, la condizione di chi si pone a guardare. Poi nella prossimità delle cose scorge il confine della vita. Della vita e dell'opera insieme, che mai come in Van Gogh stanno così profondamente giunte, nell'ugualmente esatta e inesatta loro fissazione. Dramma e mistero, nella luce del buio e dell'illuminazione piena, come di un sole zenitale a picco sui campi di grano. Su quei campi di grano. Non casuali.

Il giallo dell'ora, il nero di un carboncino slabbrato a consumare un volto. Già, il volto. Ciò che sta su un ciglio, su un confine. *Limen.* Ciò che sta sulla porta, si presenta sull'uno e sull'altro versante, partecipa della vita come della morte, vede la vita e vede la morte insieme. Trattenuto dalla parte della luce e proteso verso il luogo dell'ombra. In questo dialogo, a volte muto, silente, tutto sospeso, a volte invece clamante, e gorgogliante anche, e acceso di imprecazioni dolorose più che di parole, sta il senso del volto per Van Gogh. Il senso pieno del disegnare figure, più che ritratti. Che è il suo vero inizio. Perché il disegno dei volti viene prima della pittura dei volti.

Tracciare su un foglio segni che abbiano in sé l'idea di una rivelazione. Svelare quanto passa di vita e di sogni, e di memoria, dentro gli occhi. Nel cupo tramestio della materia, nell'origliare che fa colui che disegna alla porta della stanza di chi giunge, infine, in effigie. Di chi si presenta, si offre a un tal punto allo sguardo complice. Evocazione, epifania, mentre si galleggia su una superficie.

Ma quale effigie? Non certo quella rinascimentale, nella pulitura di sentimenti e lineamenti, e invece la strascicata, straziata – ecco come torna subito questa parola – vicenda di vita tutta tramata di gangli e spine. La figura è l'estrema salvezza – la sola salvezza? –, e attraverso di essa, testimoniata in principio dal solo disegno, Van Gogh comincia a prendere possesso del visibile, in una catalogazione dei volti che è subito enumerazione piuttosto di sofferenze che di sogni. E se di sogni si tratta, sono sogni schiantati, al ritmo dei passi che lenti vanno. Ingolfati, imbolsiti, appesantiti.

In una lettera scritta il 24 settembre 1880 – a Théo, da Cuesmes – mostra immediatamente quanto importante sia per lui il disegno. Per identificare un mondo, il suo mondo, e renderlo copiabile. Per entrare nel corso degli eventi, stare dentro una storia. Si direbbe per non perdere il filo del racconto. Di quel racconto che vale sopra a tutto. «Io lavoro sempre sul corso di disegno di Bargue, e mi propongo di finirlo prima di iniziare un'altra cosa, poiché di giorno in giorno mi sveltisce e mi rafforza sia la mano sia lo spirito, e non sarò mai abbastanza riconoscente al signor Tersteeg per avermelo così generosamente prestato. I modelli sono eccellenti. Nello stesso tempo sto leggendo un libro sull'anatomia e un altro sulla prospettiva che il signor T. mi ha pure inviato. Questo studio è molto duro e talvolta questi libri sono quanto mai ostici, ciò nonostante credo di far bene a studiarli. Vedi dunque che sto lavorando con accanimento, ma per ora non ho ottenuto ancora dei risultati molto soddisfacenti. Spero tuttavia che queste spine daranno all'ora giusta il loro fiore e che questa lotta in apparenza sterile non sia altro che un lavoro di procreazione. Prima il dolore, poi la gioia.»

E in mezzo alle tante difficoltà del suo vivere quotidiano («Non guadagno un centesimo, e benché lavori duramente mi ci vorrà ancora del tempo per arrivare a un livello tale da poter pensare a una cosa simile come quella di venire a Parigi. Poiché in verità, per poter lavorare come si deve, ci vogliono almeno cento franchi al mese, si può vivere anche con meno, ma allora si è fra gli stenti, e molto anche. Per il momento non vedo come sarebbe possibile la cosa, ed è meglio che rimanga qui, a lavorare come posso e potrò, e dopo tutto qui la vita è meno cara. Però è certo che non potrò continuare ancora per molto nella stanzetta dove sono ora. Vorrei perciò prendere una casetta da operaio, che costa circa nove franchi al mese»), rimane lucido sulle opportunità che il disegno gli offre per continuare nel suo apprendistato, che lo porti al centro di quel mondo che egli vuole raggiungere. Il disegno gli serve proprio come una grammatica che sia della mano e dell'anima insieme, una lingua necessaria e anzi indispensabile per parlare delle cose del cuore.

In quella stessa, fondamentale lettera del 24 settembre 1880, confida ancora a Théo: «Non potrò mai dirti quanto, nonostante il fatto che ogni giorno si presentino e si presenteranno nuove difficoltà, non potrò mai dirti quanto sia felice di aver ripreso il disegno. Già da molto tempo ciò mi preoccupava, ma consideravo sempre la cosa ormai impossibile e al di sopra delle mie capacità. Ma ora, pur sentendo la mia debolezza e la mia penosa soggezione e molte cose, ho ritrovato la mia calma di spirito, e l'energia mi ritorna ogni giorno di più. Si tratta per me di imparare a disegnare bene, a dominare sia la matita sia il carboncino sia il pennello, e una volta raggiunto questo farò delle buone cose, non importa dove.»

Non importa dove. Potrà essere l'Olanda oppure Parigi, l'importante per Van Gogh è che il disegno lo conduca quasi per mano dentro quel bozzolo, a contatto con il nucleo delle cose, con la verità del racconto e dei sentimenti. Solo il disegno, in questo preciso istante che è d'inizio, di rammemorazione di qualcosa che esiste da sempre, in lui e nel mondo, potrà metterlo sulla via. Potrà, infine, diventare lingua che giustifichi una parola. Sia anzi la parola. Attraverso un racconto che un momento si sospenda, perda appena il suo giogo di sofferenza e nel rimanere così, per un istante isolato, per un istante al di sopra del mondo e del racconto, sia stigma, folgorazione, parola necessaria e non più lungo giro di una frase. A Van Gogh il disegno sembra servire proprio a questo, a garantire il dato dell'essenzialità, della presentazione della pietà inscritta nella vita.

E senza deflettere dal senso di quella vita, Van Gogh parte dall'esercizio del vero. Stare in stretto contatto con esso, non abbandonarlo mai, descriverlo. Farlo proprio attraverso il disegno. Così per raccontare ha bisogno di conquistare il suo mestiere, partendo da una condizione di verginità assoluta, mitigata appena dai suoi libri, dalle stampe alle quali guardava come a un preciso riferimento. Ma fortissimamente vuole abolire la distanza con il reale, uscire dal regno delle riproduzioni, perché quelle immagini costituiscano esempio ma non si sostituiscano alla cosa vista. E quella distanza che va accorciata, anzi del tutto annullata, è un tornare a ciò che il primo uomo sulla terra aveva potuto sentire, avere visto, desiderato voler fare. Conoscere quanto si disponeva davanti a lui, penetrare la forza del reale, sentirla in comunicazione e in contatto con il suo essere. Infine tracciarne i contorni sul muro delle caverne. Per riconoscerlo una seconda volta, e riconoscendolo non averne paura, costruire una nuova apparizione, controllata dall'intelligenza.

Ugualmente per Van Gogh il disegno ha questa forma sapienziale, disposto esso su una *tabula rasa*. È incisione sul foglio bianco come sui muri di Lascaux. È scoperta, incanto, ricreazione del mondo. È contatto e sfioramento, è visione che incide e penetra. Attua un confronto. Non è mai indifferenza. Il disegno è ciò che torna all'origine delle cose, fa insieme al reale il percorso dalla nascita alla morte delle cose, soprattutto dei volti. Van Gogh sta davanti al mondo con la fede nella verità. Con la sola, incrollabile certezza che il mondo possa continuare a raccontare delle storie, che nulla si sia esaurito e da quella polla possano continuare a sorgere occhi e figure. E nella precarietà dei suoi inizi, in quella sgrammaticatura perfino troppo evidente dei primi tra i suoi disegni, egli tuttavia vive nella situazione di una grazia divinatoria. Annuncio che proviene dal tempo primo dell'universo e poi si distende come un mantello su tutta la storia, su tutte le ere. Il disegno è in lui costruzione che dà ordine e sequenza al mondo. Certo, il mondo che viene dall'origine, ma anche il mondo suo proprio, quello che andava costruendo nella quotidiana dichiarazione d'esistenza.

Nasce da questa concretezza, da questo sguardo vigile e allarmato, un tracciato che dà testimonianza del vero, ne annuncia la forma nella sua essenzialità e nella sua purezza. Una purezza accidentata, inumidita sempre dal fango, dalla neve e dalle lacrime. Diversamente dalla pittura, rende il visibile nell'immediatezza dell'essere appena stato visto. Ma ugualmente, consente una meditazione su quello stesso visibile, che giunge così a costituire la trama perfettamente connaturata dell'immagine che poi ne scaturirà. Scaturire, come l'immagine biblica dell'acqua che zampilla dalla roccia toccata da una verga. Ciò che appare senza preavviso, prima del tempo dell'attesa.

E il disegno di Van Gogh, quasi più che ogni altro, stringe legami fortissimi, e indissolubili, con la vita. Senza essere diario, è goccia lenta che scava la forza e la potenza dei giorni, mettendoci in contatto con gli elementi che del mondo costituiscono lo strato profondo. Vedere la vita, disegnare la vita. Poco per volta, sempre di più, scarnificarne la materia. Che in Van Gogh mentre è drammaticamente lussureggiante in pittura, continua a erodersi nel disegno. Quel disegno che comunque, nel suo segno, sta sotto la pelle squamata e flagrante della pittura. In un'armonia che si manifesta più di quanto non si creda.

II

Van Gogh, come molte parti delle sue lettere ci dicono, assegna il massimo dell'importanza allo studio della figura e del volto. L'arte del ritratto è per lui la vera arte, anche se non certamente la sola possibile. E non vi è dubbio che tutti gli anni olandesi del suo lavoro – dunque fin quasi alla conclusione del 1885, prima del rapido passaggio ad Anversa e dell'approdo poi a Parigi a inizio marzo 1886 – siano principalmente sotto il segno del ritratto, e, ancor di più, dello studio del volto. Cosa che culminerà nella lunga serie di disegni che servirà quale sensibilissima introduzione a quello che lo stesso Van Gogh designò – pur non incontrando particolare adesione nemmeno da parte di Théo, oltre che nelle parole sferzanti dell'amico Van Rappard – come il suo primo capolavoro in pittura, *I mangiatori di patate*, assegnandogli il titolo di *tableaux*, nella convinzione di essere riuscito a realizzare una «composizione complessa». La figura e il volto sono per Van Gogh la chiave di volta per entrare nel mondo, per imparare a scoprirne la trama e la consistenza. L'identità dei sogni e delle previsioni, della memoria e dei vaticini.

Egli ha sempre considerato la sua arte del ritrarre non soltanto una specchiatura fedele, ma piuttosto come il riconoscimento di un'essenza. Per cui, se la precisa identificazione di un volto è indispensabile in un ritratto ideato per il riconoscimento di qualcuno, nel ritratto inteso in senso più largo, nella sua modulazione che evoca piuttosto la somiglianza, questo riconoscere quasi non ha importanza. Il sapere chi e cosa, viene messo in secondo piano, perché quello che veramente conta è paradossalmente l'assenza del ritratto, l'assenza del volto. La ferocia di Van Gogh sui volti determinati dai suoi disegni meravigliosi da Etten e l'Aia fino a Nuenen – una galleria di personaggi quasi lombrosiani – è una ferocia che trascende quegli stessi volti, ed è piuttosto talvolta una sorta di autoritratto infinito e dilagante che si propaga di foglio in foglio, che scopre in un altrove lo specchio per diventare infine immagine.

Poiché il rivelare, come lo sentiamo e lo percepiamo nel disegno di Van Gogh, ha una funzione di svelamento, liberare dall'ombra e portare entro i confini di un'ombra diversa, anche abitata dalla luce, e dalla luce del mistero. Ritrarre è dunque per lui condurre la figura su un piano diverso, metterla nella condizione dell'esposizione. Cui giova non solo la capacità di rendere somigliante, ma anche quella di spostare, da un luogo nascosto a uno visibile, la figura stessa. E così la figura è l'ostensione che si fa su un altare, condotta da un dentro a un fuori, liberata verso un avanti. A disposizione dell'occhio che vede, di colui che guarda. Ma per far questo Van Gogh penetra in essa, vi entra come in un bozzolo, liberandosi poi in un volo di farfalla. È così che il suo disegno rapinoso dei primi anni è fatto di materia grassa, di carbone spalmato sul foglio, nel tentativo e nella volontà di coprire ogni cosa, di essere colui che si presenta assieme all'immagine del volto. C'è questa straordinaria duplicità nella relazione tra Van Gogh e il soggetto: nello stesso tempo, entrambi creatori e modelli. Chi la vita la chiede, e chi la dona.

Più che ricostruire un'apparenza egli è dunque arditamente sulla scia di coloro che hanno tratteggiato un ritratto dell'anima. Così da veder sostituita quell'anima al sembiante. Ed è per questo motivo che nel primo capitolo di questo libro ho a lungo indugiato proprio sull'anima. Il disegno, anziché la pittura in questa sua fase aurorale, consente a Van Gogh di smontare e rimontare questa immagine del volto, fino a renderla vibrazione impercettibile o rimbombo e frastuono. Il segno che costruisce si flette e si modella, possiede la libertà di aderire a quell'istante primo da cui ha principio la storia. Nel segno è il più sicuro legame, indissolubile, con l'origine. Così che il volto, in tutta la sua pienezza, sia nel disegno. Ma adesso è possibile trascorrere dal volto alla persona, ed è dunque tutta la persona che si manifesta nel disegno, nel suo essere possibilità infinita di creazione.

Questo è il disegno nella sua totalità, che diventa tutto interiorità, senza spezzare mai quel filo che lega l'occhio di chi tiene in mano la matita all'occhio di chi poco per volta viene sul foglio alla luce, creazione di una creazione. È la sicurezza di una presenza, il gesto fulmineo della mano che assicura la vita, nella poggiatura che cade sul reale e lo fa conosciuto, prima che venga trasformato. La conoscenza del reale, cui segue l'invenzione dello stenografo-disegnatore, colui che trasferisce i segni e le graffiature dall'infinito al volto. Perché il volto non è solo per se stesso, ma vive nello spazio che si mette in relazione. Non è mai una vana parola, ma sempre procede entro questo confine invisibile che rende il ritratto un incontro.

E nell'incontro si apre la vita, soprattutto comincia l'amore. E questo incontro è sguardo, e dall'esasperazione protratta dello sguardo Van Gogh va nel disegno al di là del ritratto, e quindi al di là del volto. E andando oltre questa linea immaginaria, dà accesso all'invisibile, è soltanto esposizione, sfinimento nell'ora imprevista, avvicinamento, creazione di un rapporto. Il disegno è sommamente per Van Gogh questo cammino di avvicinamento. Questo andare e venire da sé al volto e dal volto a sé. Provando a scoprire, dentro questo tragitto breve e però continuamente mutevole, la verità. Il suo spasmodico aderire alla vita e renderla tutta squarciata in una solenne e urlata dichiarazione d'amore. Strascicata di parole contorte, eppure con la chiarezza di una rivelazione che abbaglia.

E quando Van Gogh disegna figure, e poi cinematograficamente zooma sul volto in un serrarsi dell'inquadratura; quando deposita sul foglio tutta quella sofferenza di uomini e soprattutto donne che affollano il suo sguardo e la sua mente; quando da quel suo catalogo personale estrae questi dolori ammutoliti e bloccati nella parola; quando conduce nel regno del visibile chi stava nel recinto dell'ombra; quando fa tutto questo, Van Gogh sta in diretta relazione con l'immagine e il tempo della morte, con il tempo di una scomparsa che si volge in apparizione. Evoca già un'assenza nel momento in cui il volto si presenta.

Van Gogh rammemora, fa l'assenza come una presenza, pone l'essere di una figura e di un volto fuori dalla sua maschera e lascia che a vivere sia dunque solo la complessità di quell'essere, la sua multiforme sapienza, il suo vedere e insieme essere visto, in una contemporaneità che è adesso di sguardi. È come se il volto, che noi vediamo così trascritto in immagine di sé, potesse assentarsi definitivamente da sé e così facendo ci consegnasse solo la propria effigie, mentre nello spazio infinito si concentra tutto il suo essere. Meraviglioso dialogo tra volto e spazio, tra il finito e l'infinito. Forse pochi altri artisti hanno operato una risoluzione così radicale sul significato del ritratto. E pochi, pochissimi, hanno saputo dare al disegno un senso talmente alto di epifania, di manifestazione, di resistenza. Di concentrazione dell'umano alla ricerca del divino. Uno sfregamento, un contatto, che spalancano la regione dell'interiorità. Un'intima confessione che autorizza un eterno presente, un sempre presente che umanizza e raccoglie il tempo.

Perché poi Van Gogh mette in scena le sue figure e i suoi volti evocando senza sosta questa intimità. Un luogo che sia il prima e il poi, nella vicinanza che consente all'assente di essere infinitamente presente. Così come al presente di stare nella ravvicinata assenza da cui tutti i ritorni siano a ogni ora possibili. Il ritratto, e molto di più il suo ritratto disegnato, è dunque un'impronta, quel sentiero da tracciare e continuamente tracciato ove si svolge, nella distensione della lunghezza, il cammino. Il cammino che porta il volto a essere riconosciuto al di là della sua riconoscibilità, che lo rende compiutamente essenza, vibrazione, respiro, passo nel mondo. Lo porta a una dilatazione senza limiti, così che l'uno e i molti siano la voce del volto, uno stormire. Come certe ultime foglie d'autunno sugli alberi nella campagna della Drenthe o di Nuenen.

III

C'è un aspetto io credo molto interessante nell'intenzione del ritratto, e che Van Gogh ha portato a limiti estremi. È determinato da quel senso dello sguardo di cui ho parlato a lungo nel primo capitolo. È propriamente l'apertura verso un mondo, anzi diremmo meglio verso il mondo. L'inizio della sua identificazione a partire dallo sguardo del ritratto. Lo «smarrirsi nello sguardo» del ritratto di cui parla Jean-Christophe Bailly, che dà il senso di un allargamento infinito dei confini del visibile, a partire da quello sguardo da cui tutto nasce. Lo stesso Van

Gogh ha scritto «preferisco dipingere occhi umani piuttosto che cattedrali», assegnando una priorità assoluta al volto anziché alla natura, cui pur tuttavia egli giungerà poi con risultati invero meravigliosi nei mesi di Arles e ancor di più in quelli di Saint-Rémy. Prima che siano i settanta giorni finali di Auvers-sur-Oise, quando il paesaggio sarà solo e soltanto accadimento del destino incombente. Ma di una poeticità stremata che non tollera paragoni. E lo vedremo nell'ultimo capitolo di questo libro.

Ma lo sguardo intanto è l'evidenza del mondo, che attraverso di esso si dispone davanti a noi, assume forma chiara. Dallo sguardo si accende il mondo. E questa evidenza non è più solo l'evidenza individuale, non più unicamente la storia di chi viene ritratto, ma forse, molto di più, nella nozione dell'universalità delle immagini e dello spirito, la storia di coloro che guardano e di colui che ritrae. La storia delle moltitudini che si sbilancia nella storia individuale, si amalgama, precipita fondendosi.

E lo sguardo giunge dal nulla alla superficie, potremmo dire anela la superficie, desiderandola fino all'estremo limite, poiché era in attesa di essere svelato, di essere posto nella condizione di esistere. Così quando si guarda il volto amato, d'un tratto viene meno l'intenzione del guardare, del riconoscere, e si entra nell'infinito. Nell'infinito a breve distanza che autorizza un mondo, che è precisamente il rapporto tra sé e il volto, quel rapporto che apre poi al ritratto. E lo spazio del ritratto, e attorno al ritratto, questa sorta di altro paesaggio dell'anima che si appaia appunto al volto, è il luogo da cui si parte e a cui si torna, quella zona di transito tra la vita e l'amore, nell'esatta loro sospensione, nella modificazione che si fa alla continuità del tempo.

Van Gogh custodisce con il suo sguardo gli occhi di chi vede. Intenzionalmente vede, mai casualmente. Custodisce e immette nel tempo, togliendo a sé quella stessa protezione che garantisce agli altri. Così egli passa dalla condizione riparata a quella del pericolo. E poi nuovamente ritrae nel pericolo i suoi modelli, perché mai come in Van Gogh il ritratto è continuamente autoritratto, funzione del doppio, ricerca di un'identità che non si piega a una resa esclusivamente consolatoria. Sarà nella natura che egli si distenderà a guardare, partecipando di quello stesso sguardo. Che non sarà più un vedere *da* ma un vedere *in*.

Nella condizione del pericolo agisce dunque Van Gogh, disegnando un ritratto che non ha nulla di eroico, ma solo tende al ricordo del volto, alla sua designazione. La durezza delle spine, pur avendo il desiderio di una dolcezza su un confine. E trattenendo il volto, il suo ritrarre impedisce che quel volto sprofondi nell'indistinto del tempo e dello spazio. Lo conserva, e dunque lo espone davanti a noi, nella sua unicità, rendendo così immaginabile e raccontabile la vita. Raccontare per provare a salvarsi. Lo sguardo del volto resta come testimonianza di tutto quanto è stato. È simulacro del passato, che attraverso il disegno si coniuga nel presente. Il disegno mirabilmente mette in contatto passato e futuro, attraverso la presenza del segno che è presente, attraverso la presenza del volto. Che induce a un viaggio a ritroso, impronta e stigma della memoria, traccia non mai sbiadita e invece sempre incisa nella carne dello spazio. Ciò che trattiene l'assente, come d'incanto può diventare il volto. Soffiato via dal tempo. E ugualmente nel tempo.

VAN GOGH PRIMA DI VAN GOGH.
LETTERE 1872-1880
L'opera intera nel principio

Forse che le cose non potrebbero volgere al meglio, anziché al peggio? Molti riterrebbero senza dubbio sciocco e superstizioso continuare a credere in un miglioramento. Talvolta, in inverno, il freddo è tale che si dice: fa troppo freddo, che m'importa se all'inverno seguirà l'estate? Il brutto supera di gran lunga il bello. Ma, che noi lo si voglia o no, il freddo a un certo punto finisce e un bel mattino il vento cambia e comincia a sgelare.
Confrontando il tempo col nostro umore e con le circostanze, soggette anch'esse a variazioni notevoli, spero ancora che le cose possano migliorare.
Vincent van Gogh, Lettera a Théo, 14 agosto 1879

I

Le oltre centocinquanta lettere che Vincent van Gogh scrive tra l'autunno del 1872 e l'autunno del 1880, sono una documentazione straordinaria per entrare nel suo vero e proprio laboratorio dell'anima, esattamente quello che darà il via alla sua decisione di diventare un artista, come comunica a metà del 1880 al fratello Théo. Vi è contenuto veramente ogni tema che costituirà il motivo dominante di quel decennio, che brucia tutto nel più grande fuoco che l'intera storia dell'arte ricordi. Vincent ragiona già da artista, anche se le uniche prove che da un certo momento in avanti egli darà, saranno soltanto dei piccoli disegni non con una funzione autonoma ma per accompagnare quelle lettere. Si spalancano subito, come vedremo in questo capitolo, i due cardini della sua esperienza umana: da un lato il bisogno di amare e di darsi, nell'opera e nella vita, e dall'altro il timore del fallimento. E poiché in Van Gogh vita e arte sono così strettamente allacciate, quella stessa relazione tra donarsi e fallire riguarderà anche la pittura. Nella consapevolezza, chiarissima, che dogmatismi e dottrine non possano competere con l'impatto della vita vera, nella quale risiede la bellezza e il tormento della verità: «Preferirei morire piuttosto che essere preparato alla missione religiosa dall'accademia e ho avuto una lezione da un falciatore che mi è servita molto più di una lezione di greco.» E tuttavia, egli ritiene che nella preparazione all'arte, l'aiuto e il conforto dei maestri, anche per apprendere una tecnica, siano fondamentali.

Così, senza isolare e commentare in modo catalogatorio i grandi temi che emergono dalle lettere in quegli anni settanta del XIX secolo, ho deciso di accompagnare la rilettura di questi testi giorno per giorno, proprio seguendo quello che è sembrato da subito essere il suo diario di vita. Anche con quelle ripetizioni che significano in lui il continuo approfondimento dell'idea di anima, di cuore straziato, di vita, di attese e speranze, di trasalimenti e fallimenti. E che poco per volta, in modo sempre più deciso, introducono la necessità di una lingua nuova per esprimersi, che dapprincipio è il disegno, ma con la certezza dello spirito che prima o poi verrà anche la pittura.

Faccio a questa mia scelta di voler procedere accanto a Van Gogh, giorno per giorno fino all'autunno del 1880 per rispettare il suo cammino e rifarlo insieme a lui, una sola eccezione. Perché nella lettera scritta a Théo da Cuesmes, in Belgio, tra il lunedì 11 e il giovedì 14 agosto 1879, annota qualcosa che ce lo spalanca in tutto il suo nitore di anima trafitta, di amore desiderato e mai vissuto, una vera e propria impossibilità d'amare: «Quando si vive con gli altri e si è uniti a loro da un affetto sincero, si è consapevoli di avere una ragione di vita e non ci si sente più del tutto inutili e superflui: abbiamo bisogno l'uno dell'altro per compiere lo stesso cammino come compagni di viaggio, ma la stima che abbiamo di noi stessi dipende anche molto dai nostri rapporti con gli altri. […] Come chiunque, io sento il bisogno di una famiglia, di amicizia, di affetto, di rapporti cordiali con il prossimo; non sono fatto di sasso o di ferro come un idrante o un lampione, e quindi non posso vivere privo di tutto questo senza sentire un profondo senso di vuoto.» Amore e desiderio di offrirlo, inutilità e fallimento. Vita e pittura si sono formate in Van Gogh secondo questo ritmo binario, che infine si è fatto sempre più lacerante, insopportabile per l'anima, fino al gesto estremo di Auvers-sur-Oise. Anche la pittura è stata sempre di più, dopo la preparazione legata al disegno, uno squadernamento totale del cuore, senza misure intermedie, senza possibilità di remissioni. Dipingere nel sole cocente, nel vento terremotato di mistral, sotto la pioggia, nelle nebbie e nelle notti. Nulla è mai venuto invano e niente ha conosciuto in lui la misura di un adeguamento al mondo. Lo leggeremo nelle sue lettere, per comprendere fino in fondo un cammino fatto in direzione della tempesta e ugualmente del sole.

Già nella prima lettera nota, scritta nella domenica 29 settembre 1872 dall'Aia, dove lavora nella filiale di Goupil sotto la supervisione di Tersteeg, il riferimento è subito il fratello: «Caro Théo, grazie per la tua lettera. Sono contento di sapere che sei arrivato a casa sano e salvo. Mi sei mancato i primi giorni e mi sembrava strano non trovarti rientrando a casa nel pomeriggio.» Théo sarà il riferimento costante della riflessione e del sentimento, una sorta di specchio al quale confessare senza alcuna ritrosia i tanti dolori e incomprensioni e le rare felicità. Fratello minore ma che in realtà svolgeva la duplice funzione di confessore *in absentia* e di genitore comprensivo, dal momento che il rapporto con il padre Theodorus fu sempre, o quasi sempre, di aspro conflitto. E sono continui i riferimenti a quanto Théo fosse per Vincent la vera presenza e il vero riferimento. Giunto da due mesi a Londra, dove era stato trasferito sempre per conto di Goupil, il 20 luglio 1873 scrive al fratello: «Come mi piacerebbe che tu fossi qui, abbiamo passato insieme giornate davvero piacevoli all'Aia. Penso spesso a quella passeggiata sulla strada per Ryswyk quando, sotto la pioggia, bevemmo del latte al mulino. Quella strada è per me piena di ricordi che sono forse tra i più belli che abbia. Se ci rivedremo, ne parleremo ancora. E ora addio figliolo. Ti auguro ogni bene. Pensami di tanto in tanto e scrivimi presto. È una tale gioia ricevere una lettera!» Nella sua duplice realtà psicologica di fratello maggiore e figlio, Vincent alterna la sicurezza che gli deriva dall'esperienza e l'insicurezza che nasce in lui da quelli che continuamente definisce i suoi "fallimenti".

Ma questa lettera del 20 luglio 1873 da Londra, è molto importante anche dal punto di vista della creazione di un gusto pittorico, che poi resterà fondamentale per tutta la vita di Van Gogh. Vi si trovano infatti riferimenti elogiativi alle scuole del naturalismo europeo, mettendo insieme quella inglese e quella francese: «Tra i vecchi pittori soprattutto Constable, paesaggista vissuto circa trent'anni fa, la cui opera è splendida e ha qualcosa di Diaz e Daubigny.» In questo senso, ridava vigore a quanto i giovani pittori francesi, Corot in testa, sentirono all'apparire delle opere di Constable al *Salon* parigino del 1822, quando furono così colpiti da una forza di realtà che si allontanava da quella più visionaria di Turner, incarnando in immagine il gusto per la rappresentazione nuova del visibile. Quel visibile che veniva detto nella ferialità delle luci che annunciavano il quotidiano senza mai banalizzarlo. Del resto, anche quando lascia Parigi per la Provenza, diventato un esponente dell'avanguardia sperimentale, Van Gogh non dimenticherà mai l'amore e il rispetto proprio per gli esponenti del naturalismo vissuti alla metà del secolo. Inclusi ovviamente i pittori della Scuola dell'Aia, il cugino Anton Mauve in testa.

L'amore per la sua terra in effetti, torna in molte delle lettere a Théo, come quella del 16 giugno 1874, sempre da Londra: «Salvo imprevisti partirò giovedì 25 o sabato 27 giugno. Desidero tanto rivedere tutti voi e l'Olanda. Non vedo l'ora di poter fare una lunga chiacchierata con te sull'arte. Inizia a pensare a qualunque cosa tu possa desiderare chiedermi. E sono contento che César de Cock ti piaccia tanto: è uno dei pochi pittori che comprendono veramente il nostro caro Brabante.» E dicendo questo, ancora non sa quanto il paesaggio del Brabante lo prenderà un decennio dopo, specialmente nei quasi due anni vissuti a Nuenen. Un paesaggio, assieme a quello della Drenthe che frequenterà nell'autunno del 1883, segnato da un sentimento quasi di pietà dell'atmosfera, con un fondo di tristezza e malinconia che già appare in disegni estemporanei fatti in quel tempo londinese, com'è evidente in questa lettera a Théo inviata poco più di un mese prima del trasferimento a Parigi, sempre inseguendo le diverse filiali Goupil: «È una veduta di Streatham Common, una vasta piana erbosa con querce e ginestre. Aveva piovuto durante la notte e il terreno era inzuppato e l'erba primaverile fresca e verde. Come vedi, ho eseguito lo schizzo sul frontespizio dei *Poems* di Edmond Roche. Vi sono poesie molto belle, gravi e tristi, inclusa una che inizia e finisce così:

> Triste e solo ho calpestato la duna triste e nuda,
> dove il mare infrange il suo pianto incessante,
> la duna dove viene a morire l'onda con le sue grandi creste,
> tetro sentiero dalle curve tortuose.»

Anche nella scelta dei versi quindi, Van Gogh dimostra di orientarsi verso un paesaggio che sia rappresentazione di un animo turbato e denso di inquietudini, nel quale la presenza del sentimento della fine sia naturalmente incastonato, e necessariamente presente.

L'arrivo a Parigi, nel maggio del 1875 − pur se il soggiorno si protrarrà per meno di dodici mesi fino all'inizio di aprile dell'anno successivo −, segna la seconda possibilità, dopo quella assai rapida del 1873, di visitare i musei della capitale francese. In una lettera a Théo dell'ottobre di quell'anno, racconta di come sia andato al Luxembourg, evidenziando, a un collega d'ufficio che vive nella sua stessa casa, i suoi quadri preferiti. Si tratta di una perfetta campionatura di quanto aveva mostrato di amare già nelle lettere dall'Aia e da Londra, ma anche una prefigurazione di tanti suoi argomenti futuri. Indica infatti, elencandoli, temi come quelli dei mietitori in Breton, la foresta in Bodmer, una chiesa in Millet, i paesaggi nelle diverse stagioni in Daubigny, un'aratura in Rosa Bonheur. Siamo quindi nell'ambito di un paesaggismo intimista e spirituale caro ad alcuni dei rappresentanti della Scuola di Barbizon e caro anche, molto, al Van Gogh del tempo olandese che verrà nel decennio successivo. Del resto, proprio dalla seconda parte di quel 1875, il tono delle lettere cambia e accanto ai motivi riguardanti arte e letteratura, si inserisce in modo vibrante l'argomento religioso, con citazioni continue dalla Bibbia. E nella stessa lettera in cui parla di questi pittori, Vincent raccomanda a Théo di imparare «a distinguere fra ciò che è relativamente buono e ciò che è relativamente cattivo e lascia che tale discernimento ti mostri la via da seguire, guidato da Dio. Perché, figliolo, abbiamo tanto bisogno della guida di Dio.»

Il pensiero della natura è costante nella riflessione di Van Gogh, una natura sempre abitata dal senso della pietà, spesso con le tracce presenti dell'uomo, però in assenza. I pittori di Barbizon sono vieppiù il suo riferimento e sarà utile ricordare come anche negli anni della pienezza del colore provenzale, tante volte nelle lettere egli ricordi il magistero proprio di questi artisti, che gli hanno aperto gli occhi su un mondo che si allontanava in modo anche brutale dalle secche del paesaggio storico e accademico, imperante nel *Salon*. Da perfetto poeta, in una lettera inviata a Théo l'ultimo giorno di marzo del 1876, tra l'altro ultimo giorno per lui di lavoro essendo stato licenziato, così scrive a proposito di Michel e Dupré: «Ieri ho visto sei quadri di Michel: come vorrei potessi vederli anche tu! Sentieri segnati da numerose tracce di ruote che portano a un mulino per campi sabbiosi − un uomo che rincasa attraverso la landa sotto il cielo grigio. Semplice e bello! Ho visto anche un grandissimo quadro di Jules Dupré: nero terreno paludoso a perdita d'occhio, in secondo piano un fiume, in primo piano uno stagno con tre cavalli. Sia il fiume che lo stagno riflettono un banco di nubi bianche e grigie che stanno davanti al sole al tramonto. Il cielo è di un morbido azzurro, con tracce di rosso grigiastro e di porpora all'orizzonte.» In modo non diverso, Vincent descriverà al fratello, o a Bernard o a Gauguin, i suoi quadri nei poco più che due anni trascorsi in Provenza, ad Arles prima e a Saint-Rémy poi. Una fede assoluta e incrollabile nella pittura come linguaggio, nella pittura come possibilità di diventare racconto della visione e della vita senza essere storia, ma soltanto assoluto del colore e del respiro. Prima ancora di diventare un pittore dunque, Van Gogh fissa i punti del suo essere artista, nel momento di un principio che nessuno sa, Vincent per primo, a cosa porterà.

Eppure poco per volta, lettera dopo lettera, fallimento dopo fallimento, i sentimenti sembrano affinarsi, diventare sempre di più lance puntate sul cuore e intrise comunque di una profondissima malinconia. La natura è sempre l'elemento centrale della riflessione, tante volte intrecciata con il pensiero rivolto a chi amava, la famiglia specialmente. Il giorno prima di lasciare Parigi, Vincent riceve l'offerta di lavorare in prova per un mese come insegnante assistente, non retribuito, in una scuola privata maschile a Ramsgate, in Inghilterra. Nella lettera che scrive ai genitori («Cosa credete sia meglio… la gioia di ritrovarsi o il dolore di lasciarsi?») il 17 aprile 1876, appena giunto, la descrizione del paesaggio che lo ha accolto guadagna subito il primo piano: «Ora il mio sguardo spazia su una grande distesa di prati e tutto è tranquillo; il sole sta scomparendo di nuovo dietro le nuvole grigie, ma diffonde sui campi una luce dorata.» È il sentimento del crepuscolo e della sera che darà tanti capolavori negli anni a venire, nel segno di due termini che in questa lettera, per la prima volta con tanta forza, Van Gogh esprimerà.

Ma ascoltiamo direttamente il pittore non ancora pittore, sempre in questa lettera meravigliosa, per arrivare a due termini che governeranno una parte importante della sua creazione, e che aveva già individuato ben prima di cominciare a dipingere: «Il tempo era sereno e il fiume particolarmente bello. Bella anche la vista dal mare delle dune, di un bianco abbagliante nel sole. Da Harwich a Londra, era bellissimo vedere i campi scuri e i prati verdi con pecore e agnelli sparsi qua e là, qualche cespuglio di rovi e alcune grandi querce dai rami neri e dai tronchi coperti di muschio; nel cielo turchino brillava ancora qualche stella e c'era un banco di nuvole grigie all'orizzonte. Era davvero una visione grande e maestosa e tuttavia le cose più semplici e tranquille mi commuovono molto più profondamente. […] La scuola non è quindi molto grande. La finestra dà sul mare. Dopo pranzo abbiamo fatto una passeggiata sulla spiaggia: era molto bello. Quasi tutte le case lungo la riva sono costruite in pietra gialla e in semplice stile gotico e hanno giardini pieni di cedri e di altri sempreverdi scuri. C'è un porto con molti battelli racchiuso fra due moli lungo i quali è possibile passeggiare. E poi c'è il mare, semplice e molto bello.» Due termini che torneranno molto spesso da qui in avanti, «semplice» e «bello», per indicare che la vera bellezza è nella semplicità. Ai quali associare ovviamente la semplicità dell'anima nel mettersi in rapporto con il mondo dei fenomeni. Quell'anima che vive dentro il senso romantico dell'infinito, però sempre agganciata alla manifestazione delle cose che si possono descrivere. Perché fin da questo momento aurorale, Van Gogh mostra di voler appunto descrivere, seguendo il filo di una narrazione che per il momento si esprime attraverso parole spesso meravigliose, e che successivamente diventerà creazione senza sosta di immagini a rappresentare la profondità dell'anima nella relazione sua con il mondo.

Alla fine di maggio di quel 1876, sempre da Ramsgate, scrive a Théo righe incantate davanti allo spettacolo di una tempesta. Egli è già pittore senza sapere di esserlo, perché il punto di transito definitivo sarà quando quelle parole, benedette dalla luce del destino, diventeranno nei suoi occhi e nel suo cuore anche colori da mettere su una tela. È in questo passaggio che il genio esprime la sua voce: «Ti ho già detto della tempesta alla quale ho assistito di recente? Il mare era giallastro, specialmente verso riva; all'orizzonte una striscia di luce sovrastata da nuvole nere dalle quali la pioggia si riversava a scrosci obliqui. Il vento sollevava la polvere dal sentierino bianco fin sulle rocce del mare, piegando i cespugli di biancospino in fiore e le violaciocche. Sulla destra si stendevano i campi di frumento nuovo e verde, in lontananza la città sembrava un'acquaforte di Albrecht Dürer: una città con torri, mulini, tetti di ardesia e case costruite in stile gotico, e sotto il porto, fra due moli che si spingono dentro nel mare.»

L'emozione di essere al mondo e nel mondo, quella di essere in contatto, sfiorandosi prima e abbracciandosi poi, con il mondo e la sua pelle, la sua aria, i suoi colori. E l'emozione sembra correre sul filo più alto, fino all'estremo limite, quando Van Gogh fa l'esperienza della notte. Nella medesima lettera del 31 maggio da Ramsgate, così prosegue: «Quella stessa notte dalla finestra della mia camera ho lasciato vagare lo sguardo sui tetti delle case e sulle cime degli olmi, scuri sullo sfondo del cielo. Sopra quei tetti brillava una sola stella – splendida grande amica.»

Essere commossi sotto la luce della luna, scoprire l'invisibile o almeno immaginare che possa esistere, questa è per Van Gogh fin dal principio la notte che poi, a lungo chiamata e desiderata, diventerà per lui pittura. Perché l'esistenza della notte fonda il mondo almeno quanto ciò che vediamo. Fonda il nostro proprio essere, come una singolarità e come l'appartenenza alla storia delle generazioni. E tutto questo sotto il manto delle stelle, o quella sola stella vista a Ramsgate, perché è nella notte che l'invisibile può miracolosamente diventare visibile. E noi essere lì, in quel punto preciso in cui questo accade. E Van Gogh essere stato lì, in quel momento e in quel luogo, quando l'invisibile diventato visibile cominciava a mutarsi in racconto. Che però della notte non scandisca i fatti e invece soltanto il suo essere. Il respiro, il silenzio, l'apparire di brevi luci, di ceneri colorate, di muffe sospese nell'aria. Tutto questo è la notte, intrisa, come in una specie di sudario, dell'amore che si manifesta e che nella notte diventa ancora più esclusivo, straziato e struggente. Nella notte i legami si saldano (Van Gogh subito dopo in quella stessa lettera, rivolto ai genitori: «Pensai a voi tutti e agli anni trascorsi e alla nostra casa»), appaiono più nitidi e sappiamo che quanto appare, è vero. Ci disponiamo a stringere una mano, a proteggerci in un abbraccio che si prende cura, a immaginare il tempo in cui la partenza avverrà. E dentro quella stessa notte saranno da trovare tracce, da lasciare piccoli fuochi che in questo modo, in ogni sera e in ogni notte del tempo, si riaccenderanno. Fuochi come stelle, perché le stelle fanno bene al cuore.

Come diceva Victor Hugo, nella notte l'anima si ingrandisce attraverso lo stupore. La visione e l'esperienza della notte, così come del cielo con i suoi fenomeni, ha da sempre toccato gli uomini, li ha fatti diversi e portati all'emozione assoluta e all'incanto partecipato. Anche Aristotele, in una pagina della *Metafisica*, tocca questo nodo cruciale: «Gli uomini hanno cominciato a filosofare, adesso come nel principio, per la meraviglia: mentre inizialmente rimanevano meravigliati davanti alle difficoltà più semplici, successivamente, progredendo poco per volta, giunsero a porsi problemi sempre più complessi: per esempio quelli riguardanti i fenomeni della luna, del sole e delle stelle, o i problemi riguardanti la nascita dell'intero universo.» Quella meraviglia che genera l'atto creativo e gli dà forza e sostanza. E la notte fonda il desiderio di trasformare quella forza, quella rapinosa visione, il sentimento di uno spazio privo di ogni limite, sia dentro di noi che fuori di noi, in immagine. Per provare a dire come l'immagine, la pittura, siano ciò che di indispensabile occorre all'uomo per descrivere il contatto con luoghi che altrimenti non si potrebbero conoscere. Così come gli uomini primitivi sentivano il bisogno, per vincere la paura, di rappresentare sui muri delle caverne ciò che li terrorizzava, allo stesso modo i pittori, dipingendo la notte, ne hanno tratto alla luce, una luce diversa, le cartilagini e i sogni, perché diventassero non più inconfessabili. Van Gogh l'ha fatto più di ogni altro e le sue parole lo dicono fin dal principio, con una partecipazione che è stupore e intima confessione dell'anima.

Converrà indugiare ancora per un po' su questo sentimento notturno che traspare incantato, e a volte doloroso, fin dalle prime lettere di Vincent. In una lunga e bellissima comunicazione, indirizzata al "caro fratello" dalla regione olandese della Drenthe nel novembre del 1883, egli centra perfettamente in alcune righe questa tensione emotiva: «Quando si cammina per ore e ore in questa campagna, davvero si sente che non esiste altro che quella distesa infinita di terra – la verde muffa del grano o dell'erica e quel cielo infinito. Cavalli e uomini sembrano formiche. Non ci si accorge di nulla, per quanto grande possa essere, si sa solo che c'è la terra e il cielo.» Per poi indugiare in alcune descrizioni toccanti del crepuscolo: «Immaginati una larga strada, tutta nera di fango, con una brughiera immensa sulla destra e un'altra infinita brughiera a sinistra, poche casupole nere e triangolari costruite di pezzi di torba, dalla cui finestra riverbera la luce rossa di un piccolo fuoco, con qualche pozzanghera di acqua sporca, giallastra, che riflette il cielo, in cui marciscono tronchi; immaginati quella palude al crepuscolo, con un cielo bianco che la sovrastava; in ogni sua parte, un contrasto di bianco e nero.» Tutto questo, una simile e straziata disposizione dell'anima, alla fine si riflette nella pittura. Da Arles, il 18 settembre del 1888: «Mio caro Théo, se tutto ciò che facciamo si affaccia sull'infinito, se si vede il proprio lavoro trarre la sua ragion d'essere e proiettarsi al di là, si lavora più serenamente.»

Forse non è così noto, ma Van Gogh, del resto straordinario amante della letteratura, apprezzava profondamente l'opera poetica di Walt Whitman, che evocava, come scrive in una sua lettera, «un mondo di salute, di amore carnale generoso e schietto – di amicizia – di lavoro, sotto il grande firmamento stellato, qualcosa, insomma, che si potrebbe soltanto chiamare Dio e eternità, rimessi al loro posto al di sopra di questo nostro mondo.» Due straordinari interpreti, che su sponde opposte del grande oceano hanno cantato l'immensità della natura, il suo confine infinito, non toccato da nulla se non dalla profondità di una grande anima. Quella che certamente li accomuna.

Whitman nel 1855 pubblica la prima edizione di un libro che sarà leggendario, ma che solo poco per volta, in quell'America affollata di contraddizioni, saprà ricavarsi il suo ruolo di perfetta descrizione di un mondo. Perfetta descrizione di un cuore, un corpo e un'anima dediti a quello spazio. Ralph Waldo Emerson riconobbe subito la grandezza del talento, e il 21 luglio del 1855, da Concord in Massachussetts, scrisse al poeta una lettera colma di entusiasmo che cominciava così: «Mio caro, non sono insensibile al fantastico dono di *Foglie d'erba*, che considero oggi il più straordinario contributo di genio e saggezza dell'America.»

Non si potrebbero trovare parole migliori di quelle di Whitman per concepire il senso non soltanto delle sere e delle notti dipinte nel corso del suo secolo da Van Gogh o da Munch, ma anche dopo, cominciando da Homer sul finire dello stesso Ottocento, per giungere poi a Hopper e quindi a Andrew Wyeth e ai grandi pittori dell'astrazione americana, da Rothko a Noland a Morris Louis. Vive in tutti loro, nelle diverse modalità dello stile, la presenza straziata, felicissima e dolorosa a un tempo, acuminata e stracciata in tramonti e temporali, in profumi e silenzi, della natura. Che può essere bosco, oppure lago, oppure cielo. Che può essere figura distesa presa dalla prima stella del mattino. O può essere puro colore. Ma tutto questo ha a che fare con l'ardire di considerarsi sillaba del mondo, parte dello spazio, parte dell'eterno, mentre la vita nella sua brevità scorre. Van Gogh l'ha dimostrato con l'assoluto del colore, Whitman con la sua parola arroventata e magica, includente: il rapporto, la relazione strettissima, tra l'emozione dello stare al mondo, le esigue misure di una luce feriale e invece lo sprofondare, il dilagare di una luce che si spande nell'immenso. La notte, le stelle.

Quando udii il dotto astronomo,
Quando le prove e le cifre mi furono poste davanti,
Quando mi mostrarono le carte e i diagrammi, da sommare, dividere, e calcolare,
Quando seduto nell'anfiteatro udii l'astronomo parlare, e venire a lungo applaudito,
Come improvvisamente, inesplicabilmente mi sentii stanco, disgustato,
Finché, alzatomi, sgusciando fuori uscii tutto solo,
Nella mistica umida aria notturna e, di tratto in tratto,
Alzavo gli occhi a contemplare in silenzio le stelle.

Il cosmo, il cielo, la notte stellata, Whitman li percepisce operando una scelta a favore della poesia, piuttosto che dell'analisi scientifica. Il suo, esattamente come quello di Van Gogh, è il *pathos* dello stare nel mondo, esserci, e proprio in quel punto e in quel tempo. Il suo conficcarsi quasi nella crosta della terra, dentro la neve e abbracciato alla volta del cielo.

Il sentimento della sera e del buio insegue quindi Van Gogh da sempre, non lo priva mai della sua presenza, si specchia nei suoi occhi che percepiscono l'atmosfera: «Il terreno scuro, il cielo ancora illuminato dai bagliori del sole, già tramontato, la fila di case e di campanili che spiccano in alto, ovunque luci alle finestre, tutto riflesso nell'acqua.» E proprio come per Whitman, o per Emerson e i grandi pensatori americani, la notte per Van Gogh evoca la presenza del divino, la presenza di Dio. Il vortice delle stelle, che soprattutto negli ultimi due anni della sua vita occuperà i suoi pensieri, ma anche il silenzio tutto sospeso in fioriture e profumi, in larghe distensioni del cielo. Quella presenza che molto spesso ritorna anche nelle lettere, soprattutto nelle prime che stiamo rileggendo in questo capitolo del libro, quando il lavoro di predicatore bussa fortemente alla porta del cuore: «Camminavamo lungo Buitenkant e lì, vicino al deposito della sabbia dell'O-osterspoor, non so dirti quanto fosse bello lì, al crepuscolo, come in un Rembrandt. E ci mise in un tale stato d'animo che cominciammo a parlare di ogni specie di cose. Rimasto alzato fino a tardi stanotte per scrivere, e questa mattina all'alba il tempo era così fantastico. Di sera c'è anche una bella vista del cantiere, dove tutto è mortalmente immobile e i lampioni della strada ardono e il cielo in alto è pieno di stelle. Quando ogni suono cessa – si sente la voce di Dio – sotto le stelle.»

Era già stato Millet, da Van Gogh grandemente amato, a scrivere: «Se soltanto sapeste quanto è bella la notte! Ci sono momenti in cui corro fuori al calar della notte, e sempre rientro sconvolto. La sua calma e la sua grandiosità sono così terribili che scopro di averne effettivamente timore.» E subito dopo la metà del secolo, Millet aveva dipinto una meravigliosa notte stellata, oggi a New Haven, alla Yale University Art Gallery, che forse Van Gogh poté vedere quando lavorò a Parigi per Goupil. E il valore spirituale di un cielo stellato, egli ce lo ricorda una volta ancora quando, nel settembre del 1888, scrive: «Un tremendo bisogno di, posso usare questa parola – di religione – perciò di notte esco all'aperto per dipingere le stelle, e sogno sempre un quadro così.»

Del resto, quanto forte fosse in lui questo legame tra la notte e la spiritualità, lo dicono anche altri brani di lettere. Anche quando a essere nominato non è Dio, ma per esempio la figura paterna: «Di sera, ritornando da Zundert attraverso la brughiera, papà e io camminammo per un po', il sole tramontava rosso dietro i pini e il cielo serale si rifletteva sulla palude, la brughiera e la sabbia gialla e bianca e grigia erano talmente vibranti di tono e di atmosfera. Vedi, ci sono momenti della vita in cui tutto, anche dentro di noi, è pace e atmosfera, e la vita nella sua interezza sembra un sentiero attraverso la brughiera, anche se non è sempre così.» Ma talvolta la notte, le amatissime stelle, si paragonano al disperdersi nella morte: «Perché, mi dico, i punti luminosi del firmamento dovrebbero essere per noi meno accessibili dei punti neri sulla carta geografica di Francia? Come prendiamo il treno per andare a Tarascona o Rouen, così prendiamo la morte per andare su una stella.»

Ma poi prevale quel sentimento insieme per la vastità e il luogo del cammino, ciò che lo accomuna a Whitman. Nel mese di giugno del 1888, Van Gogh decide di lasciare per qualche giorno Arles e andare lungo la riva del Mediterraneo, lì vicino, a Saintes-Maries-de-la-Mer. Il 2 del mese, mentre sta per ripartire, scrive: «Mio caro Théo, ho passeggiato una notte lungo il mare sulla spiaggia deserta, non era ridente, ma neppure triste, era… bello. Il cielo di un azzurro profondo era punteggiato di nuvole d'un azzurro più profondo del blu base, di un cobalto intenso, e di altre nuvole di un azzurro più chiaro, del lattiginoso biancore delle vie lattee. Sul fondo azzurro scintillavano delle stelle chiare, verdi, gialle, bianche, rosa chiare, più luminose delle pietre preziose che vediamo anche a Parigi – perciò era il caso di dire: opali, smeraldi, lapislazzuli, rubini, zaffiri.» È la fase parossistica della descrizione, quella che poi autorizzerà i rari cieli stellati che Van Gogh dipinge tra il 1888 e il 1890.

Walt Whitman e Vincent van Gogh, già qui, adesso, sotto i cieli inglesi di Ramsgate, si appaiano lungo la strada, su questo cammino che conduce alla rappresentazione della sera e della notte. Ognuno dal proprio spalto, ognuno dalla propria sponda e dal proprio fiume, ognuno dal proprio porto. Importanti ugualmente per comprendere come non esista una notte assoluta, ma una notte affiancata alla vita. Una notte con la vita e una notte della vita. Non esista il vuoto dello spazio, ma uno spazio comunque abitato, franto di luci e di stelle, stracciato di spine, affacciato sulla luna. In questo modo la notte può essere descritta, e tutto il suo fascino di armonia e mistero giungere fino a noi. La notte non è mai generica, la notte non si può raccontare in un solo modo, ma occorre percorrere i secoli, intrecciarli dentro sogni e significati perché se ne possa infine avere un'immagine. Un'immagine mai unitaria, mai univoca, e invece sempre spezzata mentre il suo profumo e il suo silenzio continuamente ritornano. Dunque non una, ma molte immagini. Noi non sappiamo perfettamente, e fino in fondo, cosa essa sia.

Tutto questo inizia dunque prima dell'inizio. Quando Van Gogh traccia le sue strade sulla terra, o mulinando le braccia verso il cielo notturno ne disegna i sentieri ugualmente illuminati e sparenti. Inizia qui, tra Ramsgate e Isleworth, dove si trasferisce nello stesso 1876 per insegnare in un'altra scuola, diretta da Thomas Slade-Jones, un predicatore metodista. Mentre guardava le stelle di notte e poco prima dell'alba, e ne scriveva, si sentiva sempre più attratto dalla missione religiosa, soprattutto in mezzo alle classi meno abbienti. Alla fine di ottobre pronunciò il suo primo sermone, nella chiesa metodista di Richmond, ma tornato a casa per Natale, dopo una discussione famigliare, venne presa la decisione che Vincent non avrebbe dovuto fare ritorno in Inghilterra. Quello che rimane di quegli ultimi mesi inglesi, sono alcune lettere in cui si accentua sempre più questo aspetto legato a una religiosità che si esprima nella donazione di sé agli altri: «Penso che quello del missionario in una grande città sia un compito del tutto particolare: bisogna girare fra gli operai e i poveri a predicare la Bibbia e, una volta acquisita una certa esperienza, parlare con loro, trovare quelli che cercano lavoro e che sono in difficoltà e cercare di aiutarli.»

In una lettera scritta a Théo l'ultimo giorno del 1876 da Etten, dove viveva la famiglia perché il padre reggeva lì, dall'anno precedente, la locale parrocchia, resta in ogni caso ferma l'intenzione di Vincent di proseguire la sua strada in quell'ambito: «Quanto al lavoro religioso, non lo abbandonerò comunque. Papà ha tanti interessi ed è molto versatile e spero che, qualunque siano le circostanze, qualcosa del genere possa svilupparsi anche in me.» Sta per trasferirsi a Dordrecht, dove si fermerà tre mesi, occupato in una libreria gestita da amici dello zio Vincent. Come vedremo tra poco, il tono delle lettere inviate a Théo da quella nuova città è sempre più preda di un fanatismo che cresce, mentre partecipa a una funzione religiosa dopo l'altra e le pareti della sua stanza sono tappezzate di stampe con scene bibliche e immagini del Cristo sofferente, sotto a ognuna delle quali scrive la sua citazione preferita: «Afflitti ma sempre lieti». Poiché il suo desiderio di diventare pastore si accresceva giorno dopo giorno, alla fine anche la famiglia, pur per nulla convinta, acconsentì al fatto che egli si trasferisse ad Amsterdam per studiare a questo scopo. E lì rimase per un anno, dal maggio 1877 al maggio 1878.

Ma nella lettera del 31 dicembre 1876 da Etten, Van Gogh riafferma il legame con il fratello («Quante volte abbiamo desiderato essere insieme e com'è stato terribile sopportare la lontananza») e soprattutto continua su quella strada che è una sorta di preveggenza nel prefigurare le sue opere che verranno, attraverso descrizioni che ci fanno dire come ogni immagine futura fosse già inscritta entro i confini della sua anima. Nel rileggere queste righe, sembra davvero di essere di fronte a uno dei suoi quadri che nel periodo di Nuenen rappresenteranno la chiesa nella quale il padre venne trasferito a partire dal 1882, fino alla sua morte improvvisa nel 1885: «Sono entrato per qualche istante nella Chiesa cattolica dove si stava svolgendo la messa della sera. Era uno spettacolo suggestivo vedere i contadini e le contadine con gli abiti neri e le cuffie bianche e la chiesa pareva così accogliente nella luce serale.»

Il luogo chiesa pare essere per Vincent in questo momento il riparo sicuro, lo spazio in cui l'anima sta in contatto con l'essere più profondo e quindi con Dio. Da Dordrecht, nel successivo mese di marzo: «Questo pomeriggio ho fatto una lunga passeggiata perché sentivo di averne bisogno; prima intorno alla Chiesa Grande, poi oltre la Chiesa Nuova.» Il donarsi a Dio si intreccia con il senso del fallimento, che mai lo abbandonerà fino al momento in cui si sparerà al petto a Auvers. Solo in Dio sembra esserci conforto e consolazione: «Vorresti forse chiedere che io trovi una causa alla quale dedicare la mia vita, diversa da quanto sto facendo ora nel servire Dio e il Vangelo? Io continuo a insistere e credo in tutta umiltà che sarò ascoltato. Uno potrebbe obiettare che è umanamente impossibile; ma quando ci penso seriamente e penetro oltre la superficie di ciò che è impossibile all'uomo, allora la mia anima è realmente in comunione con Dio, poiché egli parlò, e la cosa fu; Egli comandò e la cosa apparve. Oh Théo, figliolo caro, se potessi riuscire! L'avvilimento in cui vivo in seguito al fallimento di ogni cosa che ho iniziato sinora, meritandomi un fiume di rimproveri, potrebbe scomparire se mi fosse data l'opportunità di imboccare quella strada per la quale sia papà che io saremmo tanto grati al Signore, e la forza di perseverare in essa.»

È così che in questa lettera entra un concetto fondamentale per la vita futura di Van Gogh. Per la vita e per l'opera. Il perseverare cristiano anche davanti ai ripetuti fallimenti, e la certezza, sempre cristianamente immaginata, che in un altro tempo una ricompensa a tutti questi sforzi arriverà. Raggiunto del resto dalla notizia della morte di Daubigny, un pittore da lui particolarmente stimato, reagirà in questo modo scrivendone come sempre al fratello, con una proiezione scopertamente autobiografica: «Deve essere bello morire quando si è consapevoli di aver fatto veramente del bene e di continuare a vivere attraverso il proprio lavoro, almeno nel ricordo di alcuni, e di lasciare un buon esempio a coloro che ci seguiranno. Magari l'opera in se stessa non è eterna, ma eterno è il pensiero che esprime.»

È l'attesa del Paradiso, che per Van Gogh sempre più diventa chiaro non potrà giungere qui sulla terra. Sono parole assai significative quelle che scrive a Théo da Amsterdam alla fine di maggio del 1877, appena iniziati i suoi studi per diventare pastore: «Quando penso a tutte le difficoltà e preoccupazioni che non diminuiscono con il passare degli anni – al dolore, alla delusione, al timore dell'insuccesso, alla vergogna –, allora sento quello che tu senti e vorrei essere lontano da tutto! E tuttavia continuo sulla mia strada ma con prudenza, confidando nel fatto che, sebbene ogni cosa sembri congiurare contro di noi, avrò la forza necessaria per resistere a tutte queste avversità, così da conoscere la risposta ai rimproveri che mi minacciano. Sebbene tutto sembri congiurare contro di me, ho fiducia di riuscire a raggiungere la meta per cui sto lottando, e se Dio vorrà, anche di essere compreso e amato da alcuni di quelli che amo e da quelli che verranno dopo di me.» È una visione quasi profetica, che è alla base del pensiero consolatorio di Van Gogh rivolto a se stesso: essere compresi e non rifiutati almeno da chi verrà dopo, e capirà meglio, e finalmente amerà. L'amore come atto finale ed estremo, come lasciapassare per la vita e per l'infinito. Perché solo nell'amore egli riconosce la verità della vita e proprio all'amore bisogna consegnare tutto, l'esperienza dell'esistere e la forza della pittura. È giusto dire quindi come la sua preveggenza verso l'opera che mirabilmente verrà, sia tutta governata dall'amore. E in questa luce, misteriosa e mistica, fatta di carne e spirito, vada letta e compresa.

E citando la Bibbia in una lettera a Théo di due settimane dopo, si sofferma su una frase che è in questo senso significativa circa il desiderio di perseverare, anche quando le distanze potrebbero sembrare troppo ampie per poter essere colmate. Ma la conoscenza non deve temere ostacoli, non include lo scoraggiamento: «Attraversa la terra in tutta la sua lunghezza e in tutta la sua larghezza, dice la Bibbia.» E questo si fa con l'applicazione quotidiana («Scrivendo, leggendo, studiando ed esercitandomi quotidianamente, la perseveranza mi porterà a *qualcosa*»), nella convinzione che il premio arriverà non dall'illuminazione santificante e angelica, ma dal duro lavoro che prevede una nuova alfabetizzazione. E quando si parla di Van Gogh non si può mai parlare di semplice alfabeto della tecnica, ma molto di più ha a che fare con il disegno dell'anima, quel darsi quasi imbarazzante per la sua forza e la sua assenza di resistenza. Donarsi tutto, senza limiti e senza freni, donarsi al mondo, alla luce, alle notti e alle stelle, donarsi al vento e all'alba, alle nebbie e alle tempeste. Donarsi all'azzurro di occhi che entrano nell'immenso. Consegnarsi soprattutto all'amore, sapendo di farlo senza possibilità di tornare indietro e salvarsi. Nessuna salvezza, al di là dell'amore. Questo è stato l'amore per Van Gogh, e per questo motivo ne sentiamo ancora oggi, in modo così lacerante e vero, l'urgenza indifferibile del respiro.

II

In una lettera da Amsterdam, nel periodo in cui studia per diventare pastore («il periodo peggiore che abbia mai passato»), annota per Théo: «Di tanto in tanto, quando scrivo, butto giù senza pensarci qualche piccolo disegno, come quello che ti ho mandato di recente e come questo che ho fatto stamattina di Elia nel deserto, con un cielo tempestoso e alcuni cespugli di rose in primo piano.» Siamo alle soglie di un nuovo fallimento, l'ennesimo, nella vita di Vincent giunto all'età di venticinque anni. Preparandosi per l'ammissione alla facoltà di Teologia, comprende bene di non avere grandi attitudini per la disciplina e lo studio regolare, come del resto aveva già detto in alcune lettere al fratello. Così, all'inizio di luglio del 1878, dopo avere deciso che sarebbe diventato catechista, ritornò nella casa dei genitori a Etten, prima di trasferirsi in Belgio. Ma siamo anche alle soglie del vero inizio del suo essere artista, proprio con l'immersione nel disegno. E questo avverrà, in forma consapevole e sciolta dalla semplice illustrazione di qualche lettera, proprio in Belgio, nella zona delle miniere del Borinage, dove si fermerà quasi tre anni. E da dove manderà a Théo lettere capitali, si direbbe definitive sul suo lavoro, e che per questo motivo occuperanno la parte finale di questo capitolo.

Dopo essersi visto rifiutato il ruolo di evangelista, Vincent aveva ottenuto un impiego di sei mesi come predicatore laico nel distretto minerario. I suoi compiti prevedevano l'organizzazione di letture della Bibbia, l'insegnamento e la visita ai malati e dunque una stretta vicinanza, spirituale e di conforto, con gli sfortunati lavoratori e le loro famiglie. Per dare un senso a una simile comunanza, decise di vivere egli stesso in modo molto semplice e frugale, in spirito di povertà, per esprimere in tal modo vera solidarietà agli uomini e alle donne che lì vivevano tanto faticosamente e dolorosamente la loro vita. In una missiva a Théo dell'agosto 1879, diceva di essere «sopraffatto dal dolore» e di dover «combattere contro la disperazione.»

In una lettera fondamentale, scritta al fratello il 26 dicembre 1878, dunque trascorso quasi il primo semestre di permanenza in Belgio, si leggono cose importanti sull'inizio nel Borinage, tali da mettere insieme gli spunti che riguardano il paesaggio e dunque l'istinto verso la pittura, e come sempre lo slancio sincero verso la religione e coloro che soffrono. Dapprima quanto riguarda il suo mondo di creazione d'immagini, quel serbatoio vero e magico che gli servirà di lì a poco per la realizzazione dei primi disegni in via autonoma. Sono le atmosfere invernali a quelle latitudini: «In questi ultimi tempi, nei giorni oscuri prima di Natale, la terra era coperta di neve; e allora tutto faceva pensare ai quadri medievali del vecchio Brueghel e a quelli di coloro che seppero rendere così bene tale particolare effetto di rosso e verde, nero e bianco.» E subito dopo mette in contatto, come per uno sfioramento nell'aria, eventi atmosferici e minatori, nel segno di quella bellezza crepuscolare che gli farà amare così tanto lo spirito di Millet: «In questi ultimi giorni è stato davvero uno strano spettacolo vedere i minatori che rincasavano sulla neve bianca al crepuscolo. Gli uomini sono completamente neri: quando risalgono dalle miniere sembrano spazzacamini.» È esattamente lo spirito, entro i confini di un'immagine per molti versi simile a questa descrizione, che presiede a uno dei fogli più belli realizzati da Van Gogh nei suoi anni olandesi, e in questa mostra presente: *Donne nella neve che portano sacchi di carbone*, fatto all'Aia nel novembre del 1882. Il senso di una pietà insieme per il paesaggio e per chi quel paesaggio cammina, affaticandosi. Cercando sempre il punto di congiunzione possibile tra dolore e redenzione da quel dolore.

Per questo motivo, nella stessa lettera del 26 dicembre 1878, Van Gogh non può non associare all'amore per il paesaggio così inteso, l'amore e la dedizione verso i minatori, esprimendo un desiderio: «Ho già parlato in pubblico diverse volte, in una sala piuttosto grande riservata alle riunioni religiose e anche nel corso delle riunioni che si tengono nelle case dei minatori per la spiegazione del catechismo. Fra l'altro, ho predicato sulla parabola del granello di senape, del fico sterile e anche dell'uomo nato cieco. Per Natale, ovviamente sulla stalla di Betlemme e la pace sulla terra. Spero che, con la benedizione di Dio, io possa ottenere una nomina permanente qui nel Borinage; lo desidero veramente.»

Ma i giorni sono difficili e i rapporti con i genitori altrettanto. Anzi, dopo due brevi visite in famiglia a Etten, il padre trova il comportamento di Vincent così allarmante da prendere in considerazione per la prima volta di farlo ricoverare in un ospedale psichiatrico. Sia il padre che la madre cercarono di dissuaderlo dai suoi propositi legati a un ruolo in ambito religioso, spingendolo piuttosto a trovarsi un'occupazione di carattere pratico. Ma in una lettera a Théo del 27 febbraio 1879, la madre rimarca come Vincent sia «ostinato e testardo» e tale da «non ascoltare consigli.»

È così che si giustifica quanto Van Gogh scrive in una lettera a Théo nell'agosto di quello stesso anno: «Se dovessi seriamente pensare di essere di peso o di ostacolo a te o alla tua famiglia, se dovessi ritenermi totalmente inutile, e sentirmi intruso o proscritto tanto da rendermi conto che la mia morte sarebbe una liberazione per tutti – se così fosse veramente, sarei preso da una profonda angoscia e dovrei lottare contro la disperazione. Mi è difficile sopportare simili pensieri e ancora più insopportabile è il pensiero che tanta discordia, tanta sofferenza tra noi e nella nostra casa possano essere causate da me. Se dovessi esserne certo, mi augurerei di non avere molto da vivere. E tuttavia, per quanto questo pensiero spesso mi deprima moltissimo e forse eccessivamente, a esso ne segue sempre un altro: forse questo non è che un terribile incubo e in seguito impareremo a comprenderci e a vedere le cose in modo più costruttivo.»

È in questa luce assai tenebrosa, e colma di un dolore sordo, che i rapporti epistolari tra Vincent e Théo poco per volta si spengono. Nel novembre del 1879, Théo inizierà a lavorare nella filiale parigina di Goupil e all'inizio della primavera dell'anno seguente prenderà ad aiutare il fratello dal punto di vista economico, seppure in questa prima fase saltuariamente. Sarà nella lunga, importantissima lettera scritta da Vincent a Théo da Cuesmes, tra il 22 e il 24 giugno 1880, che la corrispondenza riprenderà. Dapprincipio ringraziandolo per l'aiuto offertogli e poi esprimendogli la sua ambizione di diventare un artista. Ma questa lettera, lunga molte pagine, merita adesso tutta la nostra attenzione. E si divide in due parti, la prima delle quali, molto più breve della seconda, dà giustificazione del lungo silenzio con Théo e ritorna con dolore ai problemi legati ai rapporti con la famiglia.

«Caro Théo, è con qualche imbarazzo che ti scrivo, non avendolo fatto da tempo e ciò per parecchie ragioni. A un certo punto, sei diventato un estraneo per me, e io per te più di quanto tu non possa immaginare; forse, per noi sarebbe meglio non continuare così. Non ti avrei scritto neppure ora se non vi fossi costretto. Se – dico – tu stesso non mi avessi messo in questa necessità. Ho saputo a Etten che avevi inviato per me cinquanta franchi; ebbene sì, li ho accettati. Certo di malavoglia, certo con una sensazione piuttosto malinconica, ma mi trovo in una specie di vicolo cieco, nei pasticci insomma; cos'altro potrei fare? E perciò è proprio per ringraziarti, che ti scrivo»: è un nuovo punto d'inizio fondamentale, una svolta nel rapporto tra i due fratelli. Il «caro figliolo» con cui Vincent aveva appellato fino a questo momento Théo nelle lettere, diventa se non un padre, un fratello maggiore e un confidente, rovesciando così il ruolo dovuto all'età. Pur in mezzo a diversi contrasti – e ancora fino alle ultime settimane di vita, quando Vincent nella prima settimana di luglio del 1890 dovrà lasciare Auvers per Parigi per discutere con il fratello e la cognata una questione economica –, questo sarà d'ora in avanti, e sempre più con il trascorrere degli anni, il modo in cui Vincent riuscirà a sopravvivere, sostenuto da Théo e dalla sua fede incrollabile nell'opera che mano a mano veniva manifestandosi e modificandosi.

Così, se da un lato ancora insiste sulla sua inutilità per la famiglia («Senza volerlo, sono diventato per la famiglia più o meno una specie di personaggio impossibile e sospetto, in un modo o nell'altro: uno che non ispira fiducia; in cosa potrei dunque essere utile a qualcuno?»), dall'altro tende una mano, nella speranza che qualcuno possa raccogliere quel gesto che anela soltanto amore e condivisione di vita: «Vorrei che questa intesa cordiale, per non dire di più, venisse ristabilita tra mio padre e me e, in secondo luogo, ci terrei molto che si ristabilisse anche tra noi due. Una buona intesa è infinitamente meglio della continua incomprensione.» È la preparazione, l'entrare nuovamente in contatto con amore, prima delle lunghe pagine che seguiranno. E chiede quasi il permesso, bussando a un uscio invisibile, l'uscio dell'anima, prima di cominciare: «Ora devo annoiarti con certe questioni astratte, ma vorrei che le ascoltassi con pazienza.» E iniziano considerazioni di una profondità inaudita, vibranti e da scuotere fin nelle profondità più recondite. Considerazioni che non si possono non conoscere se si vuole entrare completamente e del tutto dentro la vita turbata di Van Gogh, quella che ha dato i capolavori che conosciamo. Senza la lettura di questa lettera, non sarebbe possibile dire di conoscere l'intima sofferenza che ha dato luogo all'opera.

Il paragrafo che segue è centrale per comprendere il senso del percorso di Van Gogh, dai primi disegni di minatori nella neve fino ai campi di grano nel sole e nella pioggia di Auvers-sur-Oise. Vi si delinea, in modo lucidissimo, il senso di far diventare le proprie passioni e le proprie difficoltà, spirito di creazione. Creazione che sia dall'unione indissolubile di carne e anima, di respiro affannato e cuore, di occhi e luce, di luna e stelle. La vita tanto difficile e controversa non è solo un ostacolo ma anche, e forse soprattutto, ineludibile stratificazione del racconto. Così si descrive, nel giugno del 1880, nel momento stesso in cui decide di diventare un artista, Vincent van Gogh parlando al fratello Théo: «Sono un uomo passionale, capace e incline a fare cose piuttosto insensate, di cui poi mi pento un po'. Mi capita di parlare o di agire un po' troppo impulsivamente, mentre sarebbe meglio attendere con pazienza. Non credo di essere il solo a cadere in simili imprudenze. Stando così le cose, che dovrei fare, considerarmi un uomo pericoloso e incapace di alcunché? Non credo. Si tratta piuttosto di cercare con ogni mezzo di trarre vantaggio da queste passioni stesse.» Nell'adesione alla verità della sua anima, che infatti in questa lettera continuamente nomina («quella cosa che chiamiamo anima si dice che non muoia mai e viva sempre e cerchi sempre e sempre, e sempre ancora»), capisce fin dal primo momento come sia soltanto nella verità che l'opera si faccia giorno dopo giorno, senza sosta, imparando ad amare.

È quell'educazione all'amore che in Van Gogh diventa educazione prima al disegno e poi alla pittura. È proprio perché la sua opera è stata costruita sull'amore, che in lui pur negato sgorgava come un torrente in piena, che essa ha potuto diventare tanto rapidamente meraviglia e rispetto per l'universo. E bruciarsi tutta in un decennio come mai si è visto, prima e dopo, nella vicenda multiforme della storia dell'arte. Solo la forza dell'amore gli ha dato la forza per progredire così in fretta, per entrare nel campo che è stato insieme del colore e dell'anima, della struttura e del cuore. E tutto, sempre, nella necessità del vedere, nell'essere gli occhi lo strumento immenso e infinito della pittura. Perché da quei suoi occhi azzurri e verdi è passato l'incanto straziato del racconto, è passato il profumo di una vita che si è offerta in dono, senza lasciare nulla di non detto e di non mostrato. Nulla lasciato indietro. È dalla generosità del suo cuore, dall'autenticità della sua anima che sono potuti nascere quei capolavori che non ci stanchiamo di guardare, riconoscendoci in essi.

E se Van Gogh afferma come utilizzare un'apparente debolezza sia lo scatto possibile verso la creazione, forse il solo scatto possibile, il transito non può che avvenire non eludendola, ma passando attraverso la malinconia. Come in un trattato di psicologia, sono belle e nitide, decise circa il cammino da intraprendere, le sue parole. Anche con una nota di speranza, che comunque, come abbiamo già visto, non lo abbandona mai, e mai lo abbandonerà fino alla fine: «E allora, anziché soccombere alla nostalgia, mi sono detto: la tua terra e la tua patria sono ovunque. Invece di lasciarmi andare alla disperazione, mi sono deciso per la malinconia attiva, nei limiti delle mie possibilità, o – in altri termini – ho preferito la malinconia che spera e che cerca a quella, tetra e stagnante, che dispera.» La malinconia da utilizzare come una linfa vitale per scandagliare il mondo, il proprio mondo, l'orizzonte che ci è caro ma insieme anche i bordi dell'infinito. Quel luogo che ugualmente attira e terrorizza. Ma del quale molti non possono fare senza. E Van Gogh è stato certamente tra questi, e tra questi colui che l'ha raccontato dal punto forse più interno. Quel punto che genera insieme un piccolo spazio che sia le pieghe dell'interno degli occhi e dell'anima.

È struggente ascoltare le parole di Van Gogh in questa sua lettera, che è quasi un testamento in anticipo, una dichiarazione d'amore per l'amore, perché non si può essere giudicati solo dall'immaginata assenza di risultati: «Ora voi dite: da un certo punto in poi sei peggiorato, ti sei spento, non hai fatto niente. Ma è del tutto vero? È vero che a volte mi sono guadagnato il mio pezzo di pane e che a volte un amico me l'ha dato per pietà; ho vissuto come ho potuto, nel bene e nel male, così come veniva; è vero che ho perduto la fiducia di molti, è vero che la mia situazione finanziaria è in triste stato, è vero che l'avvenire è piuttosto buio, è vero che avrei potuto fare di meglio, è vero che ho perso tempo solo per guadagnarmi il pane, è vero che i miei stessi studi sono in uno stato piuttosto triste e desolante, e ciò che mi manca è infinitamente più di quanto non abbia. Ma questo si chiama peggiorare, si chiama non fare nulla?»

E in questa iterazione meravigliosa, anche dal punto di vista letterario, del suo «è vero» continuamente ripetuto come un'invocazione desiderosa di risposta, Van Gogh formula una specie di preghiera, affinché qualcosa accada. Ma per accadere, non ci si deve fermare, non si deve restare travolti dal dolore e dallo scoraggiamento, occorre proseguire sulla via, scoprire nuovi volti, ritrovare antichi sorrisi e occhi che si erano conosciuti. E anche se il punto di approdo non è chiaro in un primo momento, l'incitamento è a incamminarsi, perché la strada non negherà una soluzione. Sono ancora una volta bellissime le sue parole: «Sulla strada dove sono devo continuare; se non faccio nulla, se non studio, se non faccio più ricerca, allora sì che sono perduto. Allora, me sventurato! Ecco quello che penso di fare: continuare, continuare. È l'unica via. Ma qual è il tuo obiettivo finale, mi chiederai? Questo obiettivo diventerà più chiaro, prenderà forma lentamente e con sicurezza, come lo schizzo diviene abbozzo e l'abbozzo quadro, man mano che si lavora con maggiore serietà, man mano che si approfondisce sempre più l'idea in un primo momento vaga, il primo pensiero fuggevole e passeggero.» La strada dunque sarà il luogo fluido nel quale la vita accadrà, ciò a cui la vita stessa e la sua verità non potranno sottrarsi. E da questo non scansarsi di fronte alla vita, pur essa talvolta molto dolorosa e stordente, nascerà la bellezza dell'opera. Van Gogh l'ha dimostrato più di qualsiasi altro, senza infingimenti.

Egli non smette di ricordare come tutto questo passi non attraverso le convenzioni («Ora, uno dei motivi per cui mi trovo fuori posto, il motivo per cui per anni sono stato fuori posto, è che ho davvero idee diverse da quelle dei signori che assegnano i posti alle persone che la pensano come loro. Non è una semplice questione di abbigliamento, come mi è stato ipocritamente rimproverato, è una questione più seria, te lo assicuro»), ma attraverso un mondo interiore che, solo, va preservato e, di più, coltivato: «Ciò che è cambiato è il fatto che la mia vita allora era meno difficile, il mio avvenire meno buio, ma quanto alla mia interiorità, quanto al mio modo di vedere e di pensare, non è cambiato niente. Ma se un cambiamento c'è stato, è che ora io penso, credo e amo più seriamente di quanto allora già pensassi, credessi, amassi.» Si può ben comprendere dunque, perché e quanto Van Gogh detestasse il mondo del *Salon*, le piroette della pittura che non rappresentavano la verità della vita e quell'interiorità che era per lui il centro ineludibile di tutto. Per questo aveva anche in sospetto, con esclusione di Monet, il puro visibilismo impressionista, che fondava il potere della pittura sul potere dell'occhio fisico. Per Van Gogh, l'occhio interiore contava ugualmente, se non di più, rispetto al riconoscere il mondo dei fenomeni. Che però non volle mai abbandonare, facendo molto spesso la sua particolarissima, e così partecipata e modificata all'atto di realizzarla, pittura di *plein-air*. Del resto, nelle sue lettere dalla Provenza si domandò spesso che cosa gli impressionisti avrebbero pensato di lui, vedendo i suoi quadri.

Ma il problema («si vive nella malinconia, si sente il vuoto») è che la vita interiore non trova sbocchi per uscire e questa impossibilità genera il massimo della sofferenza: «Credi che ciò che accade dentro appaia fuori? Uno ha un grande fuoco nell'anima e mai nessuno viene a scaldarsi e i passanti non vedono che quel che ne appare per un po' di fumo in cima al camino, e proseguono per la loro strada. E allora che fare, trattenere questo fuoco dentro, confidare in se stessi, attendere con pazienza, nonostante un'enorme impazienza, il momento in cui qualcuno verrà a sedersi e si fermerà, o che altro? Ora, a quanto pare, tutto mi va male, e ciò ormai da parecchio tempo; questa situazione può rimanere così per un periodo più o meno lungo, ma può anche accadere che quando tutto sembra andare storto, proprio allora le cose volgano al meglio. Non ci conto, forse non accadrà mai, ma in caso si verifichi qualche miglioramento, lo considererei come un guadagno, ne sarei contento, direi: finalmente, nonostante tutto, c'era dunque qualcosa.»

È il grande tema che si spalanca adesso in tutta la sua chiarezza, e anche drammaticità, e che accompagnerà il pittore nei dieci anni che durerà la luce sempre più abbagliante della sua cometa. La mancata corrispondenza tra ciò che si ha da dare e finanche donare, e quanto questo non venga compreso e nemmeno accolto. In questo fiato sospeso di vento, in questo andito sottile d'anima, si è formata, per addizione e per sottrazione ugualmente, l'opera intera di Vincent van Gogh. La sola possibilità di vita rintracciata nella pittura, e prima nel disegno. La sola possibilità di respiro, di sentire il cuore che batte, gli occhi che luccicano, le mani che tremano. Solo nell'opera trovare la vita, perché nella vita il sogno portava troppo lontano, lì dove non c'era realtà.

Nella parte finale della lettera, fiammeggiante e malinconica oltre ogni dire, come in una vera e propria parabola evangelica Van Gogh enuncia commosso tre momenti in successione: l'essere un sognatore, l'essere un fannullone e l'essere un uccello in gabbia. La condizione di chi vorrebbe aprire le braccia nel segno della condivisione dell'amore e invece quasi la certezza che questo non possa avvenire. Forse non c'è mai stato altro pittore che abbia messo così tanto in contatto la propria vita con lo strazio dell'opera. Lo strazio della vita e la sua incompiutezza con la bellezza dell'opera e la sua compiutezza.

L'essere disancorati dalla vita, essere quindi astratti e sognatori: «L'uomo astratto è presente a se stesso a momenti, come per compensazione. Talvolta è una persona che ha una sua *raison d'être* per questo o quel motivo, non sempre immediatamente visibili, e che dimentica, entrando in un suo mondo astratto, per lo più involontariamente. Come chi, a lungo sballottato su un mare in tempesta, giunge finalmente a destinazione; come chi, dopo aver dato l'impressione di essere incapace di fare qualcosa, e incapace di occupare un qualsiasi posto, una qualsiasi funzione, finisce col trovarne una e, divenuto attivo e capace di agire, si dimostra completamente diverso da com'era sembrato in un primo momento.»

E poi nella lettera viene il passaggio decisivo, quello che mette in contatto Théo per primo, e tutti coloro che hanno poi letto queste righe, con il nucleo di un'esistenza trafitta, irrisolta e che proprio per questo, e grazie a questo, ha portato così tanta bellezza, irrisolta e trafitta eppure a suo modo perfetta e mai più perfettibile, nella pittura. Scrive dunque Vincent a Théo, con tutto l'amore che può avere una persona verso la sola altra persona che possa in qualche modo capirla, nell'incomprensione generale, l'àncora a cui ci si aggrappa come alla sola salvezza possibile per non essere del tutto persi nel mondo: «Sarei ben contento se in qualche modo tu riuscissi a vedere in me qualcos'altro che una specie di fannullone. Perché c'è fannullone e fannullone, non sempre sono tutti uguali. C'è chi è fannullone per pigrizia e debolezza di carattere, di basso profilo: vedi un po' se sia giusto ritenermi tale. Poi c'è l'altro: quello che è fannullone controvoglia, che dentro di sé è divorato da un grande desiderio di azione, che non fa nulla, perché non può fare nulla, perché è come prigioniero di qualcosa, perché non ha ciò che gli sarebbe necessario per essere produttivo, perché la fatalità delle circostanze lo porta a essere così. Una tale persona non sempre è consapevole di quello che potrebbe fare, ma lo sente d'istinto: sono capace di qualcosa! Sento di possedere una *raison d'être*! So che potrei essere un uomo del tutto diverso! A cosa dunque potrei essere utile, a cosa potrei servire? C'è qualcosa dentro di me, ma che cosa! Questo è un tipo di fannullone completamente diverso: se credi, considerami tale.»

Può essere quasi incredibile pensare che chi immaginava di non avere alcuna chiarezza dentro di sé, chi si riteneva preso dall'impossibilità di fare, abbia poi percorso quella strada, quel mare tempestoso che lo ha spinto a paragonarsi a un uccello in gabbia: «Un uccello in gabbia a primavera sa benissimo che c'è qualcosa per cui sarebbe adatto; sente benissimo che c'è qualcosa da fare, ma non può farlo: non ricorda con chiarezza di cosa si tratti; ne ha un'idea vaga e dice a se stesso, "Gli altri fanno il nido, fanno i piccoli e allevano la covata"; allora dà con la testa contro le sbarre della gabbia. Ma la gabbia resta lì, e l'uccello è pazzo di dolore. "Ecco un fannullone", dice un altro uccello che passa, "uno che vive di rendita". E tuttavia il prigioniero vive, non muore; nulla di ciò che accade dentro appare fuori; sta bene, è più o meno felice alla luce del sole. Ma viene la stagione delle migrazioni. Acceso di malinconia – eppure, dicono i bambini che lo tengono in gabbia, non gli manca nulla! – guarda fuori il cielo gonfio, carico di tempesta, e sente crescere dentro di sé un senso di ribellione contro il destino. Sono in gabbia, sono in gabbia, e non mi mancherebbe nulla? Siete matti! Avrei tutto ciò che mi occorre? Ah, per favore, la libertà! Essere un uccello come gli altri! Quel tipo di fannullone assomiglia a questo tipo di uccello sfaccendato.»

Nella sua analisi spietata, Van Gogh sente che questa gabbia orrenda crea dipendenza nel dolore e nella frustrazione, perché non sempre si riesce a comprendere cosa sia a creare questi muri che rinchiudono, e questo genera impossibilità a migliorare la propria condizione. La sola via non di risoluzione ma di uscita, sarà la pittura. Attraverso l'amore che la muoverà. Anche se sarà una consolazione parziale, perché comunque porterà al gesto di andarsene volontariamente dal mondo. Vincent ha chiaro in mente quale potrebbe essere la soluzione, e lo scrive a Théo: «Ciò che può far scomparire la prigione è il sentimento profondo, vero. Essere amici, essere fratelli, amare, questo apre la prigione grazie a una potenza sovrana, grazie a un potentissimo fascino.» Non avendo trovato la possibilità d'amare, non avendo potuto offrire a una donna l'amore che desiderava dare, questo «potentissimo fascino» è stato per lui l'opera, nella quale si è incarnato e che è stata specchio riflettente e stordente di un'immagine. Quella adesione al mondo dei fenomeni resa attraverso i paesaggi, ma talvolta, e anche di più, adesione agli sguardi e ai volti, che hanno generato alcuni ritratti indimenticabili. Nei quali la potenza dell'essere per rivelarsi e non soccombere, per non scomparire, ha tratto la sua convinzione già in queste parole ultimative scritte a Théo in questa lettera del mese di giugno del 1880. Lettera nella quale risiedono tutti i temi dell'opera, tutti i timori e i tremori di una vita che durerà ancora per un decennio, così come Vincent prevedrà di lì a poco in un'altra lettera toccante al fratello.

III

Questa lettera segna insieme una svolta determinata da un riassunto che varrà per sempre e segna naturalmente l'inizio della vita di Van Gogh come artista. Già al principio di settembre, sempre da Cuesmes, ragguaglia Théo circa il suo lavoro, così come farà per tutti gli anni successivi. E la partenza è, come ormai ben sappiamo, solo dedicata al disegno, almeno fino al primo quadro dipinto a olio nelle ultime settimane del 1881, nel momento del trasferimento da Etten all'Aia. Informa il fratello in questo modo, il 7 settembre 1880: «Ti dirò dunque che ho abbozzato i dieci fogli dai *Lavori dei campi* di Millet (nelle dimensioni di un foglio del corso di disegno di Bargue pressappoco) e che ne ho appena terminato uno, intitolato *Il taglialegna*. Sarei andato anche più avanti, ma ho preferito fare gli esercizi a carboncino di Bargue che Tersteeg gentilmente mi ha prestato, e ora ho finito una sessantina di fogli. Inoltre ho disegnato *La preghiera della sera*, dall'acquaforte che mi hai mandato. Vorrei proprio farteli vedere.»

Da queste poche righe apprendiamo subito almeno tre cose importanti: il suo amore per Millet, che si era già ampiamente evidenziato anche negli anni precedenti attraverso le lettere a Théo – per esempio nella passione per la figura del seminatore –, trova immediato riscontro nella "copiatura" di alcuni suoi soggetti («Quanto al *Seminatore*, l'ho già disegnato cinque volte, due in piccolo, tre in grande e, ciò nonostante, lo riprenderò ancora, tanto questa figura mi intriga»). Cosa che, come ben si sa, proseguirà fino agli ultimi mesi della sua vita, soprattutto in quelli assai difficili della fine dell'inverno 1889-1890 a Saint-Rémy. Poi che si esercita sul corso di Charles Bargue, pubblicato all'inizio degli anni settanta del XIX secolo e che Van Gogh, tramite il direttore della filiale Goupil all'Aia, Tersteeg, ha avuto in prestito. Infine, fondamentale per intendere la disposizione di Vincent in questo momento, l'esercizio metodico e quotidiano viene prima dell'invenzione. Come a dire che senza la conoscenza degli strumenti, non si possa creare immagine autonoma.

La stessa lettera del 7 settembre, riporta altri passaggi molto chiari in tal senso: «Per parecchio tempo ho scarabocchiato disegni senza fare grandi progressi, ma ultimamente va meglio, mi sembra, e spero proprio che andrà ancora meglio. E mi auguro che, dopo avere copiato ancora una volta le altre due serie di Bargue, sarò in grado di disegnare un carbonaio più o meno convincente, quando mi sarà possibile avere per l'occasione un modello provvisto di un certo carattere e – quanto a questo – qui ce ne sono.» L'applicazione è costante e non prevede pause, perché diventare un artista significa non derogare mai dal compito che ci si è assunto: «Non puoi neanche immaginare quanto mi abbia reso felice Tersteeg, consentendo di lasciarmi per un po' di tempo gli *Esercizi a carboncino* e il *Corso di disegno* di Bargue. Ho lavorato sui primi per quasi una quindicina di giorni, dal mattino presto fino a sera, e ogni giorno ho avuto l'impressione che questo lavoro mi rendesse più sicuro.»

È chiaro in Van Gogh il desiderio che tutto questo studio accanito possa dare un giorno, presto o tardi che sia, i suoi frutti. In una lettera molto bella e ugualmente importante, del 24 settembre 1880 sempre dal Borinage, su questo spende parole molto nette: «Come puoi vedere sto dunque lavorando come un matto, anche se per il momento non ho ottenuto risultati molto soddisfacenti. Ma spero che queste spine daranno all'ora giusta il loro fiore e che questa lotta in apparenza sterile non sia altro che un lavoro di procreazione. Prima il dolore, poi la gioia», che non era niente di più che la trasposizione della citazione biblica con la quale aveva riempito le pareti della sua stanza quando viveva a Dordrecht.

I riferimenti, adesso che il lavoro d'artista è iniziato davvero, rimangono quelli che Vincent evocava nelle lettere del decennio precedente, dunque i pittori di Barbizon prima di tutti, da Millet a Daubigny. È attratto da quel tipo di paesaggio, anche se «il cielo di Francia mi è sembrato molto più terso e limpido di quello del Borinage, fumoso e carico di brume.» Per questo motivo, quando passerà da Nuenen a Parigi, tra 1885 e 1886, con l'intermezzo di Anversa, il cielo nei suoi quadri si schiarirà e si apriranno i primi, veri azzurri. In fin dei conti, Parigi rappresentava in quel momento il posto più a sud nel quale Van Gogh avesse vissuto e quindi dipinto. Una luce più secca e polverosa di quella umida, e gonfia di nebbie e foschie, a cui era abituato in Olanda.

Ma al di là del paesaggio così spesso evocato, tra l'altro con descrizioni che sono mirabili pagine di letteratura, l'arte è adesso per Vincent soprattutto la vicinanza, con la sua matita, alla gente che soffre, dunque ai minatori che vivono accanto a lui nel Borinage: «Sono circa due anni che vivo con loro e ho imparato a capire il loro carattere originale. E sempre più trovo qualcosa di commovente in questi poveri, oscuri operai, gli ultimi fra tutti per così dire, e i più disprezzati, rappresentati di solito in modo fantasioso, vivo forse, ma molto falso e ingiusto, come una razza di malfattori o di briganti. Malfattori, ubriachi e briganti ce ne sono qui come ovunque, ma non ne costituiscono il vero tipo.»

Ed è chiaro che per rappresentare questo mondo del lavoro dentro la luce della sofferenza, non possa che essere Millet il modello al quale guardare. È un'adesione vera e spontanea a questa realtà, e lo strumento in questo momento è solo e soltanto il disegno, che gli dà enorme soddisfazione anche d'anima, quando pensa ai suoi modelli: «La perla preziosa, l'anima umana, messa in evidenza in Millet, in Jules Breton, in Jozef Israëls.» Il disegno sembra quasi essere per lui un equilibratore dello spirito: «Non potrò mai dirti quanto (nonostante ogni giorno si presentino e si presenteranno nuove difficoltà) sia felice di avere ripreso il disegno. Ci pensavo già da tempo, ma consideravo la cosa ormai impossibile e al di sopra delle mie capacità. Ma ora, pur sentendo la mia debolezza e la mia penosa soggezione nei confronti di molte cose, ho ritrovato la mia calma di spirito e l'energia mi ritorna ogni giorno di più.»

Il tempo nel distretto minerario del Borinage sta per concludersi e Vincent si trasferisce a Bruxelles, dove intende iscriversi all'Accademia di disegno. Prima di lasciare Cuesmes, indirizza a Théo ancora parole che sono l'ennesimo atto di umiltà, però di chi sa perfettamente di valere: «Abbi pazienza, forse vedrai ancora che anch'io sono un lavoratore; per quanto non possa prevedere ciò che mi sarà possibile realizzare, spero tuttavia di fare qualche scarabocchio in cui ci sia qualcosa di umano. La via è stretta, la porta è stretta, e sono pochi a trovarla.» Qualcosa di umano, scriveva dunque Vincent a Théo al principio d'autunno del 1880. Qualcosa di tremendamente umano verrà imponendosi di lì a poco come una marea che travolgerà, dilavando ogni cosa con la forza franta dell'anima piena di spine. Certo, «con gli esercizi del Bargue va bene e sto facendo progressi», ma verrà un momento in cui saranno da buttare tutti i libri e quell'esercizio accanito diventerà soltanto un ricordo. E certo ancora, «ci sono delle leggi di proporzione, luce, ombra, di prospettiva che *bisogna conoscere* se si vuole saper disegnare. Se non si conoscono la lotta rimarrà sterile e non si sarà in grado di creare niente», ma si va al di là. Van Gogh tende fin da questo momento aurorale a scavalcare il limite del cielo, quel cielo che dipingerà, ben prima di Munch, come un grido che strazia l'aria.

Intanto, «quei due anni nel Borinage sono stati molto difficili, non mi sono certo divertito.» Intanto, «ho disegnato gli zappatori di Millet da una fotografia prestatami da Schmidt insieme a quella dell'*Angelus*. Ho mandato questi due disegni a papà per dimostrargli che sto facendo qualcosa.» Intanto così, e poi verrà la vita, e poi verrà l'arte: «Credo che quando ci penserai anche tu sarai d'accordo che debba vivere in un ambiente più artistico, poiché come si può imparare a disegnare se qualcuno non ti spiega come fare?» Intanto è un mondo che si va formando, nel timore di essere quello che non si vorrebbe e di non essere quello che si vorrebbe. È una partita che si giocherà in pochi e decisivi anni, tra l'essere e il non essere. Vincent propenderà per l'essere a ogni costo, anche a costo della vita. Tolta vicino a un campo di grano, nella luce che discende una

69

domenica sera, prima di fumare la pipa sul letto attendendo che Théo arrivi da Parigi, e parlare così del passato e del futuro. Quando più lui non sarà.

Intanto è costretto a scrivere così. Da Bruxelles, il primo novembre del 1880: «Per quanto riguarda gli artisti mediocri, alla cui categoria io secondo te non vorrei appartenere, che dovrei dire? Dipende da quello che tu intendi con mediocre. Io farò tutto ciò che posso ma non disprezzo affatto la mediocrità nel suo significato più semplice. E non si sale certo oltre il livello medio disprezzando quello che è mediocre. Secondo me bisogna cominciare a rispettare la mediocrità, sapendo che essa significa già qualcosa e che si raggiunge con grande difficoltà.» Intanto, con grande difficoltà, è cominciato questo breve viaggio, compiuto tra le varie stanze nelle tante case della vita di Vincent e il firmamento in una notte d'estate, pensando all'amore che non giungeva mai.

IL NOMADE E LE STANZE DELLA VITA
La camera come un mondo

Questo è il mio dilemma, il mio problema. Se ne può parlare a lungo, ma è impossibile risolverlo. Non mi riuscirà mai di spiegare l'uno verso l'altro i due poli dell'esistenza, di scrivere la melodia a due voci della vita. E tuttavia continuerò a obbedire all'oscuro comando che mi viene di dentro, e ritenterò sempre la prova. Perché è questa la molla che fa camminare il mio piccolo orologio.

Hermann Hesse, La cura

I

Nelle trentasette case nelle quali ha abitato e vissuto, Vincent van Gogh ha condotto, principalmente nel tormento e nel desiderio di un amore irrisolto, i suoi trentasette anni di passaggio su questa terra. Alle trentasette case corrispondono altrettante stanze, che sono state luoghi per lui fondamentali di vita, soprattutto alcune. Come si fa a non pensare alle ultime tre stanze della sua esistenza? Stanze come un mondo. Nella "casa gialla" in place Lamartine ad Arles, o quella successiva nell'istituto di cura per malattie mentali di Saint-Paul-de-Mausole a Saint-Rémy, o infine l'ultima, nel sottotetto dell'Auberge Ravoux a Auvers-sur-Oise, dove è morto nella notte tra il 28 e il 29 luglio fumando la pipa e parlando di sé e della sua opera, del suo mondo, con Théo e il dottor Gachet? Come si fa a non pensare a quanto quei pochi metri quadrati tra un letto e una finestra siano stati fondamentali per la storia della pittura e per la storia dell'umanità?

Si immagina chi si sia fermato in piedi accanto a una finestra, nel profumo viola di lavanda, a vedere il mondo scorrere di fuori, a vederlo in tutte le sue misure vicine e lontane, quelle visibili e quelle, infinitamente più numerose, invisibili. Percorrere la stanza a passi nervosi o talvolta appena più distesi, quando l'anima chiama a sé. Sedendo di tanto in tanto su una poltrona stracciata o stendendosi per poco sul letto. Immaginando tutto quello che è possibile immaginare, ciò che si conosce e quanto non si conosce. Sapendo che nella stanza si può stare per costrizione o per scelta, e che nella stanza può cominciare il viaggio. O il viaggio lì può continuare, dopo averlo iniziato nello spazio aperto, nella radura, tra bassi vigneti, nell'incisione del bosco, lungo i sentieri, soprattutto i cipressi e i campi di grano, il canto delle cicale e, sopra di essi, sopra ogni cosa, maestoso e infinito, il cielo. Il suo azzurro come uno schiocco di frusta che colpisce il cuore.

Nella stanza accadono i miracoli e qualsiasi viaggio vi può cominciare, anche quello apparentemente impossibile da compiere. In essa si valicano montagne, si attraversano fiumi e mari, si sta sollevati su nebbie, si sfida la canicola nel pieno dell'estate, ci si sporge da un picco a precipizio su una valle. Nella solitudine della stanza si ha forse maggiore chiarezza di sé e del mondo. Per questo, nella sua lotta quotidiana e costante per la vita, Vincent van Gogh ha abitato la sua camera come fa il capitano di una nave guardando da prua la tempesta, cercando di dominare anche solo con il suo cuore e il suo sguardo le onde che si rovesciano sulla tolda. Il pittore ha fatto proprio così, aprendo la finestra della sua camera e offrendosi al mondo senza lasciare nulla indietro, senza calcoli che non fossero l'amore, l'amore e ancora e solo l'amore. Perché unicamente così si può arrivare alla verità. E Van Gogh ha desiderato in ogni modo, in ogni modo possibile, anche quello impossibile, toccare la verità per via di pittura. La sua camera ne è stato l'oblò aperto sull'infinito, che ha rilanciato in quella stessa camera, giungenti dal più profondo universo, le notti stellate a precipizio, certe lune di maggio, il silenzio freddo di gennaio, il crepitare dei passi sulle foglie di novembre, l'oro del grano di luglio. L'universo è stato prodigo con questo pittore, perché mai lui ha tradito, generoso sempre, avendo considerato solo l'esistenza dell'amore tramutato in colore.

Da qui, da una stanza così, che non può dunque dirsi in alcun modo al riparo dai venti e dalle maree, sembra partire il viaggio. O forse il viaggio concludersi, perché con Van Gogh, molto più che con altri, non si sa il punto in cui una cosa comincia e una cosa finisce. Perché pur essendo sottovento, pur potendo accendere il lume quando viene la sera, nulla protegge dalle ombre che si allungano e vengono dal mondo. E magari il kerosene di quel lume lo si vuole addirittura bere. La stanza è il momento del principio, il luogo in cui si vedono le orme posarsi sulla sabbia e quell'incisione del proprio corpo nello spazio è la prova che il movimento ha avuto inizio, che il corpo si è levato. Il proprio corpo diventato una sindone che se ne va per abbracciare il mondo, per stringerlo a sé, renderlo partecipe di un racconto che è osservazione e confessione, è stravolgimento dell'essere. Nell'abbraccio è il mistero dell'infinito che entra nella vita e la rende colma d'amore. L'abbraccio forte con il mondo, soprattutto con una donna desiderata e mai avuta. Una simile corrente d'amore è proprio il modo in cui questa pittura si è costruita. Poi sono sorte immagini diverse l'una dall'altra, un tempo si è succeduto a un altro, ma tutto è partito da lì, dal mistero di un abbraccio.

Perché Van Gogh aveva di fronte ai propri occhi, al primo piano nella sua camera a Saint-Rémy, le Alpilles, un piccolo campo di grano recintato, gli iris e più lontani i campi con gli ulivi, mentre passava davanti alla finestra e forse immaginava quel mondo vuoto un giorno della sua presenza. Lo spazio breve che anticipa il dilagare dell'infinito e nell'infinito. Che è fuori e dentro di noi. Ancora una volta il senso di un abbraccio. I passi battuti lenti sulle scale di pietra dell'istituto, una piccola eco nei corridoi, il cigolare della porta nel momento in cui si apre, e poi si chiude. Eppure, quando quella porta viene serrata alle spalle del pittore, non un mondo si chiude ma un mondo si apre. E il paesaggio, e prima ancora la natura, vengono a visitare i pensieri e i sogni di chi a quelle immagini ha dedicato la sua vita.

La stanza è il luogo nel quale le visioni si affollano, giungono in uno sciame quasi incontrollato e al pittore toccherebbe mettere ordine in tutte queste apparizioni simultanee. A volte ciò è possibile, a volte il pittore non è in grado di farlo e la stanza diventa allora lo spazio di un grido che si spande nell'aria breve e rattrappita dei muri, contro cui si vorrebbe perfino sbattere la testa. E la finestra ha le sbarre e il pittore si sente come l'uccello in gabbia che non può spiccare il volo. La stanza è la speranza e la condanna, la stanza è tutto il destino. E questo Van Gogh l'ha provato nella misura più alta proprio a Saint-Rémy, dove ha dipinto i quadri più veri e necessitati, i più debordanti come materia dell'anima, che egli abbia mai concepito, e poi realizzato, nel corso dell'intera sua vita. Quella stanza con le sbarre alle finestre è stata davvero l'intero suo mondo, la complessità e anche la dolcezza della luce che ogni giorno si levava al di là. Fino a che non fosse una grande luna rossa, sorgente sul mare dell'oro del campo di grano.

II

Già Pascal nei suoi *Pensieri*, elogiando lo spazio breve di una stanza, poteva scrivere: «Quando io mi son messo qualche volta a considerare il vario affannarsi degli uomini e i pericoli e le pene a cui essi si espongono, nella vita di corte, in guerra, e donde nascano tante contese, passioni, imprese ardite e sovente cattive, ecc., mi sono reso conto che tutta l'infelicità degli uomini proviene da una sola causa, che è il non sapersene rimanere in riposo in una stanza.» Ma poco più di un secolo dopo, nel 1790, Xavier de Maistre scrive il suo *Viaggio intorno alla mia camera*, che rimane un testo fondamentale di riferimento per la volontà di viaggiare non lasciando mai il luogo da cui il viaggio stesso dovrebbe avere inizio: «Ho iniziato e concluso un viaggio di quarantadue giorni intorno alla mia camera.» L'elogio del movimento e del pensiero fatti da una stanza, rende gli uomini tutti uguali e offre loro la straordinaria opportunità di attivare i sensi in ogni direzione: «Il piacere che si coglie viaggiando nella propria camera è al riparo dall'inquieta invidia degli uomini e non dipende dalla fortuna. Si può, in effetti, immaginare un individuo così disgraziato, così misero da non avere nemmeno un buco dove potersi ritirare e nascondere alla vista della gente? È tutto qui il necessario per il viaggio.»

Forse Van Gogh avrebbe potuto dire quello che De Maistre non sospettava potesse accadere, e infatti scrive a Théo, da Arles, il 4 maggio del 1888, in Provenza da due mesi e mezzo: «Ieri sono andato a visitare qualche negozio di mobili per vedere di poter affittare un letto. Disgraziatamente non li affittano e perfino si rifiutano di venderli a rate. È piuttosto imbarazzante. Ora, ho pensato che forse, nel caso in cui Koning partisse dopo avere visto il *Salon*, come credo fosse la sua prima intenzione, dopo la sua partenza potresti mandarmi il letto da lui attualmente occupato. Bisogna considerare che se dormissi in *atelier*, in capo a un anno si risparmierebbero 300 franchi, che si dovrebbero altrimenti pagare all'hotel. So bene che è impossibile saperlo in anticipo;

resterò qui per un po', tuttavia ho buone ragioni di ritenere probabile un lungo soggiorno qui.» Ma la sua camera, nella "casa gialla" in place Lamartine, quasi affacciata sulla riva del Rodano, e che abitò dalla successiva metà di settembre, pur nelle ristrettezze e con le continue richieste di denaro come sempre al fratello, diventa per lui in quel momento il vero centro del mondo. Il luogo dal quale si irradiano il suo pensiero, la bellezza straziata e stravolta della sua pittura e il porto al quale tornare dopo le lunghe, e talvolta faticosissime per causa del mistral, sedute di pittura all'aria aperta. Quando serviva addirittura fissare con dei picchetti di ferro a terra il cavalletto. È il luogo, divenuto subito anche *atelier*, nel quale si fissa in immagine l'assoluto della pittura, nel quale la confessione può avere inizio, nel quale la consegna di sé al mondo è totale. Dove si attua quel legame indissolubile, e spezzato solo con il colpo di pistola di Auvers-sur-Oise, con lo spazio tutto da attraversare, da essere quasi spalmato sulla pelle. Anzi da trafiggerla con gli aculei del biancospino o illividirla di luna con gli albicocchi in fiore. La grazia e lo strazio presiedono al viaggio di Van Gogh.

E il viaggio nella stanza, l'ingresso della natura tra le pareti della casa, ritorna nelle parole di Xavier de Maistre: «Dopo la poltrona, andando verso nord, si scorge il mio letto, che si trova in fondo alla camera e offre la più gradevole delle prospettive. È sistemato nel modo più felice: i primi raggi del sole vengono a giocherellare sulle mie cortine. Nelle belle giornate estive, a mano a mano che il sole si alza, li vedo avanzare lungo la parete bianca: gli olmi che stanno davanti alla finestra li spandono in mille guise, facendoli ondeggiare sul letto, color rosa e bianco, che per il loro riflesso diffonde tutto intorno un incantevole effetto di luce. Sento il confuso cinguettio delle rondini, ormai padrone del tetto, e degli altri uccelli che abitano sugli olmi.»

Non è solo il guardare, e neppure l'accettare l'immagine che all'occhio del visibile esterno si propone. È di più l'aderire della visione al corpo, farsene quasi tabernacolo. È il corpo che diventa nelle sue forme il riflesso, e di più l'immagine precisa, di quanto essendo guardato si frange. Aderenza di quanto svanisce e poi invece si fissa. Ma quella stanza non può essere il mondo nella sua assolutezza, perché prima e dopo viene il viaggio nel mondo, la sua conoscenza diretta. Il partire e il ritornare. Gettarsi in esso, come fa il viandante che tutto lo attraversa, camminando e dunque con il tempo lento di una quotidiana osservazione, che si centellina passo dopo passo, conoscendo delle cose anche le minime modificazioni. O il tempo delle stagioni, il tornare a un punto delle luci e delle maree, delle muffe e delle ceneri, dei venti e del sole. Chi cammina ha il privilegio di questa conquista del mondo fatta passo dopo passo, nel *lentamente* e nella *durata*, in piena sintonia con l'impianto più segreto e misterioso delle cose. E Van Gogh ha sempre camminato a lungo, prima nelle campagne in Olanda, poi sulla pianura della Crau, sui sentieri tra cipressi e ulivi a Saint-Rémy alla base delle amatissime Alpilles, infine in mezzo ai campi di grano a Auvers-sur-Oise, appena prima della fine.

Vincent che cammina va incontro alle persone, le conosce e le riconosce, va incontro alle cose. Vincent che cammina si alza ogni mattina per dare sempre speranza al gesto del tendere la sua mano verso qualcuno che potrebbe finalmente venirgli incontro, all'idea che lo sguardo possa vedere e abbracciare.

Vincent che cammina sa che da qualche parte troverà un punto dove sedersi sull'erba, un punto ombreggiato dove porsi al riparo dalla calura, oppure dalla pioggia o dal vento, dalla neve.

Vincent che cammina sa che non passerà giorno senza avere fatto un nuovo incontro, che qualcuno avrà gettato sulle sue spalle il mantello che sarà di sole o di spine. Sarà felice o sarà malinconico, per questo.

Vincent che cammina spera che qualcuno si leverà per lui e verrà per capire chi sia, per rivolgergli la parola oppure conoscerlo nel silenzio.

Vincent che cammina spera di incontrare qualcuno che possa proteggerlo, vedendolo ferito o bisognoso di conforto. Oppure sarà Vincent a desiderare di proteggere chi vedrà anche un po' discosto dalla sua strada.

Vincent che cammina avrà lo sguardo aperto sul mondo, pronto ad accogliere ogni visione e ogni colore, perché nella visione tutto si attua e nulla si esclude.

Vincent che cammina si mette in braccio al mondo, lo fa a sé compagno, lascia che lo segua a ogni ora del giorno e della notte. Non vuole fare differenza, perché tutto accoglie come un respiro e come un gesto d'amore.

Vincent che cammina calza scarpe rotte e poco per volta, camminando e camminando per le strade del mondo, quelle scarpe le consuma ancora di più. Anche se ha talvolta scelto spiagge e sabbie sottilissime, bianche, anche se ha scelto di camminare sulla superficie di un'erba verde e morbida, mentre ogni cosa intorno il vento scuoteva. Anche se ha posto ogni cura, e più di ogni cura, le sue scarpe si sono consumate per il lungo cammino e resteranno come una nuova e diversa apparizione. Forse anche una disperazione.

Ha scritto Gauguin: «Nella mia camera gialla c'è una piccola natura morta, violetta questa volta. Due scarpe enormi, consumate, deformate. Le scarpe di Vincent. Quel paio, allora ancora nuovo, che lui una bella mattina si mise per fare il suo viaggio a piedi dall'Olanda al Belgio.»

Vincent che cammina non sa cosa troverà camminando dall'Olanda al Belgio, né sa chi incontrerà. Ma Vincent che cammina sa, almeno questo, che senza il cammino non avrà incontrato nessuno, né avrà imparato a conoscere il mondo.

Vincent che cammina, e anche disegna e anche dipinge e perfino scrive, sa che dovrà camminare ancora, e scendere verso il Sud, e abbracciare la luce e il colore, abbracciare calabroni e girasoli, notti e stelle, mari e ulivi.

Vincent che cammina sa che dovrà tornare al Nord per vedere campi di grano diversi, e corvi volarci sopra in giornate estive nelle quali pende dal cielo una pioggia sottile, però dolcissima a segnare l'aria di luglio.

Vincent che cammina sa che in un certo punto, che ancora non sa, e in un certo momento dovrà per forza smettere di camminare. E non sarà più colui che cammina. Non più colui che saluta togliendosi il cappello di paglia e mostrando limpidamente gli occhi chiari.

Non a caso "essere in cammino" è un'espressione che, sia in senso figurato che di vero movimento, torna molte volte nell'epistolario di Van Gogh. Dalla Drenthe, luogo di paesaggi superbi, nel novembre del 1883 al fratello Théo: «Quando si cammina per ore e ore attraverso questa campagna, davvero si sente che non esiste altro se non quella distesa infinita di terra – la verde muffa del grano o dell'erica e quel cielo infinito.» Ma non è solo questo, perché il viaggio per Van Gogh è esplorazione della terra ma come diretta anticipazione di quel viaggio interiore che sarà di volta in volta purificazione, abbandono del buio, conquista del colore, immersione nella luce. E considerando che questo suo viaggio è durato non più di dieci anni, è evidente che questa consapevolezza del viaggiare come essere nel mondo sia venuta tardi da un lato ma sia poi diventata estremamente chiara quando quel decennio magico, quasi assurdo a ripensarlo oggi per la sua brevità e la sua perfezione tragica, è cominciato.

Per cui non deve sembrare strano se una domenica mattina del settembre 1882, quando la pittura è cominciata solo da pochi mesi, dall'Aia scriva così a Théo: «Vedi che sono immerso con ogni mia forza nel dipingere; sono preso dal colore, finora mi sono trattenuto e non ne sono dispiaciuto. Se non avessi disegnato tanto, non sarei in grado di afferrare il senso e di rendere una figura che ha l'aspetto di una terracotta non finita. Ma ora mi sento in mare aperto – la pittura va continuata con tutte le forze che posso dedicarle.» Essere in mare aperto è appunto il segno, e il senso, di questo viaggio che mette di sé tutto in gioco, che non consente pause e soste nel cammino, che pone conoscenza su conoscenza mentre il viaggio è in corso e il solo momento di sosta è nella stanza affacciata sul mondo. Così mentre è intento, su carte spesso di fortuna e stracciate, a disegni che ritraggono persone a passeggiare sulla spiaggia di Scheveningen, o lavora con la matita su più grandi fogli dove stanno madri con i loro bambini, Van Gogh, esercitandosi anche sull'acquarello, dice di essere «preso dal colore» e ancora «immerso con ogni mia forza nel dipingere.» Ha, Vincent, questa prodigiosa capacità di profezia, e a volte più che su se stesso sulla sua opera, sulla strada che sente di dover e voler percorrere. Ed è una strada che fa del viaggio interiore, dell'approfondimento attorno al confine della propria coscienza, il suo punto di forza.

Ancora dall'Aia scrive a Théo, ai primi di agosto del 1883, in una lettera molto importante sulla quale rifletteremo ancora tra poco: «Vivo dunque come un ignorante, che sa con certezza solo una cosa: devo portare a termine in pochi anni un compito determinato; non c'è alcun bisogno di affrettarmi oltre misura, perché ciò non porterebbe a niente – devo occuparmi del lavoro con calma e serenità, il più regolarmente e ardentemente possibile; il mondo non mi interessa molto, se non fosse che ho un debito nei suoi confronti, e anche l'obbligo – perché ci ho camminato sopra per trent'anni – di lasciargli in segno di gratitudine qualche ricordo sotto forma di disegni o di quadri – che non sono stati fatti per piacere all'una o all'altra tendenza, ma per esprimere un sentimento umano sincero.»

Il viaggio deve comprendere questo «sentimento umano sincero» e quindi consentire di realizzare opere «che vadano al cuore della gente», come Van Gogh aveva detto in un'altra lettera dall'Aia del 21 luglio 1882. Nulla di ciò si può fare se non affidandosi del tutto alla verità, abbandonandosi anzi a essa. Trovare nelle tappe del viaggio, che talvolta può diventare insopportabile per troppa realtà, le ragioni per la sua stessa prosecuzione, nella certezza, che per Van Gogh è granitica, che la salvezza potrà venire dalla coscienza interiore, e da una fiducia, che appare quasi illimitata, nell'arte. Solo la natura sembra appaiarsi a quella forza da cui nasce il viaggio dentro se stessi che conduce tanto lontano. In una delle primissime lettere a Théo da Nuenen, nel dicembre 1883, parla di questo rapporto con la natura, che è appunto il rapporto con il *vero*: «Ti dico, ho scelto con piena coscienza la vita del cane; resterò un cane, sarò povero, voglio restare un essere umano andando in mezzo alla natura. A parer mio l'uomo che si allontana dalla natura, la cui testa è sempre colma di idee sul conservare questo e quest'altro, anche se con ciò si allontana tanto dalla natura da non poter fare a meno di riconoscerlo – oh – in tal modo arriva al punto di non saper più distinguere il nero dal bianco – e – e si diventa proprio l'opposto di quanto il mondo ritiene che uno sia e di quanto si pensa di essere.»

Fare delle cose «mediante un lavoro paziente e regolare», questa è l'ambizione di Vincent che riflette sul suo viaggio, e che però aggiunge: «L'idea di lavorare a scossoni è il mio incubo.» Ed è questo un punto fondamentale della riflessione, perché se l'opera di Van Gogh è quant'altre mai un vero e proprio viaggio iniziatico che parte dal buio dell'Olanda, dalle sue nebbie e dai suoi muschi serali per tendere all'assoluto di una luce che si esprima attraverso i colori al loro grado massimo, si tratta anche di un viaggio continuamente interrotto. Se è chiara l'idea di un viaggio che deve iniziare, risulta sofferta, soffertissima la constatazione che questo viaggio sia continuamente sottoposto al pericolo di non proseguire. Per l'eccessiva frantumazione dell'essere, per l'impossibilità di abbracciare in un unico sguardo il mondo delle cose e il mondo delle figure fluttuanti e mutanti. È il doppio tempo della vita e della pittura, il movimento del respiro e dell'espiro, che però dà luogo infine, come cosa forse esistente da sempre e perciò descrivibile, al magma dell'esistenza: «No, no, è vero che in natura esiste sia l'appassire che lo sbocciare dell'amore, ma nulla muore completamente. È vero che c'è un flusso e un riflusso, ma il mare resta mare. E nell'amore, sia per una donna come per l'arte, ci sono momenti di esaurimento e di impotenza, ma non esiste disincanto completo.»

È un altro tema non scansabile nel viaggio operoso di Van Gogh, e cioè la riproducibilità completa della natura ma soprattutto dei sentimenti che muovono alla pittura e naturalmente al disegno. La domanda se tutto sia rappresentabile con la pittura, o se piuttosto esista qualche zona neutra nella quale sia impossibile avventurarsi. La domanda se il mondo sia nell'anima o si debba invece cercare l'anima del mondo. Da qui il senso di quella specie di nomadismo che fa del pittore il viandante perfetto, colui che senza viaggio non sarebbe. Stazioni di sosta che portano, l'una dopo l'altra, a un volo. A risolvere quella malattia che per Van Gogh è inquietudine costante e che altro luogo non ha se non il proprio spazio interiore. Spazio interiore che si affaccia nella stanza. Due interiorità in contatto. Lì tutto converge e il viaggio si compie nella consapevolezza di un destino e della vita.

In una lettera amarissima a Théo, del 10 settembre 1889, da Saint-Rémy, così scrive: «E io so che la guarigione viene – se si è coraggiosi – dal di dentro, con la rassegnazione alla sofferenza e alla morte, con l'abbandono della propria volontà e dell'amor proprio. Ma ciò non ha importanza per me, mi piace dipingere, mi piace vedere gente e cose, e mi piace tutto ciò che costituisce la nostra vita – diciamo pure anche superficiale. Sì la vita vera sarebbe un'altra cosa, ma io non credo di appartenere a quella categoria di anime che sono pronte a vivere e anche a soffrire in qualsiasi momento.

All'aria aperta, esposti al vento, al sole, alla curiosità della gente, si lavora come si può, si riempie il quadro alla disperata. Ed è proprio facendo così che si coglie il vero e l'essenziale – questa è la cosa più difficile. Ma quando dopo un certo tempo si riprende lo stesso studio e si dispongono le pennellate nel senso degli oggetti – è certamente più armonioso e piacevole da vedere, e ci si può aggiungere quanto si ha di serenità e di sorriso.

E io prevedo già che il giorno in cui avrò un certo successo, comincerò a rimpiangere la mia solitudine e il mio accoramento di qui, allorché guardo attraverso le sbarre di ferro della mia stanza il falciatore nei campi ai miei piedi.»

La guarigione accade, se accade, in quel luogo in cui le passioni non vengono mai meno e sono l'unica via di accesso al mondo, la sola strada apparentemente percorribile prima che sia il silenzio, l'assenza di uno spazio. Van Gogh coltiva del viaggio specialmente questo aspetto dell'incontro continuo, il parossismo dei luoghi e dei volti, in una specie di sguardo dal finestrino di un treno, quando mille cose appaiono e tuttavia non sfuggono e invece si fissano. Questa contemporaneità della vita e dell'intensità della vita stessa interessa al pittore: «Che mistero è la vita e l'amore è un mistero all'interno di un altro mistero. Indubbiamente non resta mai uguale in senso proprio, ma cambia come il flusso e il riflusso della marea, che lascia il mare inalterato.» Il viaggio nel magma dell'esistenza è acceso dalle difficoltà e così esse trasformano il silenzio in un brusio, in una tempesta piena di lampi, in una notte di venti: «Bisogna sopportare le difficoltà per poter maturare. A volte non posso credere di avere solo trent'anni, mi sento più vecchio.»

Il viaggio nella stanza e dalla stanza appare dunque, in modo sempre più chiaro e si direbbe definitivo, nell'esatta coincidenza con il procedere nel nucleo più fondo della vita. La lettera a Théo dell'8 febbraio 1883 è quasi programmatica in questo senso e perciò merita una lunga citazione, tornando ancora una volta, come abbiamo visto nel capitolo precedente, sul tema del fallimento: «Mi sento più vecchio solo quando penso che la gente che mi conosce mi deve considerare un fallito e che potrebbe veramente essere così se le cose non volgeranno al meglio; e quando penso che potrebbe essere così, lo sento con tale intensità da rendermi tanto depresso e sconsolato come se già lo fossi davvero. Quando sono più calmo e in uno stato d'animo più normale, a volte mi sento contento che siano passati trent'anni, e non senza avermi insegnato qualcosa per il futuro, e mi sento una forza e un'energia sufficienti per i prossimi trent'anni, se vivrò tanto a lungo.

E posso immaginarmi che mi aspettino anni di lavoro serio, più felici dei primi trent'anni di vita. Quel che in realtà sarà non dipende soltanto da me, anche il mondo e le circostanze contribuiranno. Quanto mi riguarda è ciò di cui sono personalmente responsabile e il cercare di sfruttare al massimo quelle circostanze e il fare del mio meglio per fare progressi. Per un uomo che lavora, l'età di trent'anni è l'inizio di un periodo di maggiore stabilità e, in quanto tali, ci si sente giovani e pieni di energia. Ma al tempo stesso un capitolo della propria vita è chiuso; rende tristi il pensiero che alcune cose non torneranno più. E non è sciocco sentimentalismo il sentirne un certo rimpianto. Beh, molte cose iniziano in realtà a trent'anni e indubbiamente non tutto è finito allora. Ma non ci si può aspettare dalla vita quanto già si è imparato che la vita non può dare; piuttosto si inizia a vedere con sempre maggior chiarezza che la vita non è se non una sorta di tempo di seminagione e che non è in essa la messe.» In questo modo Van Gogh prefigura, alla stregua del messaggio cristiano, che la ricompensa non verrà su questa terra ma nel Regno celeste. Ma ciò che più interessa è come il viaggio sia un'educazione al vivere, anche se le continue difficoltà, le insopportabili difficoltà, lo mettono nella condizione di paragonarsi a «un coleottero legato a un filo», anche se poi, in un successivo momento di maggiore fiducia, quasi tra sé e sé sente il bisogno di esclamare: «Beh, non dobbiamo perderci di coraggio e dobbiamo tentare di nuovo.»

Proprio l'immagine del coleottero legato al filo, così com'era stata quella dell'uccello chiuso in gabbia, ci consegna il sentimento di un viaggio che è sempre in potenza ma che non sempre riesce a tradursi in movimento, in risultato, in bellezza per come si era potuta prevedere. Di modo che il viaggio risulti anche dall'incertezza, dal dubbio, dallo scoramento totale di fronte all'impossibilità di prendere il volo. È l'esigenza quasi animale di bruciare il tempo, ma di non lasciare che il tempo si consumi bruciando tutto troppo in fretta. Il viaggio di Vincent ha anzi il desiderio insopprimibile di anticipare il tempo, di renderlo, se fosse possibile, per un momento docile. L'umanissima necessità di consegnare qualcosa di sé, qualcosa di vicino alla bellezza prima che il tempo bruci ogni cosa. È questo il suo viaggio più vero, quello accanto al tempo e davanti al tempo, quello contro il tempo. Accompagnandolo da una stanza. La sua.

In una lettera bellissima, di tono quasi profetico e visionario, scritta dall'Aia ai primi di agosto del 1883, così tra l'altro Vincent scrive a Théo: «Ad esempio, credo di poter concludere, senza esagerare, che il mio corpo – quand'anche regga la stanchezza – resisterà ancora per qualche anno, diciamo dai sei ai dieci anni. Oso tirare questa conclusione tanto più che è ancora fuori luogo impiegare l'espressione quand'anche. Conto fermamente su questo lasso di tempo; per il resto sarebbe come speculare sul vuoto arrischiarsi di fissare dei limiti; dai dieci anni a venire dipenderà il mio lavoro futuro, ma ci sarà ancora qualcosa da fare per me, sì o no? Se mi do da fare senza risparmio nel corso di questi dieci anni, non supererò la soglia della quarantina; se mi tengo in forma per resistere ai colpi usuali e vincere certe difficoltà fisiche più o meno complicate, mi ritroverò in acque navigabili relativamente calme, tra i quaranta e i cinquanta.

Simili pensieri non sono per il momento all'ordine del giorno; solo i progetti relativi ai prossimi cinque o dieci anni, come ho appena detto, devono attirare l'attenzione. Non ho intenzione di risparmiarmi, né di respingere le emozioni e le fatiche – mi è relativamente indifferente vivere più o meno a lungo; inoltre non mi sento competente per dirigere la mia vita animale come può farlo, ad esempio, un medico.

[…] Dunque, la mia opera costituisce il mio unico scopo – se concentro tutti i miei sforzi su questo pensiero, tutto ciò che farò o non farò diventerà semplice e facile, nella misura in cui la mia vita non sembrerà un caos e tutte le mie azioni tenderanno a questo scopo. Per il momento, il lavoro progredisce lentamente – ragione di più per non perdere tempo.

[…] È così che mi vedo – devo realizzare in pochi anni un'opera piena di cuore e di amore, e devo dedicarmi a essa energicamente. Tanto meglio se resto più a lungo in vita di quanto non speri, ma non voglio tener conto di questa eventualità. Bisogna che realizzi qualcosa di valido in pochi anni: questo pensiero mi guida quando almanacco progetti circa la mia opera. Capirai che sono spinto dal desiderio di mettermi al lavoro energicamente. E che sono deciso a impiegare mezzi semplici. Capirai anche che non considero i miei studi isolatamente e che mi preoccupo costantemente dell'insieme della mia opera.»

Poche altre volte Van Gogh parlerà con una simile chiarezza, mostrando l'effigie più vera del suo viaggio, che non è solo quella, travolgente, dal massimo del buio al massimo della luce, allo splendore dei colori, ma anche viaggio dentro il tempo e alla sua voracità che spezza ogni legame che non sia connaturato all'opera. Per questo egli insiste, qui come altrove, per stare agganciato, abbarbicato, al cuore dell'opera. Solo in essa c'è la salvezza, solo in essa si attua quella redenzione che rende meno esacerbato il dolore per una impossibilità. L'opera è tutto e il viaggio che la prepara, illimitato protendersi, è lo sforzo sovrumano mai riuscito a diventare regola. Per questo motivo l'immagine del volo, e della casa da cui si parte, non cesseranno mai di agire nella riflessione che Van Gogh continua senza sosta a fare nel suo affannato epistolario. Sempre la tensione dell'andare, il desiderio di stendersi sino all'infinito, dilagare se possibile con il proprio corpo e il proprio essere e la difficoltà estrema, quasi l'impossibilità per natura, di compiere infine quel gesto di orgoglio e forza, di poesia e visione. Quante volte questi pensieri sono accaduti in una stanza.

III

Poi bisognerebbe andarci, in quella stanza. In un giorno della vita. Con nessuno attorno. E solo a respirare silenzio. Il silenzio dell'attesa e dello stupore. Risalire piano la scala, sull'assito di legno che un po' scricchiola. Quello il solo rumore. I muri sono quelli del suo tempo, le crepe tutti li attraversano. Poi la scala giunge al sottotetto, in una penombra che ha per sé solo una lampadina fioca e una luce che giunge da fuori, dagli stessi campi di luglio. Il sole accecante del grano. Come tanti anni prima. Non viene nemmeno più da camminare e solo da restare. Immobili, prima di entrare. E pensarci bene, se si vuole davvero entrare. Perché si sente tutto lo spirito, e non più la materia. Ti vengono incontro l'amore e l'anima, la sua anima. In un soffio che è un vento impetuoso, invisibile. Rimasto tutto così, come un lampo che si sia spento in cenere.

Poi non si resiste e facendo ancor più silenzio del silenzio, non si può fare altro che entrare. Eccola, la stanza che è tutta una vita, è tutto il mondo da quando il mondo c'è. E s'immagina quella piccola luce nella notte, quella piccola luce dell'abbaino sotto le stelle. Quel lume nella stanza, dove un pittore che se ne andava, fumava la pipa e presentava all'immenso dell'universo, finalmente, i suoi occhi azzurri e verdi come un mattino diventato subito luce. Quella luce nella notte, la luce della stanza. Diventata allora una barca nel mare dell'infinito, una scia di stella tra le stelle.

Eccola, la stanza che infine ha contenuto tutto dei pensieri, tutto dei dolori, tutto delle attese e delle previsioni. Tutto delle speranze e dei sogni. Ha contenuto ogni istante del tempo. Eccola qui, in una mattina di luglio della vita, come in una mattina di luglio era arrivato Théo con il treno da Parigi, per correre incontro all'oro del grano e al destino. Con il biglietto di Gachet in mano: corri Théo, corri come il vento, più forte che puoi, Vincent sta per partire, quale cometa nel cielo. Non puoi mancare nel momento in cui spiccherà il volo.

La stanza è adesso un battito d'ali, elitra colorata che si espone al vento lieve e non più alla bufera. La stanza è solo spirito, sospensione, futuro avverato. La stanza non è più il luogo della sofferenza e dell'interrogazione di sé, ma è diventata solo luce e verità. Ciò che il pittore aveva sempre cercato, è adesso in questa stanza rappresentato. E lo è per via di vuoto e non di materia, per la strada del silenzio e non del traffico dei giorni. Lo è per un odore che diventa profumo. La struggente presenza di un odore che viene dal sottobosco e dai campi di grano e poi s'incista qui, nella stanza, adesso come allora. Un odore che rimbalza leggero, di muro in muro, nella stanza. E apre quel sentiero meraviglioso, ogni ora cercato. Ah, l'odore nella stanza.

E si pensa al pittore una sera di domenica, seduto sotto l'ultimo albero della sua vita, accanto a un campo di grano. Si pensa al pittore con una pallottola nel petto, stare lì seduto ancora. E poi levarsi nella luce lunga del giorno che sta per finire. E camminare su quei sentieri che aveva per giorni e giorni percorso con la tela e i colori in mano e il cavalletto sulle spalle. Camminare fino alla stanza, salire le scale senza farsi da alcuno sentire. Mettersi a letto, mentre dal lucernario veniva la luce delle stelle, che tante volte il pittore aveva dipinto. Fino alla stanza, sì. Perché vi riconosceva il porto al quale approdare, ma ugualmente dal quale partire. Ed è per questo che il suo levarsi definitivo dal mondo verso l'infinito, è avvenuto in questa stanza. È difficile girarle le spalle e scendere le scale, per rientrare nel mondo. Difficile. E impossibile dimenticarla.

DALL'ALBA ALLA NOTTE.
LUCE COME DESTINO
Van Gogh e la sua luce di carne e spirito

Abito a Itaca chiara nel sole, in essa è un monte
che spicca, il Nerito frusciante di foglie; intorno sono
molte isole, vicine tra loro,
Dulichio e Samo e Zacinto selvosa.
Bassa nel mare essa giace, ultima
verso occidente – le altre a parte, verso l'aurora e il sole –,
irta di sassi ma brava nutrice di giovani. Non so vedere
altra cosa più dolce, per uno, della sua terra.

Omero, Odissea

I

Van Gogh ha voluto guardare il sole e l'origine della luce. Ha desiderato incontrare il Sud per conoscere la forza e l'irruenza della luce, la sua carne. Il ricamo arroventato che fa sul mondo. E ha quasi dettato in questo modo quadri che hanno appaiato quella luce, per farla diventare colore che ha invaso le sue tele. Nel dipingere paesaggi, volti o nature morte, egli ha indifferentemente disposto nello spazio dell'opera la luce in tutte le sue gradazioni, entro un'ossessione che non è stata tale in alcun altro artista. Ha cercato fin dove possibile, fin quanto e fin quando possibile, l'assoluto della luce, la sua manifestazione più piena, in grado di rivelare, insieme, l'anima e il mondo. È per questo motivo che, al di là di ogni logica evidenza, il tema della luce è fondamentale per Van Gogh, dal momento che nella luce vivono insieme il territorio più recondito della profondità e l'urlo più straziante dell'atmosfera.

Raccogliendo antiche meditazioni che risalivano fino a Plotino, Goethe aveva individuato nella luce il principio generatore e poi regolatore del mondo. *Fiat lux* è quasi l'invocazione che nella tradizione religiosa dà origine al mondo, e gli dà origine proprio perché esso non è più in potenza ma può finalmente diventare visibile. La luce rivela la natura e si manifesta quale immagine della suprema armonia dell'universo. La luce è l'elemento senza il quale la conoscenza del mondo non sarebbe, poiché lo svela traendolo fuori dal suo buio che risale alla notte dei tempi. Il lungo cammino della luce è il lungo cammino per la conoscenza. Il mondo senza la luce non si mostrerebbe e la luce lo rende visibile attraverso i colori, che sono, come ci ricorda ancora una volta Goethe, rifrazione della luce stessa.

Nel *Ganimede*, con bellissima ed essenziale formulazione poetica, egli scrive: «Nel riverbero colorato possediamo la vita.» L'uomo è materia e spirito, tanto che Cromer, insigne fisico, può affermare: «Il colore è un attributo psicologico della luce.» L'uomo vive nel colore e del colore, perché giunge dalla luce e senza la sua forza e la sua potenza miracolosa nulla sarebbe. Il pittore pone, davanti a tutti, i suoi passi su questa strada. E in un antico frammento presocratico, attribuibile forse ad Antifonte, si legge che la vita dell'uomo dura un giorno, però con gli occhi rivolti alla luce. Come se in quell'atto primordiale di appartenerle fosse già inscritta tutta intera la vita, e la vita potesse durare il tempo di un levarsi del sole e andargli incontro. In questo senso lo spazio, percorso e abitato dalla luce, e dai colori che ne risultano i sovrani, non è più, e in alcun modo potrà più essere, indifferenza. Ma differenza e peculiarità, precisione dell'atto della descrizione, innamoramento e sostanza, battito del cuore e vento partecipe. Il pittore sente così il mondo con altri occhi, gli occhi del primo uomo che ha camminato sulla terra. E quel *sentire* è il *vedere*, attraverso la luce e i colori, i luoghi dell'origine, così da percepire il senso anche mitico di spazi che sono dalla forma del principio.

Scrive Artaud, nel suo libro assai divulgato: «Dirò che Van Gogh è pittore in quanto ha rimesso insieme la natura, l'ha fatta quasi ritraspirare e sudare, ha fatto sprizzare sulle sue tele in fasci luminosi, in mazzi quasi monumentali di colori, il secolare frantumarsi degli elementi, la spaventosa pressione elementare di apostrofi, di striature, di virgole, di barre che – dopo di lui non si può non crederlo – vanno a costituire gli aspetti naturali.»

È davvero così. Perché il vedere di Van Gogh è un vedere totale, che non lascia alcuna zona non scandagliata, non coperta dalla sua brama di conoscere e scardinare il senso e la forma del mondo. Ama della luce, e sempre più lo sarà nel corso del suo decennio operoso, lo spirito ma anche la carne. Non gli basta, non gli può bastare, la pelle della luce. Non gli basta stare su un bordo e semplicemente rifare la natura. Dall'Aia, a Théo, alla fine del 1882: «Non si tratta di copiare servilmente la natura, ma molti di noi non possiedono quella conoscenza intima della natura che assicura la freschezza e la verità alle opere.» Il vedere di Van Gogh è onnivoro, non lascia spazi di sospensione ed è invece una continua attività dello sguardo complice e partecipe. Egli accende il mondo, lo spalanca e lo squaderna. E conducendolo su una soglia, lo presenta. Sulla linea di un burrone, su un precipizio, e lo illumina perché alla fine la qualità di quel mondo scoperto, così terribilmente umana e talvolta devastata, non sia solo in potenza ma anche in atto.

Il viaggio di Van Gogh, forse il più straordinario di tutta la storia della pittura, si comprende proprio guardando a quel precipizio di luce. In dieci anni, bruciati come una stella cadente che ti esplode negli occhi. Come avere in quegli occhi stessi una costellazione intera che poi si rapprende.

E se ce la fa, diventa pittura. Eppure, per il miracolo della bellezza e della contemplazione tragica, trattenendo delle stelle e della loro forma, un pulviscolo. L'oro della sera, la resistenza della luce. Così in Van Gogh l'atto del vedere risolve la distanza tra l'osservazione e la percezione tutta partecipata attraverso i sensi, in un atto sinestetico che gli fa non solo vedere, ma anche toccare la natura. E soprattutto tocca la luce, instaura con essa un rapporto diretto, mano a mano che scorrono gli anni. E infine tocca un fuoco, quello dei suoi prometeici soli abbaglianti, perché la luce assoluta, il centro di questo luminoso uragano ha per fine la meraviglia. Pur se tragica meraviglia. Ancora Goethe aveva affermato di voler «credere nel meraviglioso.»

La luce ha una sua intelligenza e Van Gogh la segue per procedere dal buio e uscirne. Dagli anni dei primi disegni in Belgio e in Olanda fino ai campi di grano accecanti ad Arles. Fino ai campi di grano sorvolati da corvi a Auvers, quando il viaggio ha la sua fine e il suo nuovo principio. Nel cammino di iniziazione che conduce dal buio alla rivelazione, che fa esplodere visioni infuocate lì dove prima era il buio. Perché la pittura di Van Gogh di questo ha bisogno per avere luogo, per trovare un suo fondamento nello spazio. Cercare la natura perché la natura sia, e poi cercare in quella stessa natura quanto non si vede, sembrerebbe assente. Che è trovare il luogo per la possibile rappresentazione, per la messa in scena. Così facendo, Van Gogh crea ancora una volta il mondo, ne è artefice doloroso attraverso l'esaltazione della luce, come venisse una tosse irrefrenabile di luce che si irraggia.

Dunque la sua pittura è una grande e dolorosa teofania della luce, che nel suo tragitto dall'ombra raggiunge il mezzogiorno pieno, la luce zenitale che cade a picco sul mondo, da quel precipizio da cui tutto sembra potersi vedere. La ricerca della luce segna un vagare quasi panico, che si estrinseca nella percezione sempre eccitata e sovraffollata, che infine dovrà tradursi obbligatoriamente in segni della pittura, in colori stesi dalla mano. Ladislao Mittner ha così definito questo indirizzo: «Il percorso della forza creatrice va dall'occhio all'anima e dall'anima alle dita.» È in questo modo di trasmissione che nasce, incantando e rendendoci straziati per il vedere, quella luce terribilmente umana che abita i quadri di Van Gogh. La cui conquista è amore felice e infelice al tempo stesso. Nella necessità comunque d'amore, così tante volte ripetuta, come abbiamo letto, lungo tutto l'epistolario.

Tornando all'idea antica di un paesaggio sparso di luce, nel quale risiede la sua grandezza di spirito e carne, Van Gogh evoca di quella natura l'aspetto anche simbolico, che include il maestoso e lo strazio del sublime nei volti e nei cieli stellati. Una dolorosissima contemplazione del mondo, una percezione agitata e spinosa che ci riporta alle parole goethiane: «Ich fühlte, fühlte / Tausendmal» (Io percepii, percepii / mille volte). È la commozione del vedere che si associa in lui alla commozione del percepire mille volte, e mille altre volte ancora. La volontà di andare alla ricerca del *pathos* nel mondo e così accordare il mondo del visibile al visibile dell'invisibile. Ciò che si vede e ciò che si vede dentro quanto è nascosto o si nasconde. Sia la natura o l'anima, che tuttavia reciprocamente si compenetrano, muovendosi l'una verso l'altra e viceversa.

In questo senso, Van Gogh non giunge all'atemporalità e all'eternità del paesaggio. La luce che egli evoca non si sospende, non fluttua nell'aria ma sempre partecipa degli eventi proprio dell'anima. Così, con la sua forza di tempestosa dichiarazione e quasi di presentazione al Tempio, il pittore piega la natura e la costringe ad avere il suo tempo. Il tempo proprio di lui, del pittore, il battito del suo cuore, il suo respiro sincopato, il suo sbattere dopo il volo. E unicamente la luce, quando s'inabissa come fa il sole dietro la linea dell'orizzonte e dei campi di grano, tenta la via dell'eternità. Ma noi sentiamo fino in fondo, potente e vera come non mai, la forza tutta partecipata di questa luce, che non si spezza e sempre in un blocco unitario e raggiante ci si fa incontro. Luce umanissima, che incute talvolta timore nel dirla e nel dipingerla, o nel tentativo di farlo. La luce di Van Gogh, dall'Olanda al Sud, non è cosa che si possa guardare come un panorama. Il pittore vi si stringe come a una desiderata compagna per la vita, ricercando se possibile, se mai fosse stato possibile, quel contatto con l'eternità e l'infinito che ci fa ricordare le bellissime parole di Burke: «Le idee dell'eternità e dell'infinito sono tra le più commoventi che noi possediamo; e forse non c'è nulla da noi così poco compreso come l'infinito e l'eternità.» L'infinito dal dubbio, l'eterno dalla luce della finestra di un bordello. In quella piccola finestra, l'amore vissuto come una certezza e poi un'illusione. Lo sconquasso di una perdita. L'infinito dal fango e dalla pioggia, l'eterno dalla neve gonfiata e sciolta dal sole di primavera.

La sensazione è chiara e netta subito. Già nell'agosto del 1882, Vincent scrive a Théo dall'Aia: «So con certezza di avere il senso dei colori e che esso si svilupperà sempre di più, e so altrettanto bene di avere la pittura nella pelle.» Sono passati pochi mesi soltanto dalle prime, incerte nature morte, ma la pittura è già un destino, un appuntamento segnato nel libro delle ore. La luce è un destino, e con essa i colori che la rappresentano. Il viaggio è cominciato, la strada tra cortili e canali, brume e muschio, tra dune e mari sabbiosi, può essere percorsa. E tutto alla ricerca di quella luce sempre più pura che sarà il segno ogni volta ricordato. E in effetti, dalla fine di quello stesso 1882, Vincent scrive senza sosta a Théo di come i suoi colori si vadano sempre di più schiarendo nell'osservazione della natura («Forse troverai allora che la luce del sole è più bella, che ogni cosa ha assunto un fascino totalmente nuovo»). Insiste su questo concetto anche per tutto il corso dell'anno seguente, sui colpi di luce da rendere nel lavoro, per fare le sue opere non solo educate e più precise nello studio, ma anche vere e profonde. Nel momento in cui, quando la pittura è sporadicamente partita, egli lavora, nell'approfondimento quotidiano e costante, sull'acquerello. Che molto gli serve in questo cammino di purificazione e quasi di diluizione di quella luce incrostata di torba e carbone, di albe arroventate di nero e di nebbie senza soluzioni. Rive e canali, campagne e chiese, contadini e case.

Per questo, dopo la Drenthe e dopo Nuenen, dopo Anversa e dopo Parigi, Van Gogh parte alla ricerca della luce pura del Sud. E quando vi sarà giunto, non potrà che constatare che lì la luce ha il suo senso e che solo da lì si possa partire: «Avendo iniziato con il sud posso difficilmente immaginarmi di cambiare strada; è meglio non muoversi se non per penetrare di più nel paese.» E se nel giugno del 1888 scriveva questo, solo tre mesi dopo, nell'attesa morbosa dell'arrivo di Gauguin ad Arles, così approfondiva circa il Sud: «E tutti i veri coloristi dovranno arrivare a questo, ad ammettere cioè che esiste un altro colore, diverso da quello del Nord. E non ho nessun dubbio che se Gauguin venisse, amerebbe questo paese; e se Gauguin non viene, è perché già possiede questa esperienza di paesi più intensamente colorati, e perciò sarà sempre dei nostri e concorderà con noi in linea di massima. E al suo posto ne potrebbe venire un altro. Se tutto ciò che facciamo si affaccia sull'infinito, se si vede il proprio lavoro trarre la sua ragione d'essere e proiettarsi al di là, si lavora più serenamente.»

Van Gogh entra nelle cose della natura, e dunque in contatto con la luce, con la percezione diretta e non attraverso il concetto («Ecco la mia opinione in proposito: il risultato deve essere un atto, non un'idea astratta. I principi sono buoni solo quando generano atti; è bene riflettere e mostrarsi coscienziosi, perché ciò accresce l'attività di un uomo e fa tutt'uno con le sue differenti azioni»). È una specificazione molto importante per comprendere come egli presti anche il suo corpo alla pittura e al mondo. Nel suo bellissimo libro, uscito in Italia esattamente cinquant'anni fa, intitolato *L'armonia del mondo*, Leo Spitzer a lungo si sofferma sul concetto di *Stimmung*, che evoca una realtà appunto percettiva e intuitiva, quella di Van Gogh, contro una invece concettuale, che fa accedere alla realtà per la via della verbosità. E del resto Goethe, riferimento di Spitzer, aveva scritto, nel paragrafo 755 della sua *Teoria dei colori*: «Sarebbe tuttavia desiderabile che la lingua con cui si voglia designare le particolarità di una cerchia determinata, fosse attinta alla cerchia stessa, che il fenomeno più semplice fosse elevato a formula fondamentale e si deducessero da questa e sviluppassero i più completi.»

La sensorialità di Van Gogh, e la sua attenzione nel percepire la luce non come un fatto concettuale e mentale, ma piuttosto come un fatto fisico che sprofonda nel misticismo e nella spiritualità, accende quella luce tutta nuova che sorge nella sua pittura. E accende il suo desiderio, proprio per questo motivo, di non essere l'esatto riproduttore della realtà, cosa verso la quale egli non ha mai in alcuna misura teso. Quella libertà che nell'artista è sovrana di modificare la natura senza modificarla e che ad Arnheim farà dire: «L'artista non falsifica la natura di nessuna cosa ma crea tutto sottoponendolo al proprio potere unificante.» Van Gogh sommamente sopravvive fino a un certo momento alla sua emozione debordante, e così facendo lascia che quell'emozione, che tracima in commozione e strazio, sia il punto di raccolta in cui tutto il mondo così trasformato si deposita. Le forze del mondo e dell'anima individuale si uniscono per dare luogo a quell'armonia saettante in cui infine si riconoscano gli elementi e l'intero. Gli elementi come parti del tutto sono per Van Gogh la scelta di un percorso difficile, accidentato, perché molto spesso era l'impossibilità e l'incapacità di giungere alla totalità senza spezzare lo scorrere delle cose, dei volti. Le forze sotterranee che agitano il mondo di Van Gogh paiono talvolta sciolte in una loro dimensione che non le porta alla chiarificazione finale. Ancora Arnheim: «Il tutto non è un'entità che esista separatamente, o precedentemente, rispetto alle parti. [...] Percepire un qualsiasi oggetto o evento significa vederlo come una configurazione di forze, e la consapevolezza dell'universalità di tali configurazioni è parte integrante in qualsiasi esperienza percettiva.»

È la legge della polarità che governa la percezione visiva di Van Gogh e che gli fa mettere in essere quelle relazioni tra le cose, e tra le persone e le cose, che sono alla base della sua confessione luminosa. Quelle relazioni che fanno nascere coincidenze precise tra cose apparentemente diverse. È quindi nel colore che Van Gogh individua questa legge della polarità: «Non dipingere il colore locale è ampio e lascia al pittore la libertà di scegliere colori che formino un tutto e siano in rapporto tra loro in modo da ricavarne il massimo, per opposizione a un'altra gamma.» Così il colore giallo, da lui tanto utilizzato, sta nella scala del + e si associa alla luce, alla chiarità, all'azione, alla forza, al calore, alla vicinanza. Mentre il colore azzurro sta nella scala del − e si associa all'ombra, all'oscurità, alla sottrazione di energia, alla debolezza, al freddo, alla lontananza. Van Gogh, nel segno della polarità, dipinge un campo di grano fiammeggiante di gialli e il cielo che lo sovrasta: «In tutto c'è dell'oro antico, del bronzo, si direbbe del rame, e ciò, con l'azzurro verde del cielo scaldato fino a diventare bianco, dà un colore delizioso, estremamente armonioso, con dei mezzi toni alla Delacroix.» È la non completa esprimibilità, mai, dell'immagine e della sua poesia. Luce mai del tutto spiegata, così che anche nel suo tonfo sordo sul mondo seguitino a lavorare in essa una modificazione e un approfondimento. Da questi movimenti minimi nasce quel viaggio misterioso e arrembante che dall'anima del mondo si tende all'anima dell'uomo che dipinge. E dall'anima di colui che dipinge, giunge infine nell'anima di chi guarda.

È un punto fondamentale, direi il principale, per comprendere i passi di Van Gogh nel mondo, il suo viaggio. Come il colore trapassi dalla sfera estetica a quella etica, e come il colore possa infinitamente ampliare il suo codice a tutta la sfera della vita. Dal che discende il senso dell'incanto e dello stupore, dello stupore incantato, del travolgente senso di pericolo determinato dall'essere nel mondo. Il colore ha in Van Gogh una funzione certamente morale, nel dispiegarsi dei fenomeni davanti agli occhi che sono corpo e cielo. Non ci potrebbero credo essere parole migliori di quelle che Goethe, nella *Teoria dei colori*, dedica a questo effetto di moralità: «Poiché il colore occupa un posto tanto alto nella serie dei fenomeni naturali primitivi, in quanto riempie di una molteplicità estesa il cerchio semplice che gli è assegnato, non ci stupiremo allora di apprendere che esso eserciti sul senso degli occhi, in particolare, un'azione specifica, e per la sua mediazione eserciti sul sentimento, nelle sue più generali manifestazioni elementari, e a prescindere dalla forma o dalla struttura del materiale, sulla cui superficie lo percepiamo, da solo, in combinazione con altri, in parte caratteristica, in parte armonica, spesso anche disarmonica, promuova sempre però un'azione decisa ed importante, che si riallaccia in modo diretto alla morale.» E seguiremo adesso, attraverso le parole di Van Gogh, con il riferimento ai suoi quadri, questo viaggio verso l'assoluto di una luce nominata come una necessità.

II

In una delle ultime lettere che Vincent invia a Théo da Nuenen, nell'ottobre del 1885, prima del trasferimento ad Anversa, si trova una sintesi molto importante circa le intenzioni nella pittura. Non è un caso che questa lettera venga alla conclusione di quei due anni che sono certamente fondamentali, prima del periodo parigino, nel cammino che porta Van Gogh alla liberazione nel cielo della luce più piena e dei colori sciolti dai vincoli mimetici: «Dalla natura traggo un certo ordine di successione, una certa esattezza quanto al posto dei colori; la studio per non fare sciocchezze, per restare ragionevole; ma che il colore sia, alla lettera, esattamente fedele, conta meno per me, purché stia bene sulla tela come sta bene nella vita.» Nel momento in cui è impegnato nella realizzazione di una manciata di tele di formato orizzontale che indugiano sugli effetti dell'arrivo dell'autunno («In questi ultimi tempi ho fatto qualche studio di paesaggi autunnali»), riflette ancora in quella stessa lettera: «Servirsi sempre intelligentemente delle belle tonalità che formano da se stesse i colori quando li mescoliamo sulla tavolozza e, ripeto: partire dalla tavolozza, dall'esperienza che abbiamo dei miscugli capaci di produrre bei colori, è qualcosa di diverso dal copiare meccanicamente, servilmente la natura. Un altro esempio: supponi che debba dipingere un paesaggio autunnale, alberi dalle foglie gialle. Bene. Che differenza fa – se lo concepisco come una sinfonia in giallo – che il mio giallo fondamentale sia o non sia quello delle foglie? Ha poca importanza. Molto dipende – anzi, direi che tutto dipende – dal senso che ho dell'infinita varietà di tonalità di una stessa famiglia. Tu trovi che c'è qui una pericolosa tendenza a scivolare verso il romanticismo, un tradimento nei confronti del "realismo"; trovi che "dipingere di getto" significhi avere più amore per la tavolozza che per la natura, ebbene sia! Delacroix, Millet, Corot, Dupré, Daubigny, Breton e trenta altri ancora non formano forse il cuore di questo secolo in fatto di arte pittorica? Tutti costoro non hanno forse le loro radici nel romanticismo, benché vadano oltre il romanticismo?» E del resto, come sappiamo bene, l'impressionismo, cui Van Gogh guarda in questo tempo finale olandese e molto guarderà, presto trasformandolo, nel suo transito parigino, nasce proprio da una sovrapposizione di realismo e romanticismo.

Inteso in questo modo, lo studio della natura è comunque propedeutico all'invenzione del vero («Questo è dipingere per davvero; la bellezza che ne risulta è migliore dell'esatta imitazione delle cose stesse»), mentre le luci che si abbassano sulla linea dell'orizzonte si schiariscono e vivono di una loro caratterizzazione che tocca forse il punto in cui Van Gogh è maggiormente vicino al romanticismo. Con un colore di forte evidenza psicologica, mentre il paesaggio si va liberando, pur nell'ora vespertina, di quel tono plumbeo, ottuso e soffocato che aveva caratterizzato gli anni di rapido apprendistato olandese. E nella lettera, ancora proseguiva: «Non voglio distruggere con ragionamenti lo studio dal vero, la lotta con il reale. Io stesso, per anni, e quasi senza frutto, con tutti gli incresciosi risultati che si possono immaginare, ho operato così. E sono contento di averlo fatto. Voglio dire che perseverare sempre nella stessa maniera sarebbe follia e stupidità, ma non che tutti gli sforzi fatti siano tempo perso. Si comincia con l'uccidere, si finisce col guarire: è un'affermazione da medico. Si comincia con l'ammazzarsi infruttuosamente a voler seguire la natura, e tutto sembra andare di traverso. Si finisce col creare tranquillamente partendo dalla propria tavolozza, e la natura segue e viene passo passo. Ma queste due cose opposte non esistono l'una senza l'altra. Sgobbare, anche se sembra inutile, ci familiarizza con la natura, ci dà un'onesta conoscenza delle cose. Ed è bella l'espressione di Doré (che talvolta è così fine): "Io mi ricordo". Benché creda che i quadri più belli siano stati fatti quasi liberamente, e con la mente, non posso affermare perciò che non si debba studiare la natura e neppure che si debba sgobbare a studiarla. Ma anche le più grandi, le più potenti forze dell'immaginazione, hanno fatto, dal vivo, cose di fronte alle quali si resta senza parole.»

E potremmo aggiungere anche i *souvenir* di Corot, pittore da Van Gogh amato. Ma il suo era stato immediatamente un percorso segnato dalla ricerca della luce, e dentro la luce sorgente si è da subito sviluppato il suo viaggio. Nel momento in cui, alla fine del 1881 a Etten, è intento ad alcuni grandi acquerelli con donne che cuciono o vecchi seduti accanto al fuoco, realizzati sotto l'influenza di Anton Mauve, sente di voler trasmettere la sua soddisfazione al fratello: «Théo, che grandi cose sono mai il tono e il colore! E chiunque non impari a sentirli, vive lontano dalla vera vita. Mauve mi ha insegnato a vedere molte cose che prima non vedevo […]. Ora sorge l'alba di una nuova luce. Vorrei tu potessi vedere i due acquerelli che ho portato con me, perché ti renderesti conto che valgono quanto quelli di chiunque altro. Potranno avere molte imperfezioni (e io sono il primo ad ammettere di non esserne per nulla soddisfatto), ma sono comunque assai diversi dai miei precedenti lavori, più luminosi e più chiari. Ciò non toglie che quelli a venire potranno essere ancora più luminosi e chiari, ma non si può fare subito quello che si vuole. Si progredisce poco a poco.»

Seguendo questa progressione del poco per volta, Van Gogh è sempre in viaggio, nello spostamento continuo. E più ancora del viaggio interamente compiuto, viene di lui l'immagine della protratta partenza, del buttare in un sacco i pochi stracci e andare. Lui con il suo cavalletto sulle spalle, perché la pittura come sempre viene prima di tutto, è anzi la sola cosa: «Al momento sono completamente differente, non ho più né capelli né barba, entrambi tagliati a zero. Inoltre, dal grigio verde viola, il mio viso è passato al grigio arancione e porto un abito bianco, invece di uno azzurro, e sono coperto di polvere, carico come un porcospino irto di bastoni, cavalletto, tela, e altri utensili», scrive a Théo in una lunga lettera dell'estate del 1888. Sì, il cavalletto sulle spalle, la sola salvezza per questo navigante di canali e terre, di campagne. La sola vela da issare quando il vento soffia impetuoso e bisogna partire. Subito si abbandona tutto.

Il cammino del pittore ha la necessità di farsi da subito spazio carsico invisibile, per l'impossibilità di un incontro, di un abbraccio. E la sola possibilità che il viaggio di Van Gogh ha di manifestarsi, è diventare opera. Nell'incarnarsi di questo sotterraneo sentimento nella luce e nel colore, nell'inverarsi nella pittura, la strada è quella di far nascere immagini, simulacri del proprio respiro. Per questo la conquista della luce non è mai potuta essere un vuoto fatto della tecnica o della rappresentabilità, e invece l'esigenza di tenere vicino a sé il cuore del mondo, il cuore di un uomo e di una donna. Nella creazione di un proprio linguaggio, nello studio accanito delle modalità del colore, del suo uso, Van Gogh ha recuperato quella parola senza la quale non avrebbe potuto esprimersi. È in questo senso che, forse più che in ogni altro artista, in lui la necessità di imparare a dipingere ha assunto toni parossistici perché legati alla funzione prima del respiro. Ciò che consente di vivere, di tenere stretto il legame con il mondo. Fino a che il respiro non si spezzi. Senza questo alfabeto della pittura, e ancor prima del disegno tanto fondamentale, Van Gogh non avrebbe imparato l'alfabeto della vita.

In una delle lettere dalla Drenthe, regione olandese famosa per i suoi paesaggi, e nella quale Vincent trascorre l'autunno del 1883 senza le soddisfazioni che avrebbe immaginato, individua ancora una volta nel viaggiare dentro la natura la salvezza e la possibilità di diventare migliori: «A mio parere, la vita incomparabilmente migliore, senza il minimo dubbio, è quella che si trascorre circolando all'aria aperta, per lunghi anni, nella natura, con quel qualcosa lassù incomprensibilmente inesprimibile, perché non gli si può dare nome, un qualcosa che sta più in alto della natura. Sii un contadino, o se la cosa fosse accettabile nelle presenti circostanze, pastore di un villaggio o maestro; e, dato che le circostanze sono quelle che sono, sii pittore, perché è la cosa più accettabile e diverrai, come uomo, dopo aver trascorso per diversi anni una vita all'aria aperta, nel lavoro manuale, diverrai, poco a poco, nel corso degli anni, se fai ciò, qualcosa di meglio, di migliore, di più profondo.»

È un concetto approfondito nei quasi due anni trascorsi a Nuenen, dove giunge a fine 1883, anni fondamentali e propedeutici per l'enorme mutamento che segnerà via via il tempo trascorso a Parigi e poi ovviamente il lungo soggiorno provenzale. Addirittura, in una lettera dell'estate del 1884, quando stava portando a termine il ciclo pittorico dedicato ai tessitori, nel buio profondo di un'atmosfera molto rembrandtiana, scrive alcune frasi che senza data potrebbero appartenere al giugno del 1888, quando nella campagna di Arles dipinge alcuni tra i suoi più famosi campi di grano. Invece, quattro anni prima, da Nuenen annuncia: «Ora, se l'estate sta interamente nell'opposizione degli azzurri e dell'elemento arancione o bronzo dorato delle messi, si potrebbe, seguendo questa concezione, fare un quadro diverso, che esprima bene l'atmosfera delle stagioni, con tutti i contrasti dei colori complementari (rosso e verde, azzurro e arancio, giallo e viola, bianco e nero).» Si manifestava insomma già piena, pur nelle intermittenze e nelle insicurezze, quell'adesione ormai totalizzante alla luce che inseriva il giallo, l'arancio e il bronzo del grano sulla sua tavolozza. Per il momento questa inclinazione restava solo un pensiero, forse una previsione, perché per diventare pittura aveva bisogno di trovare il luogo nel quale incarnarsi. Perché, in definitiva, il confronto con il vero della natura restava comunque il termine dal quale Van Gogh sentiva di non potersi sganciare. Trasformare sì, ma prima vedere. Del resto, anche il vecchio Monet intabarrato nel bianco dei suoi vestiti di lino, metteva sul cavalletto una tela di due metri davanti allo stagno delle ninfee per la necessità di partire dalla visione. Prima di cancellarla tutta, quella visione, e renderla altra cosa dal solo peso della realtà.

E in effetti, poche settimane dopo, alla fine di settembre del 1884, mentre è intento a realizzare alcuni paesaggi di atmosfera più vuota e rarefatta, di sensibili luci spesso di tramonto, scrive ancora a Théo qualcosa che conferma questa sua spasmodica tensione nel voler catturare il segreto della natura. Da lì si parte, e senza questa conoscenza approfondita nemmeno il colore potrebbe poi trasformarsi dentro i suoi occhi e tra le sue mani: «Eppure, più tardi, quando il mio lavoro sarà più bello, non lavorerò diversamente da oggi. Voglio dire che sarà la stessa mela, ma sarà più matura; non cambierò neppure quello che è stato il mio pensiero fin dall'inizio. Ed è questa la ragione per la quale, parlando di me, dico che, se adesso non valgo niente, non varrò neppure più tardi; ma, se varrò qualcosa più tardi, allora, anche adesso! Perché il grano è il grano, benché in un primo momento, agli occhi del cittadino, assomigli a erba qualunque, e ugualmente l'erba assomigli al grano. In ogni caso, sia che la gente trovi buono, sia che non trovi buono ciò che faccio e come lo faccio, da parte mia non conosco altra via che quella di lottare con la natura finché essa non mi riveli il suo segreto.» Questa disposizione umile ma di estrema consapevolezza circa il senso del proprio viaggio, Van Gogh l'ha manifestata fin dal primo momento. Le tante lettere scritte negli anni settanta ne avevano dato la più chiara e vibrante testimonianza. Si era detto: prima di Van Gogh c'era già Van Gogh.

Non può sfuggire come si senta incompreso e deriso, ma conservi una fede incrollabile nelle proprie possibilità di dire qualcosa di nuovo, di essere lui comunque quel «pittore del futuro» di cui scriveva nelle sue lettere. Consapevolezza di chi sa che una missione sia da compiere e che lo sprofondamento nel colore non sarà invano. Fosse anche per le generazioni future. In una lettera da Nuenen a Van Rappard, dell'ottobre del 1885, compare chiara questa fierezza: «Eppure credo che, anche se continuo a produrre opere nelle quali si potranno trovare questi errori soprattutto se li si considera con occhio critico, esse avranno una vita propria e una ragion d'essere che sovrasteranno i loro errori, per coloro soprattutto che sapranno apprezzarne il carattere e lo spirito. Non riusciranno ad abbagliarmi tanto facilmente, nonostante tutti i miei errori. So troppo bene lo scopo che perseguo e sono troppo fermamente convinto che dopo tutto sono sulla buona strada, quando voglio dipingere ciò che sento e sento ciò che dipingo, per preoccuparmi di ciò che gli altri dicono di me. Eppure, tutto ciò avvelena talvolta la mia vita e credo che sia possibilissimo che alcuni si pentiranno in futuro di ciò che hanno detto di me e di avermi coperto di ostilità e di indifferenza.» Poche altre volte come in queste righe, abbiamo sentito una preveggenza così straziante e vera. Vincent aveva in sé una grande anima che gli consentiva di anticipare il futuro, perché il futuro era già, pieno e vero, in lui.

Poi quando viene il colore, giunto ad Arles pur sotto una strana nevicata provenzale, il sentimento si spalanca ed è come se fosse arrivato il momento di gridare forte, molto più forte di prima. La luce, e il colore, sono per Van Gogh questo grido levato alto nell'aria. Adesso tutta diversa, tutta piena di un fascino che se era immaginato era anche inimmaginabile così come effettivamente è. Scrive a Théo, da Saintes-Maries-de-la-Mer quando vi andrà con la diligenza tra la fine di maggio e il principio di giugno: «Il cielo di un azzurro profondo chiazzato di nubi di un azzurro più profondo dell'azzurro fondamentale di un cobalto intenso, e altre di un azzurro più chiaro, come il biancore azzurro di vie lattee. Sullo sfondo azzurro, le stelle scintillavano chiare, verdi, gialle, bianche, rosa più chiare, come una tempesta di diamanti e pietre preziose in misura maggiore che da noi – anche a Parigi – diciamo meglio: opali, smeraldi, lapislazzuli, rubini, zaffiri.» Anche Monet, solo pochi mesi prima da Antibes, nelle sue lettere ad Alice, parlava del mare Mediterraneo come di un tappeto di pietre preziose.

I campi di lavanda disposti in file parallele contro le prime case del villaggio; il mare che si riflette in onde verdi e bianche e azzurre e gialle; il cielo che si sguscia nel bianco grattato delle nuvole mentre bianche vele vanno; le piccole barche rosse, verdi, azzurre a riposo sulla sabbia: tutto questo è luce nuova del mondo, luce nuova nel mondo. La freccia scoccata dall'arco in un tempo più lontano, ha trovato il suo centro. La luce si mostra, il pittore senza paura ormai la espone come un sudario, una sindone del cielo, una cenere non più muta. E in una lunghissima, e molto bella, lettera che Vincent invia alla sorella nell'estate del 1888, il Sud è detto attraverso tutti i suoi colori. E perfettamente si capisce l'urgenza e il motivo del viaggio: «Lavorando all'esterno, nella grande calura del giorno, mi trovo magnificamente. È un caldo secco, limpido, diafano. Il colore qui è veramente bellissimo. Quando il verde è fresco, è un verde ricco come ne vediamo raramente nel Nord, un verde distensivo. Quando è rossiccio, coperto di polvere, non diviene per questo sporco, ma il paesaggio assume allora toni dorati di tutte le sfumature: ora verde, ora giallo, ora rosa, ora bronzino, ora ramato, infine giallo limone o giallo scialbo, il giallo di un mucchio di grano battuto, ad esempio. Quanto all'azzurro, esso va dal blu reale più profondo dell'acqua fino all'azzurro del non ti scordar di me, al cobalto, soprattutto all'azzurro chiaro trasparente, al verde azzurro, all'azzurro viola. Naturalmente tutto ciò richiama l'arancione; un viso bruciato dal sole fa arancione. E poi, se c'è molto giallo, il viola comincia subito a cantare. Una recinzione o un tetto grigi, fatti di canne, o un campo arato fa molto più viola che da noi. Inoltre, come devi ben immaginare, la gente qui è spesso bella. In breve, credo che la vita qui sia felice più che in molti altri posti della terra.»

La luce ormai si dispiega piena, veleggiando nello spazio come una bandiera tutta tesa dal vento e la realtà si impenna nella sua sovraesposizione blandita e attenuata dall'azzurro dell'ombra: la lavanda, gli ulivi, il cielo che si spezza in larghe volute. La luce che spiove dall'alto, e a un certo punto resta sospesa nella forma del mistero, è azzurra e rende azzurri i tronchi degli ulivi, su cui quella stessa luce gratta. È l'accordo indefinibile fra l'azzurro tonante che rende luminose e screziate tutte le superfici, la volta per prima, e l'azzurro delle ombre che sfavilla a sera. La consapevolezza è totale, il respiro della natura è ormai il respiro di colui che dipinge quella natura. Simbiosi, unisono della parola, sovrapposizione di colori: «Comincio a sentirmi del tutto diverso rispetto al momento in cui sono venuto qui, non ne dubito, non ho più esitazioni nell'iniziare qualcosa, e questa situazione potrebbe evolvere ulteriormente. Ma che natura!»

Tuttavia è il giallo, il colore che si attribuisce al sole, a restare come segno indelebile sopra ogni altro del transito di Van Gogh nel mondo. Nel 1894, mentre soggiornava a Parigi dopo il primo viaggio a Tahiti, Gauguin pubblica un breve saggio intitolato *Nature morte*, che è una bellissima lettura poetica di alcune opere di Van Gogh. Ma soprattutto del suo giallo: «Nella mia camera gialla, dei girasoli si staccano su un fondo giallo; essi bagnano i gambi in un vaso giallo, su un tavolo giallo. In un angolo del quadro, la firma del pittore: *Vincent*. E il sole giallo, che passa attraverso le tende gialle della mia camera, inonda del colore dell'oro tutta questa fioritura, e il mattino, dal mio letto, quando mi sveglio, immagino che tutto questo sia molto bello. Oh, sì, egli ha amato il giallo. Il caro Vincent, questo pittore che veniva dall'Olanda; preso dal sole che riscaldava la sua anima; avendo orrore delle nebbie. Un bisogno di calore.»

Quel giallo che torna anche nell'ultimo segno sulla terra di Vincent passato da qui. Il giallo, segno indelebile del suo spasmodico cercare quella luce. Il colore che Goethe definisce appunto il «più vicino alla luce», poiché «nasce dalla sua attenuazione più leggera.» È il colore che Van Gogh ha inseguito dipingendo in mezzo ai campi di grano, come un insetto ronzante nella calura estiva. E mentre lavora a una versione de *Il seminatore*, nella seconda metà di giugno del 1888, scrive proprio a Bernard: «Lavoro anche in pieno mezzogiorno, in pieno sole, senza alcuna ombra, nei campi di grano: eccomi qui a godere come una cicala. Mio Dio, se avessi conosciuto questo paese a venticinque anni, invece di venirci a trentacinque! A quell'epoca ero entusiasta del grigio o meglio, dell'incolore, pensavo sempre a Millet e inoltre in Olanda avevo conoscenze nell'ambiente dei pittori Mauve, Israëls ecc. Ecco qui lo schizzo di un seminatore: grande distesa di zolle di terra arata, decisamente viola in gran parte. Campo di grano maturo, di tonalità ocra gialla con un po' di carminio. Il cielo, giallo di cromo chiaro quasi quanto il sole stesso, che è giallo di cromo 1 con un po' di bianco, mentre il resto del cielo è giallo di cromo 1 e 2 mescolati tra loro. Molto giallo dunque. Il camice del seminatore è azzurro e i pantaloni bianchi. Tela da 25 quadrata. Ci sono sì dei richiami di giallo nel terreno, toni neutri risultanti dal miscuglio del viola con il giallo; ma me ne sono un po' infischiato della verità del colore.»

Alla fine di tutto ciò, rimane l'essenza di un giallo che si irradia nel mondo e tutto lo percorre, come un'onda sonora. Il giallo ha in sé l'immediatezza del tempo e della visione, la contemporaneità tra la visione e il sentire. Come «colore più vicino alla luce», il giallo è il colore dentro cui si rinserra, e si chiude, il viaggio di Van Gogh in Provenza. Tra il grano antico e il suo bronzo illuminato, le colline piene di timo, i vigneti verdi e malva e rosso fuoco, gli uliveti azzurri e grigi, e ogni cosa sotto il cielo azzurro e il sole. Tutto vive in questa luce assoluta, piena, silenziosa e assordante, sparsa di vento e rare piogge. Tutto vive nella pittura che di questa luce è fino in fondo il racconto, la previsione, il futuro interrotto. Questa luce fatta così, a lungo cercata e infine trovata. Questa luce che è il giorno ed è la notte, che spiove e si rapprende, che è un manto di stelle, un giglio. Questa luce che è soprattutto di un cuore ferito, che però in ogni modo, e fino alla fine, ne ha fatto canto.

TAVOLE

BORINAGE 1880
ETTEN 1881

Vincent van Gogh
Due zappatori (da Millet)
ottobre 1880
matita e gesso nero su carta velina
mm 375 x 615
Otterlo, Kröller-Müller Museum
The Netherlands

Vincent van Gogh
La figlia di Jacob Meyer (da Hans Holbein), luglio 1881
matita, penna e inchiostro nero su carta vergata, mm 540 x 428
Otterlo, Kröller-Müller Museum, The Netherlands

Vincent van Gogh
Ritratto di Willemina Jacoba ("Willemien") van Gogh, luglio 1881
matita e tracce di carboncino su carta vergata, mm 414 x 268
Otterlo, Kröller-Müller Museum, The Netherlands

Vincent van Gogh
Uomo con il setaccio, settembre 1881
matita, gesso nero, acquerello opaco
su carta vergata, mm 628 x 475
Otterlo, Kröller-Müller Museum, The Netherlands

Vincent van Gogh
Falegname, settembre 1881
carboncino e matita su carta vergata, mm 575 x 403
Otterlo, Kröller-Müller Museum, The Netherlands

Vincent van Gogh
Zappatore, settembre 1881
gesso nero, lavatura, penna e inchiostro diluito, acquerello opaco
tracce di carboncino su carta vergata, mm 515 x 310
Otterlo, Kröller-Müller Museum, The Netherlands

Vincent van Gogh
Zappatore, settembre 1881
gesso nero, grigio acquarellato, acquerello opaco
su carta velina, mm 445 x 337
Otterlo, Kröller-Müller Museum, The Netherlands

Vincent van Gogh
Uomo con la scopa, ottobre 1881
gesso nero, carboncino, acquerello opaco
su carta vergata, mm 557 x 277
Otterlo, Kröller-Müller Museum, The Netherlands

Vincent van Gogh
Angolo di giardino, giugno 1881
matita, gesso nero, penna e inchiostro
marrone e grigio acquarellati, acquerello opaco
su carta vergata, mm 445 x 567
Otterlo, Kröller-Müller Museum, The Netherlands

Vincent van Gogh
Mulini a Dordrecht, agosto - settembre 1881
matita, gesso nero e verde, penna
pennello e inchiostro, acquerello opaco
su carta vergata, mm 257 x 598
Otterlo, Kröller-Müller Museum, The Netherlands

Pagine seguenti

Vincent van Gogh
Il mulino "De Oranjeboom", Dordrecht
agosto - settembre 1881
carboncino e matita su carta velina, mm 348 x 599
Otterlo, Kröller-Müller Museum, The Netherlands

Vincent van Gogh
Stradina con salici potati, ottobre 1881
carboncino e gesso nero su carta vergata, mm 438 x 592
Otterlo, Kröller-Müller Museum, The Netherlands

Vincent van Gogh
Veduta di un bosco, giugno - luglio 1881
matita, carboncino, penna e inchiostro, acquerello
bianco opaco su carta vergata, mm 416 x 548
Otterlo, Kröller-Müller Museum, The Netherlands

Vincent van Gogh
Seminatore, settembre - ottobre 1881
carboncino e gesso nero
su carta vergata, mm 559 x 332
Otterlo, Kröller-Müller Museum
The Netherlands

Vincent van Gogh
Seminatore con cesto, settembre 1881
matita nera, marrone e grigio acquarellati
acquerello opaco illuminato con acquerello opaco
bianco su carta vergata, mm 620 x 473
Otterlo, Kröller-Müller Museum, The Netherlands

Jean-François Millet
Il seminatore, 1847-1848
olio su tela, cm 95,3 x 61,3
Cardiff, Amgueddfa Genedlaethol Cymru
National Museum of Wales
lascito di Gwendoline Davies, 1952

Vincent van Gogh
Uomo che interra una piantina, autunno 1881
gesso nero, carboncino, marrone acquarellato
acquerello opaco su carta vergata, mm 385 x 415
Otterlo, Kröller-Müller Museum, The Netherlands

Vincent van Gogh
Ragazzo con falcetto, ultima settimana di ottobre - 1 novembre 1881
gesso nero, carboncino, grigio acquarellato
acquerello opaco su carta vergata, mm 466 x 604
Otterlo, Kröller-Müller Museum, The Netherlands

Vincent van Gogh
Uomo che legge accanto al focolare, ottobre - inizio novembre 1881
gesso nero, carboncino, grigio acquarellato
acquerello opaco su carta vergata, mm 457 x 561
Otterlo, Kröller-Müller Museum, The Netherlands

Vincent van Gogh
Donna accanto al focolare, ottobre - novembre 1881
matita, gesso nero, lavatura
acquerello opaco su carta vergata, mm 452 x 623
Otterlo, Kröller-Müller Museum, The Netherlands

Jozef Israëls
Giovane donna che cuce, 1880 circa
olio su tela, cm 83,5 x 58
L'Aia, Collection Gemeentemuseum
The Hague

Vincent van Gogh
Donna che cuce e gatto, ottobre - novembre 1881
gesso nero, lavatura, acquerello opaco e gesso bianco
su carta vergata, mm 593 x 452
Otterlo, Kröller-Müller Museum, The Netherlands

Vincent van Gogh
Donna che pela le patate, settembre 1881
gesso nero, grigio acquarellato
acquerello opaco su carta vergata, mm 301 x 228
Otterlo, Kröller-Müller Museum, The Netherlands

Vincent van Gogh
Donna che pela le patate, settembre - ottobre 1881
gesso nero, penna e inchiostro, grigio e nero acquarellati
acquerello opaco su carta vergata, mm 599 x 476
Otterlo, Kröller-Müller Museum, The Netherlands

Vincent van Gogh
Donna che cuce, ottobre - novembre 1881
gesso nero e acquerello opaco su carta vergata
mm 620 x 472
Otterlo, Kröller-Müller Museum, The Netherlands

Vincent van Gogh
Donna che cuce, ottobre - novembre 1881
gesso nero, grigio acquerellato e acquerello opaco
su carta vergata, mm 597 x 448
Otterlo, Kröller-Müller Museum, The Netherlands

Vincent van Gogh
Donna che allatta con bambino, ottobre - novembre 1881
gesso nero, carboncino, lavatura, acquerello
opaco su carta vergata, mm 452 x 592
Otterlo, Kröller-Müller Museum, The Netherlands

Vincent van Gogh
Giovane donna accanto al focolare, ottobre - novembre 1881
gesso nero, carboncino grigio e marrone acquarellati
acquerello opaco, gesso blu e bianco
penna e inchiostro su carta vergata, mm 448 x 578
Otterlo, Kröller-Müller Museum, The Netherlands

L'AIA 1881 - 1883

Vincent van Gogh
Natura morta con cappello di paglia
fine novembre - metà dicembre 1881
olio su carta applicata su tela, cm 36,5 x 53,6
Otterlo, Kröller-Müller Museum, The Netherlands

Vincent van Gogh
In chiesa, fine settembre - inizio ottobre 1882
matita, penna e inchiostro, acquerello opaco
e trasparente su carta velina, mm 282 x 378
Otterlo, Kröller-Müller Museum, The Netherlands

Vincent van Gogh
Donna che cuce, gennaio - febbraio 1882
matita, gesso nero e marrone, marrone e nero-grigio
acquarellati, acquerello opaco e trasparente
su carta velina, mm 565 x 486
Otterlo, Kröller-Müller Museum, The Netherlands

Vincent van Gogh
Donna che macina il caffè, gennaio - febbraio 1882
gesso nero, penna e inchiostro, acquerello opaco
e trasparente illuminato con bianco
su carta velina, mm 567 x 393
Otterlo, Kröller-Müller Museum, The Netherlands

Vincent van Gogh
Donna seduta, marzo - aprile 1882
matita, penna, pennello, inchiostro nero
(in parte scolorito in marrone) su carta vergata (2 fogli)
mm 609 x 373
Otterlo, Kröller-Müller Museum, The Netherlands

Vincent van Gogh
Donna seduta accanto alla stufa, marzo - aprile 1882
matita, penna, pennello, inchiostro nero
(scolorito in marrone in alcuni punti), acquerello
bianco opaco su carta vergata (2 fogli), mm 452 x 557
Otterlo, Kröller-Müller Museum, The Netherlands

Vincent van Gogh
Donna seduta, aprile - maggio 1882
matita, penna, pennello, inchiostro nero
marrone seppia acquarellati, acquerello bianco opaco
tracce di quadrettatura su carta vergata (2 fogli), mm 585 x 427
Otterlo, Kröller-Müller Museum, The Netherlands

Vincent van Gogh
Donna seduta, aprile - maggio 1882
matita, penna, pennello, inchiostro nero diluito
lavatura, tracce di quadrettatura su carta vergata (2 fogli)
mm 582 x 435
Otterlo, Kröller-Müller Museum, The Netherlands

Vincent van Gogh
Capanna per l'essiccazione del pesce a Scheveningen, fine maggio 1882
matita, penna, pennello, inchiostro nero
(scolorito in marrone in parecchi punti), acquerello bianco opaco
tracce di quadrettatura su carta vergata, mm 290 x 454
Otterlo, Kröller-Müller Museum, The Netherlands

Vincent van Gogh
Canale a Schenkweg, marzo 1882
matita, penna, pennello, inchiostro nero, grigio acquarellato
acquerello bianco opaco, tracce di quadrettatura
su carta vergata, mm 184 x 337
Otterlo, Kröller-Müller Museum, The Netherlands

Vincent van Gogh
Donna su una stradina di campagna, marzo - aprile 1882
matita, tracce di quadrettatura su carta vergata
mm 360 x 605
Otterlo, Kröller-Müller Museum, The Netherlands

Vincent van Gogh
Veduta dell'Aia (il quartiere ebraico "Paddemoes"), inizio marzo 1882
matita, penna e inchiostro nero
(scolorito in alcuni punti in marrone)
lavatura su carta velina, mm 249 x 308
Otterlo, Kröller-Müller Museum, The Netherlands

Vincent van Gogh
Tre radici in un terreno sabbioso, aprile - maggio 1882
matita, gesso nero, pennello e inchiostro, marrone e grigio
acquarellati, acquerello opaco su carta per acquerello
mm 515 x 707
Otterlo, Kröller-Müller Museum, The Netherlands

Vincent van Gogh
Donne nella neve che portano sacchi di carbone, novembre 1882
carboncino (?), acquerello opaco, pennello
e inchiostro su carta velina, mm 321 x 501
Otterlo, Kröller-Müller Museum, The Netherlands

Vincent van Gogh
Madre con il bambino, gennaio - febbraio 1883
pastello litografico nero, acquerello opaco bianco
e grigio su carta vergata, mm 407 x 270
Otterlo, Kröller-Müller Museum, The Netherlands

Vincent van Gogh
Madre con il bambino, autunno 1882
matita e colori a olio su carta per acquerello, mm 410 x 246
Otterlo, Kröller-Müller Museum, The Netherlands

Vincent van Gogh
Vecchio con ombrello
settembre - dicembre 1882
matita, tracce di quadrettatura, fissativo
scoloriture attorno alla figura su carta
per acquerello, mm 485 x 246
Otterlo, Kröller-Müller Museum
The Netherlands

Vincent van Gogh
Vecchio con il cappello in mano
settembre - dicembre 1882
matita, tracce di quadrettatura, fissativo
scoloriture attorno alla figura su carta
per acquerello, mm 481 x 233
Otterlo, Kröller-Müller Museum
The Netherlands

Vincent van Gogh
Vecchio che legge
novembre - dicembre 1882
matita, tracce di quadrettatura su carta
per acquerello, mm 475 x 305
Otterlo, Kröller-Müller Museum
The Netherlands

Vincent van Gogh
Donna con copricapo, settembre - ottobre 1882
matita, acquerello grigio trasparente (o tinta neutra)
penna, pennello con inchiostro marrone (diluito)
tracce di quadrettatura su carta vergata, mm 473 x 312
Otterlo, Kröller-Müller Museum, The Netherlands

Vincent van Gogh
Donna che cuce, aprile - maggio 1882
matita, verde e marrone acquarellati
tracce di quadrettatura su carta vergata
mm 539 x 385
Otterlo, Kröller-Müller Museum, The Netherlands

Vincent van Gogh
Due donne che pregano
ottobre - dicembre 1882
matita e pastello litografico nero su carta vergata
mm 427 x 287
Otterlo, Kröller-Müller Museum, The Netherlands

Vincent van Gogh
Lavoratore nell'intervallo del pranzo
aprile - novembre/dicembre 1882
matita, pennello e inchiostro, acquerello bianco
e grigio opachi su carta per acquerello, mm 707 x 515
Otterlo, Kröller-Müller Museum, The Netherlands

Vincent van Gogh
Testa di pescatore con cappello
gennaio - febbraio 1883
matita, pastello litografico nero, pennello, inchiostro nero
e acquerello opaco bianco, grigio e rosa, fissativo scolorito
attorno alla testa, tracce di quadrettatura su carta
per acquerello, mm 429 x 251
Otterlo, Kröller-Müller Museum The Netherlands

Vincent van Gogh
Ragazza con lo scialle
dicembre 1882 - gennaio 1883
matita, pastello litografico nero
acquerello bianco opaco su carta
per acquerello, mm 434 x 251
Otterlo, Kröller-Müller Museum
The Netherlands

Vincent van Gogh
Donna seduta, aprile - maggio 1883
matita, grigio acquarellato, pennello
inchiostro tipografico, olio bianco
tracce di quadrettatura su carta velina
mm 563 x 441
Otterlo, Kröller-Müller Museum
The Netherlands

Post Vincent

Vincent van Gogh
Donna che dà da mangiare ai polli, aprile - maggio 1883
matita, grigio acquarellato, pennello, inchiostro tipografico
nero diluito, olio bianco mescolato a inchiostro
acquerello bianco opaco su carta velina, mm 610 x 340
Otterlo, Kröller-Müller Museum, The Netherlands

Vincent van Gogh
Il seminatore, aprile - maggio 1883
matita, pastello litografico nero, grigio acquarellato
pennello, inchiostro (tipografico) diluito
acquerello opaco bianco, tracce di quadrettatura
su carta per acquerello, mm 619 x 415
Otterlo, Kröller-Müller Museum, The Netherlands

Vincent van Gogh
Donna sul letto di morte, aprile 1883
matita, pastello litografico nero, pennello, inchiostro tipografico, colore
a olio bianco, grigio acquarellato su carta per acquerello, mm 354 x 632
Otterlo, Kröller-Müller Museum, The Netherlands

Vincent van Gogh
Donna con la carriola, marzo 1883
gesso naturale nero, pastello litografico, lavatura, penna e pennello
in inchiostro, acquerello bianco e grigio opaco, tracce di quadrettatura
(solo nella parte bassa a destra) su carta velina, mm 683 x 421
Otterlo, Kröller-Müller Museum, The Netherlands

Vincent van Gogh
Crepuscolo, Loosduinen, settembre 1883
olio su carta applicata su tela, cm 33 x 50
Utrecht, Collectie Centraal Museum
in prestito dalla Stichting Van Baaren Museum

DRENTHE 1883
NUENEN 1883 - 1885

Vincent van Gogh
Fattorie, ottobre - novembre 1883
gesso nero grattato via in alcuni punti
e grigio acquarellato, acquerello bianco-rosa opaco
su carta vergata, mm 455 x 605
Otterlo, Kröller-Müller Museum, The Netherlands

Vincent van Gogh
Capanna di torba, ottobre 1883
penna, inchiostro nero (scolorito in marrone
in parecchi punti), grigio acquarellato
su carta vergata, mm 221 x 288
Otterlo, Kröller-Müller Museum, The Netherlands

Vincent van Gogh
Donna con forcone in un campo innevato, dicembre 1883
matita, penna e inchiostro marrone-nero
su carta velina, mm 207 x 287
Otterlo, Kröller-Müller Museum, The Netherlands

Vincent van Gogh
Taglialegna, dicembre 1883 - gennaio 1884
gesso nero, acquerello opaco e trasparente
su carta velina, mm 352 x 448
Otterlo, Kröller-Müller Museum, The Netherlands

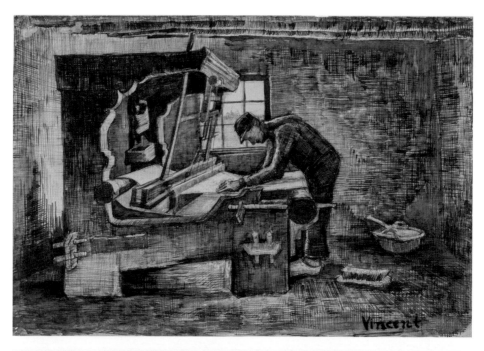

Vincent van Gogh
Tessitore al telaio, maggio - giugno 1884
matita, penna, pennello, inchiostro nero
(sbiadito in marrone), acquerello
opaco bianco su carta velina, mm 271 x 398
Otterlo, Kröller-Müller Museum
The Netherlands

Vincent van Gogh
Tessitore, dicembre 1883 - giugno 1884
matita, gesso nero, carboncino?, penna e pennello
inchiostro nero (in parte scolorito in marrone), lavatura
acquerello bianco opaco (tracce di quadrettatura?)
su carta per acquerello, mm 245 x 334
Otterlo, Kröller-Müller Museum, The Netherlands

166

Vincent van Gogh
Telaio con tessitore, aprile - maggio 1884
olio su tela, cm 68,3 x 84,2
Otterlo, Kröller-Müller Museum, The Netherlands

Vincent van Gogh
Testa di uomo con la pipa, novembre 1884 - maggio 1885
olio su tela, cm 44,7 x 32
Otterlo, Kröller-Müller Museum, The Netherlands

Jacob Maris
Paesaggio di primavera, 1880 circa
olio su tela, cm 48,5 x 79
L'Aia, Collection Gemeentemuseum The Hague

Vincent van Gogh
Coltivatori di patate, agosto - settembre 1884
olio su tela, cm 66,4 x 149,6
Otterlo, Kröller-Müller Museum, The Netherlands

Vincent van Gogh
Testa di donna, novembre 1884 - gennaio 1885
olio su tela, cm 42,5 x 33,1
Otterlo, Kröller-Müller Museum, The Netherlands

Vincent van Gogh
Testa di contadina con cuffia bianca, marzo 1885
olio su tela applicata su cartone, cm 46,4 x 35,3
Edimburgo, Scottish National Gallery
donato da Sir Alexander Maitland in memoria della moglie Rosalind 1960

Vincent van Gogh
Uomo seduto a tavola, marzo - aprile 1885
olio su tela, cm 44,3 x 32,5
Otterlo, Kröller-Müller Museum, The Netherlands

Vincent van Gogh
Testa di donna, marzo - aprile 1885
olio su tela, cm 39,7 x 25,5
Otterlo, Kröller-Müller Museum, The Netherlands

Vincent van Gogh
Donna che pela le patate accanto al focolare, marzo - aprile 1885
gesso nero su carta per acquerello, mm 584 x 832
Otterlo, Kröller-Müller Museum, The Netherlands

Vincent van Gogh
Donna seduta a tavola, marzo - aprile 1885
olio su tela, cm 42,2 x 28,8
Otterlo, Kröller-Müller Museum, The Netherlands

Vincent van Gogh
Donna che cuce, marzo - aprile 1885
gesso nero su carta vergata, mm 293 x 262
Otterlo, Kröller-Müller Museum, The Netherlands

Vincent van Gogh
Donna che cuce, marzo - aprile 1885
gesso nero su carta vergata, mm 413 x 253
Otterlo, Kröller-Müller Museum, The Netherlands

Anthon van Rappard
L'ospizio femminile a West-Terschelling, 1884
olio su tela, cm 24 x 45,5
L'Aia, Collection Gemeentemuseum The Hague

Vincent van Gogh
Donna che lavora accanto al focolare, luglio - agosto 1885
gesso nero e tracce di quadrettatura su carta velina
mm 439 x 287
Otterlo, Kröller-Müller Museum, The Netherlands

Vincent van Gogh
I mangiatori di patate, aprile 1885
litografia su carta velina
mm 284 x 341
Otterlo, Kröller-Müller Museum, The Netherlands

Vincent van Gogh
Mietitore, luglio - agosto 1885
gesso nero, tracce di fissativo, tracce di quadrettatura
su carta velina, mm 447 x 283
Otterlo, Kröller-Müller Museum, The Netherlands

Vincent van Gogh
Mietitore, luglio - agosto 1885
gesso nero, grigio acquarellato, tracce di fissativo
su carta velina, mm 533 x 367
Otterlo, Kröller-Müller Museum, The Netherlands

Vincent van Gogh
Mietitore, agosto 1885
gesso nero su carta velina, mm 418 x 565
Otterlo, Kröller-Müller Museum, The Netherlands

Vincent van Gogh
Mietitore, agosto 1885
gesso nero su carta velina, mm 418 x 565
Otterlo, Kröller-Müller Museum, The Netherlands

Vincent van Gogh
Mietitore, luglio - agosto 1885
gesso nero, acquerello opaco bianco e grigio
su carta velina, mm 562 x 378
Otterlo, Kröller-Müller Museum, The Netherlands

Vincent van Gogh
Spigolatrice, luglio - agosto 1885
gesso nero, grigio acquarellato, acquerello bianco opaco
tracce di fissativo su carta velina, mm 522 x 432
Otterlo, Kröller-Müller Museum, The Netherlands

Vincent van Gogh
Spigolatrice vista di fronte, luglio - agosto 1885
gesso nero, grigio acquarellato, tracce di fissativo
su carta velina, mm 525 x 379
Otterlo, Kröller-Müller Museum, The Netherlands

Vincent van Gogh
Contadino al lavoro, agosto - settembre 1885
gesso nero e tracce di fissativo su carta velina, mm 441 x 332
Otterlo, Kröller-Müller Museum, The Netherlands

Vincent van Gogh
Contadino con la zappa, agosto - settembre 1885
gesso nero e tracce di quadrettatura su carta velina, mm 436 x 328
Otterlo, Kröller-Müller Museum, The Netherlands

Vincent van Gogh
Fasci di frumento, luglio - agosto 1885
olio su tela, cm 40,2 x 30
Otterlo, Kröller-Müller Museum, The Netherlands

Vincent van Gogh
Contadina che porta il grano nel grembiule, luglio - agosto 1885
gesso nero, grigio acquarellato, acquerello grigio opaco
su carta vergata, mm 582 x 380
Otterlo, Kröller-Müller Museum, The Netherlands

Vincent van Gogh
Contadina che lega fasci di frumento, luglio - agosto 1885
gesso nero, grigio acquarellato, tracce di fissativo
su carta velina, mm 554 x 434
Otterlo, Kröller-Müller Museum, The Netherlands

Vincent van Gogh
Contadina che raccoglie il fieno, luglio - agosto 1885
gesso nero, grigio acquarellato, tracce di fissativo
su carta velina, mm 552 x 368
Otterlo, Kröller-Müller Museum, The Netherlands

Vincent van Gogh
Due donne che zappano, luglio - agosto 1885
gesso nero e grigio acquarellato su carta vergata
mm 196 x 318
Otterlo, Kröller-Müller Museum, The Netherlands

Vincent van Gogh
Contadina che zappa, agosto - settembre 1885
gesso nero, lavatura (probabilmente con fissativo)
tracce di fissativo su carta velina, mm 442 x 556
Otterlo, Kröller-Müller Museum, The Netherlands

Vincent van Gogh
Contadine che raccolgono patate, agosto 1885
olio su tela, cm 31,5 x 42,5
Otterlo, Kröller-Müller Museum, The Netherlands

Vincent van Gogh
Zappatore, maggio - giugno 1885
gesso nero su carta vergata, mm 348 x 207
Otterlo, Kröller-Müller Museum, The Netherlands

Vincent van Gogh
Zappatore, agosto 1885
olio su tela, cm 45,4 x 31,4
Otterlo, Kröller-Müller Museum, The Netherlands

Vincent van Gogh
Natura morta con ciotola e pere, settembre 1885
olio su tela, cm 33,5 x 43,5
Utrecht, Centraal Museum
in prestito dalla Stichting Van Baaren Museum

Vincent van Gogh
Natura morta con patate, settembre 1885
olio su tela, cm 47 x 57
Rotterdam, Museum Boijmans-van Beuningen
in prestito da una collezione privata

PARIGI 1886 - 1888
ARLES 1888 - 1889

Vincent van Gogh
Camposanto nella pioggia, ottobre - dicembre 1886
matita, penna, pennello, inchiostro, acquerello, gesso colorato
acquerello opaco bianco su carta vergata, mm 369 x 483
Otterlo, Kröller-Müller Museum, The Netherlands

Vincent van Gogh
Vaso con garofani, estate 1886
olio su tela, cm 46 x 37,5
Amsterdam, Collection Stedelijk Museum
acquistato con il generoso supporto del VVHK

Matthijs Maris
Cava di pietra a Montmartre, 1871-1873
olio su tela, cm 55 x 46
L'Aia, Collection Gemeentemuseum The Hague

Vincent van Gogh
Il mulino Blute-Fin, Montmartre, primavera 1886
gesso nero, blu e rosso, penna, inchiostro e acquerello
su carta velina, mm 310 x 250
Amsterdam, P. & N. De Boer Foundation

Vincent van Gogh
Il Moulin de la Galette, metà ottobre 1886
olio su tela, cm 38,4 x 46
Otterlo, Kröller-Müller Museum, The Netherlands

Vincent van Gogh
Interno di un ristorante, estate 1887
olio su tela, cm 45,5 x 56
Otterlo, Kröller-Müller Museum, The Netherlands

Vincent van Gogh
Salici potati al tramonto, marzo 1888
olio su tela su cartone, cm 31,6 x 34,3
Otterlo, Kröller-Müller Museum
The Netherlands

Vincent van Gogh
Cestino con limoni e bottiglia, maggio 1888
olio su tela, cm 53,9 x 64,3
Otterlo, Kröller-Müller Museum
The Netherlands

pagine successive
Vincent van Gogh
Il ponte di Langlois ad Arles, maggio 1888
olio su tela, cm 49,5 x 64,5
Colonia, Wallraf-Richartz-Museum & Fondation Corboud
Collezione dei Dipinti
acquistato nel 1911, inv. n. WRM 1197

Vincent van Gogh
Veduta di Saintes-Maries-de-la-Mer, 1-3 giugno 1888
olio su tela, cm 64,2 x 53
Otterlo, Kröller-Müller Museum, The Netherlands

Vincent van Gogh
Il vigneto verde, intorno al 3 ottobre 1888
olio su tela, cm 73,5 x 92,5
Otterlo, Kröller-Müller Museum, The Netherlands

Vincent van Gogh
Sentiero nel parco, intorno al 17-18 settembre 1888
olio su tela, cm 72,3 x 93
Otterlo, Kröller-Müller Museum, The Netherlands

Vincent van Gogh
Ritratto del sottotenente Milliet (L'amante)
fine settembre - inizio ottobre 1888
olio su tela, cm 60,3 x 49,5
Otterlo, Kröller-Müller Museum, The Netherlands

Vincent van Gogh
Natura morta con un piatto di cipolle, gennaio 1889
olio su tela, cm 49,6 x 64,4
Otterlo, Kröller-Müller Museum, The Netherlands

SAINT-RÉMY 1889 - 1890
AUVERS-SUR-OISE 1890

Vincent van Gogh
Angolo del giardino dell'istituto
fine maggio - inizio giugno 1889
gesso nero, cannuccia, pennello, inchiostro bruno
su carta vergata, mm 463 x 602
Otterlo, Kröller-Müller Museum, The Netherlands

Vincent van Gogh
Sentiero nel giardino dell'istituto, novembre 1889
olio su tela, cm 61,4 x 50,4
Otterlo, Kröller-Müller Museum, The Netherlands

Vincent van Gogh
Il giardino dell'istituto a Saint-Rémy, maggio 1889
olio su tela, cm 91,5 x 72
Otterlo, Kröller-Müller Museum, The Netherlands

Vincent van Gogh
Ulivi, novembre 1889
olio su tela, cm 51 x 65,2
Edimburgo, Scottish National Gallery
acquistato nel 1934

Vincent van Gogh
Due zappatori (da Millet), gennaio - marzo 1889
olio su tela, cm 74 x 93
Amsterdam, Collection Stedelijk Museum

Vincent van Gogh
Vecchio che soffre, novembre - dicembre 1882
matita, pastello litografico nero, lavatura, acquerello
bianco opaco su carta per acquerello, mm 445 x 471
Otterlo, Kröller-Müller Museum, The Netherlands

Vincent van Gogh
Vecchio che soffre ("Alle porte dell'eternità"), maggio 1890
olio su tela, cm 81,8 x 65,5
Otterlo, Kröller-Müller Museum, The Netherlands

Vincent van Gogh
Il seminatore, inizio dicembre 1882
inchiostro nero e acquerello su carta, mm 610 x 400
Amsterdam, P. & N. De Boer Foundation

Vincent van Gogh
Il seminatore (da Millet), gennaio 1890
olio su tela, cm 64 x 55
Otterlo, Kröller-Müller Museum, The Netherlands

Vincent van Gogh
Pini al tramonto, dicembre 1889
olio su tela, cm 91,5 x 72
Otterlo, Kröller-Müller Museum, The Netherlands

Vincent van Gogh
Castagni in fiore, 22-23 maggio 1890
olio su tela, cm 63,3 x 49,8
Otterlo, Kröller-Müller Museum, The Netherlands

Vincent van Gogh
Campo di papaveri, giugno 1890
olio su tela, cm 73 x 91,5
L'Aia, Collection Gemeentemuseum The Hague
prestito a lungo termine del Netherlands Institute
for Cultural Heritage

pagine seguenti

Vincent van Gogh
Paesaggio con la pioggia, Auvers, luglio 1890
olio su tela, cm 50 x 100
Cardiff, Amgueddfa Genedlaethol Cymru
National Museum of Wales
lascito di Gwendoline Davies 1952

Vincent van Gogh
Ritratto di giovane donna, fine giugno - inizio luglio 1890
olio su tela, cm 51,9 x 49,5
Otterlo, Kröller-Müller Museum, The Netherlands

Vincent van Gogh
Covone sotto un cielo nuvoloso, luglio 1890
olio su tela, cm 63,3 x 53
Otterlo, Kröller-Müller Museum, The Netherlands

PICCOLO ATLANTE
TRA OLANDA E FRANCIA

DA ETTEN A NUENEN
Gli anni olandesi

A mio modo di vedere mi considero di sicuro inferiore ai contadini.
Beh, io aro le mie tele come essi i campi.

Vincent van Gogh, Lettera alla madre, 21 ottobre 1889

I

Il 15 dicembre 1880, Vincent van Gogh si iscrive a un corso di disegno all'Accademia reale di Belle Arti a Bruxelles, una volta lasciato il distretto minerario del Borinage. Non si sa però se abbia mai frequentato le lezioni, dal momento che, come abbiamo ben visto dalle sue lettere, aveva sempre in sospetto le pratiche accademiche, pur se riteneva necessaria una sua educazione dal punto di vista tecnico. All'inizio di febbraio dell'anno successivo, Théo diventa dirigente della sede Goupil in Boulevard Montmartre a Parigi, e da quel momento contribuisce stabilmente al mantenimento economico del fratello, inviando però i soldi alla famiglia in Olanda. Quel che è certo, è che nel breve periodo vissuto a Bruxelles, e che si sta per concludere, tra febbraio e aprile prende dapprima lezioni di disegno da un pittore, Jan Madiol, e poi lavora nello studio di un giovane artista, Anthon van Rappard. Con quest'ultimo, che aveva conosciuto a Parigi, inizierà nel mese di ottobre una corrispondenza che si protrarrà nel tempo e che sarà la prima di una serie, importante, con altri artisti, a cominciare ovviamente da Paul Gauguin ed Emile Bernard. Anzi, le lettere soprattutto inviate a quest'ultimo segnano uno dei motivi di maggiore interesse per entrare davvero nel mondo di Vincent pittore.

Nel momento in cui Van Gogh decide, quasi certamente su insistenza del fratello, di diventare un artista, va ricordato un fatto non secondario. Cioè la capacità di trattenere nella sua mente una sorta di vero e proprio museo immaginario, basato molto sulle riproduzioni delle opere d'arte. Anche se è corretto ricordare come siano state numerose, e approfondite, le visite ai musei, da quelli di Londra a quelli di Parigi, da quelli di Amsterdam a quelli di Anversa, fino a quello di Montpellier visitato quando si trovava ad Arles, e che fu per lui l'occasione di uno sguardo approfondito sulla pittura di Courbet dalla Collezione Bruyas, oltre che su Delacroix. Tra tutti, specialmente all'inizio, e lo vedremo tra poco, Rembrandt rivestiva un ruolo fondamentale. Tale andirivieni nel suo museo della mente, era reso possibile anche dal lavoro che aveva svolto, egli stesso, da Goupil, dove si vendevano riproduzioni di alta qualità di opere famose.

Un secondo motivo fondante nel lavoro di Van Gogh va certamente rintracciato nel suo essere un lettore instancabile, potendolo fare tra l'altro, oltre che nella sua lingua materna, anche in inglese e francese. Questo gli dava la possibilità di spaziare e conoscere negli idiomi originali opere che, spesso, resteranno centrali nella sua successiva opera di pittore. È certamente il caso di un testo che Vincent legge nel 1876, il *Pilgrim's Progress* di John Bunyan, nel quale si argomenta come le persone più vicine a Dio siano gli ultimi, i poveri, nella rinuncia anche alle trappole della vita mondana. È una visione nella quale, in mezzo alle sue sempre fortissime difficoltà esistenziali, egli trova conforto. Una visione che ammanterà di sé gli anni olandesi del suo lavoro, e in modo particolare i due, dolorosi e irti di spine, trascorsi all'Aia tra la conclusione del 1881 e l'inizio di settembre del 1883.

Alla fine di aprile del 1881, lasciata Bruxelles, Van Gogh raggiunge i genitori a Etten, nel Brabante settentrionale. Il padre Theodorus vi era stato trasferito da tempo per svolgere la sua funzione di pastore e parroco. I mesi che conducono alla fine dell'anno, sono segnati tra l'altro dalla relazione negata con la cugina Kee Vos, figlia, vedova, dello zio Stricker e che era venuta a vivere con i Van Gogh nella casa parrocchiale. Vincent si innamora di lei, ma viene respinto con veemenza. I genitori considerarono subito questa passione del figlio come totalmente deteriore e vi si opposero ritenendo che da ciò scaturisse un atteggiamento del quale vergognarsi. La tensione crebbe sempre di più, fino al punto che venne chiesto a Vincent di allontanarsi dalla casa. Fu in quel momento che l'artista scelse la via dell'Aia, dove prima in agosto, e poi tra novembre e dicembre, aveva frequentato lo studio di Anton Mauve, insigne rappresentante proprio della Scuola dell'Aia e cugino acquisito per parte di madre.

I mesi trascorsi a Etten inaugurano una modalità di vita e lavoro che si ripeterà non particolarmente dissimile in tutto il decennio. Dapprincipio era la perlustrazione del luogo e dei suoi dintorni, per formarsi una conoscenza che poi desse la possibilità di iniziare a disegnare, e successivamente a dipingere. Era la necessità che spazi e persone che lo abitavano entrassero, attraverso gli occhi, nell'anima. Uno scandaglio visivo che poi crescesse nella profondità interiore. Anche assieme a Van Rappard − che resta con Van Gogh a Etten per un paio di settimane nel mese di giugno − va alla scoperta del paesaggio, tra «cottage nella brughiera», fienili, mulini, fino a una grande pineta che tra l'altro Vincent rese in un disegno di grandi chiaroscuri proprio mentre era lì l'amico pittore. Ma a Etten faceva anche l'inventario degli utensili da disegnare, «d'aratro, l'erpice, la carriola, il carro eccetera» e ancora nelle sue lettere racconta di come fosse andato a visitare i luoghi di lavoro del villaggio, «la bottega del falegname, del calzolaio», e anche la sorella Wil posò per lui. Si trattava di affrontare, in quel tempo aurorale del disegno, una gamma per quanto possibile ampia e completa dei soggetti, di modo da dare non soltanto dimostrazione di una qualità crescente nel disegno, ma anche fornire una sorta di inventario che a lui, artista della realtà, desse l'idea di procedere sulla strada giusta: «Scavatori, seminatori, aratori, uomini e donne, ecco quello che voglio disegnare di continuo. Devo osservare e disegnare tutto quello che appartiene alla vita in campagna. Al momento c'è una certa richiesta di disegnatori che avendo fatto pratica, sappiano rendere bene la figura.»

Van Gogh disegnava quasi sempre da modelli reali, non frequentando accademie. Si ricollegava anche a un'antica tradizione, soprattutto olandese, di illustrare i poemi. Il riferimento non potevano che essere quelli di Jan Luyken, *Le attività umane*, pubblicati nel 1694 e recanti come sottotitolo significativo, *Presentazione di 100 raffigurazioni di arti, mestieri, operazioni e commerci accompagnati da versi*. Altri album del genere vennero pubblicati con successo anche nel XIX secolo, e tra essi, nel 1861, quello con le illustrazioni di Jozef Israëls, pittore molto amato da Van Gogh, e i versi di Nicolaas Beets, intitolato *Bambini di mare*. In questo senso, tra tutti i tipi che nacquero nel tempo di Etten, l'immagine certamente più celebre resta quella del seminatore, in verità anticipata da cinque schizzi in sequenza già nel Borinage. Il 15 marzo 1851, in «La Presse», si lessero queste parole di Théophile Gautier: «È ossuto, smunto, magro, sotto l'impronta della miseria, eppure la vita si espande dalla sua larga mano e, con un gesto superbo, lui che non ha niente sparge sulla terra il pane dell'avvenire.» Stava commentando proprio il famoso *Seminatore* di Jean-François Millet esposto al *Salon* di quell'anno, quadro che ha tormentato Vincent van Gogh per tutta la vita, tanto da aver dedicato a questo soggetto una trentina di prove tra disegni soprattutto e qualche quadro. Alla maniera stessa di Courbet, Millet dimostrava come si potesse fare pittura di struggente grandezza non appoggiandosi, come facevano i pittori proprio del *Salon*, a divinità o eroi, ma a uomini contemporanei, che vivevano la fatica dell'esistenza. Tanto che Gautier così proseguiva nella sua analisi: «C'è della grandiosità e c'è dello stile in questa figura dal gesto violento, dalla forma fieramente malandata, e che sembra dipinta con la stessa terra che essa insemina.» E questa frase rimase impressa in Van Gogh, che la citò spesso, anche se quasi certamente egli non vide gli originali del *Seminatore*, tre dipinti realizzati tra il 1847 e il 1851.

L'entusiasmo di Van Gogh si basò quindi su rappresentazioni indirette. Conobbe il pastello eseguito successivamente da Millet, nel 1865, che scoprì a Parigi una prima volta nel 1875 nell'asta Gavet e poi nella grande antologica postuma del 1877, che seguiva la morte avvenuta l'anno precedente. Ma assai più importante, per le varie versioni realizzate da Van Gogh, fu l'acquaforte di Paul-Edmé Lerat, foglio che Vincent possedeva e che all'inizio della sua attività copiava di continuo. Tra l'altro, nel 1882 questa incisione ottenne un posto di primo piano nel suo *atelier* all'Aia. E questo stesso foglio chiese a Théo di inviargli sia da Arles che successivamente da Saint-Rémy. All'inizio della sua carriera utilizzava il *Seminatore* come semplice esercizio di copia, ma successivamente nacquero le prime variazioni, che poi divennero, soprattutto nel periodo di Arles, decise interpretazioni sul colore, seguendo la scoperta del giallo dei campi di grano nella pianura della Crau.

Quando Vincent si stava preparando per gli studi di teologia, il 22 aprile 1877, in una lettera a Théo scrisse che avrebbe voluto diventare un «seminatore della Parola», con una chiara allusione alla parabola evangelica. In questa figura, e nel gesto ampio e solenne che faceva, era anche il senso dell'eternità, come dice a Bernard in una lettera del 18 giugno 1888 mentre è intento ai campi di grano nella Crau. Il gesto del seminare fissa una misura della vita che non sia solo caducità, ma ingresso nel più ampio flusso circolare che usa le stagioni come misura del tempo che ritorna. Nell'opera di Millet, Van Gogh sentiva «un'emozione sublime, perfino religiosa» e d'altra parte annotava come nel *Seminatore* di Millet vi fosse «più anima che in qualsiasi altro seminatore nei campi.» Questa idea è vicina a quella espressa dal critico Théophile Thoré, il quale, in un suo articolo apparso in occasione del *Salon* del 1861, così scriveva: «Il fine di Millet è quello di riprodurre il carattere essenziale di una figura umana. Per esempio, se vuole dipingere un seminatore, la sua ambizione è quella di fare *il* seminatore in generale, il tipo effettivo, sempre come se fosse la Bibbia oppure Omero. E realmente è lì che giacciono la semplicità e la grandezza.» Così la *Seelenmalerei*, la pittura dell'anima tanto ammirata da Van Gogh al punto da farla diventare lo scopo fondamentale del suo lavoro, era al primo posto rintracciata in Millet, ma poi per esempio anche in Breton e Israëls.

Ma se è vero, per continuare ancora un momento su tale rapporto, che l'*imagerie* derivata da Millet accompagnerà Van Gogh per tutta la vita, è altrettanto vero, come ci ha appena confermato Thoré, che le figure dipinte o disegnate da Millet sono se non generiche tendenti al generale. Millet punta a raffigurare più che un contadino, l'idea di un contadino che lavora la terra, e questo come metafora del legame tradizionale e primigenio tra l'umanità e la fecondità della terra. Si potrebbe dire che sia quasi un riferimento alla scomparsa post edenica della Grazia e al successivo destino umano di perenne fatica. In questo senso quindi, le figure di Millet attingono la sfera del tipo assoluto. I contadini di Van Gogh sono invece fortemente individuali, ed egli nel suo lavoro cerca un valore universale partendo dal vero. In questo, come vedremo, appaiandosi piuttosto a Rembrandt che a Millet. Il quale, se confrontato con Van Gogh, sembra mancante di vita vera, di dolore vero, di sofferenza autentica, per stare nella dimensione del teatro e della rappresentazione scenografica.

Quando arriva all'Aia, alla fine di dicembre del 1881, e dal primo gennaio affitta delle stanze in Schenkweg dove allestisce anche uno studio, Van Gogh era alla ricerca di «tutte le scene possibili con figure – un mercato, l'arrivo di una barca, un gruppo di persone in fila alla mensa per i poveri, nella sala d'attesa di una stazione, all'ospedale, al monte dei pegni, gruppi che parlano per strada o passeggiano. E tutto dipende dagli stessi problemi di luce, di ombra e di prospettiva.» Riteneva che lo studio fosse il suo obiettivo principale e di doversi impegnare per rendere il movimento delle figure. Non tralasciò comunque di fare nuove illustrazioni, traendo ispirazione dalle stampe inglesi per produrre per esempio una serie di litografie con motivi legati al rapporto tra l'uomo e la terra. Il motivo che sembrava appassionarlo di più era quello del raccoglitore di patate, come si vedrà anche in alcuni disegni e dipinti del tempo successivo a Nuenen. Aveva assistito alla raccolta delle patate sia nel Borinage che a Etten, prima che nei dintorni dell'Aia nel 1882. Era una prefigurazione del grande tema del contadino che lo occuperà tra il 1884 e il 1885.

Ma quanto cercava in un modello, Van Gogh lo trova all'Aia in Sien Hoornik, una ex prostituta incinta che divenne anche sua compagna, dopo l'incontro che si compì a fine gennaio. Sien, sua madre e la prima figlia posavano per lui «con i vestiti adatti, abiti in lana merino nera, bei modelli di cuffie e un bellissimo scialle.» Van Gogh intende creare, come scrive, un effetto "alla Chardin", qualcosa che egli ritiene che «alcune tra le serve ordinarie» possiedano, ma non per esempio le donne borghesi come le sue sorelle. È con certi meravigliosi, e dolentissimi, ritratti di Sien che prenderà il via quella galleria di volti e figure che nei due anni trascorsi all'Aia designeranno i confini di un mondo fatto di gemiti silenziosi, e lacrime non ostentate, e miseria, e solitudine, e sofferenza nel corpo e nello spirito. Si trattava di dare senso di continuità a quella relazione tra romanticismo e realismo, per cui a dominare doveva essere quell'individualità dei soggetti che Van Gogh sempre preservò fin dal primo momento della sua ricerca. Per cui, al di là dell'ormai logora suddivisione dei generi, quello che contava per il pittore di Zundert era la folgorazione per un volto, quella attimalità che diventava, nell'incanto di uno sguardo che depredava, la strada per l'eterno.

Come è noto, all'Aia Van Gogh soprattutto disegna, iniziando comunque a padroneggiare sempre di più anche la tecnica dell'acquerello, della quale fornisce alcuni esempi splendidi nel corso dei mesi. Il suo lavoro mostra di prendere le mosse da quattro fonti di ispirazione ben precise: gli artisti della Scuola dell'Aia, gli artisti della Scuola di Barbizon, gli antichi Maestri olandesi e le incisioni su legno di autori contemporanei, soprattutto inglesi. Ammira fortemente il realismo dei pittori della Scuola dell'Aia, costruito su un'inclinazione di carattere morale che non può non incontrare il suo favore. È infatti impressionato dalla tensione che in questo senso esprime Israëls, ma anche dall'integrità di altri autori come Jacob Maris, Mauve e Weissenbruch. Nel loro evidente richiamarsi ai pittori di Barbizon, egli sente così la perfetta congiunzione con il concetto di paesaggio da lui tanto amato ed espresso tra gli altri da Millet, Corot, Dupré, Rousseau e Daubigny. Si trattava di una natura venata sempre di un'inclinazione malinconica, spesso vespertina, che corrispondeva perfettamente al suo spirito. Del resto, Van Gogh conosceva bene le loro opere, che vedeva spesso quando lavorava da Goupil a Parigi. Città nella quale non mancò di visitare, per esempio, esposizioni ampie di Corot e Millet. Da non trascurare il fatto che uno degli artisti della Scuola dell'Aia, Mesdag, collezionava quadri di una certa qualità di Corot e compagni e Vincent li vide in un'ampia rassegna nel 1882 proprio all'Aia. Tutto questo, insomma, contribuiva a creare un clima di forte unitarietà di gusto, che corrispondeva indubbiamente alle tensioni spirituali e religiose dello stesso Van Gogh.

Ma va ricordato anche, come elemento non secondario, quanto egli apprezzasse il lavoro degli incisori su legno inglesi, le cui immagini ponevano l'accento su temi sociali di indubbio richiamo, immagini che il pittore olandese poteva vedere in pubblicazioni come «The Graphic» e «The Illustrated London News», che aveva regolarmente a disposizione. Amava in particolare gli illustratori inglesi Hubert Herkomer, Frank Holl e Lucas Fildes, oltre al francese Auguste Lançon. In una lettera a Théo del primo novembre 1882, spiega con chiarezza i motivi di questa sua predilezione: «Ciò che mi piace in Herkomer, Fildes e Holl e negli altri fondatori del "Graphic", la ragione per la quale hanno più significato per me di Gavarni e Daumier, e potrei continuare, è che mentre questi ultimi sembrano guardare la società con occhio malevolo, i primi – come Millet, Breton, De Goux, Israëls – scelgono soggetti simili a quelli scelti da Gavarni e Daumier ma che possiedono al contempo qualcosa di nobile e un sentimento più serio. Credo che questo sentimento sia qualcosa che non deve andare perduto. Non c'è bisogno che un artista sia una sorta di impiegato o di sacrestano, ma deve comunque possedere un cuore sensibile per i suoi simili.»

Van Gogh poi ammirava grandemente Rembrandt come pittore religioso, e in questo senso è significativa la sua predilezione per l'episodio dei discepoli di Emmaus. Ciò che Van Gogh vedeva di interessante nel Rembrandt pittore religioso era il trattamento della luce, con tutto quanto di simbolico e misterioso poteva essere a essa collegato. La luce dunque non era solo espressione fenomenica, ma diventava attributo dello spirito, proprio quanto Vincent andava ricercando nella sua stessa, ancor acerba, opera. Apprezzava poi la spontaneità e la maestria nel disegno di Hals, e non poteva che essere immensa l'ammirazione per i grandi pittori di paesaggio olandese del Seicento, coloro che avevano fondato questo genere, a cominciare ovviamente da Jacob van Ruisdael, Koninck e Van Goyen. L'amore per questi artisti era tornato vivo grazie ad alcuni critici francesi, da Van Gogh amati, come Thoré, Blanc e Fromentin, che mettevano giustamente in evidenza come il naturalismo di Van Ruisdael avesse anticipato Constable in Inghilterra e i pittori di Barbizon in Francia. In una lettera a Théo, scrive con consapevolezza: «Quanto fa bene vedere un bel Rousseau a cui egli ha lavorato duramente per rimanere fedele e onesto. Quanto fa bene pensare a persone come Van Goyen e a Michel. Quanto è bello un Isaac van Ostade o un Ruisdael. Forse che io voglia di nuovo costoro o che la gente li imiti? No, ma vorrei comunque che di loro rimanessero l'onestà, l'ingenuità, la verità.»

La visione tanto importante del paesaggio, nasce dunque in Van Gogh sulla linea che congiunge Van Ruisdael, la Scuola di Barbizon e quella dell'Aia. Davanti all'industrializzazione sempre più padrona della società, egli sentiva ancora forte, come una vera e propria vibrazione interiore, il fascino della verità. L'anima non poteva che associarsi a questa disposizione. Da qui veniva il senso più nobile della tradizione, che in lui si esprimeva nella volontà di realizzare ritratti non generici e invece portatori di un messaggio anche sociale; nella raffigurazione del contadino come persona legata ai riti della terra; nei paesaggi non edulcorati ma nati dal rapporto armonico tra pittore e natura con lo studio del vero. Si rafforza così l'idea, sempre più consapevole, che esista una continuità tra passato e presente e che nel passato risiedano quei soggetti che possono essere, anche nel presente, parte dell'arte moderna. Che, dice Van Gogh, aveva le sue regole. Lo stimolo del passato, insomma, per vivificare un presente che possa apparire a un tempo nuovo ma con profonde radici. Questa sembra essere la missione di Van Gogh, nel coniugare in modo perfetto e giustificato due estremità temporali.

Sono quelle misure eterne da rintracciare ovunque nel disegno e nella pittura e che nel periodo trascorso all'Aia lo faranno rivolgere a quell'umanità di valori autentici nati quasi sempre dalla sofferenza. Come abbiamo già visto, in questo senso conta anche l'amore per Millet, seppur trasformato, superata la devozione. È una sorta se non di rassegnazione agli eventi, almeno di stoicismo davanti ai disastri della vita. È significativa, e bellissima, una lettera che, parlando di un quadro di Mauve, illustra questo sentimento della rassegnazione: «C'è un Mauve, il grande quadro del peschereccio tratto in secca dalle dune. È un capolavoro [...] quella è la rassegnazione, quella vera, non quella del clero. Quei cavalli, quei poveri cavalli neri maltrattati, bianchi e bai: stanno lì pazienti, sottomessi, volenterosi, rassegnati, silenziosi [...] sono rassegnati a vivere e a lavorare ancora per un po', ma se dovessero andare al mattatoio domani, sia pure, sono pronti. Trovo in questo dipinto una tacita filosofia talmente possente, profonda e pratica, sembra che dica "essere in grado di soffrire senza lamentarsi". Questa è l'unica soluzione pratica, la grande scienza, la lezione da imparare, la soluzione al problema della vita.»

L'estate del 1883 Vincent la trascorse spesso sulla spiaggia di Scheveningen e a Loosduinen, il villaggio dietro le dune. Cominciava a sentire sempre di più la nostalgia per la terra e la natura nella sua ampiezza. Lì attorno vide campi di grano, amati già allora, «non così belli come quelli del Brabante, ma devono esserci dei mietitori, seminatori e spigolatrici, tutte cose che ho perso quest'anno, che era il motivo per cui a volte sentivo il bisogno di un cambiamento.» Così, dopo avere lavorato per un anno e mezzo soprattutto sulle figure, sentì una forza irresistibile che lo trascinava verso la terra e coloro che la abitavano faticando, i contadini. La decisione di lasciare l'Aia era certamente derivata dai contrasti con la famiglia per la controversa relazione con Sien, poi la rottura stessa di quella relazione, ma anche il desiderio incontenibile di dedicarsi ad altro. Inoltre, aveva l'idea che non sarebbe vissuto ancora per molti anni e dunque tutto andava esperito: «È necessario per il mio lavoro, Drenthe, Katwijk, Brabante, non importa dove, vivere presso un contadino per un poco, lontano, molto lontano, in campagna, lontano e solo con la natura. E devo dipingere molto e devo poter spendere qualcosa di più in materiali da disegno.» Immerso in questi pensieri, l'11 settembre 1883 un treno porta Van Gogh a Hoogeveen, nella Drenthe, dove scopre capanne di torba nella brughiera che gli ricordavano il lavoro di Dupré e dove è a contatto con paesaggi che gli consentono di volgere le spalle alla città.

Tornò subito prepotente il riferimento alla pittura antica, che era insieme consolatorio e di apertura verso il futuro, poiché come abbiamo appena visto è nel passato che si allacciano quei legami che sotto altra luce fondano la pittura moderna, dunque la sua pittura. Scrivendo a Théo, parla di una visione che gli ha ricordato un celebre quadro di Jacob van Ruisdael: «Ho visto un effetto identico a quello della biancheria stesa ad asciugare nei campi di Ruisdael a Overveen: in primo piano una strada alta ombreggiata di nubi, poi un campo basso e spoglio sul quale si posava la luce e due case in fondo (l'una con il tetto di ardesia, l'altra con delle tegole rosse). Al di sopra, un cielo grigio tempestoso. Penso spesso a Van Goyen in queste mattine nebbiose, le piccole case sono proprio così, con quello stesso aspetto caldo e innocente.»

Nella relazione tra Olanda seicentesca e Francia di Barbizon ottocentesca, Van Gogh mette anche a punto una sua idea di panteismo paesaggistico che affonda le radici nella filosofia di Thomas Carlyle, secondo il quale la natura è sì composta di una sua superficie visibile, ma possiede anche una profondità invisibile che accenna al divino. Van Gogh era certamente sensibile a un tale pensiero e la regione della Drenthe, con le sue foschie, con le sue albe grigie, i suoi corsi d'acqua sembrava fatta apposta per dire di questa imprendibilità dello sguardo. Ma gli artisti hanno la prerogativa di vedere in quella profondità, di vedere oltre, e attraverso la loro opera testimoniare così la presenza del divino, invisibile ai più. E mentre cercava di convincere Théo ad abbandonare il suo lavoro in città per abbracciare egli stesso la vita dell'artista, gli scriveva così: «Ma se tu venissi nella zona più remota e selvaggia della Drenthe, ti farebbe un'impressione diversa e ti sentiresti proprio come se vivessi i tempi di Van Goyen, Ruisdael, Michel. In breve: in una terra che a malapena penso esista in quelli di Barbizon al giorno d'oggi. Questo penso sia una cosa importante, poiché in un tale ambiente naturale si possono risvegliare nel cuore cose che forse, altrimenti, non si sarebbero mai destate. Intendo, qualcosa di quello spirito libero e vivo dei tempi passati.»

Ma con il peggiorare della stagione e l'arrivo dell'inverno, non era più possibile dipingere all'aperto, per cui fece il percorso inverso. Dopo una camminata di circa sei ore, sotto una fredda pioggia mista a neve in un pomeriggio d'inizio dicembre del 1883, Vincent raggiunse la stazione ferroviaria di Hoogeveen per giungere infine a Nuenen, nella casa dei genitori. Lasciava la Drenthe preso dall'amore verso un paesaggio non ancora rovinato dalla moderna società industriale. Questo determinò il risultato di considerare il lavoro del contadino come l'incarnazione della forma più pura e autentica della condizione umana. Si trattava del legame eterno esistente tra il contadino stesso e la terra, che era per lui madre assoluta e portatrice di quei valori universali che Van Gogh sempre ricercava nell'uno. Egli era pronto per i due anni finali del suo tempo olandese, anni decisivi quant'altri mai prima dell'approdo a Parigi, giunto dopo la sosta di tre mesi ad Anversa.

II

Nella seconda metà dell'Ottocento, la pittura sempre più cercava di incontrare i nuovi gusti del pubblico in fatto di possibili acquisti, e questo avveniva sia attraverso il *Salon* sia, da un certo momento in avanti, attraverso il sistema delle gallerie private, che cercavano di blandire gli acquirenti anche con allestimenti di grande fascino. Considerando che la crescente industrializzazione aveva fatto aumentare il desiderio di vita in campagna, cominciò a manifestarsi una forte domanda, da parte delle fasce borghesi della società, di quadri che ritraessero contadini, emblemi dunque di questo senso bucolico che andava imponendosi. Poiché questi dipinti venivano esposti al *Salon*, il loro stile non era certo quello azzardato e sofferente che poteva avere in mente Van Gogh, ma era quello, molto edulcorato e in costume, che vide successivamente in Bastien-Lepage l'interprete di maggior successo. Tra gli impressionisti, il solo Pissarro dimostrerà interesse per questo tema, che mostrava di giocare sull'ingenuità dei compratori e comunque sul desiderio della popolazione di vivere quasi il mito del buon selvaggio. Quello che Chateaubriand aveva cantato a inizio secolo, immaginando nel primitivismo un'armonia tra religione e natura. Il contadino in seguito divenne il simbolo di una nazione non ancora civilizzata, come se si potesse trasferire in terra di Francia la vicenda dei nativi americani.

Sia come sia, Van Gogh, nel suo interesse verso questa figura, si inseriva in un contesto che aveva preso le mosse da situazioni simili. In verità Zola, proprio negli anni in cui Vincent concentrava la sua attenzione sull'immagine del contadino, in alcune recensioni al *Salon* faceva notare come secondo lui questo genere fosse ormai giunto al canto del cigno. Agiva in lui ovviamente la nostalgia per l'amato Courbet, morto da poco, e non poteva essere Jules Breton il suo sostituto, preso com'era da contadine che assomigliavano più a modelle agghindate che non a lavoratrici nei campi. Così come non poteva esserlo Bastien-Lepage. Zola trovava deteriore quello che definì un «naturalismo mistico», nel quale le novità anche linguistiche dell'impressionismo erano addolcite e ammorbidite per quel pubblico borghese che non aveva ancora digerito lo scossone operato da Monet e compagni. Se Breton, Bastien-Lepage e soci «si presentavano come primitivi», nella sostanza delle cose dipingevano invece «un modello in studio con un candore affettato.»

Zola fotografava perfettamente la situazione e Van Gogh, in una lettera a Théo, sembrava essere perfettamente d'accordo: «Quando la gente di città dipinge contadini, le loro figure splendidamente dipinte non possono fare altro che ricordare un parigino delle periferie.» Tutto questo non preoccupava però minimamente Van Gogh, il quale era impegnato invece in un suo percorso di assoluta coerenza e rigore quasi monacale nell'avvicinarsi a queste figure. E non conoscendo praticamente l'arte degli impressionisti, si volse dal punto di vista tecnico e del colore, come vedremo in modo più approfondito nelle prossime pagine, all'arte più accademica. Sebbene a Van Gogh non sfuggissero tutte le motivazioni per le quali l'arte legata alla terra e alla figura del contadino andassero per la maggiore, lui scelse di continuare sulla sua strada, incurante di quanto gli stava intorno.

Come detto, decide di raggiungere i genitori a Nuenen all'inizio di dicembre del 1883. Nuenen è un piccolo villaggio, vicino Eindhoven. L'intenzione di Vincent era quella di rimanervi soltanto un breve periodo e da lì trovare una sistemazione, possibilmente di nuovo all'Aia. Non si sentiva particolarmente il benvenuto nella casa dei genitori. Ma nonostante i continui conflitti con il padre, che morirà per un infarto alla fine di marzo del 1885, a poco più di sessant'anni, vi rimane per un tempo lungo, quasi due anni. Il costo della vita era basso e i dintorni fornivano molti motivi per la pittura. Venne presto affascinato dai tessitori, tanto che il primo febbraio del 1884 scrive a Théo: «Dal momento in cui sono arrivato qui credo di non aver passato nemmeno un giorno senza aver lavorato, dalla mattina fino a notte, tra i tessitori e i contadini.» La maggior parte degli oltre 400 tessitori attivi in quel periodo a Nuenen, combinava il lavoro al telaio con l'attività nelle piccole fattorie. Van Gogh realizzò, tra il dicembre del 1883 e il luglio del 1884, almeno 18 disegni e 10 quadri su questo tema.

Nell'inverno tra il 1879 e il 1880, quando viveva ancora nel Borinage, confortando i minatori dopo il loro duro lavoro in qualità di predicatore laico leggendo passi della Bibbia, e quindi prima di iniziare la sua attività di artista, Vincent ebbe l'opportunità di visitare il Pas de Calais, nella Francia settentrionale: «Durante quel viaggio vidi anche qualcosa d'altro: i villaggi dei tessitori», scrisse nel settembre di quello stesso 1880 sempre a Théo. E di seguito: «I minatori e i tessitori rappresentano in un certo senso ancora una popolazione a sé stante se raffrontata con altri operai e artigiani e provo per loro una grande simpatia, mi riterrei fortunato se potessi ritrarli un giorno.» E quel giorno, in effetti, venne qualche anno più tardi, a Nuenen. Sono appunto contadini che lavorano al telaio soprattutto in inverno, per incrementare un poco il magro salario derivato dal lavoro nei campi. Van Gogh, che aveva viaggiato e letto molto, è certamente a conoscenza delle mutate condizioni nel settore tessile, ma sceglie nelle sue opere di non mostrare il processo di modernizzazione, riproducendo sempre telai della vecchia tradizione. Questo per celebrare il lavoro manuale, cosa che gli interessa sempre molto, nella sua visione che discende spiritualmente da Millet. Vincent lavora direttamente nelle case dei tessitori e in questo senso l'artista si concentra molto sul telaio, in una visione assai ravvicinata, spesso con il bianco della finestra che sbuffa la luce nella stanza. Si siede vicino al suo soggetto, anche se in una lettera si lamenta con il fratello circa il fatto che proprio questa breve distanza non gli permetta di disegnare come vorrebbe.

A metà gennaio del 1884, mentre ha cominciato da tre settimane il lavoro sui tessitori, scrive a Théo di considerare come suoi i disegni e i dipinti che gli invierà, di modo che l'assegno mensile che il fratello gli manda sia inteso come «denaro che ho guadagnato.» Questo serve evidentemente a sollevare Vincent da una preoccupazione che lo attanaglia, sapendo di essere dipendente dal fratello per il suo mantenimento. Anzi, gli scrive anche di tenere per sé «quei piccoli disegni di tessitori», per dare inizio in questo modo a «una collezione di disegni a penna di artigiani del Brabante. A condizione di farne una serie da tenere raccolta, li venderei a un prezzo molto basso, in modo che, anche se dovessi fare molti disegni dello stesso tipo, li si potesse tenere insieme.»

La raffigurazione dei laboratori dei tessitori non era cosa infrequente nella pittura di quelle terre nel Seicento, per esempio in Cornelis Deckers e Adrian van Ostade, quando il luogo del lavoro spesso si mescola con lo spazio della casa. Tanto che i telai e le macchine sono posti accanto a tutto ciò che attiene al luogo della casa nella sua intimità, perfino con le culle dei bambini. Si trattava di far percepire una vera armonia tra il lavoro artigianale e la vita della famiglia. In Van Gogh questo aspetto domestico emerge invece molto poco, nonostante egli passasse lunghe ore accanto ai tessitori per disegnarli o dipingerli. Eppure, se bene osserviamo, non sono i tessitori a essere il centro della scena, né il vero soggetto delle opere, quanto invece i telai quasi come idoli a sé stanti. La figura umana appare nulla più che un orpello, talvolta solo un'ombra o una silhouette. Come se Van Gogh volesse sacralizzare questi antichi telai che avevano resistito all'avanzare della civiltà industriale e avevano consegnato un tipo di artigiano che per esempio George Eliot descriveva come «un uomo pallido, minuscolo che, se paragonato ai contadini muscolosi, sembra il sopravvissuto di una razza diseredata.» Lavorando quasi *in absentia*, Van Gogh continua a evocare quel mondo rurale e artigiano che per sempre, nel suo decennio di fervore, fonderà la sostanza della sua opera. Mai il mondo industriale o della città, se non per lievissimi accenni, entrerà nei suoi dipinti, mentre sempre sboccerà il silenzio franto di un angolo buio di casa o laboratorio, di uno sguardo attonito o di un sussulto di natura segreta.

Nel corso del XIX secolo i quadri con i tessitori rappresentati – di certo la categoria più minacciata dall'avvento dell'industrializzazione – non erano per nulla frequenti. Il pittore tedesco Max Liebermann fu tra i pochissimi a dipingerli, spesso con spirito di dichiarata nostalgia per un mondo che andava scomparendo. Il suo quadro *Il laboratorio del tessitore* (1882) era piuttosto una scena di vita famigliare, con la figura del padre che domina lo spazio mentre lavora con fierezza al telaio, la madre che fa girare la ruota e la figlia che avvolge il filo nei rocchetti. La si sarebbe potuta assimilare a una scena di genere, realizzata con la grazia dolce di un senso malinconico e soprattutto nostalgico verso una realtà che scandiva ancora le ore di esistenze minacciate dall'avvento del progresso. Van Gogh, che pur conosceva l'attività di Liebermann, non conosceva però i suoi quadri con i tessitori, così che i suoi riferimenti erano sempre le illustrazioni che apparivano in «The Graphic», che puntavano su un lato pietistico in linea con il tema dal punto di vista sociale.

Tilburg e Eindhoven erano i centri della manifattura tessile nel Brabante, anche se la produzione di lane e cotoni, rivolta essenzialmente al mercato domestico, era modesta. Le imprese del Brabante, che godevano del sostegno del governo ed erano quindi poco bisognose di competere, in questa situazione fanno il minimo indispensabile per introdurre nuove tecnologie. Ed è in questo mondo che Van Gogh si trova a vivere, e si trova a scrivere però a proposito dei singoli tessitori: «Non li sento lamentarsi, anche se di certo se la passano male.» Calcola poi che per le sue spese aveva bisogno di circa dieci fiorini al mese, quattro volte di più di quello che guadagnava un tessitore: «Di conseguenza, c'è spesso agitazione e malcontento tra questa gente. È uno stato d'animo ben diverso da quello dei minatori, tra i quali ho vissuto in un anno di scioperi e disastri. Era ancora peggio, eppure anche qua la situazione è spesso colma di tristezza; la gente tace e davvero da nessuna parte ho sentito nulla che potesse ritenersi un discorso sedizioso. Hanno un aspetto poco allegro, simile alle vecchie carrozze o alle pecore che vengono trasportate via mare dall'Inghilterra.»

Vincent sentiva tutta l'infelicità e la difficoltà nel vivere di queste donne e questi uomini del Brabante, ma era ugualmente colpito dal senso di passività che sfociava nell'accettazione della sofferenza e che confrontava appunto con la forza e la veemenza nella protesta dei minatori in Belgio. Forse per questo motivo egli si concentra piuttosto sui telai: «Questi telai mi costeranno ancora molto duro lavoro, ma nella realtà sono cose tanto meravigliose, tutto quel legno di quercia contro un muro grigiastro, penso sia senza dubbio una buona cosa che una volta tanto vengano dipinti.» Con un rovesciamento dei ruoli, è la presenza del telaio il centro della scena, fermo lì ad apparire, mentre la figura umana è in disparte. Anthon van Rappard, il giovane artista amico di Van Gogh, criticò apertamente questo rovesciamento dei ruoli, che metteva in secondo piano una così difficile vicenda umana, che avrebbe avuto tutta la dignità per essere raccontata. La lettera di risposta a Van Rappard, ci dà chiare le motivazioni dello stesso Van Gogh: «Alla fine non ho incluso la figura nel disegno, ma quello che volevo esprimere in esso era questo: quando si osserva quella mostruosa cosa nera di quercia coperta di polvere con tutte quelle asticelle, in netto contrasto con lo sfondo grigiastro contro cui si trova, allora, là, al centro di esso siede un nero essere scimmiesco, spiritello o fantasma che sia, che muove quelle asticelle dalla prima mattina alla sera tardi. E ho indicato il luogo mettendoci una sorta di apparizione di tessitore, con qualche tratto o qualche macchia, dove l'avevo visto sedere. Di conseguenza non mi sono preoccupato per niente delle proporzioni delle braccia o delle gambe.»

Sembra quasi che non assegnare alla figura il suo normale primato, mettendola in secondo piano rispetto alla macchina, sia un modo per Van Gogh per porre l'accento sulla nostalgia per un artigianato che andava scomparendo, focalizzando l'attenzione sugli strumenti e non su chi quegli strumenti faceva funzionare. Per questo i tessitori rimangono fantasmi sporcati dalla luce del tramonto o della notte che entra dalle finestre che, spesso, il pittore dipinge come unica sorgente luminosa. Le finestre, e ciò che si vede al di fuori di esse, sono comunque il collegamento costante, e mai dimenticato, con la natura e il paesaggio attorno a Nuenen, che tornerà a farsi vivo in via autonoma tra l'estate e l'autunno del 1885. Sta proprio in un simile rapporto tra interno ed esterno il senso pittoricamente più compiuto della serie dedicata ai tessitori. Quel senso mistico e di *pathos* si accresce dentro queste luci che annunciano che la natura continua a vivere e in quella natura eterna, in ogni caso, anche gli artigiani sofferenti sono inscritti.

Terminate a luglio 1884 le ultime versioni dei tessitori, lo sguardo di Van Gogh torna a indirizzarsi verso il paesaggio, per il quale i dintorni di Nuenen offrono non pochi spunti. Spesso, quel paesaggio diventa luogo di ambientazione del lavoro dei contadini, anche se talvolta si offre nudo nella sua semplicità in apparenza perfino banale, ma che gli consente di misurare luci poco per volta nuove. E colori essi stessi poco per volta nuovi, fino a che saranno, tra ottobre e novembre dell'anno successivo, alcuni finali, e bellissimi, paesaggi sempre nel Brabante, prima di presentarsi, fatta la sua lunga sosta ad Anversa, a Parigi al cospetto dell'arte degli impressionisti. È proprio nel secondo dei due anni trascorsi a Nuenen che avviene un primo, fondamentale scatto nell'ambito di un colore che comincia appena ad abbandonare le terre frequentate dagli artisti di Barbizon e della Scuola dell'Aia, da lui tanto amati.

Nell'estate del 1884, nella vicina città di Eindhoven, Van Gogh conosce Antoon Hermans, un ex orafo e pittore dilettante che gli chiede di preparare per lui il progetto per la decorazione della sua sala da pranzo. Hermans considerava cosa lodevole un motivo biblico con santi, ma il pur devoto Vincent lo convinse a decorare le pareti con scene di vita contadina. Si trattava di sei spazi da riempire, per i quali Van Gogh realizzò altrettante tele a grandezza naturale, che infine il padrone di casa copiò. A lavoro concluso, quelle stesse tele vennero restituite al pittore. In una lettera dell'agosto dell'anno successivo, Van Gogh si lamentò però del fatto che Hermans non lo pagò per questo lavoro, avendo egli sostenuto semplicemente le spese per i materiali. Il quadro con i *Coltivatori di patate*, dipinto tra l'agosto e il settembre del 1884, è uno dei quattro campioni rimasti delle opere realizzate per quella circostanza. Gli altri cinque soggetti scelti, erano riferiti all'aratura, alla raccolta del frumento, alla semina, alla raccolta della legna e infine un gregge di pecore con un pastore, quest'ultimo entro una luce livida, quasi notturna. E non a caso Vincent si riferì a questo quadro come a un «effetto di tempesta».

Le scene alludono alle quattro stagioni, motivo che certamente Van Gogh trasse dall'amatissimo Jean-François Millet, il quale aveva a sua volta decorato una stanza con immagini di vita contadina. Sebbene non avesse mai visto quelle decorazioni, ne aveva preso conoscenza leggendo la fondamentale biografia su Millet scritta da Alfred Sensier. Un primo schizzo dei *Coltivatori di patate*, fatto con un inchiostro piuttosto grosso, rappresenta soltanto due figure che vangano accanto a una carriola, con la fila dei tetti delle case e un campanile in lontananza. Anche le altre scene hanno disegni preparatori con poche figure, ma dal momento che il suo committente preferiva una più forte presenza di lavoratori, alla fine Van Gogh dipinse ben sette piantatori di patate. Questo è chiaramente visibile dall'aggiunta delle tre figure in secondo piano, la prima a sinistra sotto la linea dell'orizzonte, mentre le due sulla destra, molto più convincenti, vengono dipinte sopra la linea dell'orizzonte, secondo un effetto che il pittore olandese aveva imparato a dominare già nel periodo trascorso in precedenza all'Aia. Ma al di là della vita dei contadini, Van Gogh ci consegna uno dei quadri più belli e maturi del suo tempo olandese, nella chiarità dei verdi e degli azzurri del cielo che quasi per la prima volta nella sua pittura superano lo steccato del semplice naturalismo.

Esaurita questa commissione, e sperimentate luci grasse e meravigliose di tramonto in alcuni altri quadri, nel mese di novembre dà il via a una serie di teste che rappresentano un progetto unitario. Sono volti, su tele di piccolo formato, inquadrati in primissimo piano, secondo uno stile che rimanda agli olandesi del XVII secolo, e soprattutto a Frans Hals per quanto riguarda la pennellata fluida e densa di colore. Van Gogh ammirava da molto tempo Hals e nell'ottobre del 1885 ebbe anche modo di ristudiarlo dal vero al Rijksmuseum durante una visita di tre giorni ad Amsterdam, nella quale puntò ovviamente la sua attenzione anche sull'amato Rembrandt. Di Hals, Van Gogh ammirava l'idea di dipingere sempre la verità della vita nel momento in cui accadeva, la pennellata rapida, l'assenza di un disegno preparatorio sottostante ai dipinti, la sensazione che i suoi quadri potessero risultare non finiti mentre vivevano di una loro assoluta completezza. Scrive a Théo dopo la sua visita al museo: «Quello che mi ha colpito di più nel rivedere quei vecchi dipinti olandesi, è che la maggior parte di essi erano stati dipinti in fretta e che questi grandi maestri come Frans Hals, Rembrandt, Ruisdael e tanti altri, buttavano giù qualcosa con la prima pennellata e non ritoccavano più molto. E poi nota questo: se andava bene lo *lasciavano come era*. Ho ammirato soprattutto le mani di Rembrandt e di Hals, mani che erano vive ma non erano finite nel senso in cui si intende oggi il finito. Anche le teste – occhi, nasi, bocche eseguiti con una sola pennellata senza alcun ritocco.»

Quello che dei borghesi di Hals sembrava interessare a Van Gogh non era ovviamente il rango sociale, nel momento in cui lui invece si disponeva a tratteggiare i volti delle contadine e dei contadini del Brabante, quanto piuttosto lo spessore di verità che emergeva anche in un'epoca storica precedente alla sua. Ma capiva quanta modernità vi fosse in quelle figure e in quei volti, tanto da rafforzare la sua convinzione sulla individualità di ogni ritratto a discapito di una trattazione generica. In questo senso, anche discutendone con Théo nelle lettere, Vincent difendeva, traendola dalla lezione olandese del Seicento, una tavolozza tradizionale. E questo mentre il fratello lo rendeva consapevole delle novità dell'impressionismo a Parigi, o in realtà di quanto l'impressionismo aveva prodotto un decennio prima e ormai stava volgendo verso l'affermazione del colore prismatico soprattutto di Seurat. È del 1886 infatti l'ottava e ultima mostra impressionista, quella nella quale proprio Seurat presenterà la *Grande Jatte*, opera capitale del postimpressionismo. Per rafforzare la sua convinzione, scriveva a Théo: «Mi infastidisce già *da parecchio tempo*, Théo, che alcuni fra i pittori contemporanei ci privino del bistro e del colore asfalto, con i quali sono stati dipinti tanti quadri splendidi e che, se impiegati in modo appropriato, rendono il colore maturo, dolce e generoso e al contempo sono tanto eleganti e possiedono delle qualità pregevoli e caratteristiche.»

È chiaro a questo punto come i grandi ritratti olandesi del XVII secolo svolsero un ruolo molto importante nella creazione e nella realizzazione del progetto più ambizioso di sempre di Van Gogh, e non soltanto del suo tempo olandese, *I mangiatori di patate*. Il soggetto del contadino laborioso era il successore come immagine dipinta della rappresentazione dei borghesi seduti a tavola nella pittura d'Olanda, soprattutto quella, l'abbiamo bene inteso, di Rembrandt e Hals. Riferimenti poterono essere tele come *I sindaci della gilda dei drappieri* di Rembrandt e *Le direttrici dell'ospizio degli anziani* di Hals, quadri che Van Gogh conosceva e prediligeva, nei quali si rappresentavano figure prese di tre quarti, sedute a tavola in interni che risultano sfondi di indubbia efficacia. Ma soprattutto egli mirava a riprodurre lo spirito di un quadro di Rembrandt che ammirava tantissimo, *Pellegrini a Emmaus*, che vide per la prima volta a Parigi nel 1875. In una lettera inviata a Théo da Saint-Rémy, parla a proposito di questo quadro dello spirito che presiedette alla creazione de *I mangiatori di patate*: «È ciò che solo Rembrandt o quasi possiede tra i pittori, questa tenerezza verso gli altri esseri, che noi possiamo avvertire sia nei *Pellegrini a Emmaus* sia nella *Sposa ebrea*, o ancora in quella strana figura di angelo, come nel quadro che hai avuto la fortuna di vedere – questa tenerezza accorata, questo infinito sovrumano appena schiuso e che di Shakespeare appare così naturale in molti punti.»

Capiamo quindi come Van Gogh concepisca l'opera riassuntiva del suo tempo olandese come il suo quadro storico, collegato a un'importante tradizione artistica. Mette così insieme la rappresentazione della classe borghese operata da Rembrandt e Hals con quella delle genti contadine di Van Ostade, che davano senso alla ruralità lontana dai centri urbani. Ma egli trovava anche in autori a lui contemporanei come Charles De Groux e Jozef Israëls lo stesso spirito in opere simili. *Il pasto frugale* di Israëls per esempio, dava conferma di un mondo fatto di sostanza fragile e dolorosa e che per di più, con l'uso insistito delle terre e con la dipendenza dagli effetti bituminosi, mostrava la sua dipendenza da Rembrandt. E questo agli occhi di Van Gogh non poteva che essere un merito. In questo modo possiamo parlare di una sorta di triade che sorse nella mente di Vincent van Gogh, quella che partendo da Rembrandt passava da Millet fino a Israëls, chiudendo in questo modo quel lungo compasso storico che generatosi dagli amati Maestri antichi andava poi ai realisti francesi prima e olandesi poi. Si trattava per lui di esprimere una vera profondità d'anima, ciò a cui aveva sempre teso, con opere d'impianto consolatorio e per questo quasi religiose. Le immagini dei volti sembravano rispondere più di tutte le altre a questa funzione che riusciva del resto a esprimere la sua concezione dell'arte moderna.

Prima di dipingere questo quadro con «contadini seduti attorno a un piatto di patate», come scrive in una lettera del 5 aprile 1885, realizza un buon numero di disegni preparatori e due piccoli studi a olio, nella casa della famiglia De Groot-Van Rooij. Tra la prima e la seconda versione, i commensali salgono da quattro a cinque. All'inizio Van Gogh non si era deciso con chiarezza se dipingere il quadro alla luce del giorno o con la luce artificiale, ma alla fine scelse la seconda soluzione. Desidera dipingere l'oscurità come fosse un colore, e di certo usò principalmente i colori che da lui in quel momento ci si sarebbe potuti attendere, dal verde al marrone al giallo, ma utilizza anche il blu di Prussia per le parti delle ombre più scure. Del resto, l'uso del blu di Prussia per dipingere l'oscurità della notte è documentato anche in una lettera ad Albert Aurier nel periodo di Saint-Rémy, dunque nel tempo in cui realizza manti della volta stellata. In questo modo, mescolando la sua tavolozza, giunge a una pittura tonale, naturale, che lo rimanda oltre che a Rembrandt anche al prediletto Millet.

È soddisfatto del risultato, pur con i pareri contrari di Théo e di Van Rappard. Soddisfatto perché nei *Mangiatori di patate* capisce di avere immesso un sentimento vero dell'esistenza e il palpito della vita. Considera la versione definitiva del quadro, quella oggi conservata nel Van Gogh Museum di Amsterdam, come una delle sue opere migliori in assoluto, la sola negli anni olandesi a poter essere qualificata come *tableaux*. Non sarà un caso che nei mesi finali di Saint-Rémy, in piena crisi di permanenza nel Sud, e nel palese desiderio di tornare alle radici più settentrionali della sua pittura, manifesti il desiderio di farne una versione che rappresenti quanto nel frattempo è diventata la sua opera. Certamente questa tela incarna il suo progetto più ambizioso, nel quale è stato in grado di dimostrare la sua abilità nel produrre composizioni complesse. Nei circoli accademici le composizioni con più figure erano infatti maggiormente considerate rispetto ai paesaggi e alle nature morte. Mai più Van Gogh attese a un lavoro simile, eppure lo spirito dei *Mangiatori di patate* continuava a tornare nei ritratti che fece in seguito, tra Parigi, la Provenza e Auvers: «In un quadro desidero esprimere qualcosa che sia di conforto come la musica. Vorrei dipingere uomini e donne con quel qualcosa di eterno che una volta era simboleggiato dall'aureola e che noi cerchiamo di rendere con un simile irraggiarsi e con le vibrazioni dei nostri colori.» Ecco, «quel qualcosa di eterno» che è l'anima.

DA PARIGI A AUVERS
Gli anni francesi

Quello che qui mi colpisce, e che mi rende attraente la pittura, è la trasparenza dell'aria; non hai idea di cosa sia, appunto perché non esiste da noi. A un'ora di distanza si distinguono i colori delle cose: il verde grigio degli ulivi, il verde dell'erba dei prati ad esempio, e il rosa lilla di un campo arato. Da noi non si vede che una vaga linea all'orizzonte; qui, la linea è netta fino a molto lontano e la forma riconoscibile. Ciò dà un'idea di spazio e di cielo.

Vincent van Gogh, Lettera alla sorella Wil, luglio 1888

I

Il 24 novembre 1885, Vincent van Gogh arriva ad Anversa, dove prende in affitto una stanza in Lange Beeldekenstraat. Ha con sé un bagaglio minimo e soltanto tre quadri e qualche studio e disegno, mentre a Nuenen aveva lasciato almeno un centinaio di dipinti, dopo che a metà ottobre aveva mandato un'ultima decina di tele a Théo, a Parigi. Nei giorni immediatamente successivi, visita i principali musei della città, ma soprattutto frequenta con regolarità il museo di Arte antica, che era stato uno dei motivi della sua scelta di andare ad Anversa. Studia anche i quadri di Rubens che si trovano nella cattedrale e a metà gennaio 1886 si iscrive all'Accademia Reale di Belle Arti, dove frequenta lezioni di figura tenute da Karel Verlat, oltre a quelle di disegno da calchi in gesso di François Vinck, la sera.

Dopo un paio di settimane, deciso ad approfondire ancor di più il disegno, si iscrive a due club di disegno, dove la sera può lavorare su modelli che posano. Inoltre, in Accademia alla fine del corso di pittura partecipa alle lezioni diurne di disegno tenute da Eugène Siberdt. Questo aderire a corsi e lezioni, pur se tutto ciò durò non più di qualche settimana, lo mise presto in urto con i vari insegnanti, perché il senso della disciplina non era cosa che interessasse più di tanto a Vincent. Così cominciò a pensare in modo sempre più intenso di trasferirsi a Parigi da Théo, sia per frequentare lo studio di Fernand Cormon ma anche per risparmiare sulla pigione, dividendo lo stesso appartamento.

Il fratello, nelle lettere che i due si scambiavano, si mostrava in linea di principio d'accordo, ma voleva attendere il momento in cui avrebbe trovato una casa più grande nella quale vivere insieme. Situazione che si verificò dall'inizio del mese di giugno, quando i due Van Gogh si trasferirono in un appartamento di quattro stanze al 54 di rue Lepic. Ma, inatteso, Vincent era giunto a Parigi probabilmente il primo giorno di marzo di quel 1886 e, lasciando un biglietto al 25 di rue Laval a Montmartre, dove Théo viveva, gli dava appuntamento per mezzogiorno al Louvre. La scelta di incontrarsi al Louvre era palesemente simbolica, per la grande concentrazione di tesori artistici dell'antichità e per la presenza del *Triomphe d'Apollon* del venerato Delacroix nella Salle Carré che era il punto preciso scelto da Vincent per il *rendez-vous*.

L'arrivo di Van Gogh a Parigi significava dare sostanza al suo desiderio di conoscere le nuove scoperte dell'arte moderna. E, in ultima istanza, di essere egli stesso rappresentante dell'arte del proprio tempo, secondo una possibile evoluzione rispetto agli anni olandesi. Del resto gli ultimi mesi a Nuenen, specialmente con i paesaggi di ottobre e novembre 1885, segnano già un deciso avanzamento nella resa del colore, che si esprimeva adesso attraverso un medium luminoso diverso e più intenso. Vincent conosceva bene la città, poiché aveva lavorato da Goupil per diversi mesi tra la fine di maggio del 1875 e l'inizio della primavera dell'anno seguente prima di essere licenziato, e il desiderio di tornarvi si era accresciuto ad Anversa al ricevimento delle varie lettere di Théo, che gli parlava soprattutto dell'arte degli impressionisti, sui quali Vincent confessava la sua ignoranza ma anche il suo desiderio di conoscerli. Non aveva mai visto dal vero un dipinto impressionista fino a quel momento.

Ma il fratello era stato bene accorto nel mettere Vincent a conoscenza anche del lavoro di alcuni artisti allora emergenti e che si potevano definire eredi del Millet tanto amato. Per esempio, gli invia le xilografie di Léon Lhermitte, successore proprio di Millet nei panni del cantore della vita agreste. Gli aveva mandato anche il catalogo di una mostra di Jean-François Raffaëlli, che si era dedicato alla raffigurazione degli aspetti più poveri della Parigi delle periferie, con personaggi che potevano ricordare quei dimenticati che Van Gogh aveva inserito nei suoi disegni per esempio all'Aia. In definitiva, Parigi poteva offrire al pittore olandese la più vasta campionatura internazionale delle tendenze migliori dell'arte contemporanea in quel momento. Oltre a questo fenomeno che riguardava la conoscenza degli stili, Parigi, con i suoi *atelier*, poteva diventare palestra credibile anche per un avanzamento dal punto di vista tecnico, seguendo gli indirizzi della modernità. Su queste due strade si sviluppò quindi l'esperienza parigina, durata esattamente due anni, e che consegnò una persona completamente diversa quando, nel febbraio del 1888, quella stessa persona prese un treno e lasciando Parigi si diresse verso la luce del Sud, verso la Provenza che lo attendeva quasi come un luogo edenico.

La Parigi che Van Gogh ritrova al suo arrivo nel 1886, non è dissimile da quella che aveva conosciuto dieci anni prima. Le radicali modifiche operate da Haussmann si erano concluse alla fine del regno di Napoleone III, nel 1870, quindi ampiamente in anticipo rispetto al primo soggiorno del pittore. Avendo abitato in quella circostanza ugualmente a Montmartre, in una stanza il cui indirizzo non conosciamo, certamente avrà notato come il rinnovamento haussmaniano aveva spinto sempre più persone fuori dal centro e verso i sobborghi, con la costruzione quindi di nuove case che avevano fatto diventare Montmartre un quartiere sempre più abitato, con la presenza anche di Caffè e locali che i pittori cominceranno a dipingere.

Le modificazioni più importanti nella zona avvengono a partire proprio dal 1876, quando Vincent lascia per la prima volta Parigi, con destinazione Ramsgate, in Inghilterra. Si attua la costruzione di alcuni ponti, della stazione ferroviaria e degli edifici al confine con Asnières, distrutti tra il 1870 e il 1871 al tempo dei fatti della *Commune*. Tutti questi lavori vennero realizzati nel 1877. C'è da notare come Asnières, sulla riva sinistra della Senna, e Clichy, sulla riva destra e più vicina alla città, erano ridiventati centri agricoli ma anche industriali e per la presenza del grande fiume anche luoghi di villeggiatura. A una distanza quindi prossima alla sua abitazione di Montmartre, quando vi arriva nel 1886, Van Gogh ha a disposizione al tempo stesso paesaggi urbani e di campagna. Un vero privilegio per un artista, e questo si tradurrà poco per volta in soggetti per la sua pittura, che mano a mano uscirà dai toni terrosi e bituminosi di Nuenen per abbracciare sempre di più l'intensità della luce e del colore. In fin dei conti, Parigi era fino a quel momento il punto più meridionale nel quale egli si era trovato a lavorare.

L'ingresso nell'*atelier* di Cormon, prefigurato fin dalle lettere scritte da Anversa, non avvenne che a partire dal settembre del 1886, quando le scuole riaprirono dopo le vacanze estive. Dovrebbe aver lavorato lì per meno di tre mesi, avendo quindi concluso il suo apprendistato prima della fine dell'anno. Gli iniziali mesi parigini furono dunque per Vincent di ambientamento, con alcune probabili, ma non sicure, visite al *Salon* che quell'anno si svolse tra maggio e giugno, e all'ottava mostra impressionista, che ugualmente aprì i battenti tra maggio e giugno. Mentre tra giugno e luglio, ma anche in questo caso non ve n'è assoluta certezza, dovrebbe aver visitato, nella famosa galleria di Georges Petit, la quinta esposizione internazionale di pittura e scultura. In ogni caso, i primi paesaggi dipinti spesso nella zona attorno a Montmartre non mostrano, tra primavera e estate del 1886, significativi cambiamenti rispetto agli ultimi paesaggi autunnali di Nuenen, se non per una luce che, ma nemmeno sempre, si faceva più secca e solare, evidenziando una prima reazione alle nuove condizioni atmosferiche nelle quali si trovava a vivere.

Fernand Cormon era un artista ancora piuttosto giovane, aveva infatti solo 41 anni in quel settembre 1886 quando Vincent van Gogh varcò le soglie del suo *atelier*. Aveva già riscosso notevole successo al *Salon* e anzi nell'edizione del 1880 una sua grande tela, *Caino e la sua famiglia*, era stata acquistata dallo Stato francese. Pur essendo un pittore di soggetti storici, filone ancora molto in voga in quel tempo, aveva scelto di non idealizzare più le sue figure, ma di renderle secondo la moderna tendenza naturalistica. Come abbiamo visto, soprattutto Bastien-Lepage, in quegli anni medesimi, è il campione assoluto di questo naturalismo che spremeva Courbet in una salsa allo zucchero. È quasi certo che Cormon non facesse che visite del tutto episodiche al suo *atelier*, affidando l'insegnamento agli allievi più anziani, metodo che di sicuro non doveva soddisfare Van Gogh, che disegnava calchi in gesso e modelli dal vero. Una volta giunto a casa, continuava il suo lavoro sui calchi, avendo egli acquistato per suo uso privato riproduzioni di sculture antiche o sculture di altro genere. Volgeva questo suo apprendistato anche in pittura, cosa che nell'*atelier* non veniva consentita, se non dopo un lungo lavoro sul disegno.

Ma Vincent arrivava da almeno tre anni di pittura a olio in Olanda e dunque si sentiva accreditato a procedere in questo modo. Il lavoro cui si dedica nella sua stanza di rue Lepic, pur sui calchi e le copie delle sculture, gli serve per equilibrare il senso e il peso della pennellata e da qui modulare un colore che poco per volta va accendendosi. Sperimentava tocchi sempre più ampi di pennello e destinava alla tela un colore che si faceva più denso. In alcune nature morte di questo 1886, la sua tavolozza divenne decisamente più chiara e l'uso di un rosso spesso fiammeggiante segnò il primo, forte distacco rispetto alle nature morte dipinte in Olanda nei due anni precedenti.

Il 1887 è un anno decisivo per i fratelli Van Gogh a Parigi, Vincent infatti iniziò il suo percorso arrembante dentro il colore proprio in quel tempo. Ma ugualmente l'attività di Théo subì modifiche importanti e di indubbio rilievo. Nel 1884 Adolphe Goupil aveva ceduto la gestione della società, per la quale Théo lavorava, a Boussod e al genero René Valadon. Questo diede il via a una vera e propria modernizzazione dell'azienda, tanto che nel 1887 si organizzò una grande asta per smaltire le scorte di magazzino e quanto incassato venne utilizzato come investimento riservato ai nuovi pittori. Tra l'altro, non fu più rinnovato il contratto a Adolphe Bouguereau, il vero e proprio divo del *Salon*. Théo così fu incoraggiato, seguendo tra l'altro le proprie preferenze, ad acquistare opere di artisti contemporanei più vicini al gusto moderno e dunque cominciò ad acquisire regolarmente dipinti degli impressionisti e di Monet in modo particolare.

In questo clima, che nella casa di rue Lepic portava intense discussioni tra i due fratelli, anche Vincent si aprì ai risultati dell'arte nuova. L'incontro, nell'*atelier* di Cormon, con Toulouse-Lautrec, Anquetin e Bernard, fu in questo senso determinante. I primi due erano ottimi disegnatori e quando Van Gogh entrò nell'*atelier* nell'autunno del 1886, tutti e tre potevano considerarsi già autonomi ed erano a tutti gli effetti degli artisti indipendenti. La sigla che li accomunava, pur nelle differenti caratteristiche che erano più caricaturali in Lautrec e più legate alla sperimentazione con il colore in Anquetin, era il desiderio di arrivare a una semplificazione formale, attraverso quel sintetismo che di lì a poco sarà tratto comune di una vera e propria corrente artistica. Anche il più giovane, colto e intransigente Emile Bernard, condivideva gli stessi pensieri.

Se questo dunque vedeva Vincent da Cormon, non può in alcun modo essere trascurato quanto Parigi potesse dargli semplicemente visitando le mostre e restando a contatto con tutti quei pittori che avevano fondato le nuove linee dell'arte moderna. Come detto, non sappiamo se visitò l'ultima mostra impressionista, dove Seurat presentò il quadro manifesto *Una domenica pomeriggio all'isola della Grande Jatte* o se lo vide, tra agosto e settembre, al *Salon des Indépendants* dove venne ripresentato. Quel che è certo, è che in quel dipinto faceva le sue prove definitive un pittore che utilizzava in modo straordinario un colore prismatico che passava anche attraverso un disegno sintetico. Nelle gallerie private poi, o nella bottega di colori di Tanguy in rue Clauzel, Van Gogh si imbatteva nelle opere di Monet, di Renoir, di Sisley, di Cézanne, di Degas.

Insomma, per tutti questi motivi, il 1887 fu il vero anno di nascita dell'arte moderna nel pittore Vincent van Gogh, con alcune prove già straordinariamente avanzate. In soli sette anni era passato dai suoi incerti e sgrammaticati disegni nel Borinage a opere che segneranno una svolta assoluta nella storia dell'arte. Eppure, la città lo confonde e lo lascerà «stremato» quando partirà per Arles, come confessa, proprio dalla città provenzale, in una lettera alla sorella Wil il 22 giugno del 1888, intento come sarà in quel momento a dipingere i suoi intensissimi e nuovi campi di grano nella pianura della Crau.

La primavera del 1887 segna la ripresa dei paesaggi realizzati da Van Gogh nell'area che va da Montmartre, dove aveva dipinto a lungo anche l'olandese Matthijs Maris, alla Senna nei pressi dei ponti di Clichy e Asnières. È immediatamente intuibile il suo cambio di passo rispetto ai quadri realizzati sulle colline di Montmartre nell'anno precedente. Il colore più luminoso e ardito mostrava una sempre più chiara connessione con le correnti della pittura contemporanea. Da un lato si comprendeva l'interesse per l'opera soprattutto di Claude Monet, ma dall'altro agiva l'esempio di Seurat e Signac, del quale divenne anche amico. Ma la cosa interessante è che queste influenze dettero da subito il via a una sperimentazione del tutto personale, a una sorta di fusione poi rivisitata e che avrebbe dato le sue prove migliori e mature ad Arles e ancor di più nell'anno a Saint-Rémy.

La crescente modernità di Van Gogh ebbe uno slancio ancora maggiore dopo l'estate del 1887, quando si era conclusa la serie dei paesaggi di primavera dal tocco puntinistico. L'amore per le xilografie giapponesi, che comunque Vincent conosceva ancor prima di arrivare a Parigi, fu un elemento centrale nello sviluppo del lavoro dedicato al colore e alla linea. I contorni piuttosto accentuati e le aree di colore organizzate spesso in modo povero, stimolavano quella semplificazione che era uno degli obiettivi fondamentali dei giovani artisti, per sfuggire al racconto veristico e naturalistico che era stato un dogma portante da Courbet e Corot in avanti. Van Gogh copiava a olio stampe giapponesi di Hiroshige, utilizzando coppie di colori complementari, dando anche un senso decorativo, e appunto non descrittivo, al colore stesso.

Nei due anni trascorsi a Parigi, Van Gogh, che era arrivato con un suo gusto formato che aveva elaborato nei cinque anni tra Etten e Nuenen nel Brabante olandese, impara molto e in fretta al contatto con quell'arte moderna che in modo rapidissimo lo sposta dal binario sul quale aveva corso fino a quel momento. Ma è giusto dire che non tutto quanto vede a Parigi lo interessa e dunque seleziona di conseguenza. Il suo bilancio, nel momento in cui lascia la capitale, è soddisfacente, perché, come si aspettava arrivandoci, aveva migliorato la sua formazione artistica e la sua tecnica e aveva conosciuto le nuove teorie dell'arte contemporanea. Aveva pensato, giungendo in Francia, di progredire soprattutto attraverso una formazione accademica, mentre il suo apprendimento era avvenuto specialmente dal contatto diretto con gli artisti dell'avanguardia e nell'approfondimento, al di fuori dei canali ufficiali, dell'arte giapponese. Ma due anni a Parigi gli avevano messo nell'anima anche un rifiuto della vita in città e per il suo noto e abituale alternarsi tra città e campagna, era venuto il momento di andare altrove, per cui il 19 febbraio del 1888 parte per Arles. Per incontrare certamente una luce diversa, la luce del Sud, ma anche per tornare ad assaporare il clima campestre.

Se a Parigi aveva dunque appreso tante cose nuove sulla pittura, che saranno elemento imprescindibile per il suo lavoro successivo, a Parigi si era anche modificata la percezione che aveva di sé come persona. Era arrivato come pittore contadino che dipingeva i contadini e se ne va come un vero rappresentante dell'arte moderna. Condizione appena mitigata dal rispetto che comunque sempre provava, Millet in testa, per gli artisti del naturalismo vissuti alla metà del secolo e sui quali si era formato. Cosicché ad Arles la lotta sarà di far vivere, in una stessa immagine, il ricordo sempre vivo dei suoi amori legati al naturalismo con la grammatica nuova che aveva appreso a Parigi.

II

Nell'autunno del 1886, quando è arrivato da pochi mesi a Parigi, Van Gogh scrive all'amico pittore inglese Horace Mann Livens: «In primavera, potrei dire a febbraio o anche prima, potrò andare nel Sud della Francia, la terra dei toni azzurri e dei colori brillanti.» È l'intenzione, subito espressa, di proseguire il suo viaggio verso la vera luce, verso i veri colori, verso quella terra fatta di chiarità dell'aria e di orizzonti che si percepivano nitidamente a grandi distanze. Poi però spenderà un anno di più, decisivo come abbiamo appena visto, nella capitale francese e la sua partenza avverrà non nel febbraio del 1887 ma del 1888.

È simbolico il congedo da Parigi, dal momento che Vincent, in compagnia di Théo, visita, la mattina del 19 febbraio 1888, lo studio di Seurat, per vedere l'ultimo quadro da lui dipinto in ordine di tempo. Quasi un omaggio al pittore che, con le sue nuovissime ricerche sul colore, aveva scosso dalle fondamenta la sicurezza di un colore che fosse unicamente rappresentazione dell'occhio fisico. Nel pomeriggio Théo lo accompagna alla Gare de Lyon, da dove prende un treno che più o meno quindici ore dopo lo vede arrivare ad Arles, dove trova alloggio all'Hôtel-Restaurant Carrel, al 30 di rue de la Cavalerie.

Dopo essersi sistemato e avere trascorso la prima notte in Provenza, la mattina del 21 febbraio scrive subito a Théo, per informarlo dapprincipio di una cosa assai singolare. Lui, partito per il Sud per incontrare il sole e la luce assoluta, è invece arrivato con la neve che cade: «Ora ti dirò che, per cominciare, ci sono dovunque almeno 60 centimetri di neve già caduta, e che continua a caderne. Arles non mi sembra molto più grande di Breda o di Mons.» E subito dà al fratello le prime indicazioni sul paesaggio che ha visto arrivando con il treno, quel paesaggio che desiderava incontrare venendosene via dalla città che lo aveva confuso e frastornato: «Prima di arrivare a Tarascona ho notato un magnifico paesaggio d'immense rocce gialle, stranamente incrociate con forme più imponenti. Nei piccoli valloni di queste rocce, erano allineati alberelli tondi dal fogliame di un verde oliva o verde grigio, che potrebbero essere benissimo limoni.» E continua con l'inventario dei colori che saranno presto sulla sua tavolozza e che daranno sostanza a tanti tra i suoi quadri in Provenza: «Ho visto magnifici terreni rossi coperti di vigne, con sfondi montagnosi del più fine lilla. E i paesaggi nella neve con le cime bianche contro un cielo tanto luminoso quanto la neve, erano belli come i paesaggi invernali fatti dai giapponesi.» E qui subito il riferimento a quel Giappone che aveva tanto amato a Parigi e che è anche uno dei motivi fondanti della sua scelta della Provenza. E nel finale della lettera, un'altra delle ragioni che lo hanno portato a Sud: «Ho fatto solo un giretto in città, essendo più o meno sfinito ieri sera. Scriverò presto – un antiquario della mia stessa via nella cui bottega sono entrato ieri, mi diceva di conoscere un Monticelli.» Ecco, anche Monticelli.

Nei quindici mesi di permanenza ad Arles, Van Gogh realizza circa duecento quadri, cento tra disegni e acquerelli e ha il tempo di scrivere duecento lettere, quasi tutte, come sempre, indirizzate al fratello Théo. Quando arriva ad Arles, la città conta più o meno 30.000 abitanti ed è un po' la quintessenza della Provenza. Ci si può chiedere perché Vincent avesse scelto proprio Arles, e non per esempio Aix o Martigues o Avignone, quando decide di scendere a Sud. Di sicuro non c'è un unico motivo, ma un'articolata serie di risposte possibili.

Egli ammira molto per esempio il pittore marsigliese Adolphe Monticelli e Arles poteva essere una sorta di testa di ponte sulla strada per Marsiglia. Théo stesso stava costruendo una collezione di opere di Monticelli, il cui colore fondo e materico Vincent riteneva derivato da Delacroix, altro pittore da lui assai considerato. Molte delle sue nature morte di fiori, soprattutto dipinte nella seconda parte del 1886 a Parigi, risentono dell'influenza di Monticelli, del quale così dice in una lettera molto bella: «Monticelli esprime la libertà dell'artista di esagerare, di creare un mondo più bello e più semplice, più consolante del nostro ed esprime il fatto che il talento sia da una lunga pazienza e dapprincipio uno sforzo di volontà e di intensa osservazione.»

Ma anche altri artisti potevano avere influenzato la sua decisione di scegliere Arles come meta provenzale. In giovane età, nel 1855, Degas visitò la città. Lo stesso Toulouse-Lautrec, conosciuto come abbiamo visto nell'*atelier* di Fernand Cormon, e originario del Sud, potrebbe avergliene parlato. L'australiano John Russell, che aveva dipinto un ritratto di Van Gogh a Parigi nel 1886, era amico di Dodge MacKnight, il pittore americano che nel 1885 era stato nel villaggio di Fontvieille, a una decina di chilometri da Arles. E a conferma di questo possibile rapporto, Van Gogh e MacKnight si incontrano il 15 aprile 1888, quando Vincent è in Provenza da nemmeno due mesi.

Ugualmente, l'amore per le stampe giapponesi poteva avere condizionato la sua visione del Sud e infatti scrive a Bernard poche settimane dopo esservi arrivato: «Questo paese mi sembra bello quanto il Giappone per la limpidezza dell'atmosfera e gli effetti brillanti del colore.» Ma anche la lettura dell'opera dello scrittore provenzale Alphonse Daudet offre occasioni di colore per la visione di Van Gogh. Soprattutto il *Tartarin de Tarascon*, uscito nel 1872, lo colpisce molto, tanto da citarlo molto spesso nelle sue lettere, riferendosi alla "gaiezza" provenzale. Che associa anche alla sua pittura, non di rado. Per esempio, in questa lettera a Théo del principio della primavera 1888: «Sto lavorando accanitamente, perché gli alberi sono in fiore e volevo farne un giardino di Provenza di straordinaria gaiezza.» Anche Zola, che Vincent ammira molto e di cui legge con attenzione i libri, è provenzale, di Aix così come Paul Cézanne. Infine, può non essere stato secondario il richiamo della leggendaria bellezza delle donne arlesiane, spesso ricordata nei giornali, nelle guide e nei romanzi. Anche un racconto di uno scrittore olandese, Multatuli, che Van Gogh potrebbe aver letto, *Max Havelaar*, conteneva un capitolo proprio sulla bellezza delle donne ad Arles.

In ogni caso, nessun pittore prima di Vincent van Gogh aveva scelto Arles come base, mentre lui sognava di stabilirvi il tanto desiderato "*atelier* del Sud", vera e propria comunità di pittori che avrebbe dovuto nascere attorno alle figure di Gauguin e Bernard. In una lunga e bellissima lettera, scritta a Théo da Saint-Rémy il 10 settembre 1889, indica, come una sorta di bilancio finale nel momento in cui comincia a sentire forte la nostalgia per il Nord, il senso del suo avere scelto il Sud: «Caro fratello, sai che mi sono recato nel Sud e che mi sono gettato nel lavoro per mille ragioni. Voler vedere un'altra luce, credere che guardare la natura sotto un cielo più chiaro potesse darci un'idea più esatta del modo di sentire e disegnare dei giapponesi. Voler vedere infine questo sole più forte, perché si sente che senza conoscerlo non si è in grado di comprendere dal punto di vista dell'esecuzione, della tecnica, i quadri di Delacroix e perché si sente che i colori del prisma sono velati nelle brume del Nord. Tutto ciò resta un po' vero. A tutto ciò però si aggiunge anche un'inclinazione del cuore verso quel Sud che Daudet ha dipinto in *Tartarin* e dove per un verso o per l'altro ho trovato anche amici e cose che amo. […] *En-plein-air*, esposto al vento, al sole, alla curiosità della gente, si lavora come si può, si riempie la tela alla meno peggio. Eppure è proprio allora che si afferma il vero e l'essenziale – il più difficile sta in ciò.» Comincia adesso, arrivato ad Arles, la vera stagione del *plein-air* per Van Gogh. E sarà una stagione entusiasmante, anche se talvolta per lui dolorosa.

Intanto, il freddo e il cattivo tempo che Vincent aveva trovato il 20 febbraio al suo arrivo ad Arles, continuano per due settimane, tanto che i primissimi quadri sono incredibilmente paesaggi con la neve e risentono del suo amore per Hiroshige. Passata la prima decina di marzo, finalmente torna il bel tempo, ma un forte mistral non gli consente di dipingere subito all'aperto, per cui spende alcuni giorni nell'esplorazione del paesaggio circostante. Così come a Parigi o all'Aia, anche ad Arles escluderà quasi del tutto dalla sua pittura il centro della città e si concentrerà piuttosto sui margini, lì dove la città stessa diventa campagna. L'attenzione, a Parigi, alle zone di Montmartre e Asnières rispondeva del resto alla stessa logica.

Sono due le aree che attorno ad Arles lo catturano, la prima delle quali resterà il suo riferimento preferito per tutto il tempo di permanenza lì: la pianura della Crau, con l'area contigua dell'abbazia di Montmajour, in direzione nord-est a non più di cinque chilometri da dove abitava, e la zona che costeggia l'Arles-Bouc canal, invece verso sud. Talvolta, ma si tratta di esempi assai rari, appare a intermittenza anche lo sviluppo industriale di Arles o, come in un quadro dipinto subito a marzo, il ponte ferroviario che si trova all'ingresso di place Lamartine, molto vicino alla "casa gialla" dove Van Gogh si trasferirà. Era comunque preoccupato che le sue immagini del Sud potessero avere una esagerata derivazione da quelle del Nord, senza quindi avere quei requisiti di gaiezza trovati nelle pagine di Daudet, Zola o Maupassant, o ancora nelle incisioni dei giapponesi. Timore che si rivelerà del tutto infondato.

La prima versione del ponte di Langlois è della metà di marzo e mostra per Van Gogh i vantaggi di lavorare su scene simili a quelle viste in Olanda, ma più ricche e colorate quanto a temi e motivi. Non a caso, scrivendone alla sorella Wil, parla di aggiornare sulla «tavolozza di oggi» quei motivi, con luminosi arancioni, gialli, verdi e blu. Situato a sud di Arles, il ponte levatoio di Langlois, più propriamente chiamato Pont de Réginelle, e da Van Gogh storpiato in Pont de l'Anglais, era situato appunto sull'Arles-Bouc canal, una via d'acqua originariamente pensata per mettere in comunicazione la città con il Mediterraneo, ma diventata presto troppo stretta per le aumentate dimensioni dei vascelli che avrebbero dovuto percorrerlo.

Era una tipologia di ponte famigliare a Vincent, tanto più che erano stati ingegneri olandesi a realizzare il progetto e lo sviluppo dei canali attorno ad Arles, nel corso del XVII secolo. Sembra quasi che egli fosse animato, in questa prima, piccola serie provenzale di dipinti, dalla nostalgia verso la sua terra d'origine, e con la memoria poteva per esempio andare a un acquerello che aveva realizzato nella Drenthe e che aveva quale soggetto proprio un ponte levatoio. Ma poi questo era anche un tema tipico della Scuola dell'Aia e un pittore come Jacob Maris aveva realizzato nel decennio precedente diverse versioni di ponti levatoi, sia in pittura che ad acquerello. A metà marzo dunque compaiono le prime versioni, con un colore pastoso e con la presenza delle lavandaie che stanno occupate con i loro panni sulla riva del canale, mentre il ponte è attraversato da un carretto che passa. Una scena ancora fortemente ispirata a una descrizione di carattere naturalistico, ravvivata però da quella nuova intonazione luminosa che Vincent aveva appunto ricordato alla sorella nella sua lettera.

Una ripresa di questo soggetto avvenne tra la metà di aprile e la metà di maggio, e soprattutto la versione oggi nel museo di Colonia, e presente in questa mostra, venne giudicata da Van Gogh come il suo raggiungimento più alto nella trattazione del ponte di Langlois. Al di là dell'orientamento diverso nella posizione del cavalletto, quello che colpisce è che in due mesi il pittore abbia già abbandonato il senso del racconto e della descrizione. Rimane una lavandaia soltanto, minuscola e come un puntino rosso, mentre la ricerca è quella dell'essenzialità atmosferica della luce, con un cielo che si distende misterioso e magico sopra il ponte e sopra la piccola figura nera di una donna che lo attraversa, sotto il suo ombrellino che la protegge dal sole. Il rapporto tra il giallo e il verde sulla riva di destra e quello tra il giallo dell'erba bruciata e l'azzurro del cielo, torneranno presto a segnare il tempo della pittura di Van Gogh. Quelle increspature di giallo come oro che un mese dopo saranno protagoniste assolute dei campi di grano dipinti nelle distese pianure della Crau.

Finiti i quadri dedicati ai ponti, esigui nel numero, Van Gogh dà inizio alla sua prima, vera serie. Si tratta delle fioriture, che prendono il via nell'ultima settimana di marzo, quattordici quadri di vario formato che sembrano essere la prima risposta consapevole alla nuova atmosfera e ai limpidi colori della primavera provenzale. Dipinge i tipici orti con gli alberi fioriti e con i cipressi a segnare i confini e a proteggere dalla forza del mistral. Sono orti silenziosi e sempre privi di presenza umana, con una delimitazione dello spazio che non sarà presente invece nella ripresa delle fioriture nella primavera dell'anno successivo, poche settimane prima di prendere la strada per Saint-Rémy.

Con tutta evidenza sono le stampe giapponesi a ispirarlo nella realizzazione di queste fioriture. Non a caso, già a Parigi nel 1886 aveva letto nella rivista «Le Japon illustré» tutta una parte dedicata alla bellezza del paesaggio giapponese nel momento della fioritura. Nel 1887 aveva anche realizzato in pittura una copia da un pruno in fiore di Hiroshige, che resta sempre il suo maggior riferimento visivo. Echi dell'arte giapponese, nei quadri che terranno occupato Van Gogh per quattro settimane, sono riconoscibili nella scelta di collocare gli alberi al centro della scena, con tutto lo spazio attorno, nel rapporto tra il pieno e il vuoto. I rami degli alberi poi, nel loro gioco di linee, danno senso al grafismo che ugualmente deriva dai giapponesi.

Nella settimana di Pasqua di quel 1888, a cavallo tra fine marzo e inizio aprile, lavora a nuove fioriture nella zona della Crau, ma attorno al 20 aprile le fioriture sono finite, con Vincent che parla sempre nelle sue lettere della gaiezza del motivo. Che per lui rappresenta anche la rigenerazione, tanto che dedica uno di questi dipinti, oggi nella collezione del Kröller-Müller Museum, ad Anton Mauve, il pittore della Scuola dell'Aia, appena scomparso, che lo aveva iniziato all'acquerello e alla pittura a olio, nel momento in cui stava ancora e solo disegnando. Attraverso il ritorno costante delle fioriture, anno dopo anno, nella circolarità del tempo, prosegue nell'enfatizzazione dell'idea di voler dipingere un dopo vita, quindi la morte e la sua metamorfosi. Un atteggiamento simile a quello di Monet quando quest'ultimo si concentrerà sulle ninfee di più ampio formato.

Il 7 maggio Vincent cambia residenza e si trasferisce dall'Hôtel Carrel al Café de la Gare, gestito a un isolato di distanza da Joseph Ginoux, al 30 di place Lamartine. Il pretesto per questo cambiamento fu che il proprietario del Carrel chiese un supplemento di prezzo, con la scusa che le tele che intanto il pittore veniva accumulando dopo averle dipinte, occupavano spazio. Inoltre, che il cibo, del quale peraltro Van Gogh si lamentava, era sempre più costoso. Nel frattempo, il primo giorno di maggio aveva firmato un contratto di affitto di cinque mesi per la porzione di destra di un edificio in place Lamartine, che era il punto di arrivo del treno per chi giungeva da nord. Questo edificio, noto come "casa gialla", si trova sul lato sud della piazza, al sole. Dapprima pensata unicamente come studio, da metà settembre diventerà anche la casa, con l'acquisto di un primo, minimale arredamento. A quel tempo la casa viene ridipinta all'esterno e all'interno e le pareti vengono decorate sia con le stampe della collezione di Van Gogh sia con i suoi quadri, che come vedremo appositamente realizzerà in vista dell'arrivo di Gauguin. Così pensata, incarna il senso di un luogo che sia insieme casa e studio, situazione che Van Gogh cerca di istituire fin dai tempi della sua convivenza con Sien all'Aia. Un luogo che, ad Arles, possa diventare il cosiddetto "atelier del Sud". Da fine maggio infatti, con l'aiuto di Théo e delle sue lettere, comincia a invitare Gauguin, affinché scenda dalla Bretagna dove si trova. Sarà un lungo corteggiamento, che si concluderà, positivamente, con l'arrivo dell'amico pittore, il 23 ottobre. E che diversamente si concluderà, due mesi dopo, con una rottura drammatica.

Durante i primi mesi trascorsi ad Arles, Vincent parla talvolta del suo desiderio di visitare la costa del Mediterraneo, nominando sia Marsiglia che Martigues, ma senza mai fare cenno al piccolo villaggio di pescatori di Saintes-Maries-de-la-Mer che poi sarà invece la sua, seppur breve, significativa, meta. Questo desiderio di incontrare la distesa del Mediterraneo, poteva trovare un riferimento quasi archetipico nel legame degli uomini del Nord con il mare come specchio dell'infinito, entro una disposizione quasi mitica e romantica, alimentata dalle diverse saghe. Una ragione più pratica poteva risiedere nel ricordo dello zio, ammiraglio di marina («ho spesso pensato a nostro zio marinaio, che certamente ha diverse volte visto i paraggi di questo mare»), con il quale aveva vissuto ad Amsterdam nel momento in cui studiava teologia, e con il quale aveva fatto brevi uscite in mare su un veliero. Conosceva anche l'esistenza delle case con i tetti di paglia dei pescatori a Saintes-Maries e questo lo riportava alle capanne della Drenthe, dove aveva vissuto cinque anni prima.

Quel che è certo è che l'esperienza a contatto con la luce sul mare lo confermerà in modo strenuo nella sua decisione di essere sceso al Sud. Quella parte meridionale di Francia gli sembrerà il Giappone e parla di vedere le cose con un occhio ancor più giapponese e con un'esperienza del colore differente: «Il Mediterraneo ha il colore degli sgombri, cioè cangiante, non si è sempre sicuri che sia verde oppure viola, non si è sempre sicuri che sia azzurro, perché, un attimo dopo, il riflesso cangiante assume una tinta rosa o grigia. [...] L'acqua di un oltremare profondo – la spiaggia mi pare di un tono violaceo e rosso pallido, con cespugli sulla duna (alta cinque metri, la duna), cespugli blu di Prussia.»

Il 28 maggio fa il primo riferimento, nelle sue lettere, al fatto che farà un'escursione a Saintes-Maries e «infine vedere il Mediterraneo.» Il giorno dopo, martedì, ha deciso e lo comunica al fratello: «Domattina presto parto per Saintes-Maries, sul Mediterraneo. Resterò lì fino a sabato sera. Porterò con me due tele, ma sono piuttosto dispiaciuto per il fatto che probabilmente ci sarà troppo vento per dipingere. Vado con la diligenza, sono cinquanta chilometri da qui. Si attraversa la Camargue, pianure d'erba con mandrie di tori e anche di piccoli cavalli bianchi selvaggi e bellissimi. Porterò con me soprattutto quanto necessario per disegnare. Voglio che i miei disegni diventino sempre più spontanei, più esagerati.»

E in effetti la mattina dopo, mercoledì 30 maggio 1888, alle sette del mattino, Van Gogh lascia Arles e in cinque ore di diligenza arriva a Saintes-Maries. Alla fine deciderà di prolungare la sua permanenza di un giorno e ripartirà nel pomeriggio di domenica 3 giugno, avendo portato con sé non due tele ma tre. Sulle quali dipingerà una veduta del villaggio con dei bellissimi campi di lavanda in primo piano fino alle mura, e due marine con la spiaggia e le barche dei pescatori. Inoltre, nove disegni, da alcuni dei quali ricaverà, al ritorno ad Arles, altri tre quadri specialmente con le capanne dei pescatori, ma non solo.

Come detto, i giorni sulla costa mediterranea non furono solo un diversivo, pur piacevole, rispetto alla vita in città e alle uscite in campagna. Dimostrarono invece al pittore che il Sud era quanto faceva per lui e quanto potesse fare sempre meglio alla sua arte, pittura o disegno che fosse. Ma pittura in modo particolare. Viene proprio da qui un positivo effetto su tutto il tempo che ancora trascorrerà, più o meno undici mesi, ad Arles: «Adesso che ho visto il mare, sono assolutamente convinto dell'importanza dello stare nel Sud, esagerando con il colore.» E questo lo collega al guadagnare la stessa rapidità dei giapponesi nel disegnare, per sentire poi il colore in modo differente: «I giapponesi disegnavano rapidamente, molto rapidamente, come un lampo, perché la loro sensibilità è più fine, il loro sentimento più semplice. Sono convinto che renderò il mio essere più semplice, solo per lo stare qui.» Scritte il giorno successivo al rientro dal Mediterraneo, queste parole sono un nuovo atto di fede nella luce del Sud e in quello che il Sud sempre più andava rappresentando per lui come pittore. Sebbene avesse coltivato da subito, a fronte di tanta energia positiva, il desiderio di tornare a lavorare sulle rive del mare, questo non accadrà più.

A metà giugno, dopo avere quindi abbandonato il pensiero di Saintes-Maries, Vincent annuncia a Théo in una lettera che sta lavorando ad alcuni disegni di campi di grano, «verdi e gialli», e che sta cominciando a rifarli in pittura: «Sono esattamente come quelli di Salomon Koninck – sai, l'allievo di Rembrandt che dipinse vaste e distese pianure.» Sono i campi di grano, in una serie di sette, fatti nella pianura della Crau nella seconda metà di giugno del 1888 e interrotti da piogge torrenziali tra il 20 e il 23. Talvolta con le Alpilles sullo sfondo, raramente con la città, mescolando la parte antica con la ferrovia e i segni della prima industrializzazione. Per dipingere come per disegnare si sosteneva semplicemente con pane e latte e doveva spesso combattere con insetti e mistral. Si reca addirittura una cinquantina di volte tra La Crau e Montmajour, dove sperimenta proprio il senso delle distese pianure e dell'infinito che lo riporta alla memoria dei campi dipinti dai grandi olandesi del XVII secolo.

L'indicazione inaugurale dell'abbazia di Montmajour, dalla quale si domina la pianura con i campi e i vigneti in basso, è contenuta in una lettera a Théo dell'inizio di marzo, quando compie le prime perlustrazioni del territorio attorno ad Arles. Scrive di «una abbazia in rovina su una collina coperta di agrifoglio, pini e uliveti.» Ci torna per una nuova passeggiata e qualche disegno a fine maggio, subito prima di partire per il Mediterraneo. È un panorama quasi romantico e pittoresco, quello che emerge dai disegni della pianura e di Montmajour. La Crau venne bonificata e poi coltivata nell'Ottocento, specialmente con vigneti, uno dei quali, bellissimo nel suo cielo azzurro e nel verde in basso, Van Gogh dipingerà a inizio ottobre per essere una delle tele atte a decorare la stanza di Gauguin, il cui arrivo era ormai imminente.

Van Gogh nota come il paesaggio sia diventato assai diverso rispetto alla primavera, ma non per questo sente meno amore verso di esso. E quasi si esalta nel ricordare a se stesso come stia riuscendo a rendere i toni della Provenza così come li rendeva, non lontano da lì, Cézanne ad Aix. Il colore è acceso, vibrante, ma vi si sente il tono di un'intimità che ci consegna gli esiti del rapporto tra l'anima del pittore e l'anima della natura. E questo mentre dipingeva «nel mezzo dei campi di grano, in pieno sole.» In una lettera a Emile Bernard del 18 giugno, prima delle piogge, specifica molto bene questa sua condizione: «Quanto a me, mi sento molto meglio qui di quanto non mi sentivo nel Nord. Lavoro anche nel mezzo del giorno, sotto un sole cocente, senza alcuna ombra, nei campi di grano e godo di tutto questo come una cicala», indicando poi tutti i toni e i mezzi toni del giallo che riesce a rendere nella pittura. È un'esaltazione suprema, davanti e dentro quel colore che forgerà la sua opera da qui in avanti. E si lamenta della stanchezza che lo coglie dopo una giornata nel sole e nei campi, e quasi si spaventa da quanto «velocemente, velocemente, velocemente e d'incanto» questi quadri vengano realizzati. Ma poi, riflettendo in una lettera a Théo del 29 giugno, quindi a serie conclusa, dice che se i quadri sono stati eseguiti rapidamente, e che per questo qualcuno lo critica, essi nascono da una lunga elaborazione precedente nel pensiero. E paragona la sua difficoltà a quella dei falciatori che fanno nel sole il loro lavoro, istituendo una relazione, che lo rende felice, tra la vita artistica e la vita reale.

L'estate passa tra nuovi disegni attorno a Montmajour, disegni che riprendono dipinti già eseguiti, nuovi paesaggi e ritratti, tra i quali spiccano i primi dedicati al postino Roulin, oltre a quelli di Milliet, Boch ed Escalier. Giusto a metà settembre, in una delle rare incursioni nel centro della città, realizza uno dei suoi quadri più famosi, la *Terrazza del Caffè di notte*, che torna sul tema notturno al quale Van Gogh si era mostrato particolarmente interessato già nel periodo di Nuenen. Del resto, al di là di alcuni tramonti, cos'erano stati *I mangiatori di patate* se non anche una riflessione sul tema dell'oscurità? In una lettera nella quale descrive la *Terrazza*, afferma come di solito i pittori scansino la notte per attendere più favorevolmente la luce del giorno, mentre lui, al contrario, desiderava lavorare proprio di notte sul posto, direttamente sulla tela. Anche se non si nasconde le difficoltà, dovute al fatto che i colori abbiano una loro intonazione diversa.

Come molti hanno fatto notare, Van Gogh quasi certamente lavora alla luce di una lampada a gas, mentre altra luce gli arriva dalla lampada a gas, più grande e potente, che illumina la terrazza stessa del Caffè. Va ricordato che soltanto una settimana prima aveva dipinto l'interno notturno di quello stesso Caffè: «Ho cercato di esprimere le terribili passioni umane attraverso il rosso e il verde. La stanza è rosso sangue e giallo profondo, con un tavolo da biliardo verde nel mezzo; ci sono quattro lampade color giallo limone, con un fiammeggiare arancione e verde.» Scrive alla sorella, parlando dell'esterno del Caffè che dipinge a metà settembre, come l'enorme lampada gialla diffonda la sua luce ovunque, per cui si sente in grado di dipingere il nero della notte senza dover utilizzare il nero, sotto un cielo blu scuro trapunto di stelle brillanti. Solo blu, giallo sulfureo, violetti e verdi. Si esalta per aver potuto dipingere in piena notte sul posto, anche se capita di poter scambiare le intonazioni dei colori, ma la ritiene la sola strada possibile per realizzare un notturno al di fuori delle usurate convenzioni. Così come aveva sempre avuto in sospetto l'accademia e le sue regole, trova che nell'errore risieda la verità e che soltanto dipingendo in questo modo l'anima possa emergere.

Forse proprio il giorno dopo la conclusione di questo quadro, il 16 settembre 1888, Vincent si trasferisce nella "casa gialla", lasciando la pensione dei coniugi Ginoux, situata nella stessa place Lamartine. In una lettera a Théo datata 17 settembre infatti, afferma di avervi dormito la notte precedente per la prima volta. Mancano cinque settimane esatte all'arrivo di Paul Gauguin ad Arles. È certo che Van Gogh abbia trascorso l'intero, primo giorno quale residente nella "casa gialla" dipingendo nel giardino che sta dalla parte opposta della piazza e che guarda il corso del Rodano. Un giardino più modesto, fatto sostanzialmente di pini, rispetto ad altri più rigogliosi e ricchi di cipressi e oleandri, che aveva denominato *Giardino del poeta* e che gli facevano ricordare gli incontri tra Petrarca (vissuto ad Avignone e dunque non lontano) e Boccaccio. Si tratta della probabile allusione all'imminente arrivo di Gauguin ad Arles e dunque al loro incontro, novelli poeti dell'immagine. Non a caso la serie con i giardini venne da Vincent pensata quale decorazione per la camera da letto di Gauguin. Pur non essendo aperta natura – di lì a poco egli riprenderà la via della Crau – questi giardini vivono sotto un cielo azzurro senza paragoni, in una radiazione sulfurea del sole. Sono una vera e propria accumulazione di colori, con tocchi accostati sulla tela e quasi incisi per forza di materia. Nel momento in cui le donne arlesiane, che passeggiano sotto i loro ombrellini, danno quel tocco di vita moderna che sembra riprodurre lo spirito dei giardini del Parc Monceau dipinti a Parigi da Monet nella primavera del 1876.

Attorno alle ore 17 del 23 ottobre, Gauguin arriva ad Arles, partito da Pont-Aven in Bretagna la domenica 21. Passa al Café de la Gare, dove Joseph Ginoux lo riconosce dal suo auto-ritratto detto *Les Misérables*. Subito dopo raggiunge Van Gogh nella "casa gialla". Vincent scrive a Théo già il 24 ottobre: «È una persona molto interessante e ho la sensazione che faremo molte cose insieme. Probabilmente produrrà un grande lavoro qui e spero di poter fare lo stesso. […] Per un certo periodo ho pensato di stare per ammalarmi, ma l'arrivo di Gauguin ha tolto la mia mente da questi pensieri e sono sicuro che passerà tutto.» Così, rinfrancato da questa presenza, sceglie per la prima escursione con l'amico il suo paesaggio preferito, la pianura della Crau. Una decina di giorni dopo, faranno nell'ora del tramonto un'altra passeggiata in quei luoghi, che Van Gogh descriverà in una delle sue lettere più evocative, quando scrive come in quella sera essi videro «un vigneto rosso, tutto rosso come un vino dello stesso colore. In lontananza assumeva un'intonazione gialla, e poi c'era un cielo verde con il sole, la terra dopo la pioggia era violetta, un giallo frizzante prendeva qui e là il riflesso del sole che stava tramontando.»

Anche la seconda settimana di permanenza di Gauguin ad Arles inizia nel segno del bel tempo e i due pittori si spostano dalla Crau al famoso cimitero cittadino di Les Alyscamps, nella zona sud-est appena al di fuori delle antiche mura. Les Alyscamps, un lungo viale di pioppi, ha su entrambi i lati una serie di sarcofagi dell'era tardo romana e della prima era cristiana. Restava comunque una delle principali strade della città e anche se nel corso del XIX secolo molte sepolture vennero rubate, rimaneva una delle maggiori attrazioni turistiche. In generale, Van Gogh aveva scelto di ignorare le vestigia romane di Arles e a Les Alyscamps decide di dipingere con Gauguin più che i segni di un'antica civiltà, i colori dell'autunno. In uno dei quadri, quasi a desacralizzare la visione, inserisce le ciminiere dei vicini laboratori e magazzini legati alla ferrovia che transitava accanto.

Nella prima, intera settimana di novembre verranno due soggetti realizzati in coppia, il ritratto della signora Ginoux e quel vigneto rosso che Vincent e Paul, entrambi a memoria e nello studio all'interno della "casa gialla", fanno risalire alla passeggiata della domenica sera, 4 novembre. La pittura è ovviamente molto diversa, più fluida quella di Gauguin, spezzata e irta quella di Van Gogh, che nel ritratto inonda tutto di un giallo sulfureo. Nella settimana che segue la metà del mese, Van Gogh, che realizza molti più quadri di Gauguin, dipinge le versioni della sedia sua e dell'amico e inoltre offre tre nuove visioni del seminatore, di cui una di grande formato. La settimana che unisce novembre a dicembre vede un'attività febbrile dedicata ai ritratti della famiglia Roulin, con Van Gogh che anche in questo caso fa la parte del leone e soltanto un ritratto della signora Roulin da parte di Gauguin, che però risponde con tre paesaggi attorno ad Arles che sono tra le cose più belle da lui dipinte, soprattutto gli *Alberi blu*. La seconda settimana di dicembre vede specialmente il grande vaso di girasoli di Van Gogh e il ritratto che Gauguin gli fa mentre lo sta dipingendo. Già a Saint-Rémy da qualche mese, ne scriverà così a Théo: «Hai visto il ritratto che ha fatto di me mentre dipingevo i girasoli? Il mio volto si è rischiarato poi, ma ero proprio io, estremamente affaticato e carico di elettricità come ero allora.»

Gli ultimi dieci giorni prima della crisi fatale di Van Gogh, e dell'episodio dell'auto mutilazione dell'orecchio, sono segnati specialmente da ritratti (ancora i Roulin) e due autoritratti, entrambi dedicati a Charles Laval, il pittore che aveva accompagnato Gauguin in Martinica l'anno precedente. Il 24 dicembre, dopo essere stato avvisato dallo stesso Gauguin, Théo arriva da Parigi per controllare le condizioni del fratello e sinceratosi che nulla di irreparabile fosse accaduto, il giorno di Natale riprende il treno assieme a Paul, lasciando affidato il fratello alle cure del dottor Félix Rey − del quale Vincent realizzerà un ritratto in gennaio, che la madre del medico userà per tappare un buco nel pollaio, tanto che il quadro venne riscoperto dal pittore Charles Camoin soltanto nel 1901 − e del reverendo Frédéric Salles.

Il 4 gennaio, Joseph Roulin scrive a Théo: «Oggi sono veramente felice, sono andato all'ospedale a trovare il mio amico Vincent e fargli prendere un po' di aria fresca. Siamo andati a casa sua, era così contento di vedere nuovamente i suoi quadri. Siamo stati insieme per quattro ore, si è completamente ripreso, è davvero sorprendente.» I tre mesi o poco più che seguono la fuga di Gauguin da Arles, sono i più difficili tra quelli passati da Van Gogh nella città provenzale. E che porteranno alla decisione, presa dallo stesso Vincent, di trasferirsi nella casa di cura per malattie mentali di Saint-Paul-de-Mausole a Saint-Rémy, alla fine della prima settimana di maggio. Dipinge meno che in passato e lo addolora il fatto che la famiglia Roulin si sia trasferita per lavoro a Marsiglia. I rapporti con Gauguin tornano tuttavia sereni, nella luce della distanza e con la mediazione di Théo, e Van Gogh accenna al fatto di ricevere dallo stesso Gauguin «lettere molto amichevoli».

Ma al principio di febbraio si riaffacciano le crisi e deve essere nuovamente ricoverato in ospedale. Confessa di sentire delle voci attorno a lui e di avere il timore di essere avvelenato. I suoi vicini inoltrano al sindaco di Arles una petizione affinché sia impedito a Van Gogh di tornare nella "casa gialla", poiché beve troppo e per il timore che possa fare del male alle donne e ai bambini. A fine febbraio il suo appartamento è sigillato dalla polizia: «Mi rimprovero la mia viltà, avrei dovuto difendere meglio il mio *atelier*, anche a costo di battermi con questi gendarmi e con i vicini», scriverà qualche mese dopo, ripensando a questo episodio. La pittura, negli intervalli di relativa tranquillità, è dedicata soprattutto ai ritratti, a quelli dei Roulin in particolare. Con l'arrivo di aprile, realizza alcuni paesaggi di alberi fioriti nella pianura della Crau, prima di raggiungere Saint-Rémy. Sono fioriture dolorose rispetto a quelle che, nella loro gaiezza tanto richiamata, egli aveva dipinto soltanto nella primavera dell'anno precedente.

III

Il tema della sera e della notte come whitmaniana immersione nel tutto, e le luci del tramonto che vi danno accesso nel loro rosso stracciarsi in scie nel cielo, e le stelle che ne annunciano la strada, sarà un tema su cui Van Gogh spenderà intuizioni e visioni, e premonizioni, nei dodici mesi che trascorrerà a Saint-Rémy, nella casa di cura di Saint-Paul-de-Mausole, diretta da quella figura così particolare che fu quella del dottor Peyron: «Lui è buonissimo e molto indulgente con me, gli sono debitore di molte libertà», scriverà di lui a Théo dopo qualche mese. Aveva detto Vincent, nel suo tempo olandese, che gli sarebbero rimasti sei o sette anni di vita, nei quali impegnarsi per dare al mondo quanto di meglio avrebbe potuto dare. Bene, questa sua vita stava per scadere, e sapendolo o non sapendolo egli dà il via a un dialogo serrato con il tempo, nel quale l'atmosfera notturna ha un ruolo a Saint-Rémy privilegiato.

E non si tratta soltanto del dipingere effettivamente sere e notti e stelle, ma di trasferire in quest'aria da ultima Thule anche le visioni degli ulivi, dei giardini, dei cipressi, delle Alpilles, dei campi. Un lungo canto d'amore e d'addio, sgorgato in dodici mesi d'anima che come mai prima si è fusa con l'anima del mondo. Per questo motivo lì a Saint-Rémy, tra le edere abbarbicate ai tronchi degli alberi e il campo di grano con il falciatore visto attraverso le sbarre alla finestra, le crisi si moltiplicano e si susseguono. Troppa l'ansia di vita, troppa l'ansia di morte, troppa l'ansia di dire tutto nel poco tempo che sente essergli rimasto. La pittura gli brucia tra le mani come un fuoco inestinguibile. Soprattutto, la pittura gli brucia nell'anima, tra una visione e l'altra, tra una veglia notturna sotto le stelle e un attendere la luce dell'alba come un viandante che si è perduto e cerca la prima traccia per la salvezza non più sperata.

Scrive Van Gogh a Gauguin, da Auvers-sur-Oise, il 17 giugno 1890, solo quaranta giorni prima del suicidio: «Laggiù ho lasciato ancora un cipresso con una stella, un ultimo tentativo – un cielo notturno con la luna tenue, niente più che una gobba sottile che sale dall'ombra scura della terra, una stella con un bagliore eccessivo, per così dire, una dolce luce rosa e verde nel cielo oltremare solcato da nuvole. In basso una viuzza, con canne alte e gialle ai lati, e dietro basse Alpines blu; un vecchio rifugio con le finestrelle illuminate di arancione e un alto cipresso per intero, verticale e molto scuro. Sulla via una carrozza gialla tirata da un cavallo bianco, e due figure nella notte. Molto romantico, se vuoi, ma anche provenzale, secondo me. Probabilmente di questo e di altri paesaggi e motivi che ricordano la Provenza, realizzerò alcune incisioni e mi farebbe enormemente piacere inviartene un sunto che sia tuttavia un po' elaborato.»

Nel parlare di «un ultimo tentativo», Van Gogh si riferisce chiaramente al fatto che questa scena notturna non sia la riproduzione davanti al vero della natura, bensì una ricostruzione nata come sintesi nella sua mente. È il *Sentiero di notte in Provenza*, che Van Gogh dipinge, tra il 12 e il 15 maggio del 1890, mentre si accingeva a lasciare la sua stanza nell'istituto di Saint-Rémy. Sintesi estrema, anche irrisolta se vogliamo, della sua visione della notte. Della visione della vita, la sua, che in nemmeno tre mesi si sarebbe consumata del tutto, sotto un albero, accanto a un campo di grano. Il tempo nell'istituto, quei dodici mesi, è una lunga, o brevissima, preparazione al donarsi all'immenso e all'infinito, per la via dell'anima, che non ha trovato occhi in vita nei quali incarnarsi, e vedere l'infinito dicendo: sì, siamo in due.

In una lettera programmatica, inviata da Arles a Emile Bernard nell'aprile del 1888, Van Gogh si sofferma su questo aspetto, creare una visione che sia un fiotto d'anima e non soltanto "sguardo alla realtà", e proprio in relazione a un progetto di notte stellata. Ascoltiamo le sue parole: «Certo, l'immaginazione è una capacità che va sviluppata, essa soltanto ci consente di creare una natura più esaltante e più consolatrice di quella che un semplice sguardo alla realtà (che vediamo mutare, passare rapida come il lampo) ci concede di scorgere. Un cielo stellato, per esempio, ecco – è una cosa che vorrei provare a fare.» E scrivendo a Théo nella stessa giornata, diventa ancora più esplicito, quasi disegnando nella mente il futuro quadro: «Una notte stellata con cipressi o eventualmente su un campo di grano maturo.»

Ma è a Saint-Rémy che Van Gogh giunge a pensieri decisivi sulla possibilità di dipingere non soltanto partendo dal potere e dalla forza miracolosa della natura. Non dipingere dunque semplicemente dal vero, creando uno straziante *en-plein-air* dell'anima. Sono tre, in quei dodici mesi così problematici e febbrili, folli per la dedizione squassata alla pittura, e devastati dalle continue crisi, i quadri che sopra gli altri si staccano. Se parliamo di pittura nata dalla suggestione enorme del paesaggio provenzale, ma poi condotta come rielaborazione di una memoria allucinata. Era questa la cosa sulla quale lo incalzava Gauguin, nelle settimane vissute insieme ad Arles. Sono la *Notte stellata* e il *Paesaggio con covoni e luna nascente*, dipinti a Saint-Rémy tra giugno e luglio del 1889, e naturalmente il *Sentiero di notte in Provenza*. Vi si sente un respiro affannoso, eccitato, mentre l'occhio cerca di governare tutto quel senso d'immensità che appare molto più essere un grumo dell'interiorità che non dello spazio cosmico. E dunque, proprio nel momento in cui Van Gogh sembra officiare la danza del mondo, proprio in quel momento egli più si rincantuccia in se stesso, aprendo alla sublime intersezione tra cielo e anima.

Il 25 giugno del 1890, quando Vincent è a Auvers ormai da un mese, riceve il *Sentiero di notte in Provenza*, che aveva lasciato ancora fresco di colore nella sua stanza nell'istituto di Saint-Paul-de-Mausole. Vi era giunto l'8 maggio dell'anno precedente, dopo una camminata di mezz'ora dal centro della città. Si trattava di un antico monastero romanico, che già nel 1605 era stato utilizzato per malati mentali, mentre all'inizio del XIX secolo venne del tutto trasformato in un istituto solo a questo dedicato, con un reparto maschile e uno femminile. Van Gogh vi arrivò, dopo un breve trasferimento in treno da Arles, accompagnato dal reverendo Frédéric Salles, il quale scrisse a Théo che «il signor Vincent era del tutto tranquillo e spiegò da solo al direttore il suo caso, come un uomo completamente consapevole della propria condizione.» Il giorno dopo, il dottor Peyron espresse la sua prima impressione, arrivando alla conclusione che il paziente soffrisse di gravi attacchi di epilessia, che avvenivano con intervalli molto irregolari. Il suo avviso fu che il paziente dovesse rimanere a lungo sotto osservazione nell'istituto. Teneva Théo regolarmente aggiornato sullo stato di salute del fratello, il quale sembrava convinto di questa sua decisione volontaria di ricovero: «Potrà essere una cosa buona, lo stare qui per un tempo anche lungo. Non mi sono mai sentito così bene come qui e come in ospedale ad Arles.» La sua camera era al primo piano, da dove poteva vedere un campo di grano recintato da un muretto e sullo sfondo la piccola catena delle Alpilles, che lui chiamava Alpines. I pazienti non erano molti, così il dottor Peyron concesse a Vincent una seconda stanza, al pianoterra, da usare come studio.

Dopo il primo mese nel quale non gli venne permesso di uscire dai confini dell'ospedale – mese nel quale compì alcuni studi disegnati molto belli e i primissimi quadri che nascevano da ciò che il suo sguardo poteva incontrare, un campo di grano recintato ma soprattutto il giardino, con gli alberi fioriti come pietre preziose, e l'erba attraversata dall'ombra e l'edera che si avvinghiava tenace sui tronchi –, finalmente poté avventurarsi al di fuori delle mura, alla ricerca di nuovi soggetti per la sua pittura. Gli uliveti e i cipressi divennero centrali nel suo lavoro, poiché gli sembravano contenere tutti i veri motivi provenzali, che egli rendeva con un impasto di materia alta e grassa. Ma poi si esprimeva anche attraverso dipinti più stilizzati, realizzati con tratti curvilinei che lo riportavano alle prove bretoni di Gauguin e Bernard. Quel che è certo è che Van Gogh, alla ricerca di un suo stile personale, raggiunse l'apice del suo sforzo, con molti capolavori, proprio nei dodici mesi di Saint-Rémy.

Il 9 giugno, il dottor Peyron annunciava in una lettera a Théo che finalmente aveva potuto dare il permesso a Vincent di uscire dall'istituto, per iniziare a conoscere il paesaggio e dipingere. Vennero dapprincipio alcune meravigliose versioni di ulivi, tutte giocate sul contrasto tra i verdi e gli azzurri. Dal mese di giugno fino al mese di dicembre Van Gogh ne realizza una quindicina, a volte quasi infilandosi fra i tronchi come un insetto goloso, con una prospettiva molto abbassata, a volte invece facendoli danzare come su grandi onde del mare con il monte Gaussier su uno sfondo notturno. Quello stesso che costituirà la pelle della pittura della celeberrima *Notte stellata*, della quale peraltro parla molto poco. Poi entrano in scena i cipressi, l'altro elemento assai distinguibile del paesaggio attorno a Saint-Rémy e che diventano parte fondamentale dei suoi pensieri e dei suoi sogni: «I cipressi sono sempre nei miei pensieri, vorrei fare una cosa come i quadri con i girasoli e mi stupisce che nessuno li abbia ancora fatti come io li vedo. Sono belli come linee e come proporzioni e somigliano a un obelisco egiziano. E il verde è così particolare. Rappresenta la macchia nera in un paesaggio assolato ma è una delle note nere più interessanti, fra le più difficili da indovinare tra tutte quelle che posso immaginare.»

Ma la salute mentale era sempre precaria, tanto che in quella stessa estate venne colto da diversi attacchi mentre dipingeva nei pressi delle montagne. Per oltre un mese non riuscì a dipingere e a Théo scrisse il 22 agosto 1889: «Per giorni mi sono trovato in una condizione di completa confusione, come ad Arles, e presumibilmente questi attacchi torneranno anche in futuro. È abominevole. Sembra che io raccolga spazzatura dal terreno e la mangi, sebbene non abbia dei ricordi precisi di quei terribili momenti. Ho la sensazione che qualcosa non vada bene. Non c'è nulla che possa risollevare il mio spirito o darmi speranza, ma in ogni caso noi sapevamo da lungo tempo che questo mestiere non era così allegro.» Ma per riemergere da questa situazione così triste e dolorosa, l'unico modo è come sempre la pittura, la sua pratica quotidiana. Non c'è altra via, non esistono per Van Gogh altre strade.

Nella lettera meravigliosa del 10 settembre 1889, che ho già citato e che è un vero e proprio testamento provenzale, ma anche di vita, in anticipo di otto mesi rispetto al suo abbandonare Saint-Rémy, scrive molte cose che riguardano non soltanto quel suo momento tanto difficile ma ugualmente la sua difficoltà di essere nel mondo. E tuttavia sempre, e sarà così fino alla fine, con una speranza e un'aspettativa di futuro: «La vita passa così, il tempo non ritorna, ma io mi accanisco nel lavoro, proprio perché so che le occasioni di lavoro non ritornano. Soprattutto nel mio caso in cui una crisi più violenta può distruggere per sempre la mia capacità di dipingere. Nelle crisi, mi sento vile di fronte all'angoscia e alla sofferenza – più vile del giusto ed è forse questa viltà morale stessa che ora mi fa mangiare per due, lavorare duro, avere cura dei rapporti con gli altri malati, per la paura di una ricaduta, mentre prima non avevo alcun desiderio di guarire – finalmente adesso cerco di guarire come uno che, volendosi suicidare, e trovando l'acqua troppo fredda, cercasse di riguadagnare la riva.»

Ancora una volta, e ci si commuove a sentire queste sue parole pronunciate con tanta fede, la pittura pare essere la sola via d'uscita, sempre che questa via non la si trovi troppo tardi: «Il lavoro procede molto bene, trovo cose che invano avevo cercato da anni, e sentendo questo, penso sempre a quelle parole di Delacroix che sai, e cioè che avrebbe trovato la pittura quando non avesse più avuto né fiato né denti. Ebbene, con la mia malattia mentale, penso a tanti altri artisti moralmente sofferenti e dico a me stesso che la malattia non costituisce un impedimento per esercitare il mestiere di pittore come niente fosse.» Vorrebbe passare indenne attraverso la vita e sente tutti i segnali possibili di questo. Parlando a Théo della moglie del sorvegliante, il signor Trabuc a cui ha fatto da poco il ritratto («ha qualcosa di militaresco e occhi neri, piccoli e vivi»), gli riferisce un suo pensiero che sembra confortarlo molto: «Ho parlato con lei qualche volta, quando facevo gli ulivi dietro al loro piccolo mas ed essa mi diceva di non credere che io fossi malato – infine anche tu diresti questo se mi vedessi lavorare, con il pensiero chiaro e le dita così sicure.» E poi la riflessione subito più amara: «Tuttavia so bene che la guarigione arriva – se ci si comporta bene – dal di dentro, per la grande rassegnazione alla sofferenza e alla morte, per l'abbandono della propria volontà e dell'amor proprio. Ma ciò non vale per me, mi piace dipingere, vedere gente e cose, e tutto ciò che costituisce la nostra vita – fittizia – se si vuole. Sì, la vera vita potrebbe essere in altro, ma non credo di appartenere a quella categoria di anime che sono pronte a vivere e anche in ogni momento a soffrire. […] E io mi vedo già fin d'ora, il giorno in cui avrò qualche successo, rimpiangere la mia solitudine e il mio scoramento di qui, il momento in cui vidi attraverso le sbarre di ferro della stanza il falciatore laggiù nel campo. La sventura è buona a qualcosa. Per riuscire, per avere prosperità che dura, bisogna avere un temperamento diverso dal mio, non farò mai ciò che avrei potuto e dovuto volere e perseguire.»

È in questa difficile situazione psicologica («Le mie forze si sono esaurite troppo in fretta», nella medesima lettera del 10 settembre; ma poi, verso la fine della stessa missiva, un nuovo cambio di passo: «Certo per me è un dovere resistere») che tra la fine dell'estate e l'autunno vennero alcuni autoritratti. Lavorò spesso anche nel giardino, ma ugualmente, quando si sentiva più sicuro, riprese la strada verso le montagne per alcuni nuovi quadri, mentre in dicembre furono inedite versioni degli ulivi nella luce del tramonto e qualche scorcio di natura libera, toccante nel suo sentire il senso di un tempo che pareva essere sul punto di concludersi. In una lettera del 4 ottobre, Théo, molto preoccupato per la salute del fratello, per la prima volta, pur senza nominarlo, fa entrare in scena il dottor Gachet, che seguirà Vincent a Auvers negli ultimi settanta giorni della sua vita. Aveva domandato consiglio a Pissarro, perfino chiedendogli di ospitarlo nella sua casa proprio a Auvers. La risposta è negativa, ma arriva un'indicazione e Théo la riferisce a

Vincent: «Egli conosce una persona a Auvers, un dottore, che tra l'altro nei momenti liberi dipinge. Pissarro pensa che per te sarebbe possibile stare con lui.» È il motivo per cui, alla fine, Van Gogh lascerà Saint-Rémy e la Provenza. Perché nel frattempo le crisi si presentano con incredibile frequenza, tanto che alla conclusione dell'anno tenta di mangiare del colore. Al chiudersi di gennaio arrivano nuovi attacchi, ed è il momento in cui, non potendo lavorare nella natura, si dedica con quasi trenta dipinti, tra cui una nuova versione del *Seminatore*, al ricordo di Millet. Si tratta delle cosiddette «interpretazioni a colori.» In due occasioni, prima il 19 gennaio e poi il 22 febbraio, torna ad Arles, per incontrare la signora Ginoux. Il dottor Peyron, dopo la seconda visita, non lo vede ritornare ed è costretto a inviare ad Arles due infermieri per riportarlo a Saint-Rémy. Aveva avuto un collasso. Le crisi persistono e sarà solo alla fine di aprile che Van Gogh tornerà a rispondere alle lettere del fratello e di altri che gli scrivevano.

In questo periodo il lavoro non si sospende del tutto, ma viene affidato al disegno o a certi quadri legati all'immaginazione e non allo studio forsennato della natura. Nella natura. Alcuni di questi li definisce "Ricordi del Nord". Nel frattempo, il desiderio di lasciare l'istituto di Saint-Paul-de-Mausole, e tornare appunto al Nord, diventava sempre maggiore, anche per la volontà di vedere il nipote nato il 31 gennaio e che Théo aveva chiamato come lui. Quale dono regale sulla soglia della vita, Vincent dipinge i bellissimi *Rami di mandorlo in fiore*. Théo, assieme agli auguri per il compleanno, in una lettera del 29 marzo 1890, fa sapere a Vincent che il piccolo «è affascinato soprattutto dall'albero in fiore appeso sopra il nostro letto.»

Nelle ultime settimane trascorse a Saint-Rémy, Van Gogh fu molto produttivo, lavorando senza sosta, quasi a voler recuperare il terreno perduto nei due mesi della malattia. Furono visioni dell'erba primaverile nei prati vicino all'istituto, oppure nature morte come i celebri *Iris*, dove egli lavora sui colori complementari. Il blu-viola dei fiori sta in contrasto con l'arancio del vaso e del piano di appoggio e con il giallo del fondo, che diventa una sorta di tappezzeria astratta. Ma alla fine di tutto, alla fine dei due anni nel Sud, dipinge, in preda a una febbre insieme di morte e d'infinito, un testamento. Un quadro che in sé tutto raccoglie di quell'esperienza soffertissima e tracimante. Un quadro che non solo rappresenta, ma ancor di più evoca, la notte.

Venne dato un annuncio, dai circoli astronomici francesi nel 1890. Tra le ore 19 e le ore 20.20 del 20 aprile, si sarebbero visti Mercurio e Venere in congiunzione con la luna crescente. Van Gogh osservò questa scena dalla sua piccola postazione nel mondo, laggiù in Provenza. La vide e la trattenne nella memoria, e poco più di un mese dopo, specularmente, la dipinse. Con quella stella che «sembra un universo in se stessa.» Il 25 giugno, quindi, ricevette il quadro a Auvers, e mentre dipingeva le opere ultime della sua vita, rilavorò anche a questo, dopo aver inviato, il 17 di quello stesso mese, la lettera nella quale, con uno schizzo, descriveva a Gauguin la tela. Non a caso, il disegno e il quadro nella sua versione definitiva in alcuni particolari non coincidono. Van Gogh modificò soprattutto la parte in basso, dove le figure vennero decisamente rimpicciolite e portate quindi in una posizione più decentrata rispetto a prima. In questo modo tutto lo spazio, molto meno occupato da quelle figure, si apre entro nuove e dilaganti misure. Il carretto e la casa che scorrono sopra ai due uomini che tornano dal lavoro, sono elementi che rimandano ai cosiddetti "Ricordi del Nord". A Auvers, Van Gogh aggiunse anche l'arancione con cui contornò, accanto al giallo, l'arco della luna. Con un approfondimento legato a questo colore che già era avvenuto nel *Paesaggio con covoni e luna nascente* del luglio 1889 e in *Pini al tramonto* del dicembre dello stesso anno.

Un canto finale per i due anni vissuti nel Sud, quindi. Un quadro che fa da testamento. È il momento di ripartire, di ritornare. Il momento in cui la vita ormai è sul ciglio dell'immenso. Per questo motivo Van Gogh inserisce tutti gli elementi che avevano caratterizzato in modo tanto forte la sua pittura in Provenza. A cominciare dal grande cipresso che mette in contatto la terra con il cielo notturno, nel tentativo di vincere quella morte che simbolicamente il cipresso rappresenta. Aveva scritto a Bernard, alla fine di novembre del 1889: «La mia ambizione è limitata a poche zolle di terra, al grano che cresce, a un cipresso – che tra l'altro non è facile a farsi.» E anche Albert Aurier, giovane poeta e critico che redasse il primo, vero intervento, molto lusinghiero, sul lavoro di Van Gogh – nel «Mercure de France» del gennaio 1890 –, aveva manifestato grande entusiasmo per quei «cipressi che proiettavano la loro ossessionante sagoma di fiamme nere.» Il cipresso sembrava avere per lui delle connotazioni e dei tratti quasi umani, nella ricerca, costante e straziante, del respiro dell'uomo dentro la natura. Era il tentativo, mai venuto meno, di ascoltare, nel paesaggio, il movimento dell'essere e dello scomparire. A questo doveva servire la continua relazione tra il giallo dei campi di grano e l'azzurro del cielo.

Perché infine, quando a maggio del 1890 mette mano al suo capolavoro riassuntivo, oltre al cipresso inserisce nello spazio verticale della tela proprio un campo di grano e un cielo fatto di anse blu e azzurre e bianche, con qualche tocco di viola e di giallo, oltre all'arancio della luna. E più in basso, sotto a quel cielo insieme vorace e abbandonato, in striature ugualmente blu, apparivano le amate Alpilles. In una sola immagine, prima di partire, aveva dunque racchiuso tutti i motivi del Sud. Né uno di più, né uno di meno. Ma molto più che i motivi, sapeva di avere rappresentato la propria anima lacerata, i propri occhi verdi e azzurri come il cielo che quegli occhi guardavano. Sapeva di avere dipinto la presenza e la vicinanza di quel giallo di spighe increspate come in un mare, come fosse giorno pieno e non la notte del destino. Il grano dentro cui si era perduto, avvolto nel canto delle cicale, nella calura dell'estate ad Arles. Nella calura dell'estate a Auvers, quando si è sparato al cuore sotto un albero, accanto al grano. L'oro della notte, ciò che resiste, frusciando in suoni di vento, nel mezzo di un dilagare dello spazio. Ciò che si fissa e infine è, si oppone al tempo.

Perché invece più in alto, come un drappo di pietre preziose, tessuto di luna e di stelle, il cielo spalanca nel suo azzurro una lontananza. Ed è lì, in quel fuoco di notte, che il pittore si perde. Fiammelle, barbagli, fessure brevi o immense di luci che in quella notte si accendono. La trama del colore si tende da ogni lato, sbanda, si flette, si rovescia. È il luogo che tutto accoglie e tutto rinomina nel respiro dell'essere. Passato e futuro, una storia intera: tutto in questa notte di Provenza e del tempo, vive. Tu puoi sentire come niente vi sia escluso, niente manchi, nulla sfugga. Puoi sentire la commozione e la pietà, l'inizio e la fine del viaggio, la nascita del mondo e il suo giorno estremo. Insieme, raccolti sotto questo cielo, dipinto da un pittore che sapeva amare. Che sapeva l'anima e le sue strade, ma che quell'amore non è mai riuscito a esprimere fissando una donna negli occhi, e in quegli occhi perdendosi come nell'infinito. Il mistero del due, dell'essere in due a tenersi la mano e guardandosi nel colore di quegli occhi sentire che il mondo non esiste più e ciò che esiste è solo l'amore. L'anima non è più sola, perché in questo transito che si affaccia sull'infinito, nel quale ci si perde e si è felici, due anime si sfiorano e infine l'una nell'altra vivono. Come una verità. Quando la parola deve tacere, tace, poiché tutto è nello sguardo.

E allora si pensa a quella sua camera a Saint-Rémy, un'altra delle stanze abitate dal nomade Vincent, che avrebbe invece così tanto voluto un focolare accanto al quale sedersi. E poter vivere l'amore. Ci si affaccia alla finestra con le sbarre, si ripensa al piccolo falciatore in mezzo al campo di grano, nel tempo dell'estate. Si ripensa a lui, al pittore, che grattava i suoi sogni contro la luce azzurra del cielo, contro l'oro del grano maturo. Si ripensa ai suoi passi sonori sul pavimento, unodue unodue, a quando si stendeva sul letto, a quando scriveva le sue lettere, a volte per tutta la notte e il piccolo lume rimaneva acceso. Si ripensa a quando aveva paura di vivere senza amore, eppure viveva e dipingeva. Eppure faceva cantare il colore, faceva cantare il dolore, e li disperdeva insieme nell'aria dell'universo. Si ripensa a tutto questo e non si può restare indifferenti, come mai si resta indifferenti quando non si può amare come si vorrebbe. E anzi, si alza al cielo un grido. Che a volte rimbomba, e a volte fa solo silenzio e pianto. Si ripensa a tutto questo e viene l'immagine di un pittore, il suo volto, si sente il suo respiro. Il ritmo accelerato del cuore che batte. E poi guardare il cielo, e poi guardare le stelle e sapere che quel pittore, prima di partire, unendo una stella a un'altra stella nella notte insonne, disegnava il volto, chiaro come l'oro, di chi avrebbe voluto amare. E non è stato possibile.

Il dottor Peyron, con questa lettera congedava il pittore Vincent van Gogh, che così riprese la strada verso Parigi: «Il paziente, sebbene calmo per la maggior parte del tempo, ha avuto diversi attacchi durante la sua permanenza nell'istituto, e sono durati da due settimane a un mese. Durante questi attacchi, era soggetto a tremende paure e ha provato più volte ad avvelenarsi, ingerendo i colori che usava per dipingere o bevendo il kerosene che provava a rubare all'inserviente mentre ricaricava le lampade. Il suo ultimo problema si è manifestato dopo un viaggio ad Arles, ed è durato circa due mesi. Tra un attacco e l'altro, il paziente era del tutto tranquillo e completamente dedito alla sua pittura, con ardore. Oggi chiede di essere dimesso, per andare a vivere nel nord della Francia, con la speranza che ciò gli sia favorevole.»

IV

E poi si arriva a Auvers, sulle sponde verdi del fiume Oise. E non soltanto lui, ma tutti noi insieme con lui, come una moltitudine, come il coro di un'antica tragedia greca. Figure del tempo e figure nel tempo. E prima, Vincent aveva lasciato Saint-Rémy, con il treno fino a Tarascona, da dove telegrafa a Théo a Parigi dicendogli che la mattina dopo, alle dieci, sarebbe arrivato alla Gare de Lyon. Era il giorno 16 maggio, venerdì, dell'anno del Signore 1890. E poi Vincent si ferma a

Parigi per tre giorni, in casa di Théo, Jo e del piccolo nipote che porta il suo nome. L'indirizzo è Cité Pigalle, il numero civico 8. E poi Vincent, il 20 maggio, martedì, prende il suo treno da Parigi per Auvers, portando con sé quattro tele del periodo che aveva trascorso a Saint-Rémy, tra le quali l'*Autoritratto* azzurro che successivamente regalerà al dottor Gachet. Reca tra le sue mani anche una lettera di presentazione, scritta da Théo, per il medico che gli farà quasi da fratello maggiore nei settanta giorni finali della sua vita.

E poi Vincent arriva a Auvers, scende alla stazione ferroviaria e con una camminata di meno di mezz'ora si sposta oltre il castello e imboccando una strada stretta, fatta di case con i tetti in ardesia e orti fioriti, incontra per la prima volta proprio Gachet, nella sua casa alta e sottile, con un bellissimo giardino e una grotta scavata nella roccia dentro la quale il pittore lo ritrarrà. E poi Vincent scrive a Théo che ha conosciuto il dottor Gachet, una persona «piuttosto eccentrica, ma la sua esperienza come medico lo rende sufficientemente equilibrato per combattere quei fastidi nervosi dei quali sembra soffrire almeno quanto me. Quasi ci assomigliamo.» E poi Vincent sceglie di non alloggiare, come da consiglio di Gachet, al Café-Auberge Saint-Aubin, in rue Rémy, perché il costo di sei franchi al giorno gli pare eccessivo. E poi Vincent trova da solo una pensione, per tre franchi e mezzo al giorno, l'Auberge Ravoux, in place de la Mairie, gestita da Arthur-Gustave Ravoux e dalla moglie, che con i due figli erano arrivati due anni prima da Parigi. E poi Vincent scrive a Théo e Jo, alla fine di quella prima, lunga giornata a Auvers, dopo avere affittato le due stanze di sottotetto dai Ravoux: «Auvers è profondamente bella, autentica campagna, caratteristica e pittoresca.» E poi Vincent è pronto a cominciare a finire.

Il suo viaggio, Van Gogh l'ha fatto fin qui su molte strade. Di polvere e di nebbie, di soli e lune, di girasoli e rose, di mari e cieli. E la strada percorsa è lo spazio del possibile, di ciò che continuamente muta, si adatta, anche respinge. Lo spazio dell'imprevisto e anche dell'imprevedibile, del gesto audace e della prudenza quando serve. Il viaggio insegna la vita, per chi voglia saperla. Insegna anche la morte, quando viene e non si riesce più a ritornare. Si era fissato un punto, ma quel punto, travolto da onde o cieli di nuvole, scompare inabissandosi. Come per un turbine di vento, una tempesta, lo straccio slabbrato dalle nevi e dalla grandine che si issa su una cima. Sulla strada avvengono tante cose, avvengono tutte le cose, avvengono incontri e sguardi e ci s'imbatte o no nell'amore. Si resta avvinti, e non si vorrebbe più partire. Sulla strada, impossibile da scansare, ci si misura con il mondo. Come Van Gogh, nel suo viaggio, si è misurato con il mondo. Con la sua anima che ha fatto nascere immagini e visioni, e in lui soprattutto ha creato il colore.

E alla fine del viaggio, muovendo gli ultimi passi, camminando un poco ancora nell'aperta campagna di una domenica sera d'estate, verso i campi di grano, si può effettivamente ripensare al cammino percorso. A tutte le stazioni della vita, a tutte le stanze nelle quali si è vissuto. Così pensava il pittore, sotto il cielo di Francia. Si vede l'incertezza sotto la cui luce il cammino si è snodato. Si dice così, snodarsi di un cammino, intendendo che i nodi si sciolgono e la chiarezza infine giunge. Van Gogh si rende conto che se dentro di sé questa chiarezza sembrava giungere, masticata giorno dopo giorno, e quasi ruminata sotto il sole cocente, essa non sembrava essere accettata dal mondo, e comprende dunque quanto non sia realizzabile. Così come l'amore. Lo era stato per lui nell'opera, ma l'opera aveva segnato una sproporzione nel descrivere il reale. Eppure, come sappiamo, partito dal reale che sentiva come punta lancinante e irrinunciabile, l'aveva trasformato nell'assoluto di una visione dove il colore toccava un suo culmine mai spento.

Egli procede così, anche nelle ultime settimane di Auvers, quando febbrilmente realizza oltre settanta opere in settanta giorni. Procede verso una luce abbagliante, che infine lo schiaccia e ne fa poltiglia sopra cui vola una farfalla colorata. La meraviglia della materia della natura che si fa nuovamente filo dell'universo, senza fine. Procede verso i campi di grano, fino alla fine, fino a quel giallo infinito e tempestoso di una mareggiata di grano spazzato dal vento. Una luce acuta, intensa, nella finale disperazione che porta a un rinnovato battesimo nelle acque non del Giordano ma dell'Oise. E poi sia luce che purifichi, tolga un peso. Per levarsi nel cielo, sulle ali colorate di quella farfalla che è rigenerazione, mondo che ritorna. Occhi che ritornano.

Non ha perduto la battaglia, l'opera di Van Gogh. L'ha perduta un uomo che ancora si aggirava incredulo e attonito in mezzo al grano battuto ugualmente dal sole e dalla pioggia. Ma l'ha perduta poi, quella battaglia? Colui che si rincantucciava, sovrastato dalle spighe mature e sentiva lì dentro, tutta insieme, la potenza della vita. L'opera ha compiuto i suoi passi, e presto dopo la sua morte, quando non ha potuto camminare più, in età di trentasette anni, è diventato Van Gogh. Quando scompare la vita e comincia l'infinito. Il colpo di pistola è stato il gong che si ode per la fine della corsa, quando ci si arresta d'improvviso dopo una lunga cavalcata. E il suono si ripercuote nell'aria, onde che fanno un'eco che a lungo si sente e si distende nell'atmosfera ancora chiara della sera che viene. E ancora dopo un po' si capisce come un'energia pura si levi nell'universo vicino e lontano, e vengano allora colori e profumi, e orizzonti nuovi. Come non si sarebbe mai detto.

Si capisce che chi è partito, a quel suono di gong lontano, non era un uomo qualunque. Si capisce che un'aria diversa da allora sarà. Ancora occhi azzurri, ancora sguardi che cercano l'infinito. Ha scritto Emile Bernard parole bellissime, e toccanti oltre ogni dire, sul funerale di Vincent van Gogh, in una lettera ad Albert Aurier. Non mi stanco mai, mai, di ricordarle prima di tutto a me stesso. Non mi stanco mai di pronunciarle piano ad alta voce: «Il nostro caro amico Vincent è morto da quattro giorni. Penso che abbiate già intuito che si è suicidato. Infatti, domenica sera si è incamminato nella campagna di Auvers, ha posato il suo cavalletto contro un covone ed è andato a tirarsi un colpo di revolver dietro il castello. Dalla violenza del colpo (la pallottola era passata sotto il cuore) è caduto, ma si è rialzato, per tre volte consecutive, per rientrare all'albergo dove alloggiava (Ravoux, piazza del Municipio) senza dire niente a nessuno della ferita. Alla fine, lunedì sera è spirato fumando la pipa che non aveva voluto lasciare e spiegando che il suo suicidio era assolutamente premeditato e voluto in piena lucidità. Ieri, mercoledì 30 luglio, sono arrivato a Auvers verso le 10. Théodore Van Gogh, suo fratello, era lì con il dottor Gachet. Anche Tanguy (era là dalle 9). Mi accompagnava Charles Laval. La bara era già chiusa, e sono arrivato troppo tardi per vederlo, lui che mi aveva lasciato, sono ormai quattro anni, pieno di ogni speranza. Sulle pareti della stanza dove giaceva il corpo, tutti gli ultimi lavori erano appesi, quasi come un'aureola, rendendo, per la grandezza del genio che vi risplendeva, questa morte ancor più dolorosa per gli artisti. Sulla bara, un semplice drappo bianco con sopra tanti fiori, dei girasoli che amava tanto, delle dalie gialle, e ancora fiori gialli dappertutto. Se vi ricordate, era il suo colore preferito, simbolo della luce che egli sognava nei cuori come nelle opere. Lì vicino anche il suo cavalletto, il seggiolino pieghevole, i pennelli erano stati posti a terra di fronte al feretro. Arrivavano molte persone, soprattutto artisti tra i quali Lucien Pissarro e Lauzel, gli altri non li conoscevo. Sono arrivate anche delle persone del paese che l'avevano conosciuto un po', visto una o due volte, e che l'amavano, dato che era così buono e umano. Alle tre hanno sollevato la salma. Degli amici l'hanno portato fino al carro funebre e alcuni hanno iniziato a piangere. Théodore Van Gogh che adorava il fratello, e che l'aveva sempre sostenuto nella lotta per l'arte e l'indipendenza, non smetteva di singhiozzare per il dolore. Fuori c'era un sole terribile, abbiamo percorso le salite di Auvers parlando di lui, della spinta coraggiosa che ha dato all'arte.»

Bisognerebbe venirci, per capire. In un pomeriggio identico di luglio, sotto il sole, con la distesa attorno dei campi di grano, come un mare. E il vento che lo muove in piccole onde e nessuna risacca. Bisognerebbe venirci, per capire. E tutti capirebbero. E non servirebbero parole e non servirebbe niente se non camminare. Bisognerebbe aprire la porta dell'Auberge Ravoux, dove gli amici lo salutarono, e appena fuori girare a sinistra e risalire la strada fino a passare accanto alla chiesa, che lui aveva dipinto con un cielo smaltato di un blu senza confini, come una vetrata medievale o una ceramica di lapislazzuli. Bisognerebbe. E basterebbe.

Camminare poi in salita, sui sentieri d'Auvers e d'un tratto veder comparire il piccolo cimitero e pensare a quel corteo funebre, tutti gli uomini vestiti di nero nel solleone, e chi teneva la bara e tutti quei fiori gialli e girasoli e dalie. E pensare che il parroco del villaggio non aveva voluto la funzione in chiesa, perché Vincent era protestante, perché Vincent si era suicidato. E Théo e il dottor Gachet avevano dovuto cancellare a mano sull'epigrafe la riunione in chiesa, alle due e mezza del pomeriggio. Non lo si poteva accogliere, nemmeno da morto. Nemmeno questo gesto d'amore, occhi negli occhi, anche se invisibili ormai. Ed era dovuto arrivare il parroco del paese dall'altra parte del fiume, per la benedizione, prima che il suo corpo venisse interrato. Basterebbe fare questo percorso, però di luglio sotto la luce abbagliante del sole, però di luglio in mezzo ai campi di grano come un mare, per capire. Basterebbe.

Il coraggio però può anche non bastare, perché il viaggio può interrompersi, per scelta o per necessità, in un punto da cui è impossibile tornare indietro. O perché si sta chiusi in una stanza come una cella e da lì – Van Gogh l'ha fatto – si guarda il mondo e si desidera prendervi parte, mentre si è allontanati da esso o ci si sente come degli esclusi. Nell'impossibilità di viaggiare, nasce un altro viaggio, che è fatto di movimenti e di soste, di appuntamenti col destino. Ma poi si desidera in tutti i modi, grondando sangue e passione, uscire nel mondo. Attraversarlo, farlo proprio, sentire che parla e si mette in comunicazione, in contatto. Sentire che si lascia sfiorare, e accarezzare, e viene incontro. Sentire che non è da un'indifferenza. È così che il viaggio, e anche le soste nel viaggio, sono stati per Van Gogh una dichiarazione di appartenenza ai luoghi, un legarsi a essi sotto il segno costante del desiderio e della commozione. Talvolta del vero e proprio strazio. Sono i luoghi dunque che quasi sentono questa disposizione e si pongono nel tempo dell'attesa, pronti a essere raccontati.

Possiamo allora dire che per Van Gogh i luoghi siano stati, o avrebbero potuto essere, fonti di cura? In quella sospensione che non è muta, ma viene dalla vibrante concentrazione che precede l'incontro. Ed è un brusio, un mormorio di vita, uno sciabordare di spazi che aprono le braccia, invitano a procedere, a venire incontro. L'abbraccio è l'esistenza del mondo ed è ancor di più l'esistenza dell'altro. L'abbraccio è il segno dell'amore. Stringere a sé un corpo che sia anche anima.

Ecco, in quel pertugio, attraverso quella fessura nella natura e nella vita, si è infilato Van Gogh. Mai sazio di conoscere, mai di camminare con le sue scarpe rovinate e piene di fango e polvere e pioggia e sole e neve. Mai stanco di dire una parola, di pronunciare un silenzio prima che l'apparizione fosse. Nel viaggio riconosceva il dolore proprio dell'esistenza, ma ricercava anche la possibilità di allontanare da sé questo dolore. Non dimentichiamolo mai, quante volte l'abbiamo letto nelle sue lettere. Non era il piacere della sofferenza, ma piuttosto la constatazione amara, e tristissima, che questa sofferenza pareva venire come una condanna ineluttabile. Eppure, il pittore lottava e metteva colori nelle stazioni del viaggio. Guardava il cielo sopra gli ulivi, le donne lavorare nelle vigne, i marinai sciogliere le bianche vele sopra l'azzurro del mare, il falciatore sospendersi nel giallo del campo, due bianche figure sotto i cipressi, la pioggia rigare l'oro del grano. Non c'era sosta per la vita, tutto andava avanti, tutto mostrava di essere da un'energia senza fine, mentre il sole continuava a splendere e le stelle stavano come un tappeto di pietre preziose nell'ansa buia della notte. Nel golfo misterioso e segreto dell'anima.

Il viaggio Van Gogh l'ha compiuto per entrare sempre di più, e in ogni modo, nel cuore della vita. Per imparare di più, per esserci, per provare a non scomparire, per nominarsi come un respiro. Per sentire il cuore che batte mentre gli occhi luccicano per un pianto caldo che viene. Un pianto d'amore e nostalgia. Il viaggio è servito per segnare un territorio, per piantare a terra un cavalletto mentre soffiava forte il vento di mistral e occorreva fissare picchetti di ferro per non farlo volare via. Il viaggio si è compiuto per non volare via, eppure alla fine è stato il volo, una chiazza rossa su una camicia bianca, la luce della sera che si affievolisce piano e si torna verso casa. Il Piccolo principe è morto proprio così: «Esitò ancora un poco, poi si rialzò. Fece un passo. Io non potevo muovermi. Non ci fu che un guizzo giallo vicino alla sua caviglia. Rimase immobile per un istante. Non gridò. Cadde dolcemente come cade un albero. Non fece neppure rumore sulla sabbia.» Il mondo parla a Van Gogh e per questo occorre viaggiare, per incontrare il mondo in tutte le sue manifestazioni, in tutti i suoi luoghi, in tutte le sue genti. Che non sono meno importanti della natura plasmata così sotto gli occhi.

Il mondo interiore non si alimenta solo da se stesso, non può generarsi e crescere unicamente guardando se stesso. Dal contatto con la natura, dalla pressione di un volto nascono invece le immagini. E sorgono come da una lontana coscienza, da un luogo preesistente, da una terra che non si conosce ma si sente, si sente vibrare nell'anima. E l'anima nel viaggio si è unita a quel tempo di prima, Van Gogh sentendo questo fruscio che da ogni parte gli giunge come un suono e come un fuoco. Toccare il principio delle cose. Toccare, con l'emozione di una mano che vede, di occhi che sentono, il principio del proprio cuore. Lì dove tutto è cominciato e nulla mostrava i segni della fine. Là, in quel tempo che non ha tempo, nell'infinito che sorge dal finito, Van Gogh ha dato il via al suo cammino, al suo attraversare tutti i luoghi della sua vita.

È partito dalle brughiere del Nord, ha navigato piccoli canali, ha respirato il fango dei campi dopo la pioggia, il carbone dei minatori, la nebbia che si spande e rende muti. È rimasto seduto sulle dune davanti a un mare sabbioso, ha guardato le onde rovesciarsi piano in una schiuma, ha raccolto i fiori di tulipano in un grande campo scheggiato dal sole, un po' azzurro e un po' giallo e un po' rosso. Ha sentito le urla dei vecchi in un ospizio, l'odore di latrina, le parole di una prostituta, i pianti dei bambini, ha fatto di una tela da pittura mutande e canottiere. Ha pregato e predicato in una chiesa, ha scritto lettere d'invocazione, implorando aiuto. Ha pianto per non farsi sentire, ha accolto donne con bambini. Si è messo a cavalcioni su un ponte, sopra al grande fiume nella grande città. Ha visto la vita scorrere, l'ha abbandonata. Ha camminato nella neve tra gli alberi di albicocco e mandorlo, si è tuffato restando disteso nei campi di grano, ha sfidato il sole. Si è appeso a una vela senza che partisse, non ha atteso il colpo di vento. Ha percorso le vigne verdi e rosse, i campi con gli ulivi, i boschi, ha sfiorato cipressi. Ha guardato un cielo stellato, ha contato gli astri uno per uno. Si è seduto sotto un albero, ha contato la vita. Gli è sembrato di sentirne l'anima. Ne ha sentito l'anima. Ha toccato la profondità della sua anima. Gli è sembrato che da tutto questo viaggio, nemmeno tanto lungo a ben vedere, l'anima fosse diventata visibile. E se non altro, ha capito di avere dipinto l'immagine dell'anima nel mondo. In quella, lo specchio della sua. L'amore confina con l'amore e l'amore è solo nella verità dei gesti, non nella vacuità delle parole. Non nella ripetizione degli atteggiamenti inutili. Con quei colori gettati a piene mani e presi nel posto dove tutto ha tratto la sua origine. Perché l'anima ha i suoi colori. Nessun pittore l'ha raccontata come Van Gogh.

Con il suo viaggio, egli è entrato nella corrente del tempo che risale e fluisce via. Una corrente che se non restituisce l'amore che si è disposti a donare, si cancella e per questo capita di dover porre fine al viaggio stesso. Anche se il viaggio aveva aperto alla vita dello spirito, a quell'anima che evocando altri mondi e altri luoghi aveva parlato di una profondità che nell'uomo è da sempre. E proprio a quella Van Gogh si è rivolto. In una necessità, assoluta e biologica, di camminare e stare dentro quello spazio che annulla le convenzioni e si rifà con grande chiarezza e costanza all'eterno e immisurabile luogo che è dentro ogni uomo.

Per questo Van Gogh, che non è solo spirito e ha bisogno anzi della carne dell'atmosfera, della carne e della pelle del sogno, presta il suo corpo allo spazio. Lo offre, lo dà, ne fa ostensione e mostra, si autoritrae come colui che sorge da un tempo fondo e sconosciuto quasi a tutti. Perché frequentando in questo modo lo spazio assoluto, egli questo stesso spazio modifica, così che esso non sia più come prima. E proprio mostrando, tante volte, l'immagine di sé, ci comunica la sua pericolosa risalita da quel gorgo misterioso e senza riflessi da cui il viaggio ha avuto origine e verso cui si pensa possa tornare. L'autoritratto è dunque per Van Gogh il sigillo posto a fuoco sul viaggio, la certezza che si sia effettivamente compiuto. E in una lettera alla sorella, spedita da Auvers nella prima parte del mese di giugno del 1890, scrive, con la consapevolezza ormai di essere colui che anticipa i tempi: «Ciò che mi appassiona di più, molto, molto più di tutto il resto nel mio mestiere, è il ritratto, il ritratto moderno. Lo cerco tramite il colore e non sono certo il solo a cercarlo su questa strada. Vorrei – come vedi sono ben lungi dal dire di poterlo fare, ma infine ci provo – vorrei che fra un secolo possano sembrare delle visioni. Dunque, non cerco di fare questi quadri per somiglianza fotografica ma per le nostre espressioni passionali, impiegando come mezzi di espressione e di esaltazione del carattere, la scienza e il gusto moderni del colore.»

Ormai abbiamo imparato a capire come nella pittura che abbiamo fin qui nominato, il luogo forse più alto di ogni viaggio sia proprio il luogo dell'anima. Nel quale tutte le strade convergono, nel quale invece si moltiplicano gli spazi e tutto si dissolve, precisandosi. Van Gogh, lavorando sui tanti autoritratti, così come farà anche nelle ultime settimane di Auvers, sigilla nell'immagine di sé il senso compiuto e finale del transito. Non ci sono altre possibili soluzioni, né vie di fuga. Quello è il punto in cui tutti i drammi si compiono, il passato e il futuro si giungono, il presente arriva a spezzarsi. La necessità di creare un'immagine è totale, non vi si può sfuggire. La danza delle cose della vita, la processione della natura nel mondo deve infine trovare un punto di sosta, un momento di ancoraggio. Nemmeno a Van Gogh era consentito procedere oltre sulla strada di una ipersensibilità che a Auvers tra l'altro andava crescendo ogni giorno di più. Il pittore non può procedere oltre, e nel luogo custodito della sua anima incontra l'ultima sua visione. Chi non vede, non crede. E sono ancora una volta occhi, verdi e azzurri.

L'autoritratto per Van Gogh è il segno di un destino. Intende mostrare il suo corpo e il suo sguardo piagati, come si vedrebbe dello sguardo e del corpo di Cristo in una crocifissione. Posarsi di una mano invisibile che rechi per un momento un po' di conforto. Si dipinge così come una visione appena sottratta alla vita, già in cammino verso un tempo che solo ai profeti del futuro è consentito vedere. E non c'è dubbio alcuno che Van Gogh sia stato uno di questi profeti del futuro, uno dei pochi ad aver saputo guardare il mondo anche nella sua più lontana distensione. Il sacro che è in lui, lui evocatore di un mistero, nasce solo nel momento in cui la pittura si dà come una lingua nuova, irrinunciabile, forse incredibile. Una lingua che sappia di tutto raccontare, non abbia reticenze: la tua parola sia «sì sì, no no.» Una lingua che trovi sempre parole, non ne lasci mai alcuna esclusa. Sia l'esigenza dell'anima, l'insopprimibile volontà di rappresentare il mondo e il viaggio che in esso si è compiuto.

La pittura è la verità, la descrizione indifferibile, il transito necessario, la spada scagliata contro il male, la spada tolta dalla roccia, la pietra testata d'angolo. Van Gogh si dipinge nel punto in cui il viaggio ha toccato un suo culmine, eppure il viaggio continua, non cessa di manifestarsi come immagine e non cessa di far sorgere immagini. Lui è lì, uomo e pittore, all'inizio e alla fine del viaggio, all'inizio e alla fine della vita, nel punto in cui si nasce e si muore contemporaneamente, si sente il respiro farsi terso e farsi tosse insopportabile. Muco della vita che esce, bava e filamento d'animale come a strisciare sulla terra, in mezzo alle spighe del grano.

Si tratta fino in fondo, fino alla fine, di rappresentare l'anima. Appena arrivato a Auvers, il dottor Gachet lo incita subito, come scrive già il giorno successivo al fratello e a sua moglie Jo: «Poi mi ha detto che bisogna lavorare con grande ardimento e non pensare affatto a ciò che ho avuto.» È arrivato lì con una rinnovata sensazione d'impotenza davanti alla natura e alla possibilità di rappresentarla. A Isaäcson, un critico che aveva realizzato alcuni articoli dedicati ai pittori impressionisti, e immaginando che nel futuro qualcosa avrebbe forse scritto anche su di lui, indirizza «i miei scrupoli affinché diciate solo poche parole su di me, essendo decisamente sicuro che non farò mai cose importanti.» Ma poi, travolto dal desiderio di spiegare il suo colore, l'adesione forte e immensa al mondo dei fenomeni, di dire la sincerità, la passione e la speranza di essere in quel modo nel mondo, offre al critico, e a noi, una sintesi di bellezza e verità: «Ma mi stavo perdendo nel vago: ecco il perché di questa lettera. Volevo farvi sapere che nel Sud avevo tentato di dipingere giardini di ulivi. Voi non ignorate i quadri di ulivi esistenti. Mi sembra probabile che debbano essercene nell'opera di Claude Monet e in quella di Renoir. Ma a parte ciò, e di ciò che suppongo esistere pure non ho visto nulla, a parte ciò, quel che si è fatto sugli ulivi è ben poca cosa.

Ebbene probabilmente non è lontano il giorno in cui si dipingerà in tutti i modi l'ulivo così come si è dipinto il salice e la capitozza olandese, così come Daubigny e César de Cocq hanno dipinto il melo normanno. […] L'effetto della luce, del cielo offre infiniti modelli da trarre dall'ulivo. Ora, io ho cercato qualche effetto d'opposizione del fogliame cambiando le tonalità del cielo. Talvolta l'insieme è di un azzurro puro velato nell'ora in cui l'albero fiorisce pallido, quando le grosse mosche blu, i maggiolini smeraldo, e infine le cicale volano numerose tutt'attorno. Poi quando il verde più bronzino assume tonalità più mature, il cielo risplende e si riga di verde e d'arancio oppure molto più avanti ancora in autunno quando le foglie assumono le tonalità vagamente violacee di un fico maturo, l'effetto viola si manifesterà in pieno grazie alle opposizioni del pieno sole biancheggiante in un alone di color limone chiaro e impallidito. Così talvolta, dopo un rovescio, ho visto tutto il cielo colorato di rosa e di arancio chiaro, il che assegnava un valore e una colorazione squisita ai grigioverdi argentati. Là dentro c'erano donne rosa che facevano la raccolta della frutta […]. Ve lo confido da amico: davanti a una simile natura io mi sento impotente, il mio cervello del Nord è stato colto da un incubo in quei posti sereni.»

L'idea molte volte espressa a Auvers, e benissimo raccontata in questa lettera meravigliosa, è quella di sentire come questa impotenza alla fine vincerà su tutto e renderà privo di parola il pittore. Il pittore privo della possibilità di mettere ancora colori per spiegare il mondo, e naturalmente il suo mondo tra realtà e visione. Resta, dolorosissima in Van Gogh e inaccettabile alla fine, l'idea di non poter in alcun modo raccogliere i frutti di un così accanito lavoro in un così strabiliante viaggio. Lavoro accanito e maestoso, disperato e talvolta felice, confidente e segreto. Van Gogh sopravvive fin quando a restare in vita è il sogno della pittura. Il sogno che con la pittura egli avrebbe potuto dire quel grumo di lacrime e sangue, di poltiglia di terra e cenere di cielo, che gli cadeva davanti agli occhi ogni mattina. Avrebbe potuto dire dell'anima e dell'amore.

Il sogno di una pittura che dapprincipio era stata l'illusione di copiare Mauve e gli olandesi, poi di rifare i Giapponesi, poi di creare con Gauguin l'"*atelier* del Sud", luogo d'incontro d'immaginate, comuni sensibilità. E infine, da una suggestione gauguiniana, volare verso i Tropici, dove l'amico era già stato – la Martinica, nell'estate del 1887 – e dove, facendo vela verso la direzione opposta, andrà per la prima volta, lasciando terra da Marsiglia, nemmeno un anno dopo la morte di Vincent. Il quale dunque sopravvive fino al momento in cui il sogno si spezza, poi il peso diventa insopportabile. Il sogno di un'arte essenziale, totalmente rinnovata nella forza e nella pregnanza del colore. Segno indelebile di quel viaggio che attraverso lo spirito poteva condurre all'anima del mondo. Sogno che metteva nel conto la possibilità ardita di dipingere quell'anima invisibile con il visibile dei colori accesi e della natura. Il visibile di una luce che si spandeva nel paesaggio e nei cuori. Una sorta di grande liturgia rappresentativa, infinita, che viene alternandosi alla manifestazione di uno stupore così doloroso e malinconico. Fin quando la malinconia non vince.

Ma occorre essere d'accordo con Bernard quando scrive, nel 1891, che Van Gogh, partito da Cormon e passato attraverso le procedure del *pointillisme*, e dopo il suo volo libero dentro le opere di Monticelli, Manet, Gauguin, non appartiene a nessuno e a nessuno deve qualcosa. Egli è il più personale di tutti, colui che inventa una lingua nuova che è della mano e del cuore insieme, che tocca i confini inesplorati della vastità. Una lingua fatta di parole vibranti, chiuse in se stesse eppure pronte a esplodere come una stella cadente. Vive lui per se stesso, per rendere testimonianza di una solitudine nella quale crea a piene mani bellezza tragica, quasi irrintracciabile in un modello. È così forte l'ansia di pittura di Van Gogh, così forte l'ansia di esprimere una vita che non riusciva a esprimere, che il modello non esiste, il suo viaggio non può essere copiato. Tutto torna a quell'unico punto che è Van Gogh stesso, dentro una circolarità della pittura che parte da lui e in lui viene a chiudersi.

«Quello che mi torna come uno spettro, è che i pittori stessi sono sempre più allo stremo», scrive al fratello il 23 luglio, solo quattro giorni prima di impugnare una rivoltella. E nell'utilizzare il plurale includente, pensa ovviamente soprattutto a se stesso. Essere allo stremo significa considerare l'inutilità di ogni sforzo, vedere che ogni spazio per il viaggio è precluso. Le ultime settimane di Auvers sono il continuo andirivieni tra la realtà percepita e il dramma di una coscienza che si sganciava da quella realtà e procedeva vagando senza punti più di ancoraggio. L'azione di svellere il colore e non di fissarlo sulla tela. Fino a che questo viaggio, infinito e immenso, senza parole per poterlo definire, non viene interrotto con un gesto di estrema consapevolezza. Non si può procedere oltre.

E nella lettera che viene trovata nella sua tasca la sera in cui si spara, indirizzata ancora una volta a Théo, nell'amarezza ormai senza soluzioni, parla di questo: «Mio caro fratello, vorrei scriverti di tante cose, ma non ne vedo l'utilità […]. La cosa importante è che vada tutto bene, e dunque perché dovrei insistere su cose poco rilevanti; passerà molto tempo prima che ci sia la possibilità di chiacchierare di affari più serenamente. Ecco quello che, in questo momento, posso dirti, e la cosa l'ho verificata con un certo timore che non ho ancora superato. Ma per il momento non c'è altro. Gli altri pittori si tengono lontani d'istinto dalle discussioni sul commercio attuale. E comunque è vero, possiamo soltanto far parlare i nostri quadri.»

Sì, a parlare effettivamente rimarranno i quadri, perché poi la figura svanisce e scivola via. I quadri che sono ciò che resta del viaggio, ciò che il viaggio ha permesso di conservare. Niente di più e niente di meno. Assieme a tutte le parole che Van Gogh ha messo sulla carta, lettere che sono preci, santini, appunti per la vita e appunti per l'al di là. Sono parole di un condannato a morte, di colui che, ci ricordiamo, aveva previsto di vivere non oltre i suoi anni di adesso. In questa stagione della vita, quando un colpo secco vicino ai campi di grano non basta nemmeno per morire. E ciò che si fa, è fumare per un giorno intero la pipa sul letto fin quando non sia il fratello a giungere. Una trama perfetta, una liturgia funebre organizzata, una violenza del destino.

Il viaggio si chiude guardando in faccia Théo, scrivendo a Théo un'ultima lettera mai spedita. Ma in essa è già la premonizione di un altro viaggio che presto s'interromperà. Quando l'amore non basta a proteggere fino in fondo, e forse si vuole, davvero, essere seguiti su una pista nel cielo che nessuno da terra potrà mai vedere. Due pietre, l'una accanto all'altra povere posate nel cimitero di Auvers, accanto ai campi di grano e al vento: «Lo ripeto ancora: ti ho sempre considerato qualcosa di più di un semplice mercante di Corot, e, attraverso di me, hai partecipato alla produzione stessa di alcuni quadri che, pur nel totale fallimento, possiedono una loro serenità. Perché siamo a questo punto, e questo è tutto o per lo meno la cosa principale che posso dirti in un momento di relativa crisi. In un momento in cui c'è molta tensione fra i mercanti di opere di artisti morti e quelli di artisti vivi. Ebbene, io rischio la vita nel mio lavoro e la mia ragione si è consumata per metà, va bene, ma tu non sei fra i mercanti di uomini, per quel che ne so io, e puoi decidere da solo, mi sembra, comportandoti realmente con umanità, ma che vuoi mai?»

Si leggono con emozione, si sa che queste sono le ultime parole scritte da Vincent van Gogh in vita, si può anche immaginare quando si sia procurato la rivoltella, quando le abbia tracciate su un foglio. Nel momento in cui rischiava la vita per il suo lavoro e la sua ragione si era consumata. Ma soprattutto si leggono quelle parole rivolte a Théo, come a chiamarlo da un quasi raggiunto al di là, per proseguire il viaggio insieme. Nel totale fallimento egli ha partecipato alla produzione stessa delle opere del fratello, ha preso posto sulla stessa barca, ha percorso le stesse strade, ha sentito giungere lo stesso vento. È in questo darsi la mano, nel punto dello scavalcamento, nel punto in cui la strada si erge e poi scompare, che il viaggio dei fratelli Van Gogh mostra una sintonia come mai prima era stata. Un desiderio di dissolvenza, un'incapacità di resistere all'assenza, il voler far diventare l'assenza motivo di una nuova morte, di un'altra scomparsa.

Nell'abbassarsi dei rutilanti colori di Saint-Rémy, la pittura a Auvers sembra quasi richiamarsi talvolta alle esperienze nel Brabante. Del resto, come abbiamo visto, era stato forte il richiamo del Nord, un ritorno perfino necessario dopo le tante crisi vissute negli ultimi dodici mesi a Saint-Paul-de-Mausole. In questa direzione vanno i primi paesaggi, che sono dedicati alle strette strade del villaggio, alle case con quei tetti che entusiasmano Vincent, che ne scrive anche a Théo. Poi certi castagni in fiore, molti disegni di forte e suggestiva concentrazione. Un mondo che sembra acquietarsi, come il pittore stesse recuperando un equilibrio che di tanto in tanto lo faceva vicino, per immagini, a quelle di Cézanne e Pissarro, vissuti a lungo nei pressi e molto amati da Gachet, che nella sua casa conservava alcuni loro dipinti.

A partire dalla seconda settimana di giugno, subito dopo la visita che Théo e Jo resero a Vincent nella domenica 8 giugno, vennero i primi campi di grano e qualche paesaggio con vigneti. Data la stagione, il grano è ancora verde e tra tutti spicca il grande quadro, ricordato in una lettera al fratello data 14 giugno, con i papaveri: «In questo momento sto lavorando a un campo di papaveri in mezzo all'erba medica.» Si tratta di un'opera importante, perché dal punto di vista del sentimento che l'avvolge è la prefigurazione di quanto Van Gogh realizzerà dalla seconda settimana di luglio, quando ormai sarà il giallo a dominare il paesaggio e dunque la sua visione delle ultime settimane di vita. È la saldatura ormai avvenente, se non già del tutto avvenuta, tra natura e anima. Nella natura è il segno riconoscibile dell'interiorità e questo avviene nella dimensione di un tempo che ha delle evidenti caratteristiche di ciclicità. Se Monet aveva dipinto diversi campi di papaveri, non può certo far pensare a Monet questo quadro. Che è invece forte di materia, ha una sua secchezza e un istinto grafico che non può non ricordare i Giapponesi soprattutto negli alberi in secondo piano, che mai Vincent aveva dipinto in questo modo. Semplificati oltre ogni dire mentre insieme galleggiano e affondano in un cielo tutto frastagliato di nuvole, che sono striature bianche dentro l'azzurro dilatato. Galleggia e non affonda invece il rosso dei papaveri sul verde dell'erba, tutto portato e mosso da un vento che giunge da destra e sembra andare verso la valle del fiume, forse nascosto sotto la linea dell'orizzonte.

Nella domenica 6 luglio, Vincent lasciava improvvisamente Auvers e prendeva un treno per Parigi, dove fa visita a Théo e alla cognata Jo. La preoccupazione è grande, e sarà espressa chiaramente nelle ultime due lettere della sua vita. I continui dissapori del fratello da Boussod & Valadon dove è impiegato, l'eventualità di lavorare per proprio conto nel commercio dei quadri, la conseguente possibilità che Théo non potesse più offrirgli denaro in una situazione così complicata, rendono questa visita piuttosto burrascosa e fonte di una partenza quasi immediata da Parigi, che avviene già nella giornata del 7 luglio. È anche assai contrariato da come i suoi quadri siano conservati da Tanguy, in quello che gli appare come «un pollaio» che causerebbe la rovina delle sue tele. È con questo stato d'animo, pesante, che Vincent comincia le ultime tre settimane della sua esistenza.

Eppure, a Auvers egli riesce a tenere in immagine il grumo caotico della vita brulicante, della vita che disarciona e non rimette più in sella, con l'ordine di una forma che talvolta appare perfino classicheggiante se confrontata con il periodo che da poco si era concluso in Provenza. E tornare infine verso Nord, per chiudere il cerchio della giovinezza e tornare a morire lì dove si era nati, nel luogo in cui il sole non bruciava nello stesso modo i campi di grano. Rifare a ritroso il cammino, mostrare che la scelta del luogo e dell'ora non era da una casualità, ma dal viaggio consapevole. Questo era l'estremo tentativo di vita. Van Gogh possiede il senso dell'utopia ed egli non è solo un sognatore ma anche colui che prevede il futuro. Nell'apparente sconfitta si fa oracolo, comprende dolorosamente che il tempo cambierà e nel momento in cui l'opera sta per essere riconosciuta, sceglie di far terminare all'uomo il viaggio. Interrogando e vedendo il futuro, dipinge alcuni quadri come un congedo, quando l'anima si è un po' rasserenata dopo il rientro da Parigi il 7 luglio.

Jo, dopo la sua brusca partenza, gli invia una lettera di riconciliazione che serve a placare gli animi. Vincent il 10 luglio risponde così: «Non è una piccola cosa quando comprendiamo come il nostro pane quotidiano sia a rischio […]. Ero dispiaciuto – non del tutto, ma certamente un poco – per il fatto di sapere che voi due non vi prendevate più cura di me, dal momento che sono così un peso per voi.» Nella stessa lettera precisa di avere nuovamente iniziato a lavorare e di avere completato tre grandi tele, «vasti campi di grano sotto un cielo nuvoloso e io coscientemente ho provato a esprimervi tristezza ed estrema solitudine.» È il momento in cui i capolavori si susseguono e ad apparire sono soprattutto i campi di grano, nella loro veste finalmente estiva, in ritardo rispetto a quanto accadeva in Provenza, quando è l'oro a dominare. Nella sua volontà di riandare sempre ai pittori vissuti prima di lui, per rivederne l'opera alla luce della modernità, il riferimento principale per quanto riguarda il paesaggio sono certamente gli artisti di Barbizon, come abbiamo visto più volte. Tra l'altro, Daubigny aveva vissuto a lungo proprio a Auvers e Van Gogh ne dipinge il giardino in una coppia di quadri molto bella, proprio in quel mese di luglio. Quando, per tutte queste versioni di paesaggio, utilizza un formato di tela inedito, con un doppio quadrato accostato che dà alla tela stessa un formato di 50 centimetri in altezza e un metro di base.

Il ritorno al Nord sembra tra l'altro rinsaldare questo legame ideale con i naturalisti. Tutti questi campi di grano hanno una fortissima presenza di cielo e questo rimanda alla caratteristica principale di un pittore da Van Gogh particolarmente amato, e assai citato nelle lettere del tempo olandese, Georges Michel. In una lettera di qualche anno prima, inviata a Théo dall'Aia, aveva scritto come «il segreto di Michel sta nel prendere le misure giuste, nel saper calcolare in modo corretto la proporzione tra lo sfondo e il primo piano e nel sentire con precisione qual è la direzione delle linee viste in prospettiva.»

Van Gogh poteva essere stato attratto anche dalle parole di Sensier, di cui aveva letto soprattutto la grande biografia dedicata a Jean-François Millet. A proposito di Michel, Sensier scriveva come «egli possieda il senso della profondità e un'abilità di penetrare nelle superfici e di rendere le distanze che pochi pittori hanno eguagliato.» E soprattutto, poiché i campi di Van Gogh hanno così tanto a che fare con la poesia, Sensier evidenziava in Michel la sua capacità di «riprodurre la profonda assenza di suono delle ampie distese del cielo», come «una terra promessa, un principio poetico: l'immensità.» Parole come queste non potevano che agire nel pittore olandese come ulteriore detonazione che mescolava anima e sole, sangue e pioggia, vibrazione e vento. Egli solcava così i sentieri attorno a Auvers come si naviga un piccolo fiume, che mano a mano, senza averlo previsto, diventa una grande acqua che conduce al mare, e infine sfocia. Lo si può vedere ancora, con la cassetta dei colori in mano e il cavalletto con la tela sulle spalle. Lo si può vedere ancora, perché la pittura non finisce mai. Aveva scritto a Théo, parlando proprio dei suoi ultimi campi di grano: «Penso che queste tele ti diranno qualcosa che non sono in grado di esprimere con le parole, la salvezza e la forza di conforto che vedo nella natura.» Ancora una volta, nella pittura è la sola salvezza possibile.

Assieme ai campi di grano, ai covoni disposti come teste di cavalli in fila, agli intrecci delle radici, ai panorami del villaggio e della campagna, ai boschi e al giardino di Daubigny, tutti nel doppio quadrato, realizza anche un altro quadro, di straordinaria atmosfera e di formato invece verticale rispetto all'insistita orizzontalità degli altri, il *Covone sotto un cielo nuvoloso*, che è stato spesso considerato come l'ultimo di Vincent van Gogh. Sia come sia, si tratta di una tra le sue tele estreme, dipinta al massimo due settimane prima di morire. Sono i covoni, con i corvi che volano via, come fossero un veliero di nuvole nel cielo. La forza estrema della natura vi è rappresentata, i suoi gangli, il reticolo di spighe e cielo, il riflesso delle nuvole e del volo nella grande pozzanghera blu al centro.

È caduta pioggia sull'estate a Auvers, il vento da est muove il cielo e le nuvole, sposta quel volo di corvi nella loro lenta sospensione. È quel levarsi il segno di una partenza, dentro una natura che si dona come un corpo compatto. Il corpo di un pittore si offre come segno dell'occhio che sente e della mano che vede. Si tratta di adagiarsi e stare, contemplare ancora e ancora e ancora. Non c'è altra possibilità che questa, qui sotto nuvole scure dove il giallo del grano sta sotto l'azzurro del cielo e il blu dell'acqua. Il pittore sente la pioggia come un canto, il sole per un momento si sospende, il cavalletto resta piantato a terra. Il cavalletto prende il vento come farebbe una vela verso l'immenso e si gonfia, del bianco di una nuvola improvvisa. Il pittore si siede, aspetta che venga il tempo e orientando il timone sceglie la rotta. Come a riprendere il viaggio. Per un'ultima volta dipinge il giallo e l'azzurro insieme, vicini. Il giallo del grano e l'azzurro del cielo e dell'acqua. Ondeggiare dello sguardo e del respiro. Il giallo come una prossimità e l'azzurro come una lontananza che dilaga. In un altrove.

V

Appena sotto il cielo. Una finestra da cui guardare le stelle, tutte affacciate e in parata per salutare chi parte. E va. Da quella finestra guardare un'ultima volta il mondo, e per la prima volta in un altro modo il cielo. E chi avesse nell'oscurità volato, quella notte, avrebbe visto. Quella finestra fra i tetti e un lume che sorge come una fiaccola quasi spenta. Braci, cenere calda, il fumo di una pipa. Come quando in un mare calmo e senza tempesta, nella notte buia ma fatta di pietre preziose nel cielo – smeraldi e rubini e zaffiri – improvvisamente sulla superficie dell'acqua, lontano, quasi invisibile, compare un lume. E tu sai allora che non sei solo. Sai che qualcuno pensa a te.

Appena sotto il cielo, in una notte di luglio, c'è una piccola stanza. Un'altra stanza della vita. L'ultima. Dopo tanto viaggiare, dopo tante lune e tanti soli, dopo tanto giallo e dopo tanto azzurro. Dopo tanta e poca vita, poltiglia schiacciata nel colore e sangue che ne esce. Il colore del sangue come il rosso di un cielo al tramonto o di una vigna tutta trafficata di donne che camminano. Un'ultima stanza, perché da un posto bisogna pur partire. Da un piccolo porto, non visto quando l'ora è venuta. Nessun preavviso, nessun orario per andare. Solo, si va. Fumando la pipa.

Appena sotto il cielo, si arriva da un campo di grano, una domenica sera, una domenica della vita. Si ha negli occhi la luce lunga che dilaga sull'oro del grano, forse appena tagliato. O forse no. L'azzurro dolce e morbido che s'insinua in ogni dove, dilatando lo spazio fino alle porte dell'infinito. E sentire che l'infinito esiste mentre un rintocco risuona, colpo o campana. La chiesa non è lontana. E sotto un albero, seduti, vedere l'orizzonte e il cielo, e amare il mondo come mai lo si era amato prima. Sentire l'esattezza e l'infinitezza della vita, il suo avere confini e insieme attraversarli. Sentire tutto questo come in un sogno, che rende per la prima volta veramente felici.

L'ultima volta è come la prima volta, perché in ciò che chiamiamo fine, capita di sentire un inizio. Pensava il pittore sotto quell'albero. L'ultimo albero della sua vita.

Appena sotto il cielo, si salgono le scale. Nessuno che vede, nessuno che sente. Solo un respiro affannato, i gradini di legno scuro, il muro bianco sbrecciato cui appoggiarsi per non cadere mentre si sale. Desiderare solo la stanza, e stendersi sul letto e guardare da lì entrare le stelle. Entrare nella vita e nella stanza. Le stelle. Passando piano, senza fare rumore. Le stelle tutte sparse nel cielo, gettate con una grande manciata come fa il seminatore con il grano. La piccola finestra come l'oblò di una nave, ma il mare è il cielo, le correnti sono le nuvole, il guizzo dei pesci sono le stelle e la luna è la luna. Un chiarore che scuote e prende, la notte non è più notte. La notte è come un mantello che avvolge e porta via. Lontano. E ciò che resta, è il ricordo. Di un'anima. E di colori che nessuno mai aveva fatto così. Che mai nessuno rifarà.

VI

Un quadro. Una visione. Tutta l'anima in una sola immagine. Tutta la vita in questi colori, in questi campi, in queste righe di pioggia, nel giallo e nell'azzurro. L'azzurro che diventa viola, un po' pallido e un po' no. Come sentire che l'anima respira e si lascia infine raccontare. Sì, qualcuno la può perfino raccontare, se chi le si avvicina, ama. E questo pittore ha amato, oltre ogni possibile approdo, oltre ogni verità. Oltre ogni vita, la sua e quella del mondo intero. Per cercare, per provare a trovare quella verità che fosse libera da ogni male. Per progredire nel cammino, per camminare nel deserto e nella neve. Per tentare ancora, per provare a tentare. E ha dipinto allora questo quadro, e lasciatemelo dire, che amo sopra ogni altro nella sua opera e con il quale, e soprattutto nel quale, questo libro e questa mostra si concludono. E non sarebbe potuto accadere diversamente, nella mia anima.

Paesaggio con la pioggia, Auvers, il suo titolo. Semplice, essenziale, come lo è l'incanto. Dipinto non più che dieci o quindici giorni prima che il pittore Vincent van Gogh lasciasse questa terra, assieme ad altre visioni orizzontali di campi di grano, nel sole o nell'ora che segue il temporale. Dipinto avendo in mente l'amato Hiroshige, e forse ripensando al bellissimo quadro che aveva realizzato nel 1887 quando si trovava a Parigi, rifacendo in pittura una delle xilografie più celebri dell'artista giapponese, *Ponte nella pioggia*, con i segni diagonali a indicare l'acqua che cade dal cielo. Forse anche tenendo a mente il tema di una delle poesie da lui più amate, *Il giorno di pioggia* di Henri Wadsworth Longfellow. L'ultima strofa apre a una possibile speranza:

Fermati, cuore triste! E smettila di lamentarti;
Dietro le nuvole il sole sta ancora splendendo
Il tuo destino è il destino comune a tutti
Nella vita di ognuno di noi deve cadere un po' di pioggia.
Alcuni giorni devono essere scuri e cupi.

Sono i giorni in cui il pittore cammina su e giù per le colline attorno a Auvers. Lo si può immaginare, un po' piegato su se stesso e affannato. Forse sa che saranno gli ultimi suoi passi nel mondo e per questo ha occhi che accolgono tutto del mondo, come quando non si vuole lasciare niente indietro di non visto. Tutto negli occhi e tutto nell'anima. Poi si ferma, si siede sulla sua piccola seggiola, sceglie il punto da cui partire per il nuovo viaggio e comincia a dipingere, «ma il pennello mi cadeva quasi di mano»: l'emozione ormai è troppa, l'anima preme per uscire dal corpo e andare altrove. Aveva detto, Seneca, cose non dissimili.

Alla madre e alla sorella, che sono in Olanda, scrive in quelle giornate di metà luglio come si senta e come viva questo sentimento estremo: «Io sono completamente immerso nella vasta pianura con i campi di grano contro le colline, senza confini, come un mare, di un giallo, di un verde tenero, delicato, il viola tenero di un pezzo di terreno zappato e sarchiato, con il verde delle piante di patate in fiore che forma un disegno a scacchi regolari, e tutto ciò sotto un cielo a tonalità delicate di azzurro, bianco, rosa e violetto. Sono di un umore fin troppo calmo, sono dell'umore adatto a dipingere questo.»

Dipingerlo ancora una volta, come farà in quelle ultime settimane a Auvers, con il desiderio di trasformare, dentro il potere di un colore straordinariamente nuovo, l'antica visione che gli veniva da Jacob van Ruisdael, da Van Goyen e da Koninck nell'Olanda seicentesca. Pittori che distendevano lo spazio di campi che correvano a perdita d'occhio verso l'infinito. E poi i cieli di Georges Michel, invece al principio del suo secolo, assieme ai grandi naturalisti di Barbizon. Ma tutto questo era grammatica, utile, ma pur sempre grammatica. E Van Gogh ha invece inventato una nuova lingua, che nessun altro ha parlato se non lui. L'esperanto dell'anima e del colore, e proprio per questo comprensibile da tutti, amato da tutti.

Perché poi bisogna camminarci su quelle, o queste, colline di Auvers, per capire fino in fondo. Per capire cosa sia l'estate lì, o qui, cosa sia il giallo del grano sotto il cielo, cosa sia questa ondulazione continua di orizzonti e piccole alture, di alberi e tetti di case. Cosa sia, soprattutto, farsi piccoli in mezzo all'oro del grano, e stare lì, o qui, nel canto delle cicale che non smette mai. Viene uno stordimento, un profumo sconosciuto e però udibile che si spande nell'aria, e si vedono sentieri che si inoltrano in piccoli boschi. Senza alcuna fatica, s'immagina il pittore camminare su questi sentieri e poi trovare un punto nel quale si protegga dalla pioggia che cade, mentre le colline si rovesciano in onde continue e sono dorsi d'animali, schiene di schiuma dorata e bianchi tetti di case come piccole balene spiaggiate.

La pioggia continua a cadere su tutto il giallo dei campi, continua a cadere azzurra e viola ritornando verso il cielo. Il pittore guarda e dipinge, non può fare altro che guardare e dipingere. Lui sente. Sente che in tutta quella vastità, in quell'essere insieme di giallo e d'azzurro, sgomitola un nero volo di corvi, ali che attraversano il cielo e i campi. E sono aria che li muove e li sposta, sopra il frinire d'insetti come un vasto magma di vita. Il pittore non aveva mai dipinto un quadro come questo, fatto tutto di bellezza e anima, fatto di tutte le cose della vita. Non aveva mai dipinto, insieme, con tale forza e con tale misura, l'essere e lo scomparire, il vento e un profumo, la prossimità e l'orizzonte, l'esito finale del destino. Il pittore lascia che la pioggia cada su di lui come cade sulla natura, diventati, insieme, una cosa sola tra il grano e l'onda.

(È venuta la fine di agosto, la scrittura è conclusa. In questa casa tra le colline, una volta ancora a scrivere di pittura e di vita. Non potrei fare diversamente, non ne sono capace. Bene o male che sia. In questa casa, dove tanto della mia vita è scorso. Venuta una volta ancora la fine di agosto, e ogni anno è qualcosa, ogni anno la fine di agosto. Le stagioni della vita. Ho parlato dell'anima e di Van Gogh. Ci ho provato. Ho cercato di parlare del cuore e dei suoi colori. Ho cercato, nelle parole, l'anima.)

Cison di Valmarino, agosto 2017

CATALOGO DELLE OPERE

Le schede critiche delle opere
sono state redatte da

Jos ten Berge *JtB*
Marco Goldin *MG*
Cornelia Homburg *CH*
Davide Martinelli *DM*
Teio Meedendorp *TM*
Aukje Vergeest *AV*
Robert Verhoogt *RV*
Silvia Zancanella *SZ*

VINCENT VAN GOGH
1. *Due zappatori (da Millet)*
ottobre 1880
matita e gesso nero su carta velina
mm 375 x 615
Otterlo, Kröller-Müller Museum
The Netherlands, inv. n. 119.703

«Se non sbaglio, dovresti avere ancora *Fatiche dei campi* di Millet. Saresti così gentile da prestarmelo per un po' di tempo e mandarmelo per posta? Sto lavorando ad alcuni grandi disegni da Millet […]. Ho interrotto il lavoro per scriverti e ho fretta di riprendere a disegnare.» Van Gogh scrisse queste parole il 20 agosto 1880 da Cuesmes nel Borinage a Théo nella prima lettera a noi nota, subito dopo la sua decisione di dedicarsi alla pittura (l. 156). Questa lettera e le seguenti testimoniano le costrizioni e la disciplina che Van Gogh si impose per imparare a disegnare. A 27 anni non era più tanto giovane e aveva molto da recuperare. Era particolarmente impaziente di dedicarsi al disegno di figure e molta parte del suo esercizio consisteva nel copiare i lavori di artisti che ammirava. Jean-François Millet, il pittore francese che si era dedicato a scene di vita contadina, era di gran lunga l'esempio più importante per Van Gogh. Delle dozzine di copie che eseguì da Millet tra l'agosto 1880 e il maggio 1881 solo pochi sono stati conservati in aggiunta al disegno di cui si tratta qui. Questo disegno, insieme all'*Angelus della sera (da Millet)*, si può datare con relativa sicurezza al mese di ottobre 1880. Van Gogh era stato a Bruxelles nella prima parte del mese. Lì aveva cercato di mettersi in contatto con Tobias Victor Schmidt, un commerciante d'arte che si era assunto la responsabilità della filiale locale della Goupil&Cie e che Van Gogh conosceva dai tempi in cui lui stesso lavorava da Goupil. Sperava che Schmidt potesse aiutarlo a trovare un artista nel cui studio avrebbe potuto prendere lezioni di disegno (l. 159, 15 ottobre 1880). In occasione di quell'incontro, Schmidt gli prestò due fotografie, come

si apprende dalla lettera datata 1° novembre (l. 160). «Disegnate *Les bêcheuses* da Millet, da una foto Braun, che ho trovato da Schmidt e che mi ha venduto insieme all'*Angelus della sera*. Ho mandato entrambi i disegni a papà così può sincerarsi del fatto che sto lavorando.» Quest'ultima affermazione è importante perché spiega probabilmente come mai i disegni sono stati conservati, e possono essere identificati con questo *Due zappatori* e con l'*Angelus*. Entrambi i fogli non sono firmati, ma mostrano le iscrizioni in inchiostro nero eseguite con la stessa mano: «d'après J. F. Millet» seguiti dal titolo. È certo che queste iscrizioni sono di mano dell'artista. Si tratta di due disegni grandi riusciti bene, che devono essergli piaciuti abbastanza da mandarli al padre.
La fotografia di *Due zappatori* da Ad. Braun & Co. si riferisce a un disegno di Millet del 1857 circa. Van Gogh ha disegnato con la matita, ma in parecchi punti ha applicato in seguito il gesso nero per marcare maggiormente i tratti, come si vede nello zappatore di destra, le pietre a destra e le ombre nel fondo. Ha seguito l'originale molto scrupolosamente, sebbene abbia lasciato più spazio sulla destra, creando così una composizione più allungata. Gli zappatori saranno un soggetto molto importante per Van Gogh; esiste un'altra versione di *Due zappatori* nella serie di quadri da Millet che realizzò a Saint-Rémy dal settembre 1889, per i quali chiese espressamente in una lettera a Théo di mandargli la fotografia del disegno (l. 807, 19 settembre 1889).
Il foglio di carta sul quale Van Gogh eseguì *Due zappatori* è piuttosto danneggiato e raggrinzito soprattutto lungo i bordi. La carta velina, estremamente fibrosa, è diventata marrone nel tempo. Questo potrebbe significare che in origine era blu, come la carta usata per *L'Angelus della sera*, anch'essa ormai marrone.

TM

VINCENT VAN GOGH
2. *Angolo di giardino*, giugno 1881
matita, gesso nero, penna e inchiostro, marrone e grigio acquarellati, acquerello opaco su carta vergata, mm 445 x 567
Otterlo, Kröller-Müller Museum
The Netherlands, inv. n. 115.487

Non sappiamo con esattezza in quale luogo di Etten Van Gogh abbia realizzato questo idilliaco *Angolo di giardino*. Probabilmente lavorò nel giardino della canonica, ma il materiale a questo proposito è scarso. La canonica venne demolita nel 1905 e i dintorni immediatamente circostanti subirono un cambiamento così drastico che somigliano ben poco a com'erano in precedenza. Van Gogh schizzò il disegno a matita, com'è ancora visibile. Gli alberi dello sfondo sono resi piuttosto frettolosamente con tutte le correzioni necessarie. Tratti caratteristici sono i segni marcati e le piccole righe usate per suggerire le foglie degli alberi contro il cielo. Van Gogh ha ripassato il disegno, specialmente la parte in basso, con penna e inchiostro. Ha realizzato gli elementi da giardino sotto il pergolato con una precisione estrema, così da farli emergere dallo sfondo con tratteggi eleganti alternati a tratteggi eseguiti più liberamente. Il colore è stato applicato con parsimonia in parecchi punti, un acquerello rosso-marrone e verde opaco molto diluito. Le foglie sul muro e nel pergolato sono stilizzate, simili a cuori spigolosi e cerchietti, quasi fossero piccole stelle bizzarre. Questa modalità di esecuzione delle foglie ricorda molto quella successiva a penna rossa del periodo di Arles e soprattutto di Saint-Rémy.
Il disegno si concentra su una scena semplice e romantica: un giardino con un pergolato contro un muro in pietra ricoperto di vegetazione, con pochi elementi d'arredo e nessuna figura. Tuttavia ci sono segni della presenza umana: il cesto in vimini, il tessuto a scacchi, e tra questi un gomitolo di tessuto.

Proprio per questo, il foglio sembra essere qualcosa di più di uno studio su un motivo scelto arbitrariamente. Forse Van Gogh intende riferirsi alla partenza di Willemien, la sorella più giovane, che aveva lasciato la casa dei genitori a giugno, con suo grande rammarico. Mrs Kröller-Müller legge in questo disegno un vuoto «psichico» e un'atmosfera sentimentale. In una lettera datata 28 marzo 1912 scrisse al suo confidente Salomon ("Sam") van Deventer con il tono istruttivo che caratterizza la sua scrittura: «Salomon, ora possiedi una comprensione maggiore del disegno di Van Gogh: la panchina, il tavolino e questo piccolo giardino silenzioso. Ora puoi immaginare due persone che si sono sedute lì, se ne sono andate da poco, non hanno colto niente eppure molto e hanno goduto del giardino in tutta la sua bellezza semplice ma grande. E dietro di loro la casa, che definisce lo sfondo di ciò che il giardino rivela. Guarda ancora una volta il disegno che mi è così caro e che contrasta così tanto con il sentire vigoroso tipico di tutti gli altri disegni di Van Gogh.»

Come spesso le accadeva, Mrs Kröller-Müller interpretava le composizioni in termini personali. Più precisamente: qui lei vedeva la panchina del giardino di Huize ten Vijver, la villa dei Kröller-Müller a Scheveningen, dove aveva parlato con Van Deventer e qualche volta aveva letto le sue lettere.

TM

VINCENT VAN GOGH
3. **Veduta di un bosco**, giugno - luglio 1881
matita, carboncino, penna e inchiostro,
acquerello bianco opaco su carta vergata
mm 416 x 548
Otterlo, Kröller-Müller Museum
The Netherlands, inv. n.116.781

Verso la fine di aprile 1881 Van Gogh tornò dai genitori a Etten. Qui si concentrò so-

prattutto sul paesaggio; non è rimasto niente invece dei suoi studi di attività agricole e di interni che gli servivano come esercizio per la prospettiva. All'inizio di giugno Anthon van Rappard andò a trovarlo e visitarono insieme i dintorni di Etten per trovare nuovi soggetti. Pochi paesaggi a penna e inchiostro sono databili a questo periodo.

Veduta di un bosco fu realizzato un po' di tempo dopo. Qui Van Gogh lavorò soprattutto con carboncino, applicandolo sopra uno schizzo a matita. Utilizzò penna e inchiostro diluito per enfatizzare maggiormente alcuni rami degli alberi. In tutti i punti in cui sembra esserci una mancanza di contrasto, aggiunse più luce alla composizione con l'acquerello bianco opaco, come nel cielo a sinistra e tra gli alberi. Egli illuminò anche la parte alta dei tronchi degli alberi, per farli risaltare contro lo sfondo. Mentre disegnava Van Gogh sfumò in certi punti il foglio ripetutamente.

In una lettera a Théo del luglio 1881 scrisse di aver fatto un disegno a Lesbos, un bosco situato tra Etten e Breda. Egli chiese anche al fratello di procurargli della carta Ingres bianca perché la scorta che si era portato da Bruxelles stava finendo. Due disegni a Etten di maggio e giugno 1881 furono fatti su carta vergata che portava il marchio ED&CIE, PL BAS, e quella carta sembra probabile che fosse quella che aveva preso a Bruxelles. La carta vergata usata per *Veduta di un bosco* ha il marchio H v I con un leone rampante rivolto a sinistra con sciabola e faretra. Sulla stessa carta eseguì anche *Angolo di giardino* e *La figlia di Jacob Meyer*. Probabilmente il disegno dal bosco di Liesbos può facilmente riferirsi a questo *Veduta di un bosco*. Dato che Van Gogh non usò più questo tipo di carta, è molto probabile che questi disegni siano tutti databili tra la fine di giugno e luglio 1881.

TM

VINCENT VAN GOGH
4. **La figlia di Jacob Meyer
(da Hans Holbein)**, luglio 1881
matita, penna e inchiostro nero su carta
vergata, mm 540 x 428
Otterlo, Kröller-Müller Museum
The Netherlands, inv. n. 128.492

Nell'agosto 1880, mentre si trovava a Cuesmes, Van Gogh scrisse una lettera a Hermanus Gijsbertus Tersteeg, direttore della filiale olandese della ditta francese Goupil&Cie e suo vecchio principale, chiedendogli se gli poteva prestare il corso di disegno *Exercises au fusain pour préparer à l'étude de l'académie d'aprés nature* (1871) di Charles Bargue. Tersteeg gli inviò non solo il libro richiesto ma anche un altro metodo d'insegnamento di Bargue: *Cours de dessin* (1868-1870) e altri libri sulla prospettiva e sull'anatomia. I lavori di Bargue erano stati pubblicati a Parigi da Goupil e Van Gogh probabilmente se ne ricordava, perché aveva lavorato nella ditta dal 1869 al 1876. Disegnare gli esempi di Bargue era come copiare il lavoro di Millet e di altri artisti. In circa due settimane Van Gogh aveva già disegnato 60 esempi da *Exercises au fusain*, esercizi a carboncino che consistevano nell'abbozzare il corpo nudo maschile. Avrebbe fatto lo stesso altre tre volte nel corso di un anno, commentando poi: «Uno studio attento e il costante ricopiare gli esercizi di Bargue al carboncino mi hanno dato più occhio nel disegnare la figura. Ho imparato a misurare, guardare e cercare le linee principali così, grazie a Dio, ciò che mi sembrava impossibile ora mi pare gradualmente fattibile.»

A Cuesmes copiò la prima parte del *Cours de dessin*, 70 stampe basate su modelli plastici (*Modèles d'après la bosse*). Quando andò a Bruxelles all'inizio di ottobre iniziò i 67 fogli della seconda parte del corso, intitolata *Modèles d'après les maîtres de toutes les époques et de toute les* écoles. Più di un terzo di questi erano litografie dall'opera di Hans Holbein il Giovane. Van Gogh lo copiò almeno due volte nel corso di un anno. Soltanto quattro suoi disegni, dopo il *Cours de dessin*, sono noti. Tre di questi sono tratti da Holbein, due basati su uno stesso soggetto, la figlia di Jacob Meyer. La riproduzione di Bargue del disegno realizzato con morbidi colori da Holbein di Anna Meyer nel 1526, è di buona qualità e rende l'originale con grande precisione. Van Gogh stesso se ne accorse quando lo disegnò e scrisse a Théo: «Questi Holbein nei *Modèles d'après les maîtres* sono splendidi. Ora che li sto disegnando, li sento molto più di prima. Ma ti assicuro non sono facili» (l. 160, 1 novembre 1880).

Van Gogh ne fece due disegni, il primo risale all'ottobre 1880 - aprile 1881 (F847); il secondo, successivo, è il disegno in esame. È diverso nell'esecuzione e nel carattere rispetto al primo. Van Gogh iniziò con uno schizzo schematico a matita sul quale lavorò poi con penna e inchiostro. Usò un pennino sottile, soprattutto per lo sfondo e per il viso della modella, e il risultato è un sottile reticolo di linee che lo rende simile a una litografia. I contorni, i capelli e alcuni dettagli sono realizzati con un pennino più spesso. L'originale viene rispettato scrupolosamente tranne che per la testa che ha un carattere suo proprio e appare meno somigliante a Anna Meyer. Van Gogh tralascia il fatto che i capelli, nell'originale, cadono a sinistra lungo il collo, così che la linea del mento risulta più in evidenza sopra il colletto dell'abito. Il naso è meno arrotondato, più lungo e conferisce alla ragazza un aspetto meno fine. L'artista sembra essersi allontanato intenzionalmente dall'originale. Per tipologia, questa figura pare accennare alle teste così caratteristiche che Van Gogh avrebbe disegnato all'Aia e a Nuenen. Van Gogh non traccia una cornice attorno alla composizione, questo perché aveva avuto dei problemi con lo sfondo tratteggiato che non era stato ripassato a penna nell'angolo in basso a destra. Mentre in Holbein i capelli di Anna toccano il margine del disegno, Van Gogh lascia un po' di spazio. Il lavoro a penna sottile e inchiostro denota una mano più sicura e suggerisce una datazione successiva al primo, quasi sicuramente all'estate 1881. Il foglio conferma questa datazione. In una lettera del luglio 1881, Van Gogh dice che a causa del gran caldo era stato costretto a lavorare in casa «copiando i disegni di Holbein dal

Bargue» (l. 169). Gli unici altri disegni conosciuti su carta vergata con la stessa filigrana (H v l, leone rampante rivolto a sinistra con sciabola e faretra) sono tre disegni che fanno parte della collezione Kröller-Müller, *Veduta di un bosco* (F903), *Angolo di giardino* (F902) e *Ritratto di Willemina Jacoba van Gogh* (F849), tutti databili giugno - luglio 1881.

TM

VINCENT VAN GOGH
5. ***Ritratto di Willemina Jacoba ("Willemien") van Gogh***, luglio 1881
matita e tracce di carboncino su carta vergata, mm 414 x 268
Otterlo, Kröller-Müller Museum
The Netherlands, inv. n. 122.414

La sorella di Van Gogh, Willemina – la famosa Wil delle lettere –, lasciò Etten nel giugno del 1881 per andare a lavorare prima a Weesp, quindi a Haarlem. Questo ritratto, basato su una fotografia, fu realizzato probabilmente in luglio. In parte su consiglio di Théo, il pittore cercò di «disegnare alcuni ritratti da fotografie», convinto che si trattasse di «un buon esercizio» (l. 169, luglio 1881). Benché la foto utilizzata da Van Gogh non sia sopravvissuta, le somiglianze tra questo disegno e un altro scatto fotografico di Willemien sono abbastanza sorprendenti, tranne gli occhi che sono forse l'elemento meno convincente. Al contrario, i capelli, raccolti severamente all'indietro con la riga nel mezzo, il mento arrotondato, la bocca e le orecchie un po' in fuori, posizionate un po' basse a lato del viso, tutto rivela una grande somiglianza. Willemien aveva solo 19 anni

quando lasciò Etten, ma nella fotografia usata come modello era probabilmente più giovane.

Il ritratto è eseguito con grande precisione e attenzione per i particolari, come ad esempio la pieghettatura della parte superiore della giacca o del cappotto. E tuttavia la composizione ha un aspetto piuttosto piatto e il soggetto del ritratto sembra un po' una bambola, senza dubbio perché Van Gogh non era abituato a lavorare da fotografie. Le tracce di carboncino che si possono a fatica riconoscere qua e là mostrano che Van Gogh iniziò con un semplice disegno. Quindi lavorò l'intero foglio con la matita, talvolta applicando una incisiva pressione (e difatti egli premette eccessivamente sulle pupille danneggiando la carta). Laddove la composizione minacciava di diventare troppo grigia e scura, come nella parte sinistra dello sfondo e la parte destra del collare, egli grattò via il lavoro a matita con un oggetto appuntito, creando linee sottili sulla carta.
Inizialmente i suoi disegni di teste e figure si basavano esclusivamente sul ricopiare gli esempi contenuti nel Bargue, o copie da Millet e altri artisti. Non aveva ancora abbastanza esperienza per lavorare con modelli veri, anche se Wil aveva posato per lui. Dopo l'estate del 1881, quando ricopiò entrambi gli Holbein contenuti in *Cours de dessin* di Bargue e tutti gli esempi dagli *Exercises au fusain* ancora una volta, egli iniziò a concentrarsi maggiormente sul disegno da modelli. Lavorare da una fotografia rimase un'esperienza circoscritta all'estate del 1881.

TM

VINCENT VAN GOGH
6. *Mulini a Dordrecht*
agosto - settembre 1881
matita, gesso nero e verde, penna,
pennello e inchiostro, acquerello opaco
su carta vergata, mm 257 x 598
Otterlo, Kröller-Müller Museum
The Netherlands, inv. n. 126.249

7. *Il mulino "De Oranjeboom",*
Dordrecht, agosto - settembre 1881
carboncino e matita su carta velina
mm 348 x 599
Otterlo, Kröller-Müller Museum
The Netherlands, inv. n. 122.956

Dopo aver trascorso, alla fine di agosto, un
po' di giorni all'Aia, e dopo aver incontrato Tersteeg e Mauve, Van Gogh si fermò
a Dordrecht perché, come spiegò a Théo,
«avevo visto un punto che volevo disegnare dal treno, una fila di mulini. Malgrado la
pioggia riuscii a terminarlo, e così mi rimane
almeno un piccolo ricordo della mia gita» (l.
171, 26 agosto 1881). Van Gogh conosceva bene quella zona, perché aveva lavorato
in una libreria a Dordrecht dal gennaio al
maggio 1877 e aveva fatto piacevoli passeggiate durante le ore libere «lungo l'argine
dove, nei pressi della stazione, si possono
vedere i mulini in lontananza.»
Il primo piano di *Mulini a Dordrecht* è occupato da un semplice steccato bianco, dietro
il quale, seguendo il sentiero, si vede una
piccola figura. Dalla metà del foglio verso
l'alto ci sono i mulini sotto un cielo grigio.
I due grandi mulini a sinistra, Het anker
(L'àncora) e De Jonge Ruiter (Il giovane
cavaliere) si trovano sul lato est della diga;
i mulini sul lato sud sono visibili tra essi. I
tre grandi mulini a destra e sopra lo stec-

cato, Willelm I, De kleine Noordsche boer
(Il piccolo fattore del nord) e De Zwaan (Il
cigno) sono nel lato nord. Altri due mulini
sono visibili all'orizzonte in lontananza a destra. Mentre tutti gli altri mulini sono stati
collocati in un sito identificabile e in giusta
relazione l'uno con l'altro, questi due sono
delineati in modo schematico e sono un po'
troppo grandi. Oggi non ci sono più. Forse
Van Gogh li ha aggiunti arbitrariamente per
bilanciare la composizione. Probabilmente
Van Gogh riuscì solo a fare uno schizzo a
matita *in loco*, sotto la pioggia. Prestò attenzione ai particolari lungo la linea dell'orizzonte mentre schizzava. Tra i mulini sono
visibili dei piccoli edifici sull'Oude Maas e
si riconoscono alcune ciminiere di fabbriche che presto avrebbero sostituito i mulini
stessi. Ampie porzioni di cielo, il campo e lo
sfondo sono di un colore marrone spennella-
to e acquerello diluito. Al cielo, ai mulini e
allo steccato sono stati aggiunti tocchi di acquerello bianco opaco e inchiostro e penna
alle ombre. Van Gogh aggiunse inoltre dei
tocchi di gesso verde e di acquerello rossiccio al campo e agli edifici. Così facendo realizzò in maniera convincente un panorama
olandese in una giornata nuvolosa in modo
piuttosto tradizionale.
Sulla strada per i "polder" (terreni bonifi-
cati) vicino al Papengat, non lontano dalla
stazione, Van Gogh passò vicino al mulino
noto come De Oranjeboom, l'"albero arancione". Il mulino e gli edifici accanto sono
resi nel secondo disegno in modo dettagliato. Una fotografia del 1860 mostra la stessa
scena da una diversa prospettiva. Proprio
dietro gli alberi sulla sinistra si intravede la
stazione, difficilmente riconoscibile come
tale; sullo sfondo, in gran parte occupato
dal canale che curva, si vede il mulino. Riflessi sull'acqua, il filare di alberi a sinistra e
il mulino a destra dividono in modo netto la
composizione. Le linee diagonali del canale
con i tratti a zig-zag che si perdono in lontananza creano una prospettiva dinamica.
L'effetto spaziale che si ottiene è simile a
quello dei disegni che Van Gogh avrebbe
fatto all'inizio del 1882 all'Aia, nei quali le
linee diagonali sono una componente importante. Il foglio mostra evidenti tracce di
un lavoro affrettato e quindi è possibile che
Van Gogh l'abbia realizzato sul posto. Segni di frettolosità sono evidenti nella resa
delle fronde degli alberi, veloci scarabocchi
realizzati con il gesso. In alcuni punti Van
Gogh ha calcato talmente con la matita che

sono rimaste sulla carta delle lacerazioni; in
altri punti è come se la carta fosse bagna-
ta, e dunque più facilmente danneggiabile,
mentre lui ci lavorava, specialmente la parte superiore. Ciò può costituire un'indicazione sul tempo con il quale Van Gogh ha
lavorato a Dordrecht.

TM

VINCENT VAN GOGH
8. *Donna che pela le patate*
settembre 1881
gesso nero, grigio acquarellato, acquerello
opaco su carta vergata, mm 301 x 228
Otterlo, Kröller-Müller Museum
The Netherlands, inv. n. 116.218

9. *Donna che pela le patate*
settembre - ottobre 1881
gesso nero, penna e inchiostro, grigio
e nero acquarellati, acquerello opaco
su carta vergata, mm 599 x 476
Otterlo, Kröller-Müller Museum
The Netherlands, inv. n. 119.162

A Etten Van Gogh andava talvolta a fare
visita a un giovane che disegnava e dipinge-

va ma che non viene menzionato nelle lettere. Si tratta di Jan Benjamin Kam (1860-1932), il figlio maggiore del reverendo Jan Gerrit Kam della vicina cittadina di Leur. Nel 1912 Jan B. Kam scrisse osservazioni interessanti sul suo rapporto con Van Gogh in una lettera inviata al critico d'arte Albert Plasschaert. Ad esempio, in una lettera a Van Rappard, Van Gogh scrive soltanto: «Ho trovato un numero di modelli sufficientemente disponibili» (l. 174, 12 ottobre 1881). In qualità di testimone oculare, Kam racconta come Van Gogh sia riuscito in quest'operazione: «Stava disegnando seminatori, in quel periodo, e voleva entrare nelle loro piccole case per disegnare le donne occupate nelle faccende domestiche. Costringeva le persone a posare per lui. Avevano paura di lui e la sua compagnia non era gradevole.» Così, i disegni di donne che lavorano in casa, come queste intente a pelare le patate, non devono essere stati realizzati in condizioni favorevoli. Il primo disegno somiglia molto a un altro che Van Gogh realizzò (*Donna che pela le patate*, F 1209), sempre conservato al Kröller-Müller Museum: la posizione delle donne è la stessa ed entrambe indossano una cuffia in garza. In una lettera, scritta a settembre (l. 172), Van Gogh fece un piccolo schizzo a penna di questa versione, rimanendo fedele alla composizione. Sulla sinistra, comunque, tracciò alcune linee che sono visibili anche nel disegno nello stesso punto, all'esterno della cornice. Dalla finestra si vede qualche albero spoglio che, nella seconda versione, viene sostituito da alcuni salici potati. Lo stesso filare di salici compare nello schizzo della lettera a Théo (l. 173, 12 ottobre); nel mese di ottobre, infatti, Van Gogh realizzò numerosi disegni nei dintorni di Leursestratje, circondati da salici.

Su questo soggetto Van Gogh realizza un altro disegno, *Donna che pela patate* (KM 119.162) in cui riesce a catturare in modo più convincente l'espressione della donna, anche se tutte le figure impressionano per le gambe troppo lunghe. Van Gogh aveva spesso dei problemi nel rendere le proporzioni delle figure in modo credibile, certamente prima di cominciare a usare fogli quadrettati e la cornice prospettica. Egli mostrò parecchi di questi disegni a Mauve che notò immediatamente che egli sedeva troppo vicino ai suoi modelli così che, in molti casi, gli era praticamente impossibile ottenere le giuste proporzioni. Sarebbe stato comunque

fisicamente difficile stare più distante perché le case in cui Van Gogh "forzava" i suoi modelli a posare erano estremamente piccole, come nota Kam.

TM

VINCENT VAN GOGH
10. *Falegname*, settembre 1881
carboncino e matita su carta vergata
mm 575 x 403
Otterlo, Kröller-Müller Museum
The Netherlands, inv. n. 128.912

La lettera che Van Gogh scrive a Théo subito dopo il suo ritorno dall'Aia mostra quanto importante fosse stata la visita del fratello (l. 171, 26 agosto 1881). Con grande entusiasmo descrive le opere viste alla VI esposizione Hollandsche Teeken-Maatschappij. Aveva mostrato a Tersteeg le sue ultime serie di copie dagli *Exercises au Fusain* di Bargue e Tersteeg gli aveva confermato dei progressi. Mauve seguiva i suoi disegni con interesse dandogli al contempo anche molti consigli. Aveva inoltre conosciuto Théophile de Bock, e ne aveva tratto l'impressione di un genuino temperamento artistico. «Così sono stato all'Aia», scrive «forse è l'inizio di un mio inserimento più serio tra gli altri artisti e Mauve.»

Una delle osservazioni sottolineatagli da Mauve era l'importanza di disegnare da modello, cosa che Van Gogh iniziò a fare nei mesi seguenti. Alla fine trovò dei modelli adatti (l. 172, metà settembre 1881). Oltre 35 fogli, collegabili a questi suoi tentativi, sono conservati al Kröller-Müller Museum. *Falegname* è forse uno dei primi risultati dei suoi esperimenti con il carboncino. Usò anche la matita ma soltanto per il colletto della

camicia. Le proporzioni sono alquanto disarmoniche: le mani, ad esempio, e la testa sono troppo grandi. Questo sarebbe stato un problema che Van Gogh avrebbe avuto ancora per parecchio tempo. Egli iniziò dalle linee fondamentali e quindi continuò a modellare il resto della figura, magra e poco convincente. Per svolgere il suo lavoro, il falegname deve tenere ben premuto il pezzo di legno con la mano sinistra per evitare che si muova; le gambe, leggermente separate, lo aiutano a mantenere bene l'equilibrio ma la tensione che l'insieme dovrebbe produrre sulla figura non è espressa con efficacia da Van Gogh.

TM

VINCENT VAN GOGH
11. *Uomo con il setaccio*, settembre 1881
matita, gesso nero, acquerello opaco
su carta vergata, mm 628 x 475
Otterlo, Kröller-Müller Museum
The Netherlands, inv. n. 122.479

Nel copiare liberamente dalle pagine del Bargue, Van Gogh prese l'abitudine di disegnare su ampi fogli di carta, come spiegò in seguito: «In generale per i miei studi ho bisogno della figura con delle proporzioni decisamente grandi, di modo che la testa, le mani e i piedi non debbano essere troppi piccoli e si possano disegnare con vigore. Così, per fare pratica utilizzo le dimensioni degli *Exercises au fusain* di Bargue come esempio; quella è la dimensione che si può afferrare tutta in un solo colpo d'occhio, senza che i dettagli siano troppo piccoli» (l. 290, 3 dicembre 1882). Queste misure corrispondono a quelle di un foglio mediogrande – cm 47 x 62 – sul quale ha disegnato *Uomo con il setaccio*, un foglio che ha conservato i margini originali.

La scena qui rappresentata è presa dal lavoro di spolatura: si scuotevano le sementi in un largo cesto, di solito in canna, così che la pula più leggera venisse portata via dal vento. Il setaccio disegnato che il contadino sta usando nel disegno per pulire le sementi è formato da due piani forati incastrati l'uno nell'altro. Le sementi rimaste sono visibili sopra e sotto il setaccio e sono realizzate con piccoli punti in gesso nero. L'anziano contadino è in piedi accanto all'entrata di una baracca nella quale sta per essere immagazzinata una fornitura di grano. Un posto piuttosto singolare dove mettersi a setacciare, a meno che un'opportuna e tempestiva corrente d'aria non avesse soffiato attraverso la porta d'ingresso per impedire alla pula di entrare nella baracca. Ma probabilmente Van Gogh era interessato esclusivamente alla posizione del contadino con il setaccio. Nel rappresentare la figura di profilo, Van Gogh evitò chiaramente il problema della prospettiva. Il disegno è realizzato soprattutto con matita e gesso nero, e quest'ultimo viene usato per rafforzare energicamente i contorni. Van Gogh colorò le maniche della camicia con un acquerello blu opaco diluito e nel fare ciò versò una striscia di colore, scivolata a sinistra dal centro vicino alla porta fino all'angolo più basso del foglio. Il vecchio contadino – il modello Cornelis Schuitemaker – ha una postura rigida, sembra appena girato verso lo stipite della porta. Nell'insieme è comunque una figura ben proporzionata, malgrado il braccio sinistro sia eccessivamente lungo. Van Gogh deve aver cercato supporto per le proporzioni nelle linee trasversali della porta aperta. In una lettera a Théo fece un piccolo schizzo di questo disegno.

TM

VINCENT VAN GOGH
12. **Zappatore**, settembre 1881
gesso nero, grigio acquarellato, acquerello opaco su carta velina, mm 445 x 337
Otterlo, Kröller-Müller Museum
The Netherlands, inv. n. 126.211

13. **Zappatore**, settembre 1881
gesso nero, lavatura, penna e inchiostro diluito, acquerello opaco, tracce di carboncino su carta vergata
mm 515 x 310
Otterlo, Kröller-Müller Museum
The Netherlands, inv. n. 121.662

«E adesso devo disegnare zappatori, seminatori, uomini e donne che arano, senza tregua», scrive Van Gogh a Théo verso la metà di settembre del 1881, «studiare e disegnare ogni cosa che fa parte della vita di campagna, proprio come altri hanno già fatto e stanno facendo» (l. 172). Van Gogh illustra questa lettera con una grande quantità di schizzi dei disegni ai quali stava lavorando in quel momento. Era avvenuto un cambiamento nel suo disegno, scrive, in parte anche grazie ai consigli incoraggianti di Mauve. Copiando senza sosta gli esempi dal Bargue, egli «aveva imparato a misurare, a vedere e a cercare le linee generali.» E ora che aveva anche trovato dei modelli appetibili poteva scrivere a Théo: «Ho disegnato un uomo con una spada, che è un "becheur", per cinque volte in molte posizioni [...]. La dimensione delle figure è circa la stessa di quelle degli *Exercises au fusain*.» Egli acclude schizzi del primo *Zappatore*; il secondo *Zappatore* è molto simile al primo e probabilmente è stato realizzato nello stesso periodo. Van Gogh si servì dello stesso modello per entrambi i disegni: il settantenne Piet Kaufmann, che lavorava anche come giardiniere per il reverendo Van Gogh. I due disegni sono eseguiti per lo più con la stessa tecnica. Van Gogh aveva acquistato il gesso nero conté, e si era portato dall'Aia matite e un supplemento di carta. Nella lettera al fratello sopra citata scrive di aver iniziato a introdurre «il pennello e lo sfumino» nei disegni e di lavorare anche «con un po' di seppia e inchiostro e di tanto in tanto con un po' di colore.» In questi disegni il gesso nero è comunque dominante. L'uso cauto del colore è particolarmente evidente nel ricorso all'acquerello opaco, sia molto diluito sia più denso in alcuni punti. Le lavature sono fatte con il pennello e l'acqua o con inchiostro diluito. In numerosi disegni di figura di questo periodo Van Gogh sembra aver lavorato con il gesso nero su uno schizzo frettoloso eseguito a carboncino.

La luce in questi studi di figura non è sempre coerente. Lo zappatore che toglie le erbacce dal suolo è illuminato da sinistra, come dimostra l'ombra del suo corpo. Ma le ombre sul terreno vicine ai suoi zoccoli suggeriscono una fonte luminosa proveniente da destra. Nell'altro disegno, l'ombra dell'impugnatura della zappa si vede chiaramente lungo la gamba della figura e le altre ombre sul corpo mostrano che la luce giunge in diagonale da sinistra. Ma le ombre accanto agli zoccoli ancora una volta dimostrano che la fonte luminosa proviene dall'altra parte, anche se dopo Van Gogh indica la corretta incidenza della luce con poche linee. Un curioso particolare di questo disegno è che la mano sinistra sembra avere sei dita.

L'utilizzo di persone come modelli per questi disegni era un costo aggiuntivo per Van Gogh poiché pagava le persone che posavano per lui. Le spese erano a carico di Théo, che lo aiutava economicamente (come all'inizio aveva fatto il padre). Van Gogh sperava di poterlo ricompensare vendendo alcuni suoi lavori, poiché credeva che i disegni di figura fossero facilmente appetibili sul mercato, ed era certo di aver compiuto dei progressi. Questo suo ottimismo derivava dalle critiche stimolanti che aveva ricevuto all'Aia, ma non solo. Quell'estate si era innamorato della sua cugina più grande Kee Vos, che aveva soggiornato presso la famiglia Van Gogh a Etten con il suo bambino. «Da quando l'ho incontrata sono migliorato molto nel mio lavoro», scrive in una lettera nella quale rivelava i suoi sentimenti per Kee a Théo per la prima volta (l. 179, 3 novembre 1881).

TM

VINCENT VAN GOGH

14. *Seminatore*, settembre - ottobre 1881
carboncino e gesso nero
su carta vergata, mm 559 x 332
Otterlo, Kröller-Müller Museum
The Netherlands, inv. n. 117.520

15. *Seminatore con cesto*, settembre 1881
matita nera, marrone e grigio acquarellati, acquerello opaco illuminato con acquerello opaco bianco su carta vergata
mm 620 x 473
Otterlo, Kröller-Müller Museum
The Netherlands, inv. n. 116.463

Quando Van Gogh stava studiando per diventare predicatore, scrisse al fratello che desiderava diventare «seminatore della parola», un'allusione alla parabola di Cristo che sparge le sue parole tra la gente come fossero sementi (Matteo 13:2-9, 18-23). Sebbene Van Gogh come artista avrebbe abbandonato la fede dei padri, c'è spesso un sottofondo religioso (una sorta di religione naturale) nelle sue rappresentazioni della vita contadina. Nella sua visione, seminatori, mietitori, scavatori e ogni altro tipo di lavoratore hanno un posto nel ciclo eterno della vita; in una lettera a Emile Bernard, ad esempio, considera il seminatore e il fascio di grano simboli di vita eterna. Secondo Van Gogh l'artista che comprese e rappresentò al meglio tutto questo fu Jean-François Millet. Il suo giovane contadino con la mano piena di sementi, con il movimento fluido del braccio, dipinto in *Il seminatore* (1850) divenne un simbolo e una posa copiata spesso nel corso del XIX secolo. Van Gogh non aveva mai visto il quadro ma lo conosceva grazie a una riproduzione che aveva copiato cinque volte in rapida successione nel Borinage con la seguente motivazione: «Sono completamente immerso in questa figura» (l. 157, 7 settembre 1880). Unica copia rimasta di questa incisione è datata aprile 1881 (F830, Van Gogh Museum). Dei due disegni in esame solo il primo, ritratto di lato, è basato su Millet. Malgrado non ci siano paragoni tra il seminatore di Millet e questo di Van Gogh, comunque l'atto della semina è reso chiaramente. La figura è stata osservata attentamente e il braccio destro intento a seminare è reso in modo convincente. Molte correzioni sono visibili attorno alla testa e lungo le gambe. Van Gogh si concentrò sulla posa tipica della figura, enfatizzò le linee con il gesso nero, premendo talmente che i

segni sono chiaramente visibili anche sul retro del foglio. In *Seminatore con cesto* manca il movimento presente nell'originale di Millet. Van Gogh fece degli schizzi di questi due disegni in una lettera a Théo del settembre 1881 (l. 172), così che possono essere datati con certezza a quello stesso mese. Gli schizzi furono fatti prima di finire i disegni perché ci sono importanti differenze, specie nel modo in cui è trattato lo sfondo. Lo stesso seminatore – per il quale probabilmente posò il vecchio Schuitemaker – è ricoperto con acquerello marrone e poi rimarcato con il bianco opaco. Anche il cielo dello sfondo è illuminato dal bianco. Il blu originario della carta si è deteriorato negli anni ed è diventato marrone. Sebbene Van Gogh con questi due disegni intendesse realizzare qualcosa di più di due semplici studi, essi in realtà vanno considerati tali. L'artista sapeva che avrebbe dovuto fare ancora molta pratica per realizzare dei disegni convincenti e originali. Questo è evidente dalla corrispondenza con Van Rappard che, dal canto suo, richiamava spesso l'attenzione di Van Gogh sulla sua insufficienza tecnica. Van Gogh era certamente toccato dalle sue critiche e dopo avergli inviato gli schizzi del *Seminatore*, così rispose alle sue osservazioni: «Il tuo commento sulla figura del seminatore – e cioè che non è un seminatore, ma un modello che posa come un seminatore – è vero», scrisse; ma proseguì: «comunque considero questi miei studi semplicemente come studi dal modello; non hanno la pretesa di essere nient'altro. Solo tra uno o due anni avrò conquistato l'abilità di disegnare un seminatore che semina; quindi sono d'accordo con te» (l. 176, 15 ottobre 1881). Sei mesi prima aveva spiegato a Théo che questi studi dovevano essere considerati come «le sementi che produrranno nel tempo i disegni.» Ma questo naturalmente non gli impediva, ogni tanto, di progettare un soggetto in modo più dettagliato; con questa risposta, dunque, Van Gogh si mette al riparo da ulteriori critiche.

TM

VINCENT VAN GOGH
16. *Stradina con salici potati*
ottobre 1881
carboncino e gesso nero su carta vergata
mm 438 x 592
Otterlo, Kröller-Müller Museum
The Netherlands, inv. n. 121.986

«Sai che cos'è davvero bello in questi giorni?» scrive Van Gogh a Van Rappard il 12
ottobre 1881 «la stradina che porta alla stazione e a Leur con quei vecchi salici potati; eccoti un disegno a seppia. Non so dirti
quanto sono belli questi alberi adesso. Ho
fatto circa 7 grandi studi di alcuni tronchi.»
Stradina con salici potati potrebbe essere uno
di questi studi. Per eseguirlo Van Gogh si sistemò vicino al passaggio a livello dalla parte
di Leur, lungo la linea ferroviaria di Roosen-
daal-Breda che fu costruita nel 1884-1885.
Lavorò con gesso nero su uno schizzo preliminare a carboncino che sfumò un po'. Gli
alberi in particolare sono osservati con grande precisione. Dopo un periodo intenso dedicato allo studio della figura, aveva imparato a
concentrarsi meglio sui soggetti, cosa che gli
fu di grande utilità per il disegno dei paesaggi.
«Se si disegna un salice come fosse un essere vivente, cosa che dopotutto è» scrive a
Théo «tutto il resto viene con facilità. Basta
concentrare tutta l'attenzione su quell'unico
albero finché si riesce a infondergli la vita» (l.
175, 12-15 ottobre 1881). Qui gli alberi s'in-
nalzano dal ciglio che è separato dalla strada
da una linea chiara. Essi si ergono fianco a
fianco, proprio come fossero cinque distinte caratterizzazioni: uno sottile, uno grosso,
uno un po' più ricurvo, l'altro con una fessura nella corteccia, mentre i loro rami spogli
marcano il cielo come vene.
È evidente come per Van Gogh figure e paesaggio fossero intimamente collegati; all'Aia,
ad esempio, un filare di salici potati gli farà
venire in mente una processione di vecchi
"orfani".

VINCENT VAN GOGH
17. *Uomo con la scopa*, ottobre 1881
gesso nero, carboncino, acquerello opaco
su carta vergata, mm 557 x 277
Otterlo, Kröller-Müller Museum
The Netherlands, inv. n. 113.062

Uomo con la scopa è uno studio di figura nel
quale Van Gogh crea uno sfondo, dando
così al disegno un carattere più indipendente rispetto agli altri. Con poche svirgolate di
carboncino e gesso egli trasforma lo spazio
che circonda l'uomo che scopa in una strada
con qualche albero. Questo è ravvisabile anche nei passaggi ad acquerello che poi applicò, seguendo attentamente i contorni della
figura nel suo lungo cappotto nero.
La figura stessa è tratteggiata per lo più con
gesso nero, con alcuni accenti luminosi in acquerello bianco opaco. La posa è realizzata
correttamente: non è troppo rigida come negli studi precedenti. L'anziano signore sembra completamente assorto in ciò che sta facendo. Il foglio è stato tagliato in alcuni punti,
perciò la scopa non è visibile interamente.
Van Gogh utilizzò questo studio per una
composizione più grande di una strada di Etten, punteggiata di salici (*Strada a Etten*, 1881,
The Metropolitan Museum of Art). Numerosi
studi di figura di questo periodo furono pen-
sati da Van Gogh per questo fine, ma *Uomo
con la scopa* è l'unico esempio sopravvissuto di
questo suo modo di concepire il disegno, che
avrebbe usato più spesso in seguito.

VINCENT VAN GOGH
18. *Uomo che legge accanto al focolare*
ottobre - inizio novembre 1881
gesso nero, carboncino, grigio acquarellato,
acquerello opaco su carta vergata
mm 457 x 561
Otterlo, Kröller-Müller Museum
The Netherlands, inv. n. 128.322

19. *Donna accanto al focolare*
ottobre - novembre 1881
matita, gesso nero, lavatura, acquerello
opaco su carta vergata, mm 452 x 623
Otterlo, Kröller-Müller Museum
The Netherlands, inv. n. 116.182

20. *Giovane donna accanto al focolare*
ottobre - novembre 1881
gesso nero, carboncino, grigio e marrone
acquarellati, acquerello opaco, gesso blu
e bianco, penna e inchiostro su carta
vergata, mm 448 x 578
Otterlo, Kröller-Müller Museum
The Netherlands, inv. n. 112.562

21. *Donna che allatta con bambino*
ottobre - novembre 1881
gesso nero, carboncino, lavatura, acquerello
opaco su carta vergata, mm 452 x 592
Otterlo, Kröller-Müller Museum
The Netherlands, inv. n. 128.395

I disegni che Van Gogh realizza negli interni delle case di Etten mostrano spesso figure
sedute accanto al focolare. Nel XVI e nel
XVII secolo, la rappresentazione di un vecchio o una vecchia seduti accanto al focolare
alludeva spesso a una scena invernale. Nel
XIX secolo artisti come Jozef Israëls dipingevano simili scene ma erano soprattutto
intenzionati a raffigurare realisticamente le
misere condizioni di vita della gente comune. Ciò esercitò notevole interesse in Van
Gogh, che era un ammiratore di Israëls,
come è evidente dal disegno *Uomo che legge*,
uno dei pochi lavori realizzati a Etten, al
quale diede un titolo inglese: *Worn out*. Nel
settembre 1881 scrisse a Théo di avere finalmente disegnato «un vecchio contadino
malato su una sedia accanto al fuoco con la
testa tra le mani e gomiti sulle ginocchia» (l.
172). Prese il titolo da un quadro nel quale
era raffigurato un uomo esausto di Thomas
Faed, che conosceva in riproduzione. Come
disse in seguito, il modello per questo «vecchio contadino malato» era Cornelis Schuitemaker, lo stesso che posò per *Uomo che legge
accanto al focolare*. Ci sono notevoli corrispon-
denze tra i particolari nello spazio attorno
al focolare sia in questi due disegni che in
Donna accanto al focolare. Questo fa pensare
che Van Gogh avesse iniziato o realizzato
questi disegni nella casa di Schuitemaker e
della moglie, Johanna van Peer a St. Wille-
brord, un piccolo villaggio a ovest di Etten,
conosciuto a quel tempo come "het Heike",

"brughiera". Sappiamo da altre fonti che lì
Van Gogh portò a termine molti lavori. Nel
1930, in una lettera indirizzata al direttore
della Kröller-Müller Foundation, un certo
A. Mijs scrisse che era molto interessato a
una riproduzione vista nella rivista «Wereld-
kroniek» del 20 luglio 1929: *Uomo che legge
accanto al focolare*, perché è sicuro di aver riconosciuto Schuitemaker, «l'unico protestante
che abitava a "het Heike" […] che come sol-
dato, era stato lì nel 1830 e nel 1839 e aveva sposato una donna, R.C. Mio padre era
ministro di culto a Etten, dopo il reverendo
Van Gogh. Perciò Schuitemaker veniva di
tanto in tanto a trovare mio padre e lo sentii
raccontare che Vincent van Gogh andava
spesso a casa sua per ritrarre lui e la moglie
[…]. Posso ancora vedere i suoi capelli grigi
e ispidi vicino alle orecchie e la faccia larga.»
Al di là della sua testa così particolare, c'e-
rano anche altre ragioni più filantropiche
per le quali Van Gogh decise di usarlo come
modello. Grazie al pittore, Schuitemaker
poteva beneficiare della piccola somma che
riceveva per posare: dall'inizio di settembre
del 1881 la coppia viveva grazie a un misero
sussidio raccolto dai parrocchiani di Etten,
Hoeven e Oudenbosch.
I capelli grigi e ispidi e l'ampia faccia sono
visibili in *Uomo che legge accanto al focolare*. Il
disegno potrebbe essere il pendant di *Donna
accanto al focolare*, dove Van Gogh avrebbe
potuto ritrarre la moglie di Schuitemaker.
Van Gogh potrebbe essersi riferito a questi
due disegni in una lettera a Van Rappard,
scritta poco dopo la sua visita di fine ottobre:
«Ho disegnato un ragazzo che taglia l'erba
con un falcetto e poi un uomo e una donna
accanto al fuoco» (l. 178, 2 novembre 1881).
Ma potrebbe anche riferirsi a un unico disegno con insieme un uomo e una donna.
Donna che allatta con bambino è una composizione inusuale per Van Gogh a Etten, dato
che, generalmente, i suoi disegni di figure
rappresentano una singola persona (uomo,
donna, bambino), occupati in qualche attività o lavoro. Qui la donna sta allattando
un bambino. Ai suoi piedi un bambino più
grande sta giocando con quello che sembra
un cesto pieno di frutta. Il disegno ha come
tema principale la maternità e la famiglia e
nella sua goffaggine è comunque un disegno
toccante. Non si può non notare comunque
come il pittore abbia difficoltà, ad esempio,
con la prospettiva dell'angolo dietro la culla: le due pareti avrebbero dovuto formare
un angolo retto e invece sembrano contigue

come se si trattasse di una parete unica. A
uno sguardo più attento si nota che la donna
– dai lineamenti un po' spigolosi, l'espressione della bocca piuttosto severa e la testa
sproporzionatamente grande – sembra occupare lo spazio in modo assente, come se
non fosse minimamente coinvolta in quello
che sta facendo. È possibile che Van Gogh
volesse sottolineare la condizione triste, senza speranza di una povera e giovane famiglia
ma è anche possibile che avesse in mente
Kee e se stesso. Una foto ritratto di Kee Vos
mostra una notevole somiglianza soprattutto
nella stessa fronte alta, spigolosa, la linea dei
capelli, la bocca e la forma dello zigomo. È
impossibile che Kee avesse posato per Van
Gogh, ma il pittore potrebbe aver usato una
fotografia. *Donna che allatta con bambino* è stato
senza dubbio disegnato da una modella del
Brabante, nell'interno di una piccola e umile casa, ma Van Gogh modificò i lineamenti
di questa donna con quelli della cugina. Potrebbe aver desiderato raffigurare la scena
di una situazione che aspirava a vivere nella
realtà.

TM

JOZEF ISRAËLS
22. *Giovane donna che cuce*, 1880 circa
olio su tela, cm 83,5 x 58
L'Aia, Collection Gemeentemuseum
The Hague

Nato a Groninga nel 1824 da un'umile famiglia ebrea, Israëls studia disegno all'Accademia Minerva. Dal 1842 prosegue la sua
formazione ad Amsterdam, dove è affascinato dagli scenari romantici di Ary Scheffer,
maestro olandese noto a Parigi; a Parigi,
dove frequenta lo studio di François Picot; a

Düsseldorf, quindi a Parigi una seconda volta. In questo suo ultimo soggiorno scopre la pittura *en-plein-air* e la Scuola di Barbizon. È un incontro determinante per la sua pittura. Se infatti all'inizio della sua carriera, Israëls predilige il genere allora alla moda della pittura storica, nel 1855, dopo le visite a Düsseldorf, Oosterbeek, Parigi e Barbizon, la sua ricerca subisce dei notevoli cambiamenti soprattutto nella scelta dei temi. Affascinato dalle raffigurazioni di pescatori della Scuola di Düsseldorf e dalle scene di vita contadina di J.-F. Millet, abbandona la pittura storica e si dedica alla rappresentazione della vita quotidiana, voltando le spalle, di fatto, alla tradizione accademica. Inizia a dipingere scene di genere olandesi. In seguito, nel 1900, scriverà a questo proposito: «Quando ho capito che la pittura storica non mi stava aiutando a realizzare un'arte reale perché non era basata su una sensazione diretta della natura, ho iniziato a cercare i miei modelli in e intorno a Zandvoort e studiare interni locali e il mare.» Nel 1863 sposa Aleida Schaap; la coppia ha due figli, Mathilde e Isaac. La serenità domestica e l'amore materno diventano anch'essi tema frequente dei suoi quadri. Nel 1872 si trasferisce con la famiglia all'Aia, dove si afferma come uno degli esponenti di spicco della Scuola dell'Aia, e dal 1875 al 1878 è presidente dell'Associazione artistica Pulchri Studio.

Negli anni settanta inizia a utilizzare pennellate più ampie, contrasti marcati tra luce e ombra e a creare ombre più trasparenti. Allo stesso tempo, la sua tavolozza acquista una freschezza nuova poiché elimina progressivamente i dettagli narrativi per concentrarsi completamente sull'atmosfera.

Nei suoi lavori compaiono ora le famiglie dei pescatori di Katwijk, Zandvoort e Scheveningen e le case in cui vivevano, mentre l'artista non manca di sottolinearne la povertà, che era un elemento reale della vita di quelle comunità, e la solitudine (*Invecchiare, Solo a mondo, Pasto caldo*). Ma non mancano scene di grande tenerezza come i quadri con i bambini sulla spiaggia, per cui l'artista è giustamente famoso.

Israëls era molto apprezzato da Vincent van Gogh, che ne ammirava i soggetti e la tavolozza; nei quadri di Israëls riconosceva la natura, la verità e la realtà: «Un quadro di Mauve o di Israëls parla di più e più chiaramente della natura stessa», scrive a Théo. Van Gogh ne studia attentamente la produzione: nel suo primo quadro famoso i

Mangiatori di patate si rifà alla prima versione del dipinto di Israëls, che ritrae una famiglia di contadini seduta a tavola, *Un magro pasto* (1876). Anche nella scelta di soggetti femminili dei suoi disegni è avvertibile l'influenza di Israëls; le molte donne sedute accanto alla finestra sembrano richeggiare questa *Giovane donna che cuce*, realizzato solo pochi anni prima.

In questo quadro di Israëls la semplicità della figura intenta al suo lavoro si armonizza delicatamente con le tonalità e le luci create dal pittore. È con quadri come questo – una semplice scena sentimentale eseguita in un sapiente chiaroscuro di marroni e grigi – che Israëls, sia per le atmosfere sia per lo stile, conquista l'appellativo di "nuovo Rembrandt".

Nel 1880 Joham Gram, in *Onze schilders in Pulchri Studio* (*I nostri pittori nel Pulchri Studio*), così descrive Israëls: «Ed ecco Jozef Israëls, i cui dipinti, come un critico francese si espresse molto felicemente, sono dipinti di ombre e di dolore. Con il suo leggero accento di Groninga e i gesti vivaci affermava che il romanzo storico e la pittura storica avrebbero perso la loro importanza, poiché la fantasia e la superstizione avrebbero dominato la realtà. Secondo il suo punto di vista, l'uomo, per poter raffigurare in uno scritto o in un dipinto, in modo convincente e interessante quanto vede attorno a sé, deve esserne testimone. Con la mano destra continuava ad avvicinare le lenti agli occhi, quasi a sottolineare l'efficacia delle proprie parole. Israëls è un piacevole *causeur*, ama la letteratura, legge tutte le opere importanti, in poche parole è un uomo colto.»

SZ

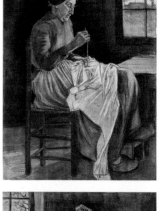

VINCENT VAN GOGH
23. ***Donna che cuce***
ottobre - novembre 1881
gesso nero e acquerello opaco
su carta vergata, mm 620 x 472
Otterlo, Kröller-Müller Museum
The Netherlands, inv. n. 122.653

24. ***Donna che cuce***
ottobre - novembre 1881
gesso nero, grigio acquarellato e acquerello opaco su carta vergata, mm 597 x 448
Otterlo, Kröller-Müller Museum
The Netherlands, inv. n. 115.250

25. *Donna che cuce e gatto*

ottobre - novembre 1881
gesso nero, lavatura, acquerello opaco
e gesso bianco su carta vergata
mm 593 x 452
Otterlo, Kröller-Müller Museum
The Netherlands, inv. n. 127.980

La visita di Van Gogh alla cugina per il suo matrimonio con l'artista Anton Mauve ebbe delle conseguenze sul suo lavoro. Segnò la fine della sua passione nel copiare Bargue, Millet e altri autori. Van Gogh iniziò a usare materiali differenti, dando priorità al disegno direttamente da modello e lavorando di più con il colore. Mauve provò a convincerlo a dipingere a olio e si accordarono che quando Van Gogh avrebbe avuto un buon numero di nuovi studi si sarebbero risentiti. Van Gogh trasse nuova ispirazione per l'autunno; era impaziente di mostrare a Mauve i suoi progressi e Mauve è citato in tutte le lettere di ottobre e novembre. «Mauve mi ha dato coraggio quando ne avevo bisogno» scrive a Van Rappard, «è un uomo di genio» (l. 176, 15 ottobre 1881). Mauve si sarebbe dovuto recare a Etten in autunno ma per una serie di motivi, tra i quali una malattia, questo incontro non ebbe luogo. I consigli di cui Van Gogh aveva più bisogno erano certamente legati all'uso del colore. Se voleva realizzare cose appetibili, doveva impratichirsi di più con la tecnica dell'acquerello, per il semplice fatto che i disegni a colori erano più richiesti. Non solo Mauve, ma anche Théo lo consigliava in tal senso (l. 202, 22 gennaio 1882) e anche lo "zio Cent", il commerciante d'arte Vincent van Gogh che viveva a Prinsenhagen, non lontano da Etten. Lo zio aveva anche detto, come scrive Van Gogh, che «se avessi realizzato dei disegni un po' più piccoli di quelli fatti durante l'estate e con più colore, me li avrebbe acquistati» (l. 204, 13 febbraio 1882). Come si può vedere in questi lavori di donne impegnate nel cucito, l'uso dell'acquerello è ancora limitato al colorare un disegno eseguito prima a matita, gesso o carboncino. Van Gogh non usava l'acquerello da solo; lo farà all'Aia, seguendo l'insegnamento di Mauve, tre mesi dopo la sua prima visita. In qualità di autodidatta, Van Gogh era incuriosito dal lavoro degli altri. Quando vide Van Rappard alla fine di ottobre, gli chiese esplicitamente di portare alcuni acquerelli. Dopo questa breve visita scrisse a Théo: «Rappard è stato qui e ha portato alcuni ottimi acquerelli. Spero

che Mauve venga presto altrimenti andrò io da lui. Disegno moltissimo e mi pare di fare progressi, ora lavoro più di prima con il pennello. Fa molto freddo in questo periodo e così lavoro quasi esclusivamente in casa, e mi dedico agli studi di figura: una donna che cuce, una donna che intreccia cesti» (l. 179, 3 novembre 1881).

I grandi disegni delle donne intente a cucire sembrano collegati a questo fatto e potrebbero essere stati realizzati nel periodo della visita di Van Rappard. Nei due lavori *Donna che cuce* (F1221) e *Donna che cuce* (F885) è ritratta una donna anziana con un copricapo marrone e degli zoccoli con le punte rivolte all'insù, presenti in molti altri disegni. La donna è raffigurata dal lato sinistro e da quello destro della stessa tavola. Gli alberi e i cespugli visibili dalla finestra in lontananza sottolineano chiaramente i colori autunnali. Il terzo disegno, *Donna che cuce e gatto*, è quello realizzato in modo più accurato. Se confrontata con gli studi del periodo, la giovane donna qui ritratta presenta un segno più morbido e tutto l'insieme arricchisce questo disegno di un fascino che invece manca ai due precedenti. Le solite imperfezioni nelle proporzioni sono meno evidenti, sia per l'eccellente uso di colori semplici, sia per la maggiore attenzione ai particolari. Solo le proporzioni della sedia, la cui gamba destra è piuttosto lunga mentre non è visibile sul lato sinistro, evidenziano il fatto che le gambe della modella sono in qualche modo troppo corte. La donna siede accanto al focolare dove bolle una grande pentola. Dietro, sulla parete, è visibile il forno. La donna è illuminata e la parte superiore del corpo getta un'ombra sul muro a destra dietro di lei, distaccandola dallo sfondo. La firma in basso a sinistra, che Van Gogh ripassò in gesso nero, indica che il pittore era soddisfatto del risultato.

Le donne intente in faccende domestiche erano un soggetto popolare tra gli artisti della Scuola dell'Aia e Van Gogh seguì il loro esempio. È rilevante il fatto che proprio in questo periodo egli citasse in una lettera a Van Rappard il poema di Thomas Hood *The Song of the Shirt*, nel quale si denunciano le condizioni di vita e di lavoro delle cucitrici (inglesi) che lavoravano a casa lunghe ore per un esiguo compenso. Non è chiaro se Van Gogh avesse in mente di rendere un simile realismo sociale nei suoi disegni; le attività che raffigura sembrano piuttosto le normali attività dei contadini. Tuttavia c'è

qualcosa di confortevole in *Donna che cuce e gatto*, dove il gatto, apparentemente contento, sta accovacciato ai piedi di una giovane donna. Il profilo dell'animale è fatto molto bene, frontale e leggermente dall'alto. L'acquerello è stato applicato sul bianco, che poi è stato intensificato con del bianco opaco. Anche se spesso i gatti venivano raffigurati insieme a donne occupate in attività domestiche, questo è l'unico esempio in Van Gogh, che pure raccoglie molti disegni di donne che cuciono o lavorano a maglia, ma nei quali non ci sono quasi mai animali domestici. La resa del gatto così rifinita sembra far pensare, in questo caso, che Van Gogh abbia lavorato basandosi su qualche esempio e Van Rappard sembra aver avuto una parte in tutto ciò. Uno dei suoi album rimasti contiene parecchi schizzi a penna di gatti che mostrano una qualche somiglianza, sia nella posizione che nella realizzazione, con questo di Van Gogh. Il grosso gatto sulla sinistra del foglio dell'album è più o meno delle dimensioni di quello disegnato qui. Quello di Van Gogh ha il musetto girato a sinistra proprio come il gatto disegnato da Van Rappard in alto sulla destra del foglio. Così non è da escludere che Van Rappard abbia aiutato Van Gogh nel disegno, durante la sua visita alla fine di ottobre, o schizzando egli stesso il gatto, o lasciandogliene uno schizzo simile al suo. La data di questo album è comunque incerta. La maggior parte degli schizzi risale probabilmente alla seconda metà degli anni ottanta dell'Ottocento ma forse sono stati aggiunti dei fogli di altri periodi, alcuni del 1879, quando Van Rappard era a Bruxelles. Altri fogli con gatti possono risalire ai primi anni ottanta. Il fatto che *Donna che cuce e gatto* sia, per altri versi, un disegno ben riuscito può essere dovuto alla maggiore abilità tecnica di Van Rappard, che di sicuro diede a Van Gogh ottimi consigli o magari un aiuto diretto. Comunque sia, la sua visita fece sì che Van Gogh lavorasse di più con il pennello. Parecchio tempo dopo, quando prese alcune lezioni da Mauve, disse al fratello quanto fosse importante per lui «d'insegnamento pratico». Nel suo entusiamo aggiunse: «Se avrai la possibilità di vedere qualcuno che disegna o dipinge, osserva con attenzione poiché ritengo che molti mercanti d'arte giudicherebbero diversamente molti quadri se solo sapessero come sono stati eseguiti. È vero che molto si può capire per istinto, ma so per esperienza che è utile vedere gli artisti mentre lavorano e tentare di fare qualcosa per conto proprio» (l. 204, 13 febbraio 1882).

TM

VINCENT VAN GOGH
26. ***Ragazzo con falcetto***
ultima settimana di ottobre -
1 novembre 1881
gesso nero, carboncino, grigio acquarellato,
acquerello opaco su carta vergata
mm 466 x 604
Otterlo, Kröller-Müller Museum
The Netherlands, inv. n. 111.847

Alla fine di ottobre del 1881, Anthon van Rappard si recò per una breve visita a Etten. Era sulla via per Bruxelles e Van Gogh lo pregò di andare da lui, in parte perché era curioso di vedere i suoi progressi nella tecnica dell'acquerello (l. 176, 15 ottobre 1881). Su consiglio di Mauve, anche Van Gogh aveva iniziato a lavorare di più con l'acquerello. Molto lontano dal suo modo di dipingere, l'acquerello è usato soltanto per "colorare" i disegni; in pratica, Van Gogh non aveva ancora approfondito veramente questa tecnica, basata quasi esclusivamente su pennelli e colori, ed era molto curioso di imparare da Van Rappard, tecnicamente più preparato di lui. Il 2 novembre gli scrisse: «Sono felice di avere visto i tuoi acquerelli, hai fatto notevoli progressi» e «oggi ho disegnato un altro zappatore e, dalla tua visita, un ragazzo che taglia l'erba con un falcetto» (l. 178).
Si riferisce sicuramente a questo disegno che si può quindi datare all'ultima settimana di ottobre o, al più tardi, al primo novembre. Van Gogh disegnò prima la figura, principalmente in gesso nero, quindi il paesaggio intorno in gesso e carboncino, come aveva già fatto in *Uomo con la scopa*. Gli accenni di

acquerello giallo-verdi del fondo si ritrovano anche in questo disegno. Van Gogh si è concentrato soprattutto sulla posizione del ragazzo che falcia. Viste le calzature indossate – un qualche tipo di pantofole – e vista la stagione, probabilmente il modello posò in un luogo chiuso. Il colore venne aggiunto in modo frettoloso, usando acquerello opaco molto diluito, tinta carne per il viso e le mani, blu chiaro per le maniche della camicia e calzini, marrone chiaro per i capelli. L'acquerello contorna soprattutto la figura mentre, ogni tanto, si notano effetti granulosi del gesso lungo i margini. La lama del falcetto, lasciata bianca, evidenziò il colore originario della carta quando venne applicato l'acquerello. L'acquerello bianco opaco steso abbondantemente nel cielo serviva in parte a cancellare un filare di alberi disegnati in precedenza con il gesso lungo la linea dell'orizzonte (le difficoltà incontrate da Van Gogh nel rendere in modo convincente una figura accovacciata si notano anche in *Uomo che interra una piantina*). La base della spalla mostra anche qui le stesse difficoltà. E anche la posizione della gamba sinistra curvata non è resa bene. Forse, in un primo momento, la gamba risultò troppo piccola e Van Gogh tentò di correggerla, allungandola da sotto il ginocchio appoggiato. Inoltre non si capisce se la parte del pantalone nell'ombra a sinistra dietro il gomito sia della gamba sinistra o di quella destra. La figura nel suo insieme appare piuttosto vacillante; la parte superiore del corpo è molto larga come si vede dalla postura delle braccia; al contrario, le gambe accostate hanno poco volume. Questa asimmetria di proporzioni si può attribuire al fatto che Van Gogh si posizionava troppo vicino ai suoi modelli, così che non poteva immaginarne una corretta ed equilibrata visione d'insieme. Tracciava sul foglio una parte del corpo senza riuscire a tenere conto delle proporzioni complessive. L'enfasi con cui marca i contorni garantisce comunque che la figura, malgrado tutto, stia in piedi. Il fatto che abbia firmato il foglio dimostra che Van Gogh ne era soddisfatto. A sinistra della firma è visibile la sua impronta in acquerello blu. Il modello di questo studio è ancora una volta Piet Kaufmann. Egli trascorse la vita a Etten-Leur: nacque a Etten nel 1864 e morì a Leur nel 1940. Nell'autunno 1881 posò spesso per Van Gogh, che scrisse a Théo all'inizio di agosto: «Credo che Piet Kaufmann, il giardiniere, sarà un ottimo modello, ma forse sarà meglio farlo posare con la

zappa o l'aratro o qualcosa del genere – non qui in casa, ma nel cortile, o in casa sua o nei campi» (l. 170). Con il termine «cortile» probabilmente Van Gogh si riferiva al luogo dove costruivano zoccoli, che si trovava dietro la casa della famiglia di Kaufmann, un edificio che era insieme fabbrica e locanda, e che si chiamava "Den Ijzeren Pot", "Il calderone di ferro", in Leursestraatje, dove Piet lavorava come artigiano. Egli lavorava anche nel giardino del reverendo Van Gogh e posava per il pittore nella canonica, solitamente il sabato. Ricordava Van Gogh come «un tipo buffo». Van Gogh aveva organizzato il suo studio in una rimessa vicino alla canonica e probabilmente, per questo disegno, Kaufmann posò proprio in quello spazio angusto.

TM

VINCENT VAN GOGH
27. ***Uomo che interra una piantina***
autunno 1881
gesso nero, carboncino, marrone acquarellato, acquerello opaco su carta vergata, mm 385 x 415
Otterlo, Kröller-Müller Museum
The Netherlands, inv. n. 114.869

Van Gogh si lamentava spesso che i suoi modelli non sapessero posare. All'inizio di agosto del 1881 scrisse a Théo: «È terribilmente difficile spiegare alla gente come deve posare. Si trovano persone molto ostinate e non è facile convincerle su un determinato punto: vogliono sempre posare con il vestito della domenica» (l. 170). Tuttavia, la maggior parte dei modelli maschili presenti negli studi di figure realizzati a Etten indossano quelli che venivano generalmente considerati i loro "indumenti da lavoro": pantaloni lunghi e spesso rattoppati, camicia blu, giacca corta o grembiule, berretto e zoccoli. A una prima occhiata, l'uomo di questo disegno sembra invece indossare il suo abito "domenicale": la giacca più lunga, calzoni alla zuava, ghette, scarpe e cappello con sommità arrotondata. Tuttavia questo è il tipico abbigliamento dei contadini del Brabante, per quanto fosse uno stile passato di moda da circa vent'anni.Forse l'uomo continuava a indossare quei vestiti o forse Van Gogh, nella sua tendenza all'autenticità, scelse consapevolmente un costume storico e chiese al modello, che pare piuttosto giovane, di indossarlo. Van Gogh dedicò grande attenzione alle ombre e alle pieghe dell'abito. In alcuni punti corresse la posa del modello; delle linee cancellate sono ancora visibili vicino al cappello, dietro la testa e a sinistra tra la giacca e il piede, malgrado avesse tentato di ricoprirle con del colore bianco. A dispetto delle correzioni, Van Gogh ancora non era abile nel rendere le proporzioni anche se la cosa non risulta subito evidente. Come in *Ragazzo con falcetto*, dove la figura è china in modo simile, sembra che Van Gogh si trovasse molto vicino al modello. La figura inginocchiata è resa come una forma raccolta, ma se si guardano con attenzione le spalle e le braccia troppo lunghe ci si accorge che somigliano quasi a una sorta di bizzarri tentacoli.

TM

VINCENT VAN GOGH
28. ***Natura morta con cappello di paglia***
fine novembre - metà dicembre 1881
olio su carta applicata su tela
cm 36,5 x 53,6
Otterlo, Kröller-Müller Museum
The Netherlands, inv. n. 109.323

Alla fine di novembre del 1881 Van Gogh si recò all'Aia per prendere lezioni di pittura da Anthon Mauve, suo cugino acquisito. Mauve era un paesaggista, noto esponente del genere paesano, un soggetto che piaceva

molto anche a Van Gogh. Fu Mauve a insegnargli l'uso dell'acquerello.
Durante il soggiorno all'Aia Van Gogh realizza un numero considerevole di lavori. Intorno all'8 dicembre fa sapere a Théo che sta lavorando a cinque studi: due acquerelli e «alcuni schizzi». Gli studi dipinti sono delle nature morte, tra cui *Natura morta con zoccoli* e questo *Natura morta con cappello di paglia*. Si è creduto a lungo che questo lavoro appartenesse al periodo di Nuenen, ma in realtà diversamente dai lavori di Nuenen, caratterizzati da un disegno simile a schizzo, con una tecnica a impasto piuttosto grezza, questi due lavori sono molto dettagliati, con piccole parti di pittura applicata in modo uniforme. Questo li collega stilisticamente a *Natura morta con cavolo e zoccoli* che De La Faille colloca cronologicamente nel periodo di apprendistato da Mauve.
La lezione più importante appresa era la variazione nel colore e nella tessitura: la dura paglia usata per il cappello, la trasparenza del vetro della bottiglia, la pipa e lo straccio bianco. La composizione è semplice: pochi oggetti adagiati sopra un tavolo di legno, tutti collocati attorno al cappello di paglia. Di fronte al cappello una pipa chiara. Poco più indietro, una bottiglia di argilla, un vaso rosso-marrone e un contenitore di zenzero verde. Sul bordo del tavolo una scatola di fiammiferi. Il dipinto è molto scuro in alcuni punti per cui gli oggetti si distinguono a fatica dal fondo. Van Gogh dipinse questo lavoro con una piccola quantità di pittura su carta per artisti con un fondo colorato, la cui consistenza granulare è visibile in alcune zone. Scelse di illuminare solo alcuni punti, utilizzando una quantità maggiore di pittura. Mauve fu piacevolmente sorpreso da questi suoi primi risultati e lo stesso Van Gogh ne era soddisfatto. Pur non ritenendoli dei capolavori, era certo che ci fosse del vero in essi e che dunque stava iniziando a fare qualcosa di estremamente serio. Considerava insomma questi studi come l'inizio della sua carriera artistica. Van Gogh tenne con sé *Natura morta con zoccoli* e *Natura morta con cappello di paglia* per parecchio tempo, su suggerimento di Mauve. Quando, dopo anni, si recò ad Anversa lasciò questi due studi dalla madre che li portò con sé quando si trasferì a Breda nel 1886. Là li tenne in un magazzino da un carpentiere di nome Schrauwen. Dopodiché la storia dei due studi è poco chiara. Forse la madre li dimenticò e Schrauwen, ignaro del loro valore, li

vendette a J.C. Couvreur, che a sua volta li vendette ad altri compratori finché nel 1912 Mrs Kröller-Müller acquistò *Natura morta con zoccoli* a una vendita all'asta di Amsterdam e nel 1920 acquistò anche *Natura morta con cappello di paglia*.

TM

VINCENT VAN GOGH
29. ***Donna che cuce***
gennaio - febbraio 1882
matita, gesso nero e marrone, marrone e nero-grigio acquarellati, acquerello opaco e trasparente su carta velina, mm 565 x 486
Otterlo, Kröller-Müller Museum
The Netherlands, inv. n. 129.246

30. ***Donna che macina il caffè***
gennaio - febbraio 1882
gesso nero, penna e inchiostro, acquerello opaco e trasparente illuminato con bianco su carta velina, mm 567 x 393
Otterlo, Kröller-Müller Museum
The Netherlands, inv. n. 116.111

Dal primo gennaio 1882, Van Gogh affittò una stanza con pergolato all'Aia in Schenkweg, dove organizzò il suo studio. Doveva cercare nuovi modelli e, tra questi, trovò «una piccola, vecchia signora» che non era troppo costosa (l. 203, 26 gennaio 1882). Probabilmente posò per questo *Donna che cuce*, disegno che presenta continuità con il lavoro svolto a Etten. Ciò è evidente, ad esempio, nella lunghezza della parte superiore delle gambe e nella distanza tra lo sgabello e la sedia. Per il resto, le proporzioni sono convincenti e Van Gogh sicuramente non si è sistemato troppo vicino al modello, come gli raccomandava Mauve. In primo piano e nello sfondo, entrambi colorati in marrone, Van Gogh è intervenuto con la matita. Le linee diagonali in primo piano utilizzate per il pavimento in legno sono state disegnate in pastello nero, con l'ausilio di un righello. Sul lato destro il foglio è stato piegato di circa tre centimetri. Il segno, una linea bianca, è ancora chiaramente visibile. A un lato di questa piega sono visibili dei segni a matita, forse per indicare dove tagliare il foglio; un taglio che però non fu fatto. Non è chiaro se sia stato lo stesso Van Gogh il responsabile di questo. Accorciando la parte destra del disegno, avrebbe causato una curiosa "potatura" della finestra nel fondo. *Donna che macina il caffè* è più semplice dal punto di vista compositivo e in parte venne realizzato con materiali diversi. Il tratto più sorprendente è l'ampio uso di penna e inchiostro su uno schema preliminare piuttosto semplice in gesso nero. Il disegno fu poi colorato e lavato probabilmente con una piccola spugna; per questo forse certi accenti vennero sciacquati via e poi illuminati di nuovo con penna e inchiostro. La sedia su cui siede la donna è comunque alquanto vaga, e se Van Gogh curò molto i particolari nella parte superiore del disegno, non fece altrettanto in quella inferiore: la donna infatti pare sospesa in aria, impressione accentuata dal fatto che non si vedono i piedi, nascosti sotto la veste.

Nel mese di febbraio, gradualmente, l'acquerello fu sostituito dall'utilizzo di penna e inchiostro. Questi ultimi si confacevano meglio a Van Gogh, che era anche convinto di poter trovare lavoro come illustratore per riviste.

TM

VINCENT VAN GOGH
31. *Veduta dell'Aia*
(il quartiere ebraico "Paddemoes")
inizio marzo 1882
matita, penna e inchiostro nero
(scolorito in alcuni punti in marrone),
lavatura su carta velina, mm 249 x 308
Otterlo, Kröller-Müller Museum
The Netherlands, inv. n. 118.997

32. *Canale a Schenkweg*, marzo 1882
matita, penna, pennello, inchiostro nero,
grigio acquarellato, acquerello bianco
opaco, tracce di quadrettatura su carta
vergata, mm 184 x 337
Otterlo, Kröller-Müller Museum
The Netherlands, inv. n. 113.904

Van Gogh fece molti tentativi per realizzare disegni appetibili, anche se dopo la sua morte si riteneva che lui non avesse mai prestato attenzione a queste cose. Tuttavia era poco incline ad assecondare il mercato; avrebbe preferito che il mercato si adattasse a lui e questo atteggiamento determinò conflitti con le persone, tra le quali H.G. Tersteeg, il direttore della filiale olandese della Goupil & Cie. Non che Tersteeg fosse preventivamente maldisposto nei confronti di Van Gogh; gli prestò anche dei soldi in alcune occasioni e gli acquistò un acquerello. Ma il suo interesse era spesso accompagnato da rimproveri sulla sua dipendenza economica da Théo e dai continui suggerimenti per mantenersi in modo autonomo. Soprattutto, gli consigliava di realizzare acquerelli di piccole dimensio-

ni, perché si vendevano meglio, cosa sulla quale Van Gogh non era d'accordo. Critico com'era nei confronti di se stesso, Van Gogh intuiva che come prima cosa avrebbe dovuto impratichirsi con la forma, e questo gli sarebbe stato possibile solo attraverso un esercizio assiduo nel disegno. Il fatto che Théo avesse lodato un suo piccolo acquerello non lo impressionò molto: «Sostieni che il piccolo acquerello sia la cosa migliore che ho fatto; bene, non è esatto, perché i miei studi che hai sono molto meglio e sono migliori anche i disegni a penna di quest'estate. Dunque, questo piccolo disegno non significa niente se non come dimostrazione che forse nel tempo potrò lavorare anche con l'acquerello. Ma c'è molta più serietà di studio e più coscienziosità nelle altre cose, anche se non hanno un aspetto accattivante» (l. 206, 25 febbraio 1882).
Questa sua convinzione era sostenuta dall'artista J. H. Weissenbruch, noto per la sua severità critica. Su richiesta di Mauve, si era recato da Van Gogh nel suo studio e aveva apprezzato soprattutto i disegni a penna. Un simile giudizio deve aver incoraggiato Van Gogh a parlare delle sue esperienze artistiche all'Aia allo zio Cor, il mercante d'arte Cornelis Marinus Van Gogh (1824-1908), conosciuto tramite le iniziali «C.M.», e a invitarlo da lui. Verso l'11 marzo lo zio andò a trovarlo nel suo studio. Quando la conversazione prese una brutta piega, Van Gogh gli fece vedere dei disegni più piccoli e degli schizzi. «Non disse niente finché non vide un piccolo disegno che feci una volta a mezzanotte mentre stavo passeggiando con Breitner, nel Paddemoes, il quartiere ebraico presso la chiesa nuova, visto dal mercato della torba. La mattina dopo l'avevo ripassato a penna» (l. 210, 11 marzo 1882). C.M. lo apprezzò al punto da commissionargli dodici piccole vedute della città, dello stesso tipo. Van Gogh fissò il prezzo di 2,50 fiorini l'uno. Nel caso gli fossero piaciuti, lo zio gli promise di commissionargliene altri: dodici vedute di Amsterdam per le quali avrebbe fissato un prezzo «per cui ci avrebbe guadagnato qualcosa di più» (l. 210). Il secondo ordine arrivò ma venne cambiato il soggetto: sei vedute tipiche dell'Aia. Van Gogh terminò la prima consegna in due settimane. *Veduta dell'Aia* non era solo il disegno in questione nella lettera, per il quale lo zio gli commissionò altri lavori, ma alla fine entrò a far parte delle dodici vedute. Fu acquistato prima del 1895 da Hidde Nijland al mercante C.M. van Gogh. Anche *Canale a Schenkweg*

faceva parte della commissione e faceva anche parte del gruppo di disegni che C.M. van Gogh mise insieme per la vendita all'asta del 1902 con molti altri di questi disegni. George Hendrik Breitner era stato menzionato nella lettera del 13 febbraio 1882: «Qualche volta esco a disegnare con Breitner, un giovane pittore che è parente di Rochussen come io lo sono con Mauve. Disegna molto bene, in modo diverso dal mio e spesso facciamo degli schizzi insieme nelle mense popolari o nelle sale d'aspetto ecc. Ogni tanto viene nel mio studio a vedere la raccolta di incisioni su legno e anch'io vado da lui» (l. 204). Come si può dedurre da una lettera successiva, Van Gogh e Breitner andarono in città la sera del 2 marzo in cerca di modelli. È possibile che il primo schizzo per *Veduta dell'Aia* sia stato fatto intorno alla mezzanotte. Paddemoes è uno dei sobborghi più vecchi e più poveri dell'Aia; alla metà del XVII secolo gran parte di esso era stata demolita per la costruzione della Nieuwe Kerk. La chiesa, che non è visibile nel disegno, si trova sulla destra dietro il muro. Van Gogh si era sistemato più o meno sullo stesso piano dell'entrata della chiesa, dove Turfhaven e Turfmarkt si univano nella Spui. Dall'altro lato di Turfhaven c'era Houtmarkt: esiste una foto presa dalla Nieuwe Kerk da quel lato intorno all'agosto del 1891. In essa si può vedere il caratteristico recinto con tre robusti piloni in marmo squadrati, gli stessi visibili nel disegno davanti agli alberi. Sulla sinistra il filare di pioppi che si vede sullo sfondo del disegno, paralleli al piano, di fronte alle case in St. Jacobstraat. Van Gogh non usò la cornice prospettica per questo disegno mentre in tutti gli altri disegni commissionatigli ci sono tracce di quadrettatura del foglio. Perciò, il ricorso di Van Gogh all'ausilio della quadrettatura risale più o meno a questo periodo. In *Canale a Schenkweg* la quadrettatura è visibile soprattutto nella parte del cielo. Van Gogh trovò il soggetto di questo disegno proprio dove viveva. Si posiziōnò all'estremità di Schenkweg, a sinistra, così da riuscire a vedere il canale in tutta la sua ampiezza. Sull'altro lato si stendevano degli orti, ancora spogli, di fronte a un argine di carico-scarico che era parte di un cortile della ferrovia della compagnia Rijnspoorweg dietro di esso. I tetti visibili sullo sfondo appartengono ad alcuni edifici adibiti a magazzini. Lontano, in fondo a destra, le case in Lekstraat, sull'altro lato della ferrovia. Van Gogh si posizionò dando le spalle alla stazione di

Rijnspoor (la Hague Staatsspoor dal 1890, ora Stazione centrale dell'Aia). Questi due disegni, come molti altri di questo gruppo, recano un'iscrizione a matita sul retro con il nome del luogo disegnato. Non si tratta di un'iscrizione apposta dall'artista, né dallo zio. Non si sa chi aggiunse questa iscrizione e quando. Ma probabilmente accadde abbastanza presto, e in ogni caso prima del 1895 quando *Veduta dell'Aia* venne acquistato da Hidde Nijland e molto probabilmente prima del 1890. In quell'anno Rijnspoorweg perse la sua concessione che venne acquistata da Maatschappij tot Exploitatie van Staatsspoorwegen, ma le parole «dintorni nell'area di Rijnspoor» compaiono sul retro del disegno *Canale a Schenkweg*. La precisazione sul luogo potrebbe essere stata apposta da un dipendente di C.M. van Gogh, probabilmente dopo aver parlato con l'artista stesso, che aveva cercato i suoi soggetti nelle zone limitrofe della città, che i potenziali acquirenti conoscevano poco (anche se per Van Gogh si trattava di zone vicine a casa).

TM

VINCENT VAN GOGH
33. ***Donna su una stradina di campagna***
marzo - aprile 1882
matita, tracce di quadrettatura su carta vergata, mm 360 x 605
Otterlo, Kröller-Müller Museum
The Netherlands, inv. n. 127.310

La matita da carpentiere era uno dei materiali preferiti da Van Gogh. La preferiva alle matite dalla mina sottile – alle quali si riferiva con il nome del marchio "Faber" – poiché permetteva di ottenere tonalità più energiche. Inoltre la grafite più spessa ben si accordava con il suo modo di lavorare spesso approssimativo e rozzo. Ciò è particolarmente evidente in questo disegno, realizzato completamente con la matita da carpentiere. Spazzolate energiche di matita per le aree più ampie e le forme, alternate

a brevi e crude linee curve e tratti ritmici verticali per i vari accenti, che nell'insieme danno grande vitalità al disegno. Le intense graffiature, raschiature e cancellature hanno creato numerose increspature sul foglio.

Sul fondo è riconoscibile e visibile la linea ondulata delle dune. Le lunghe ombre gettate dagli alberi spogli e i cespugli puntinati da foglie giovani suggeriscono che siamo in primavera. E si tratta della primavera del 1882, poiché lo stile di questo disegno mostra molte somiglianze con numerosi altri lavori, o meglio una parte di essi: quelli realizzati nei primi mesi di quell'anno, come ad esempio il primo piano di *Case a Schenkweg* (F915). Il disegno è simile nei particolari anche alle vedute della città dell'Aia più finemente concluse che Van Gogh realizzò per lo zio C.M.

TM

313

VINCENT VAN GOGH
34. *Donna seduta*
marzo - aprile 1882
matita, penna, pennello, inchiostro nero
(in parte scolorito in marrone) su carta
vergata (2 fogli), mm 609 x 373
Otterlo, Kröller-Müller Museum
The Netherlands, inv. n. 128.630

35. *Donna seduta accanto alla stufa*
marzo - aprile 1882
matita, penna, pennello, inchiostro nero
(scolorito in marrone in alcuni punti),
acquerello bianco opaco su carta vergata
(2 fogli), mm 452 x 557
Otterlo, Kröller-Müller Museum
The Netherlands, inv. n. 117.017

36. *Donna seduta*
aprile - maggio 1882
matita, penna, pennello, inchiostro nero,
marrone seppia acquarellato, acquerello
bianco opaco, tracce di quadrettatura
su carta vergata (2 fogli), mm 585 x 427
Otterlo, Kröller-Müller Museum
The Netherlands, inv. n. 128.070

37. *Donna seduta*
aprile - maggio 1882
matita, penna, pennello, inchiostro nero
diluito, lavatura, tracce di quadrettatura
su carta vergata (2 fogli), mm 582 x 435
Otterlo, Kröller-Müller Museum
The Netherlands, inv. n. 128.135 *recto*

38. *Donna che cuce*
aprile - maggio 1882
matita, verde e marrone acquarellati,
tracce di quadrettatura su carta vergata,
mm 539 x 385
Otterlo, Kröller-Müller Museum
The Netherlands, inv. n. 117.915

Il 18 marzo 1882 Van Gogh chiedeva a Théo della carta Ingres per i suoi studi ad acquerello. Anche se Théo gli mandò un pacco con la carta richiesta, dalla corrispondenza successiva non risulta però che essa vi fosse inclusa. Van Gogh ritornò allora sull'argomento a maggio: «La carta che vorrei è quella su cui è disegnata la donna curva [...]. Credo si chiami carta Ingres, qui non si trova» (l. 224, 3-12 maggio 1882). Il riferimento di Van Gogh alla figura di donna curva in avanti è con tutta probabilità uno dei due grandi studi intitolati *Donna seduta* per i quali Sien posò come modella, in una posizione curva, scoraggiata, con la testa appoggiata alla mano. Questi due grandi studi, insieme a tre studi di figura, sono disegnati su un foglio formato da due pezzi di carta vergata pressati insieme, probabilmente dal negoziante o dal fabbricatore della carta e quindi la filigrana e le linee della sagoma, sempre facili da vedere nella carta vergata, non sono allineate le une con le altre.

Van Gogh usava spesso un foglio singolo di questo tipo di carta nel suo periodo olandese. Il pacco che Théo gli inviò all'inizio di aprile conteneva probabilmente questo tipo di carta, perché le ampie vedute di città commissionategli dallo zio C.M. van Gogh sono quasi tutte realizzate su carta vergata con questa filigrana. Una lettera del 26 luglio 1882 dimostra che Van Gogh si era accordato per acquistare l'ultimo lotto di quella carta da «Stam», col qual nome Van Gogh si riferisce al negozio della vedova Stam-Liernur nella Papestraat. È difficile dire con precisione quando ciò si verificò, ma all'inizio di maggio la provvista di carta era già terminata.

Non ci sono tracce di quadrettatura nel primo disegno, *Donna seduta*, dove Van Gogh raffigura una donna più anziana, probabilmente la madre di Sien e nemmeno in *Donna seduta accanto alla stufa*. Forse è per questo che le proporzioni di queste due figure non sono convincenti come le altre. E tuttavia, *Donna seduta accanto alla stufa* è un disegno toccante nel quale Van Gogh realizza un contrasto estremo di luci e ombre. Malgrado la pesantezza della carta si può vedere la grana della tavola in legno per la pressione esercitata con la matita. Nella zona attorno alla stufa, ad esempio, usando pennello e inchiostro, Van Gogh crea la zona per il focolare, la stufa e i capelli di Sien ancora più scuri, in netto contrasto con la veste bianca.

Donna che cuce è realizzato su un foglio singolo; Van Gogh eseguì uno schizzo su carta quadrettata, diversamente da un altro *Donna che cuce* del Museo Boijmans di Rotterdam, dove la posizione di Sien è migliore, malgrado le proporzioni siano simili.

Van Gogh cercò a lungo la «carta doppia Ingres» dopo aver terminato quella che gli era rimasta a maggio. In agosto pensò di averla trovata: «Ieri pomeriggio mi trovavo nella soffitta della cartiera di Smulders sul Laan. Lì ho trovato, indovina un po', quella "carta doppia Ingres" con la denominazione carta di Torchon; la grana è ancora più grossolana che nella tua. Ti mando un campione per vedere. Ce n'è un magazzino intero, vecchia e ingiallita e molto buona» (l. 253, 5 agosto 1882). Nell'autunno del 1882, e in seguito, Van Gogh realizzò molto lavoro su una carta grossa per acquerello con la filigrana "dambricourt freres hallines 1877"; probabilmente questa è la carta che trovò all'Aia, la carta Torchon e non quella Ingres o doppia Ingres.

TM

VINCENT VAN GOGH
39. *Tre radici in un terreno sabbioso*
aprile - maggio 1882
matita, gesso nero, pennello e inchiostro, marrone e grigio acquarellati, acquerello opaco su carta per acquerello
mm 515 x 707
Otterlo, Kröller-Müller Museum
The Netherlands, inv. n. 117.091 *recto*

Grazie a Sien Hoornik Van Gogh fu presto in grado di disegnare anche dei nudi e nell'aprile del 1882 realizzò lo studio *Sorrow* (Walsall Museum and Art Gallery, The Garman Ryan Collection). Di questo studio fece anche una copia più grande, ora perduta, nella quale i capelli di Sien ricadevano su una spalla in una treccia. In una lettera del primo maggio 1882 parla a Théo di questo disegno, ma discute anche di un altro

disegno che dovrebbe essere il *pendant* dello studio più grande *Sorrow*: «L'altro, *Les racines*, mostra tre radici di alberi in un terreno sabbioso Ora, ciò che ho tentato di fare è rappresentare lo stesso stato d'animo nella figura e poi nel paesaggio, quella sorta di attaccamento alla terra convulso e passionale, eppure l'essere a mezzo strappati via dalla tempesta. Volevo esprimere qualcosa della lotta della vita in quella pallida e sottile figura di donna come pure nelle radici nere, contorte e nodose» (l. 222). In un primo tempo Van Gogh propone a Théo di acquistare entrambi questi disegni, ma da una lettera scritta il giorno seguente sempre a Théo emerge che Van Gogh aveva fatto una seconda versione di *Les Racines* e l'aveva mandata a Théo: «Hai ricevuto i disegni e la mia ultima lettera? Intendo dire la cartella contenente il grande *Sorrow*, *Le radici* ecc.»

La questione è capire se il disegno del Kröller-Müller sia la prima o la seconda versione. Sembra probabile che si tratti della prima, dove ci sono «pennellate e poi graffiature, proprio come si fa nei quadri.» E queste cancellature e graffiature si vedono soprattutto nello sfondo, mentre alcune zone sono diventate più fredde con l'applicazione della lavatura. Gli alberi contorti sono disegnati completamente a matita, alcune parti sono state cancellate e sfumate. Ma se la parte bassa del foglio è danneggiata per la lavatura in grigio, non si tratta di un danno così pesante simile a quello che descrive Vincent a Théo a proposito del secondo disegno. È dunque possibile che questo disegno sia la prima versione.

TM

VINCENT VAN GOGH
40. *Lavoratore nell'intervallo del pranzo*
aprile - novembre/dicembre 1882
matita, pennello e inchiostro, acquerello bianco e grigio opachi su carta per acquerello, mm 707 x 515
Otterlo, Kröller-Müller Museum
The Netherlands, inv. n. 117.091 *verso*

Il *verso* di *Tre radici in un terreno sabbioso* è questo disegno, nel quale un uomo siede in un interno molto scuro. In passato si è ritenuto che quest'uomo fosse cieco, probabilmente per l'effetto dei suoi occhi profondi e infossati. Invece egli vede perché tiene nella mano destra una piccola ciotola, mentre con l'altra si sporge verso una bottiglia, alla quale probabilmente è rivolta la sua attenzione. Tiene in grembo qualcosa che sembra un pasto e molto probabilmente si tratta di un lavoratore intento a mangiare. È possibile che il disegno sia stato realizzato in due diverse occasioni: un piccolo schizzo a matita nell'aprile del 1882, seguito da un lavoro a gesso, inchiostro e acquerello bianco opaco verso la fine dell'anno.

Nel mese di aprile, a causa della mancanza di spazio, Van Gogh iniziò a prendere in considerazione di spostarsi dalla sua modesta abitazione al n. 138, Schenkweg alla casa più spaziosa a fianco al n. 136. Ma dato che ciò non fu possibile si accontentò di una soffitta aggiuntiva e dopo la metà del mese scrisse a Théo: «Non mi sono trasferito ma ho fatto fare una modifica in casa mia, ossia ho fatto una parete divisoria nella soffitta per fare una piccola camera da letto; ora ho più spazio nello studio, specialmente da quando è stata tolta la stufa.»

Nel disegno è visibile a sinistra sulla parete dello sfondo una costruzione a reticolo che manca nel muro dietro la figura. È dunque possibile che Van Gogh abbia realizzato il disegno di questa scena *in loco* nella pausa pranzo durante i lavori nella soffitta.

Sotto le linee scure a gesso e inchiostro c'è uno studio angolare ombreggiato a matita di un uomo seduto. Non ci sono tracce di quadrettatura e la parte superiore del corpo dell'uomo è sproporzionata. È probabile che si tratti di un grande studio eseguito rapidamente che l'artista in un primo momento lasciò com'era per utilizzare l'altra parte del foglio in seguito per *Tre radici*.

Quando lo riprese in mano, lo lavorò con gesso nero e inchiostro, e poi grattò via ed eseguì una lavatura. La carta per acquerello è abbastanza grossa e adatta per poter disegnare su entrambi i lati. La generosa sperimentazione con contrasti di luce e ombra, con ritocchi a matita da disegno, inchiostro e gesso è tipica dei disegni che Van Gogh eseguì dal mese di dicembre in avanti, ed è il motivo per cui la datazione per l'ulteriore lavorazione di questo disegno rientra appieno in questo periodo.

TM

VINCENT VAN GOGH
41. *Capanna per l'essiccazione del pesce a Scheveningen*
fine maggio 1882
matita, penna, pennello, inchiostro nero (scolorito in marrone in parecchi punti), acquerello bianco opaco, tracce di quadrettatura su carta vergata
mm 290 x 454
Otterlo, Kröller-Müller Museum
The Netherlands, inv. n. 122.835

«La richiesta di C.M. è un raggio di luce!» scrisse Van Gogh a Théo l'11 marzo 1882, dopo che lo zio, C.M. van Gogh, gli commissionò 12 vedute dell'Aia per 2 fiorini e mezzo l'una. Nel caso gli fossero piaciute, gliene avrebbe commissionate altre 12 su scene di vita di Amsterdam. Con un po' di pratica sarebbe stato certamente in grado di concludere un piccolo disegno al giorno e non avrebbe avuto nessun problema a venderlo per circa 5 franchi» (l. 210).
Van Gogh terminò i 12 disegni nel giro di due settimane e li spedì. Ma quando, all'inizio di aprile, gli arrivarono i soldi, accompagnati dalla commissione successiva, il suo tono cambiò: «C.M. mi ha pagato e mi ha fatto una nuova ordinazione, ma piuttosto difficile, si tratta di sei vedute più dettagliate e ricche di particolari della città. Comunque, cercherò di realizzarle perché, se ho capito bene, riceverò altrettanto per questi che per i primi dodici disegni, e forse poi vorrà degli

schizzi su Amsterdam» (l. 214). Si comprende dalle sue parole che lo zio non era pienamente soddisfatto dei primi 12 disegni. Con l'espressione «vedute più dettagliate e ricche di particolari» probabilmente C.M. intendeva delle scene più caratteristiche dell'Aia, disegnate più accuratamente. Van Gogh portò a termine questo secondo gruppo di disegni con difficoltà. Aprile fu un mese piovoso e dunque non gli fu possibile lavorare fuori, e inoltre il disegno di figura lo assorbiva molto in questo periodo. A metà maggio scrisse a Théo che aveva realizzato vari studi per la commissione ma che trovava difficile perseverare in quel lavoro. Spedì sette disegni di Amsterdam per la fine del mese, uno in più di quelli concordati, forse per rabbonire lo zio sul suo ritardo. Si trattava di due disegni grandi, quattro di media grandezza e uno piccolo, della misura di quelli inviati in precedenza.
Capanna per l'essiccazione del pesce a Scheveningen insieme a *Laboratorio di carpentiere e lavanderia* (KM 116.039) sono due fogli di media grandezza, ciascuno circa la metà di un foglio Ingres, secondo la terminologia di Van Gogh. «Ma gli piaceranno? Forse no. Io riesco a concepire quei disegni soltanto come studi di prospettiva e li sto facendo soprattutto per esercitarmi. Anche se non li prenderà, non rimpiangerò la fatica di averli fatti perché mi piacerebbe tenerli per me e perché mi sono esercitato su quegli elementi dai quali dipendono moltissime cose fra cui la prospettiva e le proporzioni» (l. 230, 23 maggio 1882). Che Van Gogh li considerasse degli esercizi sulla prospettiva è evidente da entrambi i fogli. La ricchezza di particolari, l'esecuzione accurata e soprattutto la sperimentazione sempre nuova di materiali e tecniche diversi, li rende due disegni vigorosi e indipendenti.
Capanna per l'essiccazione del pesce è sicuramente una composizione più limitata rispetto a *Laboratorio di carpentiere e lavanderia*. L'acquerello bianco opaco è stato usato con parsimonia, ad esempio nei vestiti delle due donne e per accentuare i ciuffi d'erba in primo piano; tutto il resto è realizzato a inchiostro su matita. Anche qui Van Gogh lavorò con una griglia e scelse un punto di vista rialzato, questa volta da una duna. Le linee della composizione sono vigorose. A sinistra, lo sguardo è condotto in alto verso il faro che si vede spuntare oltre la duna. A destra invece, lo sguardo scivola giù verso la chiesa di Scheveningen nel fondo. Van Gogh lavorò nell'ampio perimetro del villaggio verso sud-est, una zona

di lavoratori, dove la gente vive soprattutto di pesce. Le case e la capanna per l'essiccazione del pesce raffigurata qui sono rivolte verso una piccola strada che si è molto estesa nel tempo e che ora si chiama Duinstraat. Oltre le recinzioni, nella parte centrale del fondo sulla destra, c'è Kolenwagenslag, dove sono collocati vari stabilimenti per essiccare il pesce. Il pesce veniva salato e infilzato in bastoncini per seccare al sole. Nel disegno il pesce è appeso come rombi alle assicelle della tettoia dietro la casa. I numerosi cesti in giunco accatastati pieni di sabbia in primo piano «servono per evitare che il vento porti via la sabbia dalle dune» scrisse Van Gogh a Théo mentre lavorava a questo disegno; perciò, probabilmente, le ceste non appartenevano a un artigiano che aveva lì il suo piccolo laboratorio, come si era supposto. La sera del 28 maggio 1882, Van Gogh scrisse a Van Rappard, che aveva incontrato per una breve visita e che aveva apprezzato i disegni per lo zio. *Capanna per l'essiccazione del pesce* non era però tra questi disegni, ma può ben collegarsi a questa lettera: «Mi sono alzato presto oggi […] e sono andato sulle dune a disegnare una capanna per l'essiccazione del pesce e tutto quello che si vede da lassù, come il cortile della carpenteria. Ora è l'una di notte ma il compito è stato terminato e posso guardare il mio padrone di casa negli occhi senza timore» (l. 232). È vero che Van Gogh fece un secondo schizzo a penna della capanna in questo periodo (F940, collezione privata) ma per realizzarlo si posizionò proprio a destra della capanna, in un punto più basso; così la lettera si riferisce al disegno in esame. Impacchettò tutto per lo zio quella notte stessa, insieme agli altri 6 fogli ma non prima di avervi aggiunto l'uomo con le braccia incrociate e altri particolari. Si è scoperto un piccolo disegno dell'inizio degli anni ottanta, uno studio di figura di questo piccolo uomo, che è stato inserito nel disegno direttamente in inchiostro, proprio come la sedia alla sua destra senza nessun segno sottostante a matita. Risulta inoltre dalla lettera a Van Rappard che Van Gogh, in risposta ai commenti dell'amico, introdusse in alcuni fogli dei cambiamenti.

TM

VINCENT VAN GOGH
42. *Donna con copricapo*
settembre - ottobre 1882
matita, acquerello grigio trasparente
(o tinta neutra), penna, pennello
con inchiostro marrone (diluito),
tracce di quadrettatura su carta
vergata, mm 473 x 312
Otterlo, Kröller-Müller Museum
The Netherlands, inv. n. 123.443

Modella di *Donna con copricapo* è probabilmente Sien Hoornik, di profilo con in evidenza la gobba del naso e la linea della mascella spigolosa e pesante. È seduta a una tavola con le mani intrecciate. Potrebbe pregare ma il fatto che abbia gli occhi aperti e un'espressione di malinconia, lascia ipotizzare anche altro.
Il disegno è stato realizzato in modo un po' diverso rispetto agli altri studi di figura del periodo dell'Aia. La quadrettatura che l'artista usava spesso per gli studi di figura è sempre la stessa (cm 5 x 5) ed è visibile in alcune parti del disegno. Van Gogh disegnò la figura a matita, e quindi ricoprì l'intero disegno con acquerello molto diluito e inchiostro in colori monocromi. Forse usò anche il seppia per i toni marroni, la cosiddetta "tinta neutra" per l'acquerello trasparente grigio-blu. Queste sperimentazioni tecniche proseguirono fino a novembre del 1882, quando era impegnato con le sue litografie. In una lettera a Van Rappard del febbraio 1883 egli cita questo materiale come un modo per illuminare i contrasti dei disegni: «L'inchiostro autografico è infido. A volte il trasferimento riesce bene, altre volte l'inchiostro si spande (perché il disegno viene bagnato prima di porlo a faccia in giù sulla pietra ruvida, poi viene fatto passare sotto la pressa per la stampa). Può dunque accadere che l'inchiostro spanda e, in questo caso, si ottiene solo una macchia nera, anziché il disegno. Malgrado ciò, *si può* fare – e la cosa importante è che si può ritoccare il disegno con l'inchiostro sulla pietra stessa.»
Proprio tenendo conto dei contrasti marcati degli studi scuri di quest'ultimo periodo è possibile che *Donna con copricapo* sia stato realizzato prima, nell'autunno del 1882. La grana del disegno è di una morbidezza inconfondibile grazie ai toni di colore, qualcosa che manca completamente negli studi di figura realizzati solo a matita o con la combinazione più comune di materiali scuri, come per esempio il gesso nero o l'inchiostro nero. Solo il volto della donna è definito in modo più particolareggiato, grazie all'uso della penna e dell'inchiostro.

TM

VINCENT VAN GOGH
43. *In chiesa*
fine settembre - inizio ottobre 1882
matita, penna e inchiostro, acquerello
opaco e trasparente su carta velina
mm 282 x 378
Otterlo, Kröller-Müller Museum
The Netherlands, inv. n. 118.970

Mentre lavorava al disegno *In chiesa*, Van Gogh ne mandò un piccolo schizzo con le tre donne in primo piano a Théo, scrivendo: «Sono anche impegnato a un acquerello che mostra una lunga panca che vidi in una piccola chiesetta sul Geest, frequentata da quelli dell'ospizio dei poveri (qua vicino li chiamano molto espressivamente "gli orfani adulti" [...] questo è un frammento di quelle panche; nello sfondo ci sono ancora teste di uomini. Cose del genere sono tuttavia molto difficili e non riescono subito.»
Ciò è evidente anche nel disegno: Van Gogh aveva infatti delle difficoltà nel lavorare sulle teste e quindi spesso sceglieva di disegnarle di profilo o completamente di fronte, evitando angolazioni particolari. Ciò fa sì che l'insieme abbia qualcosa di rigido o caricaturale. Qui sono riconoscibili Sien (in alto a destra e probabilmente in basso sempre a destra) e "il vecchio orfano", Adrianus Jacobus Zuyderland, (il secondo da sinistra dell'ultima fila).
Il disegno fu prima schizzato a matita, ma non in modo dettagliato, e poi disegnato con penna e inchiostro e colorato con acquerello, anche se non si tratta di un vero e proprio acquerello. Il viso della donna in basso a sinistra, per esempio, è disegnato solamente a penna, matita e inchiostro senza nemmeno una goccia di acquerello, mentre la donna centrale è stata ridisegnata una volta ancora a matita.

TM

VINCENT VAN GOGH
44. *Madre con il bambino*
autunno 1882
matita e colori a olio su carta
per acquerello, mm 410 x 246
Otterlo, Kröller-Müller Museum
The Netherlands, inv. n. 112.180

Questo disegno, insieme a *Donna seduta con il bambino in braccio* (KM 112.211) e *Madre che allatta il bambino* (KM 113.983), raffigura Sien Hoornik mentre allatta il figlio Willem nato il 2 luglio 1882 nell'ospedale di Leiden. Quando Van Gogh conobbe Sien, la donna era già incinta di parecchi mesi di un uomo che non voleva avere niente a che fare con lei; il parto fu difficoltoso. Al suo ritorno all'Aia andò a vivere con Van Gogh, che si era appena sistemato in un appartamento all'ultimo piano di un'abitazione in Schenkweg.

Madre con il bambino è, di fatto, un disegno eseguito piuttosto grossolanamente anche se Van Gogh vi aggiunse del colore. Curiosamente usò colori a olio; le linee a matita sono evidenti in molti punti, ma la gran quantità di particolari nello schizzo sottostante risulta evidente tenendo controluce il foglio; dal *verso* sono visibili ampie sezioni tratteggiate sotto lo strato dipinto. La pittura a olio è molto diluita e applicata abbondantemente – nel copricapo di Sien, ad esempio. Si ha l'impressione che questo sia stato un esperimento per il quale l'artista scelse uno schizzo esistente. Il bambino è lasciato interamente bianco tranne le mani e il viso ai quali Van Gogh ha applicato una tinta chiara. Sono pochi i disegni rimasti di Sien con il bambino. Nella maggior parte dei casi si tratta di studi abbozzati o di schizzi e molti di questi erano una volta di proprietà del padrone di casa di Van Gogh all'Aia, M.A. de Zwart. Il primo proprietario noto di *Madre con il bambino* fu Jan Dona (1870-1941), un artista del circolo di Bremmer, che aveva conosciuto Van Gogh nel 1890 e qualche volta assistito.

TM

VINCENT VAN GOGH
45. *Vecchio con il cappello in mano*
settembre - dicembre 1882
matita, tracce di quadrettatura, fissativo, scoloriture attorno alla figura su carta per acquerello, mm 481 x 233
Otterlo, Kröller-Müller Museum
The Netherlands, inv. n. 123.042

46. *Vecchio con ombrello*
settembre - dicembre 1882
matita, tracce di quadrettatura, fissativo, scoloriture attorno alla figura su carta per acquerello, mm 485 x 246
Otterlo, Kröller-Müller Museum
The Netherlands, inv. n. 123.719

47. *Vecchio che legge*
novembre - dicembre 1882
matita e tracce di quadrettatura su carta per acquerello, mm 475 x 305
Otterlo, Kröller-Müller Museum
The Netherlands, inv. n. 116.916

«Di recente ho trovato un uomo che vive in un ospizio per poveri e che viene a posare per me molto spesso», scrive Van Gogh a Van Rappard (l. 268, 23 settembre 1882), introducendo così un modello riconoscibile in molti disegni dell'autunno del 1882. L'uomo viveva nella Casa di riposo per anziani, dove i residenti erano conosciuti come "diaconiemannetjes" e "diaconievrouwtjes", vecchi che vivono "come orfani adulti". Van Gogh si riferisce spesso al suo modello come a un orfano. Egli trovò toccante questo appellativo e scrisse a Van Rappard: «Sono molto occupato a lavorare a dei disegni di un uomo orfano, come questi poveretti che vivono "come orfani adulti", come dicono qui. Non trovi l'espressione "orfano adulto" o "donna orfana" caratteristica? Non è facile disegnare quei tipi che si incontrano sempre per strada» (l. 268).
Gli inviò uno schizzo del suo modello e scrisse: «n. 199» sotto e lo attaccò sul foglio di un uomo con un lungo cappotto nero. Ciò consentì di identificare quest'uomo con Adrianus Jacobus Zuyderland, che viveva nell'ospizio olandese per gli anziani dal 1876, dove ciascuno portava un numero di immatricolazione ben visibile. Van Gogh avrebbe potuto ricorrere a parecchi modelli in quest'ospizio, donne incluse, ma il suo preferito era Zuyderland. «Ha una strana testa calva e ampia con grandi orecchie da cui non sente bene e baffi bianchi» disse a Théo, come si può vedere in questi disegni. In essi, Zuyderland è ritratto nelle pose più varie, con un cilindro o un cappello, con un ombrello, con un cappotto nero. I residenti dell'ospizio indossavano un vestito simile ma Van Gogh si procurò una serie di abiti nel periodo in cui lavorò con questi modelli. È difficile datare con precisione questi disegni perché Van Gogh ne fece molti tra la metà di settembre e dicembre. Nell'estate del 1882 si era rivolto per la prima volta alla pittura a olio e in seguito era tornato all'acquerello, rendendosi conto di quanto fosse difficile rappresentare in modo convincente gruppi di figure. Per questo motivo si

vide costretto ad affrontare la figura umana con più convinzione, come scrisse a Théo l'8 ottobre: «Ciò che noterai, come lo noto anch'io, è che ho bisogno di fare molti studi di figure; quindi sto lavorando con ogni mia forza e prendo un modello quasi ogni giorno. Ho fatto altri studi di vecchi e spero che questa settimana venga anche una donna dall'ospizio» (l. 271). In una lettera datata 22 novembre parla di numerosi studi di «un uomo orfano» e racconta che un suo amico, l'artista H. J. van der Weele, gli aveva suggerito di realizzare una composizione con questi studi, ma lui gli aveva risposto di non sentirsi ancora pronto (l. 285). Pronto o no, Van Gogh stava costruendo il suo futuro. In novembre sperimentò per la prima volta la litografia, sperando che questo lo avrebbe aiutato a trovare lavoro come illustratore. Eseguì sei litografie in un mese, tre delle quali successive agli studi su Zuyderland. I tre disegni qui in esame fanno parte di un gruppo di otto disegni, cinque dei quali sono eseguiti a matita su una carta da acquerello a grana grossa, una carta che Van Gogh aveva scoperto fin dall'estate e che era particolarmente adatta ai suoi modi piuttosto energici. Fissò questi cinque disegni con una soluzione a base di latte, operazione ancora visibile per la scoloritura attorno alle figure. Sul *verso* di *Vecchio con il cappello in mano* è visibile parte della griglia quadrettata, ma solo all'interno dei contorni della figura sul *recto*. Questi quadrati, probabilmente, provengono da un diverso foglio sottostante, sul quale Van Gogh aveva già disegnato una griglia che aveva "trasferito" sull'altro foglio calcando con la matita da carpentiere mentre lavorava al disegno.

TM

VINCENT VAN GOGH
48. ***Due donne che pregano***
ottobre - dicembre 1882
matita e pastello litografico nero su carta vergata, mm 427 x 287
Otterlo, Kröller-Müller Museum
The Netherlands, inv. n. 125.556

Due donne che pregano è uno studio collegato a *Uomo e donna sulla soglia di casa*. Sono stati disegnati sullo stesso tipo di carta vergata, con una filigrana (Lalanne) che si trova raramente nell'opera di Van Gogh e con gli stessi mezzi: matita e pastello litografico nero. Egli utilizzò il pastello per marcare i contrasti, dove diede delle leggere pennellate per illuminare la carta, scoprendo così la grana. Qui Van Gogh rappresenta situazioni semplici di vita per fare pratica con i gruppi di figure. Le due donne che pregano sembrano in un certo senso annullarsi a vicenda, mentre l'uomo e la donna sulla soglia di casa danno l'impressione di essere realmente intenti a conversare. Non si conoscono molti studi con figure da contrapporre a quelli con figura singola. Si sono conservati, al contrario, numerosi studi dell'orfano vecchio, che sta sulla soglia di casa, così come di donne con la scopa.
Strani piccoli cerchi sono visibili in basso agli angoli del foglio e suggeriscono che c'era qualcosa sotto la carta in quei punti dove fu applicato il gesso nero e che produsse come un'impressione di *frottage*. Di solito Van Gogh fissava la carta su un tavolo da disegno ma altre volte, come in questo caso, usava grumi di pasta. Solitamente questi non lasciavano tracce sul *recto*, ma in questo caso agirono come la familiare monetina che è posta sotto un foglio e viene impressa quando la carta viene grattata.

TM

VINCENT VAN GOGH
49. ***Donne nella neve che portano sacchi di carbone***, novembre 1882
carboncino (?), acquerello opaco, pennello e inchiostro su carta velina, mm 321 x 501
Otterlo, Kröller-Müller Museum
The Netherlands, inv. n. 121.745

«Sto lavorando di nuovo a un acquerello di mogli di minatori che portano sacchi di carbone sulla neve», scrisse Van Gogh a Théo i primi di novembre 1882. «In particolare ho disegnato per esso circa dodici studi di figure e tre teste e ancora non sono pronto. Penso di aver trovato il modo giusto con l'acquerello ma non penso siano abbastanza forti come carattere. Nella realtà è qualcosa come *I mietitori* di Millet, severo, in modo che si capisca che non si sta creando un effetto di neve, il che sarebbe solo un'impressione, e avrebbe una sua ragione di essere solo se fosse eseguito come paesaggio» (l. 280, 5 novembre 1882).
L'enfasi con la quale Van Gogh sottolinea le differenze tra figura e paesaggio è tipica: l'orgoglio di queste donne povere che lavorano duramente è il tema centrale del disegno. Tutto ciò che circonda le figure deve essere funzionale al tema e non deve diventare predominante. Le forme curve ed eroiche delle spigolatrici che raccolgono le sementi rimaste in un campo e che Millet aveva immortalato nel suo quadro del 1857 (Parigi, Musée d'Orsay) servirono come esempio. Van Gogh aveva tentato già un simile effetto in *Portatrici di fardello*, dove le figure scure delle donne curve sotto i sacchi di carbone sono tratteggiate contro lo sfondo della miniera. In questo acquerello Van Gogh delinea i camini fumanti in lontananza per suggerire la presenza di una miniera. Le figure sono state concepite sulla base di studi diversi separati e inserite in seguito nella composizione. La postura delle donne ha qualcosa di scontato in tutte e tre le figure. Quella di sinistra è di profilo ma sembra che si sia appena girata verso l'osservatore. Le

altre due donne, curve sotto il peso, stanno cercando di guardare dietro da sotto il loro fardello. Mentre lavorava a questi studi, Van Gogh rimase impressionato da come le donne portavano questi sacchi sulle spalle. Così scrisse a Van Rappard il 31 ottobre 1882: «Ho scoperto, non senza rammarico, come le mogli dei minatori del Borinage portano i sacchi. Ricorderai che quando ero lì ho fatto qualche disegno su questo soggetto, ma non era la stessa cosa. Ora ho fatto 12 studi su questo tema. È così: l'apertura del sacco viene legata e lasciata penzolare mentre i due margini inferiori vengono avvicinati al viso così che il sacco sembra una specie di cappuccio di monaco. Spesso qualche donna ha posato per me in questa posizione ma non è mai venuta bene. Un uomo allo scalo ferroviario di Rijnspoor me lo ha mostrato.» Dalla figura di sinistra è molto facile vedere che la donna tiene il sacco sopra la testa proprio nel modo descritto nella lettera.

TM

VINCENT VAN GOGH
50. *Vecchio che soffre*
novembre - dicembre 1882
matita, pastello litografico nero, lavatura, acquerello bianco opaco su carta per acquerello, mm 445 x 471
Otterlo, Kröller-Müller Museum
The Netherlands, inv. n. 124.396

Come modello per questo disegno Van Gogh scelse ancora una volta il suo preferito, Adrianus Zuyderland. *Vecchio che soffre* è la versione opposta di *Worn out* del novembre 1882. I fogli sono stati probabilmente realizzati uno dopo l'altro. Il 24 novembre Van Gogh scrisse a Théo: «Ieri e oggi ho disegnato due figure di un vecchio che siede con i gomiti sulle ginocchia, tenendosi la testa fra le mani. Molto tempo fa Schuitemaker ha

posato per me e ho tenuto il disegno perché ne volevo fare uno migliore un giorno. Forse ne farò anche una litografia. Quanto è bella la figura di un vecchio operaio, con i suoi abiti rattoppati in fustagno e il capo calvo» (l. 286). Van Gogh si riferisce qui al disegno *Worn out* realizzato a Etten, quando Cornelis Schuitemaker posò per lui come uomo sofferente accanto al focolare, affranto dalle difficoltà della vita. Informò anche Van Rappard di questa nuova versione: «Sicuramente ricorderai il disegno *Worn out*. L'ho rifatto l'altro giorno, tre versioni distinte con due modelli, e ci sto lavorando ancora. Per il momento ho un soggetto; si tratta di un vecchio che siede assorto nei suoi pensieri, con i gomiti appoggiati sulle ginocchia e la testa tra le mani» (l. 287, 24 novembre 1882). La posizione del modello è talmente simile nelle due composizioni che sembra quasi che Van Gogh abbia trasferito il disegno da un foglio all'altro per creare una sorta di immagine-specchio che potesse essere lavorata in altro modo. Tuttavia non è questo il caso. La figura di Zuyderland mostrata da destra è prima di tutto più grande. Inoltre, nella versione del Kröller-Müller Museum, il pollice destro è chiaramente premuto sulla fronte, mentre nell'altro è lungo la tempia. Van Gogh ha semplicemente disegnato il modello da due lati diversi e, nel disegno in esame, si è avvicinato al modello. Prima ha realizzato un disegno a matita, calcando così tanto che il rilievo ha segnato la carta creando in alcuni punti come delle piccole incisioni. In seguito, probabilmente in una seduta successiva, ha disegnato sulla composizione con un pastello litografico nero per poi ricoprirla con l'acquerello. Usando acquerello bianco opaco ha creato degli accenti in alcuni punti del modello, incluse le basette. Nel mese di dicembre Van Gogh iniziò a sperimentare nei suoi disegni diverse tonalità di nero, grigio e tinte più chiare per evitare contrasti troppo netti. In questa versione ravvicinata di *Worn out* l'oscurità che circonda la figura certamente serve per accentuare la sua malinconia. Il disegno presenta delle scoloriture e danneggiamenti che deve aver subito abbastanza presto. Al centro c'è una larga macchia marrone sotto la quale la carta ha iniziato a sfaldarsi in molti punti. Attorno a questa macchia è visibile il bianco originario del foglio.

TM

JEAN-FRANCOIS MILLET
51. *Il seminatore*, 1847-1848
olio su tela, cm 95,3 x 61,3
Cardiff, Amgueddfa Genedlaethol Cymru
National Museum of Wales
lascito di Gwendoline Davies, 1952

Eseguita nel 1847-1848, questa è una versione preliminare del dipinto *Il seminatore* che Millet presentò al *Salon* del 1850. L'artista aveva esordito all'inizio degli anni quaranta nella ritrattistica, genere che gli garantiva un guadagno grazie alle commissioni della borghesia provinciale di Cherburg. La vera trasformazione della sua pittura, improntata a un sempre più accentuato naturalismo, si verifica intorno alla fine degli anni quaranta e il quadro che segna la svolta è proprio *Il seminatore*. Al *Salon* riscuote un autentico successo soprattutto fra i repubblicani e i critici di sinistra; non sfugge infatti la valenza sociale di quest'opera che conferisce alla figura del contadino una forza eroica che verrà letta in un clima di forti rivendicazioni sociali, come segno di fiera emancipazione. Elevando la vita del popolo a una dignità fino ad allora sconosciuta, la rivoluzione del 1848 aveva permesso ad alcuni artisti, fra i quali Millet e Courbet, di celebrare questo tempo nuovo con immagini inedite di vita rurale. È vero del resto che in Millet la tradizione accademica viene sì abbandonata per quanto riguarda i soggetti (niente più riferimenti alla letteratura classica, a episodi biblici o storici), ma recuperata in alcuni schemi compositivi che denunciano la sua attenta conoscenza dei classici (in particolare Poussin e Michelangelo).
Nuovo è in Millet lo sguardo rivolto alla realtà rurale e alla varietà di soggetti dipinti,

con i quali l'artista realizza una vera e propria "epopea dei campi". Millet conferisce dignità alla vita dei contadini, alla fatica del loro lavoro quotidiano. La vita nei campi è analizzata in tutte le sue fasi e in ogni momento della giornata, dall'alba al tramonto, passando per la calda luce meridiana.

Anche il seminatore rientra tra i protagonisti della vita rurale dei campi. È un'immagine possente e immediatamente comprensibile nel suo contenuto ben preciso.

Con un pezzo di stoffa legato attorno al busto e trattenuto dal braccio sinistro in modo da formare un sacco per la semente, l'uomo cammina sulle zolle arate di un pendio collinare della Normandia. Più in alto, sulla sommità della collina è visibile del bestiame al pascolo. L'uomo indossa un cappello di paglia mentre gli ultimi raggi del sole al tramonto si dissolvono in lontananza nella parte destra del quadro e il buio invade progressivamente il cielo. La scena della semina è sicuramente una delle più rappresentate; fra gli innumerevoli prototipi quella che viene più spesso indicata come fonte d'ispirazione per la tela di Millet è l'illustrazione pubblicata nel mese di ottobre in *Le Très riches heures* del duca di Berry, nella quale è ritratto un seminatore analogo, con berretto, gambali e una sacca di sementa trattenuta dalla mano sinistra. Ma è più probabile che il quadro derivi dalla fusione di varie memorie visive ben studiate dall'artista.

Al *Salon* furono in molti a commentare quest'opera. De Chenevières, un importante critico conservatore lodò la «bellezza, poesia e grazia» della figura; Clément de Ris elogiò l'opera come «studio energico, pieno di movimento» espresso nel quadro. Fu la superficie densa, pesantemente lavorata a sconcertare la maggior parte dei critici e Gautier, che peraltro era stato colpito favorevolmente dal dipinto, definì la tecnica di Millet «residui di cazzuola». Ma, al di là dei giudizi, i critici sentirono di dover analizzare l'immagine: tutti furono colpiti dalla «stranezza e dalla potenza della figura», sebbene incerti sul suo significato. Alcuni sottolinearono una dignità religiosa, altri vi videro la personificazione greca dell'uomo comune. Per altri era un'opera socialista o una protesta in nome del proletariato moderno, anche se per tutta la vita Millet fu irremovibile nel sostenere che non dipinse mai con intento politico.

È possibile invece che, alla fine degli anni quaranta, dopo un decennio di permanenza a Parigi, Millet stesse riscoprendo la vita rurale e tentasse di conciliare i ricordi dei contadini della Normandia degli anni 1830-1840 con la realtà della pianura di Chailly del decennio 1850-1860. Nell'annunciare il nuovo impegno dell'artista verso l'arte realistica, *Il seminatore* non invocava sommosse o ribellioni ma un semplice riconoscimento, un accoglimento del contadino e del suo ruolo all'interno del repertorio del *Salon*, che aveva il potere e l'autorità di sancire la storia.

SZ

VINCENT VAN GOGH
52. *Il seminatore*
inizio dicembre 1882
inchiostro nero e acquerello su carta
mm 610 x 400
Amsterdam, P. & N. De Boer Foundation

Nel novembre del 1882 Van Gogh sperimentò per la prima volta la tecnica della litografia, trasferendo una serie di studi di figura sulla pietra litografica e stampandoli. Fu spinto essenzialmente dal desiderio di guadagnarsi da vivere come illustratore, senza dover dipendere finanziariamente dal fratello Théo. Progettava di realizzare una serie di stampe di tutti i «tipi di lavoratori» – seminatore, zappatore, taglialegna, aratore, lavandaia – e di una culla o di un mendicante, come fece sapere a Théo (l. 289, 1 dicembre 1882). Van Gogh collezionò oltre 1.400 illustrazioni, soprattutto di incisioni lignee, che ricavava dalle riviste inglesi come «The Graphic» e «The Illustrated London News», e ora conservate presso il Van Gogh Museum ad Amsterdam.

Questo disegno piuttosto grande di seminatore è datato inizio dicembre 1882 e, assieme ad altri due disegni rispettivamente di un seminatore e di un mietitore, lascia trasparire il tentativo dell'artista di dare maggiore movimento ai suoi soggetti. Come egli stesso scrisse a Théo, l'intento era di ricavarne litografie, per le quali fino ad allora aveva scelto prevalentemente posizioni statiche (con l'unica eccezione di uno zappatore). Queste persone stanno tutte facendo qualcosa ed è questo che conta in genere nella scelta del soggetto; così scrisse a Théo intorno al 3, 5 dicembre 1882: «Sono pur sempre tentato di disegnare una figura ferma, [poiché] risulta molto difficoltoso dare espressione ad un'azione e l'effetto è "più piacevole" agli occhi di molti, rispetto a qualcosa d'altro. Tuttavia questo non può andare a scapito della verità e la verità è che la vita è fatta più di fatiche che di riposo.» Pur sapendo che il seminatore era un soggetto molto più indicato per un disegno, egli voleva ugualmente che fosse un tema importante, avente la stessa carica emotiva, ad esempio, di una figura mesta con la testa fra le mani, dato che entrambi erano espressione di una vita dura.

Anche la lettera del 3-5 dicembre (l. 290) contiene un riferimento a questo foglio: «Poi un secondo seminatore, con giacca e pantaloni marrone chiaro, che facilmente risalta sul campo scuro, delimitato in fondo da un piccolo filare di salici. Questo è un tipo completamente differente, con barba, spalle larghe, un po' tozzo, sembra quasi un bue, tutto impegnato nel suo lavoro. Se vuoi, con i tratti quasi da eschimese, labbra carnose e narici larghe.» Di questo periodo sono pervenuti in totale ben quattro disegni di seminatore.

TM

VINCENT VAN GOGH
53. *Testa di pescatore con cappello*
gennaio - febbraio 1883
matita, pastello litografico nero, pennello,
inchiostro nero e acquerello opaco bianco,
grigio e rosa, fissativo scolorito attorno
alla testa, tracce di quadrettatura su carta
per acquerello, mm 429 x 251
Otterlo, Kröller-Müller Museum
The Netherlands, inv. n. 125.319

54. *Ragazza con lo scialle*
dicembre 1882 – gennaio 1883
matita, pastello litografico nero,
acquerello bianco opaco su carta
per acquerello, mm 434 x 251
Otterlo, Kröller-Müller Museum
The Netherlands, inv. n. 121.748

Per Van Gogh *Testa d'uomo con un occhio ben-dato* rappresentò una sorta di preludio per un progetto al quale iniziò a lavorare seriamente nei primi mesi del 1883: i disegni di teste. Diede a questa raccolta il nome inglese "Heads of the people", titolo con il quale la rivista inglese «The Graphic» aveva pubblicato le riproduzioni di una serie di incisioni su legno degli anni intorno al 1870 di tipologie fisiche precise: il "rozzo britannico", "il guardiacoste", "il minatore".
Van Gogh era un appassionato collezionista di queste riproduzioni, molte delle quali ritagliava da riviste francesi e inglesi, ma anche americane e olandesi e conservava dentro a delle cartelline; alcune le incorniciava e le appendeva nel suo studio. Anche Van Rappard le collezionava e spesso le ritagliava da riviste. Scrive Van Gogh a Van Rappard: «Credo che una simile collezione sia per un artista come una Bibbia che legge di tanto in tanto per entrare nel giusto stato d'animo. Penso che sia un bene conoscere questi lavori e far sì che diventino anche una presenza costante nello studio» (l. 314, 13 febbraio 1883). Poche settimane prima aveva scritto: «Sto lavorando molto su disegni in bianco e nero e spero d'imparare altre cose per potenziare l'espressività del nero e del bianco da queste stampe [...]. Quello su cui sto lavorando di più sono le teste. Teste di persone. Teste di pescatori con cappello tra le altre.» A gennaio Van Gogh ricevette come regalo un cappello, un vecchio modello, grazioso, «sul quale sono passati stormi di uccelli e di mari.»
Presto portò a termine una serie di teste di pescatori, per le quali trovò i modelli all'ospizio per anziani. Il vecchio del disegno, con le labbra serrate, compare in due disegni del Van Gogh Museum (F1014 e F1015).
La modella per *Ragazza con lo scialle* fu probabilmente la sorella minore di Sien, Marina Wilhelmina Hoornik, che all'epoca aveva dieci anni e che Van Gogh ritrae di lato e da un punto leggermente rialzato. I capelli corti e lo scialle semplice sottolineano le sue umili origini, mentre lo sguardo fisso denota la sua insicurezza e vulnerabilità.
Con la sua nuova tecnica di combinare varie tonalità di nero – «un procedimento pieno di vigore» – Van Gogh sperava di conferire più sentimento ai suoi disegni. Da questo punto di vista, gli studi non finiti erano spesso più espressivi, anche se molte cose erano state trascurate. A Théo scrive nel

gennaio 1883: «Capirai a cosa mi riferisco: c'è qualcosa della vita stessa negli studi veri e la persona che li esegue non sta a pensare a sé ma alla natura e quindi può preferire lo studio a quello che egli potrebbe forse farne in seguito, a meno che qualcosa di diverso non emerga dai molti studi, ossia il tipo tratto dai molti individui. È questa la cosa più grande in pittura e in quello l'arte supera la natura; nel *Seminatore* di Millet, ad esempio, c'è più anima che in un qualsiasi seminatore nei campi.»

TM

VINCENT VAN GOGH
55. *Madre con il bambino*
gennaio - febbraio 1883
pastello litografico nero, acquerello opaco
bianco e grigio su carta vergata
mm 407 x 270
Otterlo, Kröller-Müller Museum
The Netherlands, inv. n.113.774

Questo foglio, difficilmente databile, venne forse realizzato nei primi mesi del 1883, anche se il soggetto del disegno ricorda i lavori a matita che Van Gogh fece all'inizio dell'autunno del 1882 di Sien e del suo bambino Willem. Qui il bambino sembra un po' più grande. Inoltre Van Gogh non ha eseguito prima uno schizzo a matita, come era solito fare ma, al contrario, ha disegnato direttamente con pastello litografico nero, cosa che rende possibile spostare un po' più avanti la datazione. L'uso del pastello nero è in parte il motivo per cui il disegno è tutto macchiato, dato che era difficile cancellare il pastello oleoso. L'acquerello grigio del fondo dietro la figura ha la funzione di contorno ma è applicato con scarsa accuratezza. L'acquerello del copricapo bianco del bambino, come si vede, è colato.

TM

VINCENT VAN GOGH
56. **Donna con la carriola**, marzo 1883
gesso naturale nero, pastello litografico, lavatura, penna e pennello, inchiostro, acquerello bianco e grigio opaco, tracce di quadrettatura (solo nella parte bassa a destra) su carta velina, mm 683 x 421
Otterlo, Kröller-Müller Museum
The Netherlands, inv. n. 126.863

Intorno al 21 marzo 1883 Van Gogh scrive a Van Rappard: «Questa settimana sto lavorando a disegni di figure con la carriola – anch'essi forse per delle litografie – ma non so che cosa ne verrà fuori. Mi limito a continuare a disegnare, e questo è tutto.»
Non ne è venuta fuori nessuna litografia ma solo questa *Donna con la carriola*, l'unico studio di figura con carriola giunto fino a noi, del mese di marzo. Egli lo utilizzerà in seguito per una composizione grande di zappatori di torba tra le dune, un disegno che conosciamo solo da una fotografia che Van Gogh aveva fatto nel luglio 1883.
Alla fine di maggio, ispirato da Van Rappard, Van Gogh si arrischiò a iniziare una grande composizione di figure. Fino a quel momento i suoi esperimenti più seri con composizioni di gruppo erano acquerelli di piccole dimensioni realizzati nell'autunno del 1882. Ora stava iniziando disegni di 50 x 100 centimetri, per i quali attinse agli studi di figura che aveva realizzato nel corso degli anni.

Donna con la carriola è composto con gesso, probabilmente il gesso naturale nero ("bergkrijt", come lo chiamava Van Gogh, o "gesso di montagna"), che il pittore aveva scoperto in quel periodo come un materiale a lui congeniale, benché non ne avesse molto a disposizione. Il gesso naturale nero produce un effetto marrone opaco che però non è tanto evidente in questo disegno. In ogni caso Van Gogh usò anche gesso più nero, come risulta dalla figura.
La donna con la tipica cuffia di Scheveningen sembra trasportare una cesta di patate nella carriola. È stata inserita in un paesaggio, e ciò fa di questo disegno molto più di uno studio di figura, soprattutto perché il lavoro è incorniciato e questo gli conferisce un certo *status*. Van Gogh comunque non lo firmò come fece in un altro disegno incorniciato di figura dello stesso periodo (*Donna che cuce con una ragazza*, Van Gogh Museum, Amsterdam).
Per molto tempo il disegno appartenne a Sam van Deventer, il confidente di Mrs Kröller-Müller. Entrambi arricchivano le loro collezioni basandosi sui consigli di H.P. Bremmer e Van Deventer possedeva numerosi lavori di Van Gogh. Nel 2005 questo disegno, insieme a un quadro (*Nudo sdraiato*) e a 26 lavori di altri autori furono lasciati in eredità al Kröller-Müller Museum dal figlio di Sam van Deventer.

TM

VINCENT VAN GOGH
57. **Donna sul letto di morte**
aprile 1883
matita, pastello litografico nero, pennello, inchiostro tipografico, colore a olio bianco, grigio acquarellato su carta per acquerello
mm 354 x 632
Otterlo, Kröller-Müller Museum
The Netherlands, inv. n. 115.817

Questo disegno presenta una composizione piuttosto sorprendente nell'opera di Van Gogh, perché il tema della morte non è comune nel suo lavoro e certamente non fu mai

rappresentata in modo così diretto. In ogni caso, fu un argomento che lo interessò per un breve periodo nell'aprile del 1883. All'inizio del mese scrisse a Van Rappard: «Il disegno sul quale sto lavorando ora con questo procedimento tecnico è quello di un "orfano adulto" che sta in piedi accanto alla bara» (l. 335, 3 aprile 1883). Con «questo procedimento tecnico» Van Gogh si riferisce al disegnare con inchiostro tipografico, ma nessuna composizione simile si è conservata. Più tardi, sempre in aprile, scrisse a Théo: «Questa settimana disegnerò alcune figure sdraiate; un giorno mi serviranno dei cadaveri e delle persone malate, sia uomini che donne» (l. 337, 21 aprile 1883). Anche in questa lettera parla di inchiostro tipografico e conferma che nessuno dei disegni ai quali stava lavorando era eseguito senza pennello e inchiostro tipografico. Questo disegno presenta una composizione scura con forti contrasti; l'inchiostro oleoso è usato per i capelli della donna e per lo sfondo. L'inchiostro è applicato densamente soprattutto intorno al corpo e possiede una certa luminosità; in altri punti, invece, è più diluito. Non è chiaro dalla lettera a Théo se Van Gogh stesse progettando di disegnare realmente cadaveri e persone malate o se avesse bisogno di studi con figure distese per composizioni contenenti persone morte o malate. È possibile che l'idea di disegnare una donna sul suo letto di morte gli fosse venuta leggendo Victor Hugo e ritoccando un disegno di Sien distesa. «Sto leggendo l'ultima parte dei *Miserabili*» scrisse a Théo l'11 aprile, «la figura di Fantine, una prostituta, mi ha fatto un'impressione profonda» (l. 336).
Senza dubbio Fantine gli ricordava Sien, entrambe le donne erano povere, incinte, abbandonate e avrebbero dovuto crescere da sole i loro bambini; erano dunque costrette a prostituirsi. Hugo descrive Fantine come una vittima innocente della società ed è esattamente così che Van Gogh vedeva Sien. Nel romanzo Fantine muore miseramente e forse Van Gogh voleva rendere qualcosa della tragicità della situazione in questo disegno. In ogni caso, Sien era avvolta da un lenzuolo quando posò come modella, ma la posizione del corpo era piuttosto di chi si mette in posa. Persino l'aggiunta della natura morta in primo piano – un libro aperto e una candela che si sta consumando, riferimento tradizionale alla morte – non riesce a cancellare questa impressione. La figura nel complesso emaciata è ciò che potrebbe dirsi "l'espressione della morte", se non fosse per le mani raccolte

sul petto che la fanno somigliare piuttosto a una persona addormentata. Inoltre, le gambe sono un po' troppo lunghe rispetto alla parte superiore del corpo. Per gli effetti bianchi e chiari Van Gogh ha usato sia l'acquerello che il colore a olio. Non c'era uno schizzo sottostante per il libro e per la candela, che invece furono inseriti insieme con colore a olio grigio-bianco. La veste e il cuscino sono realizzati con acquerello bianco opaco con una punta di blu per il cuscino. Infine, per le ombre, Van Gogh lavorò con il pastello nero su colore bianco. In basso il pastello è applicato in modo meno intenso, così da lasciare visibile la venatura granulosa della carta.

TM

VINCENT VAN GOGH
58. *Donna seduta*
aprile - maggio 1883
matita, grigio acquarellato, pennello, inchiostro tipografico, olio bianco, tracce di quadrettatura su carta velina
mm 563 x 441
Otterlo, Kröller-Müller Museum
The Netherlands, inv. n. 117.634

59. *Donna che dà da mangiare ai polli*
aprile - maggio 1883
matita, grigio acquarellato, pennello, inchiostro tipografico nero diluito, olio bianco mescolato a inchiostro, acquerello bianco opaco su carta velina,
mm 610 x 340
Otterlo, Kröller-Müller Museum
The Netherlands, inv. n.121.887

60. *Il seminatore*, aprile - maggio 1883
matita, pastello litografico nero, grigio acquarellato, pennello, inchiostro (tipografico) diluito, acquerello opaco bianco, tracce di quadrettatura su carta per acquerello, mm 619 x 415
Otterlo, Kröller-Müller Museum
The Netherlands, inv. n. 122.897

Alla fine di febbraio del 1883 Van Gogh sistemò nel suo studio delle imposte nuove perché la luce, che entrava da tre ampie finestre, era troppo intensa e il reticolato che aveva messo sulle finestre per smorzarla non era sufficiente. Ora, con le imposte nuove, poteva chiudere la parte alta e quella bassa in modo indipendente e creare la luminosità che gli era necessaria. Ciò gli sarà estremamente utile per i suoi studi. «Mi mandava fuori di me quando, ad esempio, vedevo una

donna che si affaccendava in una piccola stanza e trovavo qualcosa di tipico e di misterioso in quella figura; ma poi scompariva tutto quando la facevo venire nel mio studio. Il vecchio era molto più significativo in un corridoio buio che nel mio studio» (l. 319, 23 febbraio 1883).
La possibilità di calibrare l'intensità della luce nello studio divenne preziosa per Van Gogh poco tempo dopo, quando iniziò a lavorare con un materiale nero, l'inchiostro tipografico. Egli mescolava questo inchiostro oleoso e vischioso con la trementina rendendolo così più facile da stendere; di fatto, la soluzione così ottenuta era talmente diluibile che Van Gogh la poteva usare anche come acquerello trasparente grigio. La trementina evaporava velocemente e non lasciava macchie sul foglio, come scrisse a Van Rappard, cercando di incuriosirlo con questa sua nuova scoperta: «L'inchiostro tipografico – più o meno diluito con la trementina (lo si può diluire a tal punto che le pennellate si possono dare con la massima trasparenza e, d'altra parte, lo si può usare concentrato per ottenere le tonalità più fonde del nero) – è un metodo con cui si può fare molto» (l. 335, 3 aprile 1883). Van Gogh mescolava tale inchiostro anche con colore a olio bianco o polvere bianca per creare delle tonalità profonde di grigio. Si tratta di sperimentazioni che sono evidenti in questi tre grandi studi.
Proprio perché Van Gogh si concentra sui contrasti chiaroscurali, i soggetti di questi disegni possono sembrare piuttosto strani, anche se non si nota subito. A causa del fondo nero scuro sembra che la donna che dà da mangiare ai polli e il seminatore stiano svolgendo le loro attività di notte. Se la donna stia veramente dando da mangiare ai polli non è chiaro, poiché non si vede nessun pollo nel disegno e perché è ferma in piedi e non sta facendo quei movimenti tipici simili a quelli di un seminatore. Il modo in cui Van Gogh applica l'inchiostro, in diverse diluizioni e mescolato con il bianco per produrre il grigio è evidente dalla gonna della donna. Solo nella parte alta del corpo della donna e nel suo grembiule la matita non è stata ricoperta. La modella potrebbe essere la stessa di *Donna seduta*, che non pare Sien; indossa un abito scuro e un copricapo bianco ed è raffigurata in una posizione d'abbandono su una panca. Van Gogh usò un po' di pittura a olio con cui ripassò il copricapo, sulla cui estremità è visibile una sottile linea marrone prodotta dall'olio colato.

L'uomo che fece da modello per *Seminatore* posò anche per uno studio di uno zappatore che Van Gogh utilizzò per una grande composizione di gruppo (ora persa) di persone che zappano tra le dune.

TM

VINCENT VAN GOGH
61. *Crepuscolo, Loosduinen*
settembre 1883
olio su carta applicata su tela, cm 33 x 50
Utrecht, Centraal Museum
in prestito dalla Stichting Van Baaren Museum

Dalla fine del 1881 al settembre del 1883 Van Gogh vive e lavora all'Aia. Poco prima del 1880 aveva deciso di diventare artista per cui sentiva l'urgente bisogno di imparare il mestiere. Dopo un breve periodo in cui frequenta l'Accademia di Belle Arti di Bruxelles, seguito da un periodo difficile a casa dei genitori, Van Gogh decide quindi di stabilirsi all'Aia. Conosce diversi artisti della Scuola dell'Aia e, Anton Mauve, uno dei suoi massimi esponenti, si offre d'insegnargli le basi della pittura e dell'acquerello. Mauve aveva anche disposto che Van Gogh avesse accesso al Pulchri Studio, un'associazione artistica dove avrebbe potuto disegnare dal vero. Dotato di poco talento naturale, Van Gogh si deve dedicare con impegno per riuscire a ritrarre figure umane. All'Aia, lavora soprattutto con penna su carta, realizza una lunga serie di disegni con figura e dipinge vedute della città, sempre nella speranza di vendere le sue opere. Ma non è facile trovare degli acquirenti; i suoi disegni sono considerati troppo duri e le sue scene cittadine non sono in linea con il gusto contemporaneo. Gli artisti della Scuola dell'Aia hanno abituato il pubblico a paesaggi di atmosfera e idilliache vedute locali. Le scelte dei soggetti di Van Gogh riflettono invece il suo interesse verso i problemi sociali e il modo in cui disegna non abbellisce certo i suoi modelli. Nel 1883 Herman van der Weele, Théophile de

Bock e Bart J. Blommers – amici e colleghi che Van Gogh frequenta regolarmente – gli suggeriscono di tornare a concentrarsi sulla pittura così da perdere quella ruvidezza che caratterizzava i suoi disegni. Come l'artista scrive al fratello: «Ho parlato con Blommers a proposito della mia pittura, lui vuole che continui; personalmente anch'io penso che dopo i dieci o dodici disegni grandi, ho raggiunto un punto in cui devo cambiare il mio percorso invece di produrne di nuovi nello stesso modo.» Van Gogh inizia così a dipingere sulla spiaggia di Scheveningen e ricerca scene di ambientazione rurale nelle vicinanze dell'Aia. Nel mese di settembre del 1883 dipinge questa veduta di cascinali a Loosduinen, un villaggio che aveva già visitato in precedenza. «A Loosduinen ho trovato cose ancora più belle, vecchi cortili, e di sera ci sono effetti meravigliosi.»
Per rimanere in linea con i suoi amici artisti, Van Gogh non dipinge alcun particolare, ma concentra la sua attenzione sulle solide forme degli edifici tra gli alberi. Mette in risalto la tonalità del cielo nuvoloso che contrasta con il rosso smorzato dei tetti. Contro la facciata bianca del cascinale a sinistra risaltano i rami di un albero. Il grande campo verde in primo piano suggerisce la vastità del paesaggio, ulteriormente ampliato dalla distesa di cielo. Van Gogh utilizza larghe pennellate che richiamano le opere di atmosfera e dai contorni sfumati dei colleghi Van der Weele e de Bock. In una lettera spiega: «Ora che mi lascio andare un po' e osservo di più attraverso le ciglia, invece di fissare le linee di unione e analizzare la struttura degli oggetti, questo mi porta in modo più diretto a vedere le cose come chiazze di colore in contrasto fra di loro.» La tavolozza dai toni smorzati è tipica dei suoi primi lavori e mostra l'influenza della Scuola dell'Aia. L'utilizzo piuttosto elementare dei colori testimonia che sono tentativi di un pittore alle prime armi; solo negli anni successivi Van Gogh avrebbe acquisito la tecnica per applicare in modo più sfumato il colore.

CH

VINCENT VAN GOGH
62. *Capanna di torba*, ottobre 1883
penna, inchiostro nero (scolorito
in marrone in parecchi punti), grigio
acquarellato su carta vergata
mm 221 x 288
Otterlo, Kröller-Müller Museum
The Netherlands, inv. n. 121.207

Come il disegno *Agricoltore*, anche *Capanna di torba* è da mettere in relazione a uno schizzo contenuto in una lettera, precisamente nella lettera del 22 ottobre 1883. Qui Van Gogh traccia due schizzi per due studi a olio, ai quali stava lavorando, *Erba bruciata* e *Capanna di torba*, ma quest'ultimo non si è conservato. «Ecco qua due schizzi serali», scrive a Théo, «sto ancora lavorando a quello dell'uomo che brucia erbacce, che mi è riuscito meglio di prima in uno studio a olio che ho fatto, di modo che rende meglio la vastità della pianura e la sera che cala, con una sola fonte di luce, il fuoco e del fumo. Ho continuato a tornarci di sera e ho trovato questa capanna una sera dopo la pioggia; vista in realtà, è qualcosa di magnifico» (l. 398). Anche il disegno a penna *Capanna di torba* deve derivare da questo contesto. La scena serale è facilmente riconoscibile in entrambi, nello schizzo della lettera e nel disegno. Qui Van Gogh lascia trapelare il bianco della carta dalle finestre e non usa l'acquerello come fa nel resto del disegno, dando così l'impressione che ci sia della luce all'interno. La capanna sembra una di quelle umili abitazioni di coloro che lavoravano nelle torbiere. Non eseguì prima uno schizzo a matita, ma lavorò direttamente a penna e inchiostro nero su carta vergata, con grande uso di acquerello. Sono visibili l'acquerello grigio e marrone anche se probabilmente non usò due diversi tipi di inchiostro per ottenere quelle tinte. I marroni sembrano più una scoloritura del grigio e sono forse causati dall'eccessiva abbondanza di inchiostro usato. Nei punti tratteggiati in modo più denso, il colore è più marrone rispetto alle altre zone del disegno più luminose, dominate invece dal grigio. Il sentiero davanti alla capanna, che non è tratteggiato a inchiostro, è di un colore grigio chiaro uniforme, mentre il cielo luminoso e acquarellato in modo non uniforme è di un grigio poco più scuro con punte di marrone. Variazioni di colore più intense si trovano nello sfondo; le linee a inchiostro sono di un nero deciso nei punti di saturazione del colore, ad esempio alla fine di una riga, ma quelle più sottili sono diventate marroni. Sul sentiero Van Gogh grattò sul foglio con uno strumento appuntito, probabilmente per interrompere l'uniformità del colore. La figura, completamente scura, fu aggiunta in seguito e sembra fluttuare sul sentiero a causa delle due ombre arricciate sotto di lei che sono separate da essa. Forse il disegno si basava su uno studio a olio, ma confrontato con lo schizzo della lettera ci sono alcune differenze: il numero degli alberi davanti alla capanna, la posizione della figura sul sentiero e quella del camino sul tetto. La posizione del camino è importante, perché Van Gogh deve aver fatto un errore nello schizzo della lettera. Qui il camino si trova sul bordo estremo del tetto, in corrispondenza del muro frontale esterno, proprio sopra la porta d'ingresso. Molte capanne avevano il camino in quella posizione, ma questo significa che la cappa e il focolare si trovavano sulla parete frontale della casa, precludendo così la possibilità di entrare. Queste capanne avevano una porta di lato o sul retro. Nel disegno il camino è posizionato correttamente, più spostato verso il centro del tetto. Forse Van Gogh è stato meno preciso nel buttare giù in fretta lo schizzo per Théo; egli era infatti di solito desideroso di disegnare le autentiche e semplici abitazioni del popolo contadino, cosa che ben si collegava con la sua preferenza per la vita di campagna non ancora intaccata dall'industrializzazione. A Etten gli piaceva stare nelle casupole, a "het Heike" e a Nuenen conobbe le case dei tessitori. A Les-Saintes-Maries-de-la-Mer, nella Francia del Sud, la sua attenzione venne catturata dalle vecchie casette caratteristiche, dipinte di bianco con i tetti rossi. Gli ricordavano un po' le capanne della Drenthe.

TM

VINCENT VAN GOGH
63. **Fattorie**, ottobre - novembre 1883
gesso nero grattato via in alcuni punti e grigio acquarellato, acquerello bianco-rosa opaco su carta vergata, mm 455 x 605
Otterlo, Kröller-Müller Museum
The Netherlands, inv. n. 116.837

Il disegno, piuttosto grande rispetto ai lavori realizzati nel periodo in cui Van Gogh si trovava nella Drenthe, raffigura una fattoria e un capannone con numerosi pini accanto. Non si tratta chiaramente di una capanna di torba ma di un edificio più grande che, considerata la posizione centrale del camino, doveva avere una zona residenziale a parte. Ci sono altre case visibili nello sfondo sia a sinistra che a destra dell'edificio così come tra la fattoria e il capannone. Basandosi sulla collocazione dei diversi edifici, è stato identificato il luogo come un posto non lontano dall'alloggio di Van Gogh in Nieuw-Amsterdam. Dietro la fattoria e gli alberi c'è una strada che scorre sulla sinistra – il tratto sabbioso tra Erm e Zweeloo – sulla quale è collocata la casa che si può vedere tra la fattoria e il capannone. Difficile datare il disegno più precisamente che non con un generico ottobre-novembre, il periodo in cui Van Gogh si trovava a Nieuw-Amsterdam.
La composizione è eseguita con un gesso nero piuttosto morbido e grasso. Applicandolo con più pressione l'artista riuscì a creare dei neri belli e fondi che sono visibili nelle parti ombreggiate degli alberi e negli accenti usati per delineare i rami. Con uno strumento affilato Van Gogh grattò il primo piano così come le lamelle delle tettoie. Usando il pennello applicò dei tocchi di grigio acquarellato nella parte alta a sinistra e a destra del cielo, che è per altro ravvivato sobriamente con alcune nuvole in acquerello bianco-rosa opaco, specialmente attorno e attraverso le fronde degli alberi. Van Gogh forse sperava di creare così un maggiore senso di

spazialità tra gli alberi utilizzando accenti bianchi. Il cielo, a parte il grigio acquarellato, è vuoto, ma una piccola macchia di pittura rossa a sinistra del tetto della fattoria era così fastidiosa che Van Gogh cercò di toglierla con un piccolo tocco di pittura bianca opaca. Lasciò, invece, una chiazza di pittura marrone-giallastra sul tetto, mentre nella parte bassa a sinistra c'è una piccola macchia tonda di olio, questa volta di colore rosso-marrone. A sinistra di essa, la parola "af" (off) è scritta a matita sotto una breve linea anch'essa tracciata a matita. Questo ha probabilmente a che fare con l'intenzione di ridurre il formato della composizione tagliando di circa mezzo centimetro la parte inferiore proprio per eliminare la goccia di olio. Non sembra però che questa sia stata un'idea di Van Gogh; è più probabile che fosse dell'ultimo proprietario del disegno, Hidde Nijland. Alla fine non se ne fece nulla perché la macchia fu nascosta dall'angolo del *passe-partout*, come si vede ancora nella cornice che corre attorno alla composizione e che è scolorita in marrone.

TM

VINCENT VAN GOGH
64. **Donna con forcone in un campo innevato**, dicembre 1883
matita, penna e inchiostro marrone-nero su carta velina, mm 207 x 287
Otterlo, Kröller-Müller Museum
The Netherlands, inv. n. 120.585

Con tutta probabilità Van Gogh partì da Hoogeveen il 5 dicembre 1883 per Nuenen, dove vivevano i suoi genitori dall'anno precedente. Inizialmente lavorò nella canonica al n. 26 Berg, dove la lavanderia era stata messa a sua disposizione e trasformata in uno studio. Il primo maggio 1884 egli prese in affitto uno studio da Johannes Schafrath, il sagrestano della chiesa cattolica. Vi si trasferì un anno dopo e vi abitò fino alla sua partenza per Anversa alla fine di novembre del 1885.

Il mese nevoso di dicembre gli offrì presto una grande quantità di soggetti. Realizzò studi a penna del vecchio cimitero con il campanile diroccato della chiesetta nei campi dietro la canonica, che aveva attratto la sua curiosità fin da quando Théo gliene aveva parlato in una lettera in seguito al trasferimento dei loro genitori. Fece anche numerosi e graziosi schizzi del giardino della canonica e andò in cerca di nuovi soggetti nei dintorni, a Gerwen e nei campi attorno alla vecchia chiesa. Fu lì che trovò il soggetto per *Donna con forcone in un campo innevato*, nel quale il campanile si scorge in modo indistinto nel fondo, proprio a destra dell'albero più grande. Accanto alla donna, sulla destra, c'è un mucchio di letame, probabilmente portato lì dall'uomo con il carretto, che si vede sulla destra nel fondo. Van Gogh eseguì prima un luminoso disegno a matita del paesaggio e della figura femminile in primo piano. Poi ombreggiò il cielo con del grigio, che rafforza l'impressione di un cielo colmo di neve, specialmente in contrasto con altri dettagli che vengono illuminati a penna e inchiostro marrone-nero e poi la zona luminosa innevata. Da questi e altri particolari si può concludere che Van Gogh ha ora sviluppato una buona comprensione e sensibilità per il disegno. L'uomo che compare qui è lo stesso di *Paesaggio innevato con la vecchia torre*, ma collocato nello sfondo. I due fogli sono entrambi databili al dicembre 1883 e sono circa dello stesso formato e disegnati quasi sicuramente sullo stesso tipo di carta.

TM

VINCENT VAN GOGH
65. *Taglialegna*
dicembre 1883 - gennaio 1884
gesso nero, acquerello opaco e trasparente
su carta velina, mm 352 x 448
Otterlo, Kröller-Müller Museum
The Netherlands, inv. n. 125.916

Questo acquerello con alcuni taglialegna è stato a lungo considerato come un lavoro appartenente al periodo dell'Aia, mentre qui viene inserito tra i lavori di Nuenen. Il foglio va messo in relazione con l'acquerello *Vendita del legname* del Van Gogh Museum. Van Gogh ebbe modo di assistere a una vendita di legname che si tenne a Nuenen il 31 dicembre 1883. In quell'occasione fece un disegno, «solo uno schizzo», come scrisse a Théo, ma che probabilmente servì come modello per *Vendita del legname*. Il soggetto di *Taglialegna* sembra anticipare la vendita e fu forse realizzato in modo simile, anche se non ci sono rimasti schizzi con lo stesso soggetto. Il tronco che viene tagliato dalle figure è forse uno dei tre messi in vendita nell'acquerello del Van Gogh Museum.

I due acquerelli sono collegati dal punto di vista tecnico e mostrano parecchie somiglianze. Prima di tutto c'è il trattamento del foglio con gesso nero, sul quale Van Gogh applicò dell'acquerello opaco e trasparente. Le estremità segate dei tronchi sono rosa in entrambi gli acquerelli, cosa che produce un gradevole contrasto con la luce verde dei tronchi stessi. La figura ferma sulla sinistra in *Taglialegna* esprime la stessa rigidità degli uomini in primo piano nell'acquerello *Vendita del legname*. Gli zoccoli indossati dalle figure in entrambi i lavori sono dipinti nella stessa maniera, con un contorno nero arrotondato diluito con acquerello bianco opaco. Se paragonato a *Vendita del legname*, che dà un'impressione di trasparenza, *Taglialegna* è più "denso". Le linee di pittura comunicano un senso di disordine, soprattutto nella parte rosa dove l'artista cerca di dare più luminosità alla composizione.

Qua e là le svirgolate di pennello attraversano lo spazio compositivo come qualcosa di rigido e poco fluido, che era di sicuro dovuto in parte al fatto che Van Gogh usava pennelli vecchi e rovinati, visto che numerosi peli si sono depositati sulla superficie. Ciò può mettersi in relazione con un nuovo ordine di materiali che Van Gogh aveva appena fatto al suo fornitore dell'Aia, Hendrik Jan Faurnée. In una lettera al figlio, Anton

Faurée, al quale aveva insegnato all'Aia, Van Gogh scrisse verso la metà di gennaio: «Nelle ultime settimane ho fatto quattro acquerelli di tessitori. E altri di una vendita di legname, un interno con una giovane donna che cuce e un giardiniere, tutti acquerelli.» *Taglialegna* fu forse uno degli ultimi che fece con i pennelli vecchi e proprio per il risultato piuttosto disordinato forse non lo reputò abbastanza riuscito, non lo nominò, né lo firmò, diversamente da *Vendita del legname*.

TM

VINCENT VAN GOGH
66. *Tessitore*
dicembre 1883 - giugno 1884
matita, gesso nero, carboncino?, penna
e pennello, inchiostro nero (in parte
scolorito in marrone), lavatura, acquerello
bianco opaco (tracce di quadrettatura?) su
carta per acquerello, mm 245 x 334
Otterlo, Kröller-Müller Museum
The Netherlands, inv. n. 111.656

67. *Tessitore al telaio*
maggio - giugno 1884
matita, penna, pennello, inchiostro nero
(sbiadito in marrone), acquerello opaco
bianco su carta velina, mm 271 x 398
Otterlo, Kröller-Müller Museum
The Netherlands, inv. n. 121.558

Una volta giunto a Nuenen, Van Gogh iniziò subito a dedicarsi al tema dei tessitori.

Malgrado il processo di crescente industrializzazione del settore tessile nella regione del nord Brabante, nella seconda metà dell'Ottocento erano ancora in molti che, a Nuenen più che nel resto della regione, continuavano a tessere in casa.

È vero che a quel tempo i tessitori non erano un soggetto pittorico e, come osservò Van Gogh, non comparivano nemmeno nelle riviste illustrate. La sua grande collezione di incisioni conteneva una sola stampa di argomento simile, una casetta di tessitore, pubblicata nell'«Illustration» del 10 settembre 1881 e tratta da un disegno di Ryckebusch, il cui titolo non concedeva nulla all'immaginazione: *Attività che stanno scomparendo: il tessitore*. «Conosci disegni di tessitori? Io ne conosco ben pochi», scrisse a Théo il 4 gennaio 1884 (l. 419). Qui probabilmente Van Gogh si riferisce a Van Rappard che aveva disegnato e dipinto un tessitore l'anno precedente nella Drenthe. I tessitori e i loro telai occuparono Van Gogh fino all'agosto del 1884: circa dieci dipinti e sedici disegni.

Nella lettera del 4 gennaio 1884, scrisse a Théo che aveva già ultimato tre acquerelli di tessitori, ma quali fossero e se sono arrivati sino a noi, è difficile da accertare. Datare i disegni dei tessitori è estremamente arduo perché, tranne qualche rara eccezione, le lettere non aiutano molto a una loro precisa identificazione. È possibile stabilire un certo ordine cronologico dal grado di accuratezza con la quale Van Gogh raffigura i telai, ma anche così bisogna procedere con prudenza. Da un lato si può infatti constatare che Van Gogh comprese un po' alla volta il funzionamente complesso di questi telai, ma d'altro canto è pur vero che in nessun disegno riuscì a riprodurre la macchina in modo del tutto corretto.

In *Tessitore* Van Gogh si concentra soprattutto sul telaio che ha una prospettiva un po' distorta e si erge in modo convincente all'interno della stanza. Van Gogh deve essersi seduto molto vicino al suo soggetto, dal momento che sicuramente si stava molto stretti in quella stanza. Nella lettera del 2 gennaio 1884 scrive a Théo «Queste persone sono molto difficili da disegnare perché non ci si può sistemare abbastanza lontani in quelle piccole stanze.»

Solo due disegni si possono datare con maggiore precisione: *Figure di fronte a un telaio* e questo *Tessitore al telaio* poiché sono collegati a una lettera del 30 aprile 1884. «Presto spero di iniziare altri due studi dipinti di

tessitori nei quali la figura è in una posizione diversa, cioè non siede dietro il telaio ma sta sistemando l'ordito del tessuto» (l. 445). Molto probabilmente Van Gogh realizzò *Tessitore al telaio*, dopo il quadro *Tessitore* (F32, collezione privata), ma questi furono tutti terminati parecchi mesi dopo.

Per questo disegno a penna e inchiostro, Van Gogh lavorò su uno studio preliminare a matita. Si concentrò soprattutto sull'effetto della luce che filtrava nella piccola stanza. Come è evidente in molti punti, collocò abilmente le parti più scure contro quelle più chiare. Ricoprì gran parte del disegno con numerose linee tratteggiate, rendendo così la composizione simile a un'incisione o a una stampa. Con un pennello applicò l'acquerello al fondo, alla parte alta del soffitto, nell'angolo della stanza a destra e sul telaio. Usò dell'acquerello bianco opaco per gli accenni minimi come nello sgabello, nelle maniche dell'abito, nello zoccolo del tessitore e nella bacinella del fondo.

In un primo momento Van Gogh appose una grande firma in inchiostro nell'angolo in basso a sinistra, proprio sotto la base del telaio. Questa, però, forse appesantiva la composizione, così cercò di cancellarla, anche se rimane visibile. Ne appose un'altra sulla parte acquarellata in basso a destra. Il telaio, che risale al 1730, è un complesso riprodotto con relativa esattezza, certamente meglio che in altri disegni. Il tessitore sta sistemando l'ordito dei fili, il subbio è nella posizione giusta ma nemmeno qui Van Gogh è riuscito a rendere chiaramente il meccanismo dello scorrimento e avvolgimento del tessuto. Lo stile di questi disegni è strettamente collegato a *Tessitore con un bambino sul seggiolone*, realizzato parecchi mesi prima, tra la fine di gennaio e l'inizio di febbraio del 1884 e basato su un dipinto andato perduto.

Anche se le cornici dei telai sono molto diverse nei dettagli dei due disegni, questo è forse dovuto all'interpretazione dell'artista, poiché si tratta sicuramente dello stesso telaio e della stessa stanza, «una stanza piccola, misera con il pavimento in terracotta», come scrive a Théo il 24 gennaio 1884 (l. 427).

TM

VINCENT VAN GOGH
68. *Telaio con tessitore*
aprile - maggio 1884
olio su tela, cm 68,3 x 84,2
Otterlo, Kröller-Müller Museum
The Netherlands, inv. n. 107.755

Al principio di settembre del 1883, Van Gogh lascia l'Aia, interrotto il rapporto con Sien, prostituta che gli era stata compagna, e si trasferisce per circa tre mesi nella provincia della Drenthe, dove disegna e dipinge specialmente paesaggi. È un territorio amato dagli artisti olandesi, che lo rappresentano spesso per gli scorci tra alberi e canali. Ma arrivato l'inverno, per il freddo e le nebbie Van Gogh decide di raggiungere i genitori a Nuenen, all'inizio di dicembre del 1883. Nuenen è un piccolo villaggio, vicino Eindhoven, nel quale il padre Theodorus svolge dal 1882 la funzione di pastore protestante e parroco. L'intenzione di Vincent era quella di rimanervi soltanto un breve periodo e da lì trovare una sistemazione, possibilmente di nuovo a L'Aia. Non si sentiva particolarmente il benvenuto nella casa dei genitori. Ma nonostante i continui conflitti con il padre, che nel frattempo morirà per un infarto a poco più di sessant'anni, rimane a Nuenen per un tempo lungo, quasi due anni. Il costo della vita era basso e i dintorni fornivano molti motivi per la pittura. Venne presto affascinato dai tessitori, tanto che il primo febbraio del 1884 scrive a Théo: «Dal momento in cui sono arrivato qui credo di non aver passato nemmeno un giorno senza aver lavorato, dalla mattina fino a notte, tra i tessitori e i contadini.» La maggior parte degli oltre 400 tessitori attivi in quel periodo a Nuenen, combinava il lavoro al telaio con l'attività nelle piccole fattorie. Van Gogh realizzò, tra il dicembre del 1883 e il luglio del 1884, almeno 18 disegni e 10 quadri su questo tema.

Nell'inverno tra il 1879 e il 1880, quando viveva ancora nel Borinage, confortando i minatori dopo il loro duro lavoro in qualità di predicatore laico leggendo passi della Bibbia, e quindi prima di iniziare la sua attività di artista, come annuncia in una lettera al fratello nel giugno 1880, Vincent ebbe l'opportunità di visitare il Pas de Calais, nella Francia settentrionale: «Durante quel viaggio vidi anche qualcosa d'altro: i villaggi dei tessitori», scrisse nel settembre di quello stesso 1880 sempre a Théo. E di seguito: «I minatori e i tessitori rappresentano in un certo senso ancora una popolazione a sé stante se raffrontata con altri operai e artigiani e provo per loro una grande simpatia, mi riterrei fortunato se potessi ritrarli un giorno.» E quel giorno in effetti venne qualche anno più tardi, appunto a Nuenen. Sono, come detto, contadini che lavorano al telaio soprattutto in inverno, per incrementare un poco il magro salario dato dal lavoro nei campi. Van Gogh, che aveva viaggiato e letto molto, è certamente a conoscenza delle mutate condizioni nel settore tessile, ma sceglie nelle sue opere di evitare di mostrare il processo di modernizzazione, riproducendo sempre telai della vecchia tradizione. Questo per celebrare il lavoro manuale, cosa che gli interessa sempre molto, nella sua visione che discende spiritualmente, è bene ricordarlo, dalle opere di Millet.

Vincent lavora direttamente nelle case dei tessitori e in questo senso l'artista si concentra molto sul telaio, in una visione molto ravvicinata, spesso con il bianco della finestra che sbuffa la luce nella stanza. Si siede vicino al suo soggetto, anche se in una lettera si lamenta con il fratello circa il fatto che proprio questa breve distanza non gli permetta di disegnare come vorrebbe. Il quadro qui riprodotto viene realizzato tra aprile e maggio del 1884 ed è una delle tele di maggiore dimensione, inusuale, di questo soggetto. Il telaio, settecentesco e in legno di quercia, emerge nel suo tono scuro da un fondo grigio chiaro, con il meraviglioso particolare della lampada sospesa a destra. Il telaio diventa esso stesso una sorta di idolo, davanti al quale quasi scompare il contadino al lavoro. Dal punto di vista pittorico, si tratta certamente del dipinto più bello e rifinito di tutta la serie sui tessitori. E quanto Van Gogh fosse entusiasta di questo risultato, contrariamente alla sua cronica insoddisfazione rispetto alle proprie realizzazioni, lo dice il fatto che esattamente da questo quadro egli trasse una sorta di suo biglietto da visita. Tra l'altro, questo dipinto venne rubato al Kröller-Müller Museum nel dicembre 1988 e ritrovato nel luglio dell'anno successivo.

MG

JACOB MARIS
69. *Paesaggio di primavera*
1880 circa
olio su tela, cm 48,5 x 79
L'Aia, Collection Gemeentemuseum
The Hague

Nato all'Aia nel 1837, Jacob Maris, insieme ai due fratelli Matthijs e Willem, è un esponente importante del gruppo di artisti della Scuola dell'Aia. Dopo aver svolto la formazione artistica ad Anversa, ritornato all'Aia vive eseguendo copie su commissione. Negli anni 1859 e 1860 insieme al fratello Matthijs visita Oosterbeek, definita la "Barbizon dell'Olanda", quindi viaggia in Germania, Svizzera e Francia. Nel 1865 un contratto con la casa Goupil gli consente di stabilirsi a Parigi, grazie al sostegno e all'interessamento dello zio di Van Gogh, Vincent van Gogh (zio Cent), che prese presto contatto con pittori che in seguito sarebbero diventati famosi come maestri della Scuola dell'Aia. All'inizio Goupil evitò di vendere i paesaggi di Jacob Maris che non era noto come paesaggista.

Quando nel 1868 Maris dipinse *Giovane pastore presso il fiume* avvenne una svolta nella sua carriera: mostrò il suo quadro a Goupil che lo apprezzò al punto da inviarlo al *Salon* parigino. La giuria lo accettò e il mercante inglese Wallis, in visita all'esposizione, lo acquistò per la sua ditta di Londra. Era la conferma dell'aspirazione di Maris a farsi conoscere meglio come paesaggista.

Dopo le difficoltà durante l'assedio di Parigi durante la Guerra franco-prussiana, Maris tornò in Olanda, ruppe il contratto con Goupil e decise di dedicarsi alla pittura di paesaggio, diventando nel tempo uno fra i pittori e gli acquarellisti più autorevoli della Scuola dell'Aia.

All'Aia si dedicò a dipingere fiumi e paesaggi con i mulini, vedute della spiaggia con barche da pesca ma anche vedute delle città, con una grande enfasi sugli effetti atmosferici prodotti dai cieli nuvolosi.

Nei quadri realizzati in questi anni accosta l'esperienza francese alla tradizione del paesaggio olandese, rustico e urbano, come ad esempio in *Canale sotto la luna* (1882), o *Città olandese sull'acqua* (1883).

La sua pennellata diviene sempre più ampia e il suo uso del colore si fa più intimo e sommesso, volto soprattutto alla rappresentazione atmosferica delle nuvole. Questo carattere della sua pittura è stato paragonato ai pittori settecenteschi come Jan van Goyen, Jacob van Ruisdael e Johannes Vermeer. Alcuni critici così descrissero il suo modo di lavorare: «Prima dipinge e solo dopo disegna. Applica uno spessore denso di pittura, lo costruisce, lo manipola lo pasticcia – sviluppando gradualmente un'armonia di colori che definisce le linee compositive principali. Solo allora completa le sue figure con vive e sottili pennellate. Ma il tocco finale è un tocco da maestro, e alla fine l'intero lavoro è solido e convincente come un disegno minuzioso.»

In *Paesaggio di primavera* se sono ravvisabili alcuni elementi caratteristici dei pittori della Scuola dell'Aia per quanto riguarda la scelta dei soggetti – l'interesse per i paesaggi popolati da contadini intenti nelle attività agricole –, da un punto di vista stilistico la staticità compositiva, la fissità delle figure, che caratterizzano molta produzione di questi pittori, sono personalizzati da Maris in direzione di una maggiore leggerezza e ariosità. La bassa linea dell'orizzonte divide la parte inferiore del quadro, dominata dai toni scuri e marroni dove un contadino sta arando il terreno, dalla parte del cielo, molto più ampia, realizzata in tonalità «grigie ma luminose», come osservò giustamente l'artista olandese Philippe Zilcken, che così scrisse sulla pittura di Maris: «Nessun pittore ha espresso così bene gli effetti eterei, quasi bagnati nell'aria e nella luce attraverso una sottile nebbia argentea galleggiante, nella quale i pittori si deliziano, e gli orizzonti remoti che si confondono nella foschia. O ancora, il tempo grigio ma luminoso dell'Olanda, a differenza della pioggia grigia e stantia dell'Inghilterra o del cielo pesante di Parigi.»

SZ

VINCENT VAN GOGH
70. *Coltivatori di patate*
agosto - settembre 1884
olio su tela, cm 66,4 x 149,6
Otterlo, Kröller-Müller Museum
The Netherlands, inv. n.105.684

C'è un momento, a Nuenen – dove Van Gogh chiude il suo fondamentale tempo olandese di educazione all'arte, nei due anni che vanno dal dicembre 1883 al novembre 1885 –, in cui accade qualcosa di molto interessante. Arrivato in quel villaggio, dove alloggiano i genitori, dalla Drenthe, la regione tanto cara ai paesaggisti e nella quale lo stesso Vincent si dedica principalmente alla descrizione della natura, la sua attenzione è attirata soprattutto dai tessitori, che raffigura in una trentina di opere tra disegni e dipinti, tra dicembre e luglio.

Ma a partire dalla piena estate del 1884, il suo sguardo torna a indirizzarsi verso il paesaggio, per il quale i dintorni di Nuenen offrono non pochi spunti. Spesso, quel paesaggio diventa luogo di ambientazione del lavoro dei contadini, anche se talvolta si offre nudo nella sua semplicità in apparenza perfino banale, ma che consente a Van Gogh di misurare luci poco per volta nuove. E colori essi stessi poco per volta nuovi, fino a che saranno, tra ottobre e novembre dell'anno successivo, alcuni finali, e bellissimi, paesaggi sempre nel Brabante, prima di presentarsi, fatta la sua lunga sosta ad Anversa, a Parigi al cospetto dell'arte degli impressionisti.

È proprio nel secondo dei due anni trascorsi a Nuenen che avviene un primo, fondamentale scatto nell'ambito di un colore che comincia appena ad abbandonare le terre frequentate dagli artisti di Barbizon e della Scuola dell'Aia, da lui tanto amati.

Nell'estate del 1884, nella vicina città di Eindhoven, Van Gogh conosce Antoon Hermans, un ex orafo e pittore dilettante che gli chiede di preparare per lui il progetto per la decorazione della sua sala da pranzo. Hermans considerava cosa lodevole un motivo biblico con santi, ma il pur devoto Vincent lo convinse a decorare le pareti con scene di vita contadina. Si trattava di sei spazi da riempire, per i quali Van Gogh realizzò altrettante tele a grandezza naturale, che infine il padrone di casa copiò. A lavoro concluso, queste stesse tele vennero restituite al pittore. In una lettera dell'agosto dell'anno successivo, Van Gogh si lamentò però del fatto che Hermans non lo pagò per questo lavoro, avendo egli sostenuto semplicemente le spese per i materiali.

Questo quadro con i *Coltivatori di patate*, dipinto tra l'agosto e il settembre del 1884, è uno dei quattro campioni rimasti delle opere realizzate per quella circostanza. Gli altri cinque soggetti scelti, erano riferiti all'aratura, alla raccolta del frumento, alla semina, alla raccolta della legna e infine un gregge di pecore con un pastore, quest'ultimo entro una luce livida, quasi notturna. E non a caso Vincent si riferì a questo quadro come a un «effetto di tempesta». Le scene alludono alle quattro stagioni, motivo che certamente Van Gogh trasse dall'amatissimo Jean-François Millet, il quale aveva a sua volta decorato una stanza con immagini di vita contadina. Sebbene non avesse mai visto quelle decorazioni, ne aveva preso conoscenza leggendo la fondamentale biografia su Millet scritta da Alfred Sensier.

Un primo schizzo dei *Coltivatori di patate*, fatto con un inchiostro piuttosto grosso, rappresenta soltanto due figure che vangano accanto a una carriola, con la fila dei tetti delle case e un campanile in lontananza. Anche le altre scene hanno disegni preparatori con poche figure, ma dal momento che il suo committente preferiva una più forte presenza di lavoratori, alla fine Van Gogh dipinse ben sette piantatori di patate. Questo è chiaramente visibile dall'aggiunta delle tre figure in secondo piano, la prima a sinistra sotto la linea dell'orizzonte, mentre le due sulla destra, molto più convincenti, vengono dipinte sopra la linea dell'orizzonte, secondo un effetto che il pittore olandese aveva imparato a dominare già nel periodo trascorso in precedenza all'Aia. Ma al di là della vita dei contadini, Van Gogh ci consegna uno dei quadri più belli e maturi del suo tempo olandese, nella chiarità dei verdi e degli azzurri del cielo che quasi per la prima volta nella sua pittura superano lo steccato del semplice naturalismo.

MG

VINCENT VAN GOGH
71. *Testa di donna*
novembre 1884 - gennaio 1885
olio su tela, cm 42,5 x 33,1
Otterlo, Kröller-Müller Museum
The Netherlands, inv. n. 105.591

Van Gogh realizzò questo quadro lavorandolo con pennellate ampie; dipinse "bagnato su bagnato" su un fondo colorato e pastoso, creando così una superficie opaca con poche aree d'impasto, come ad esempio le labbra e il copricapo, che ora si sono assottigliate a causa, presumibilmente, dei trasporti. Considerando lo stile di Van Gogh, questo lavoro è persino più singolare, per essere stato dipinto in modo scorrevole e fluido.

La donna indossa uno scialle verde, reso con pennellate piene. Le varie tonalità di verdi dello sfondo e dello scialle contrastano con i toni caldi e terrosi scelti per il copricapo. Il volto della donna è completato in modo parziale. L'occhio destro non si vede ma si percepisce solamente; al contrario, l'occhio sinistro emana un bagliore, che conferisce al volto un'espressione piuttosto spersa e triste. Tutto questo ci porta a supporre che Van Gogh si sia impegnato a ritrarre una testa con tratti caratteristici. Realizzò uno schizzo del dipinto, che è datato dicembre 1884-gennaio 1885, e che perciò ci consente di datare il quadro tra il novembre 1884 e il gennaio 1885. Originariamente le dimensioni della tela erano più grandi. È stata tagliata da tutti i lati, cosicché le linee di pittura originali oltrepassano i bordi della tela.

AV

VINCENT VAN GOGH
72. **Testa di uomo con la pipa**
novembre 1884 - maggio 1885
olio su tela, cm 44,7 x 32
Otterlo, Kröller-Müller Museum
The Netherlands, inv. n. 109.928

«Non ho quasi mai iniziato un anno dall'aspetto più cupo in un umore più cupo, e quindi non mi aspetto un futuro di realizzazione, ma di lotta. Fuori è terribile – i campi ricoperti di duri blocchi di terra nera e dalla neve, la maggior parte delle giornate con nebbia e fango, il sole rosso la sera e di mattina corvi, erba arida e secca, il verde marcito, cespugli neri e i rami dei pioppi e dei salici come fili contro un cielo triste. Questo è ciò che vedo passando ed è abbastanza in armonia con gli interni, molto tetri in questi giorni di buio inverno» (l. 479, 23 gennaio 1885).

Raramente Van Gogh ci ha dato un'immagine così toccante del suo stato d'animo, del paesaggio circostante e degli abitanti di Nuenen nell'inverno del 1885. Egli collega il suo «cupo umore» con l'aspetto del paesaggio e con le espressioni di contadini e tessitori.

L'uomo di questo quadro guarda verso destra, mentre gli occhi sono collocati ad altezze diverse. Ci sono altre parti del quadro che rivelano la lotta di Van Gogh per raffigurarlo. Il nodo della sciarpa che ha intorno al collo, ad esempio, è reso con una strana prospettiva, così come la pipa, che pende talmente dalla bocca che è lecito supporre che il tabacco potesse cadere. Anche la spalla sinistra pende un po' mentre il colore verde-grigio dello sfondo contrasta con il rosso della sciarpa e il rosso delle guance. Sulla destra Van Gogh ha poi schiarito lo sfondo per far risaltare la testa e poterla modellare.

Magrado questo però la suggestione di profondità non è convincente e il volto rimane, nell'insieme, piuttosto piatto.

AV

VINCENT VAN GOGH
73. **Testa di contadina con cuffia bianca**
marzo 1885
olio su tela applicata su cartone
cm 46,4 x 35,3
Edimburgo, Scottish National Gallery
donato da Sir Alexander Maitland in memoria della moglie Rosalind 1960

La modella che ha posato per quest'opera è Gordina de Groot, una donna che Van Gogh ritrae diverse volte. In questo caso l'artista sceglie di rappresentarla di tre quarti, per potersi concentrare in modo dettagliato sul suo copricapo, che realizza con pennellate e colori sfumati in netto contrasto con l'oscurità dello sfondo e del vestito.

Il dipinto – di per sé un eccellente ritratto – è anche uno studio preparatorio per la figura di donna in *I mangiatori di patate*, un'opera che Van Gogh dipingerà a memoria in studio. *I mangiatori di patate* rappresenta il culmine dei dipinti che Van Gogh realizza con caratteri contadini. È una tela di grandi dimensioni, estremamente ambiziosa, con la quale l'artista desidera far colpo sul mercato parigino, risultato che però non ottiene. L'artista vuole catturare il carattere essenziale della vita dei campi. Le persone ritratte si guadagnano da vivere faticando onestamente e rappresentano l'antica tradizione contadina. «Ho provato a sottolineare che quelle persone, che sono intente a mangiare le loro patate alla luce della lampada, hanno scavato la terra con quelle stesse mani che mettono nel piatto, per cui l'opera parla di

lavoro manuale e del modo onesto in cui si guadagnano il pane […]. Potrebbe rivelarsi un vero dipinto contadino. Io so che lo è.» Nella tela, che ritrae molte figure, Van Gogh decide di utilizzare toni molto scuri, cercando di ottenere l'effetto del «colore di una patata molto polverosa, naturalmente non pelata.» Per riuscire in questo compito, abbandona le recenti conquiste relative all'utilizzo del colore, sacrificando persino il colore della carne sul quale aveva lavorato molto per ottenere il giusto effetto, come nel caso di questo busto di contadina.

Gordina de Groot risalta in *I mangiatori di patate*, in cui è ritratta come una figura passiva le cui sembianze rozze sono esagerate. In questo ritratto della donna, Van Gogh accentua il naso grosso e le labbra spesse, sottolineando il carattere di contadina che vuole rappresentare. Ma la donna è studiata con molta cura: il viso esprime una precisa personalità, non solo un "tipo" sociale. Naturalmente, per il pittore, Gordina de Groot, oltre che come modella, esisteva a buon diritto anche come persona.

CH

VINCENT VAN GOGH
74. **Testa di donna**
marzo - aprile 1885
olio su tela, cm 39,7 x 25,5
Otterlo, Kröller-Müller Museum
The Netherlands, inv. n. 110.977

In *Testa di donna* la plasticità e l'espressività del volto sono state completamente subordinate all'indagine sugli effetti del controluce: l'enfasi è posta sulla forma della testa che si erge nettamente contro lo sfondo. Il copricapo verde-blu si mescola con il nero dei capelli. La linea sottile che separa i capelli che scendono sulla fronte e il copricapo è stata disegnata con un unico segno. Il fondo si compone di varie tonalità di verde-blu, più scure nella zona inferiore del quadro, accanto alla spalla destra della donna. Questa esecuzione realizzata con passaggi dalla luce all'oscurità indica che Van Gogh intendeva realizzare esplicitamente uno studio sugli effetti del chiaroscuro.

Desiderava che i contadini e le contadine di Nuenen che posavano per lui indossassero i loro vestiti abituali: «La gente qui si veste istintivamente dell'azzurro più bello che abbia mai visto. È un lino grossolano che tessono loro stessi, l'ordito nero, la trama azzurra, in modo che risulta un disegno a strisce azzurro e nero. Quando si stinge e perde in qualche misura il colore a causa del vento e della pioggia, diventa un colore di una tonalità straordinariamente delicata e armoniosa, contro cui risalta in modo particolare il colore della pelle. È un azzurro che interagisce con tutti i colori in cui sono nascosti tocchi di arancione non tanto scolorito da dare discordanze» (l. 483, 26 febbraio 1885).

AV

VINCENT VAN GOGH
75. **Uomo seduto a tavola**
marzo - aprile 1885
olio su tela, cm 44,3 x 32,5
Otterlo, Kröller-Müller Museum
The Netherlands, inv. n. 105.938

«Quel che spero di non dimenticare è che "il s'agit d'y aller en sabots", il che significa accontentarsi di mangiare, bere e dormire come fanno i contadini», scrive Van Gogh nell'aprile del 1885, quando stava dipingendo i contadini di Nuenen. «È quanto ha fatto Millet e in effetti non chiedeva di meglio e così facendo nella sua vita quotidiana egli ha dato un esempio a quei pittori che, come Israëls e Mauve, vivono piuttosto nel lusso, e così non fanno; e, ripeto, Millet è *père* Millet, vale a dire guida e consigliere per ogni giovane pittore in tutto e per tutto. La maggior parte di quelli che conosco – ma ne conosco pochi – non sarebbe d'accordo con me; ma per quanto mi riguarda, condivido le idee di Millet e credo a occhi chiusi a ciò che dice.»
Van Gogh era convinto, come del resto Millet, che una reale conoscenza della vita contadina fosse un requisito indispensabile per poi poterla dipingere. E così per incontrare e familiarizzare con i contadini nella vita di tutti i giorni, Van Gogh iniziò a frequentare le loro piccole case. Il suo interesse come pittore era soprattutto per le donne contadine. *Uomo seduto a tavola* è, a questo riguardo, un'eccezione. Questo studio mostra come Van Gogh amasse guardare il contadino: modesto e semplice. Dopo una giornata di duro lavoro nei campi, egli consuma il suo pasto frugale che consiste nei frutti del suo lavoro. I suoi lineamenti sono grossolani, in conformità con il modello ideale di Van Gogh che aveva descritto l'anno precedente in una lettera a Théo: «visi rudi e piatti, dalle fronti basse e dalle labbra grosse, non affilate, ma piene.» Il contadino siede su una semplice sedia in legno con un sedile in canna, lo stesso tipo di sedia usato dal pittore e che diverrà soggetto di alcuni quadri di Arles.
Uomo seduto a tavola è collocabile nel periodo marzo-aprile 1885 ed è uno studio preliminare per il capolavoro che avrebbe dipinto di lì a poco: *I mangiatori di patate*. In questo studio egli fa pratica nell'illuminare alcune parti; tocchi di colore sull'abito e sul volto forniscono all'uomo i suoi contorni all'interno della luce opaca e polverosa dell'interno. Nelle diverse versioni dei *Mangiatori di patate* Van Gogh aggiusta la posizione della figura girandola un po' sulla sedia. La colloca in un'angolazione diversa in rapporto al tavolo, una posizione più difficile in termini di tecnica pittorica rispetto a questo studio. Il modello è probabilmente Francis van Rooij, zio di una modella di Van Gogh, Gordina de Groot.
Helene Kröller-Müller acquistò *Uomo seduto a tavola* nel 1920 a una vendita all'asta della Enthoven Collection.

RV

ANTHON VAN RAPPARD
76. **L'ospizio femminile
a West-Terschelling**, 1884
olio su tela, cm 24 x 45,5
L'Aia, Collection Gemeentemuseum
The Hague

Anthon van Rappard (1858-1892), famoso soprattutto per il suo lungo rapporto epistolare con Vincent van Gogh, è un artista oggi estremamente apprezzato malgrado la sua breve vita non gli abbia consentito di realizzare molte opere. Di famiglia aristocratica, fu incoraggiato a diventare artista da ragazzo, e il padre sostenne fin dall'inizio la sua scelta di carriera. Studiò all'Accademia di Amsterdam quindi, nel 1879, si stabilì a Parigi da Gêrome e nel 1880 a Bruxelles. Iniziò a esporre nel 1884 ma nel 1886 riprese a studiare all'Accademia. Grazie al matrimonio, nel 1889 poté scegliere di vivere in un podere di campagna e dedicarsi alla pittura.
Van Rappard è conosciuto per la sua amicizia e il suo rapporto epistolare con Vincent van Gogh. I due si conobbero nel novembre del 1880 a Bruxelles, quando Vincent, su consiglio del fratello Théo, lo andò a trovare. Malgrado alcune titubanze di Vincent, che non pensava di avere molto in comune con un uomo aristocratico, in pochi mesi si instaurò un rapporto solidale che durerà cinque anni e si interromperà nel 1885, probabilmente a causa delle dure critiche mosse da Van Rappard alla litografia dei *Mangiatori di patate* di Van Gogh. Van Rappard, infatti, non apprezzava i disegni sbagliati e la scarsa padronanza tecnica, mentre Van Gogh non sopportava la superficialità, la mancanza di serietà morale nella pittura. Erano però solidali nella scelta dei soggetti e dei temi; alcuni vennero sviluppati da entrambi, come ad esempio il tessitore, la filatrice, la donna che cuce o lavora all'arcolaio; soggetti semplici, soprattutto persone umili intente nelle loro attività.
Dato che si frequentarono con una certa regolarità e numerose furono le occasioni nelle quali lavorarono insieme, i ricercatori stanno esaminando quali quadri i due arti-

sti potrebbero aver dipinto insieme, perché questo getterebbe luce sui materiali usati e sui modi in cui avrebbero potuto influenzarsi l'un l'altro.

Van Rappard andò da Van Gogh a Etten, all'Aia e a Nuenen; l'ultima visita risale all'autunno del 1884. Nel 1882 e nel 1883 Vincent ricambiò con numerose visite a Utrecht. Per quanto riguarda una loro possibile collaborazione bisogna esaminare soprattutto l'anno 1884, quando Van Rappard soggiornò più a lungo da Van Gogh a Nuenen in due occasioni, a maggio e a ottobre.

Il loro fu un rapporto e una collaborazione animata da divergenze e consonanze. Per quanto riguarda l'arte in generale, avevano opinioni diverse sulla tecnica. A differenza di Van Rappard, Van Gogh credeva che il soggetto fosse più importante rispetto alle questioni di tecnica; Van Rappard invece, forse anche a causa della sua formazione accademica, attribuiva una grande importanza alla realizzazione tecnica; il suo stile di pittura è più morbido, meno incisivo rispetto alle pennellate ardite di Van Gogh, come si vede anche in questo *Ospizio femminile a West-Terschelling* dipinto nel 1884.

Van Gogh lo apprezzò e così gli scrisse in una lettera del 18 marzo 1884: «Mi piacciono i vostri schizzi che ho visto, ad esempio il tessitore e le donne di Terschelling. Avete colto qui il cuore delle cose.» E cogliere il «cuore delle cose» era l'obiettivo che perseguiva anche lui negli studi di figura e di teste di contadini e contadine, in vista del suo primo quadro "corale", *I mangiatori di patate* (aprile 1885).

Se il soggetto di *Ospizio femminile a West-Terschelling* s'ispirava probabilmente alle illustrazioni delle riviste inglesi che entrambi collezionavano, il risultato mostra in realtà quanto fossero vicini anche per una simile sensibilità coloristica e tonale. A prevalere, anche qui, sono i toni scuri e caldi dei marroni e dei grigi e i giochi di luce che si vengono a creare nella piccola scena d'interno dove, come in molti disegni di Van Gogh, soprattutto di cucitrici o di donne sedute, le figure sono collocate accanto alla finestra. Laddove Van Gogh, insicuro nella realizzazione delle proporzioni del corpo umano, preferiva cimentarsi con figure singole che spesso comunicavano un senso di rigidità, in questo quadro è avvertibile la maestria e la scioltezza tecnica di Van Rappard, che è riuscito a creare un insieme di figure armoniose

che non danno affatto l'impressione di posare, ma sono colte con spontaneità in diversi momenti della loro attività.

Al di là comunque dell'imperfezione tecnica, ciò che Van Rappard apprezzava maggiormente in Van Gogh era la totale devozione alla sua arte. «Apparteneva alla razza dei grandi artisti», scrisse alla madre di Vincent dopo la sua morte. È un fatto degno di nota: nessuno degli altri artisti olandesi con i quali Van Gogh fu in rapporti in seguito fece mai un'affermazione simile.

SZ

VINCENT VAN GOGH
77. ***Donna seduta a tavola***
marzo - aprile 1885
olio su tela, cm 42,2 x 28,8
Otterlo, Kröller-Müller Museum
The Netherlands, inv. n. 111.052

Il ritrarre donne sedute che lavorano accanto a una finestra è uno dei motivi ricorrenti in Van Gogh. Già all'inizio del 1881, mentre era a Etten, tra aprile e dicembre, aveva realizzato dei disegni con questo soggetto, ispirandosi al lavoro di Jozef Israëls. Durante l'inverno del 1884-1885, Van Gogh si concentrò sullo studio di figure di agricoltori e tessitori di Nuenen, che ritrasse nelle loro abitazioni. Egli schizzava velocemente anche le mogli degli agricoltori e le tessitrici che lavoravano accanto alla luce della finestra.

Donna seduta a tavola è il risultato di un intenso studio sul chiaroscuro.

Il quadro è strutturato in modo che la figura femminile venga tratteggiata da una *silhouette* scura contro la luce che entra dalla finestra. In una lettera a Théo del marzo 1885 spiega

cosa aveva in mente: ««Sto pensando a un paio di lavori più grandi, più complessi […] soprattutto delle figure in controluce accanto alla finestra. Ho degli studi di teste, sia controluce che in piena luce e ho già lavorato più volte alla figura completa che avvolge il filato, che cuce, che pela patate. Di fronte e di profilo. È un effetto difficile da rendere e non so se ci sono riuscito» (l. 485). Per chiarire gli effetti della luce che intendeva realizzare, egli illustra la lettera con alcuni schizzi. Uno di questi mostra la testa della moglie di un agricoltore di profilo contro la luce di una finestra. Egli utilizzò una simile sistemazione, ma speculare rispetto a *Donna seduta a tavola*.

RV

VINCENT VAN GOGH

78. **Donna che cuce**, marzo - aprile 1885
gesso nero su carta vergata
mm 293 x 262
Otterlo, Kröller-Müller Museum
The Netherlands, inv. n. 127.514

79. **Donna che cuce**, marzo - aprile 1885
gesso nero su carta vergata
mm 413 x 253
Otterlo, Kröller-Müller Museum
The Netherlands, inv. n. 112.189

80. **Donna che pela le patate
accanto al focolare**, marzo - aprile 1885
gesso nero su carta per acquerello
mm 584 x 832
Otterlo, Kröller-Müller Museum
The Netherlands, inv. n. 113.109

81. **Donna che lavora
accanto al focolare**, luglio - agosto 1885
gesso nero e tracce di quadrettatura
su carta velina, mm 439 x 287
Otterlo, Kröller-Müller Museum
The Netherlands, inv. n. 119.556

Nel febbraio 1885, Théo annunciò che avrebbe tentato di far esporre un quadro del fratello al *Salon* che si stava organizzando, se lui gli avesse mandato qualcosa di gradevole. Vincent gli era molto grato ma non aveva nulla di pronto; stava lavorando alle teste e pensando a una grande composizione che avrebbe terminato in aprile, *I mangiatori di patate*. Al contempo, stava anche realizzando delle composizioni d'interni con donne intente in varie attività per affinare la sua abilità nel calibrare le luci nelle piccole stanze dove abitavano le sue modelle. Questi disegni sono stati realizzati con questa finalità. Sebbene non ci sia alcun accenno a questi disegni, nelle lettere scritte nel marzo 1885 disse che stava realizzando degli studi di figure in un interno per esercitarsi nel chiaroscuro. «Sto pensando a un paio di lavori più grandi, più complessi [...] soprattutto delle figure in controluce accanto alla finestra. Ho degli studi di teste, sia controluce che in piena luce e ho già lavorato più volte alla figura completa che avvolge il filato, che cuce, che pela patate. Di fronte e di profilo. È un effetto difficile da rendere e non so se ci sono riuscito» (l. 485, 23 marzo 1885). *Donna che pela le patate accanto al focolare* è il disegno più grande conosciuto di Van Gogh del periodo di Nuenen. Esiste una versione

più piccola dipinta di questo disegno (F158, Musée d'Orsay, Parigi) che però differisce in alcuni particolari: nel quadro, la sedia sulla sinistra è vuota e si vede un bollitore appeso a una catenella sopra il fuoco, mentre nel disegno c'è una grande pentola. Per entrambi sembra che Van Gogh si sia concentrato su una scena serale, scarsamente illuminata. Nel disegno ha sparso un po' ovunque una tonalità di grigio, quindi ha scurito alcuni punti, come il muro dietro la pentola. In seguito, quando ha pensato di inserire una figura sulla sinistra, si deve essere accorto di non avere abbastanza spazio. Il risultato è che la figura, visibile a sinistra, sembra quasi una sorta di fantasma apparso nell'angolo. Il disegno era stato acquistato dalla cognata di Mrs Kröller-Müller, Anne Müller Abeken, il cui marito, Gustav Heinrich Müller, era console all'ambasciata tedesca all'Aia. La coppia viveva a Scheveningen. Anne e la figlia Lotte prendevano lezioni da H.P. Bremmer. Gustav morì nel 1913. Quando, 5 anni dopo, la figlia si sposò, Anne decise di tornare in Germania e vendette a un'asta parte della sua collezione d'arte, incluse quattro opere di Van Gogh che lei, come la cognata, aveva acquistato su consiglio di Bremmer. Oltre a questo disegno di Van Gogh, Mrs Kröller-Müller comprò anche un piccolo quadro, *Contadina con un rastrello, da Millet* (F698, collezione privata).
Donna che lavora accanto al focolare è l'unico disegnato su carta velina con il marchio TS&Z. Nell'agosto 1885 Van Gogh utilizzò soprattutto questo tipo di carta per i grandi studi di figure. In questo disegno si aiutò con la quadrettatura a cui ricorse occasionalmente per i grandi studi di figure realizzati durante l'estate. È anche per questo motivo che il disegno è stato collocato cronologicamente in questo periodo; sappiamo infatti dalle lettere che Van Gogh realizzò studi di interni nella seconda metà di agosto.

TM

VINCENT VAN GOGH
82. *I mangiatori di patate*, aprile 1885
litografia su carta velina
mm 284 x 341
Otterlo, Kröller-Müller Museum
The Netherlands, inv. n. 126.762

Nell'aprile 1885 Van Gogh lavorava a un progetto ambizioso che avrebbe dato come risultato il suo capolavoro del periodo di Nuenen: *I mangiatori di patate*.

Egli iniziò a progettare le sue figure alla fine del 1884, molto prima di aver deciso il suo soggetto, attraverso disegni e quadri di studi di teste, in parte per esercitarsi su come la luce illuminava i volti caratteristici dei contadini di Nuenen. Proseguì con questi esperimenti all'inizio del 1885, realizzando anche piccoli studi di interni a olio e disegni con donne intente a lavorare, questo per impratichirsi con gli effetti luminosi. Nella seconda metà di aprile lavorava alla versione definitiva, il quadro, che si trova al Van Gogh Museum. Nel contempo realizzava anche la litografia. Van Gogh si era esercitato nella produzione di litografie all'Aia; *I mangiatori di patate* fu realizzata nel modo tradizionale, ossia direttamente sulla pietra. In una lettera del 13 aprile circa scrive a Théo che aveva trovato a Eindhoven uno stampatore dove doveva pagare solo 3 fiorini per avere la pietra, l'incisione a imitazione del legno, la carta e la stampa di 50 copie.

D'accordo con Dirk Gestel, il litografo, Van Gogh realizzò la composizione a memoria, senza modello, direttamente sulla pietra con un gesso grasso come se stesse disegnando su carta. Nel processo fece l'errore di sfregare il gesso con le dita, e poi toccò la pietra, cosa che causò delle sbavature nel processo litografico. Tuttavia Van Gogh non vi prestò grande attenzione. Dato che il disegno risultò troppo scuro egli grattò le varie ombre con un ago: numerose linee bianche sottili sono visibili un po' in tutta la composizione.

Sicuramente perché era ancora inesperto e non aveva un modello davanti a sé, Van Gogh realizzò la composizione sulla pietra nello stesso modo in cui l'avrebbe dipinta sulla tela. In realtà la litografia differisce in molti punti dal quadro, probabilmente perché la realizzò a memoria o perché aveva deciso di apportarvi delle modifiche. Ad esempio, nella litografia, la donna che versa il caffè non è presa di profilo, ma di tre quarti e i suoi lineamenti mostrano una notevole somiglianza con le altre figure del grande dipinto.

Prima di cominciare a realizzare litografie, Van Gogh scrisse una lettera a Théo intorno al 13 aprile 1885 informandolo dei suoi progetti. *I mangiatori di patate* sarebbe stata la prima di una serie di litografie con «soggetti tratti dalla vita contadina, o i contadini nelle loro case». Théo, dopo aver ricevuto vari esempi, rispose che trovava il risultato alquanto «sfocato», Van Gogh era d'accordo ma ne attribuiva la colpa alla litografia: «Quel che dici della litografia, che l'effetto è un po' sfocato, lo penso anch'io e ritengo che non sia colpa mia in quanto il litografo mi aveva detto che, poiché non avevo lasciato del bianco sulla pietra, non sarebbe venuta stampata bene. Dietro suo consiglio ho fatto incidere i punti più chiari; mentre se l'avessi fatto stampare così com'era, l'effetto generale sarebbe stato più scuro, non crudo però, e ci sarebbe stato dello spazio fra i piani.»

È comunque impossibile che una semplice lampada a olio possa fare tutta quella luce e illuminare ogni angolo della stanza. Di certo confrontato con il quadro, qui mancano molti contrasti chiaroscurali. Van Gogh mandò una copia della litografia anche a Van Rappard che però la criticò duramente: «Sarai d'accordo con me nel non ritenere seriamente inteso un lavoro di tal genere. Fortunatamente sai fare di meglio, ma perché allora guardi e tratti tutto superficialmente? Perché non hai studiato i movimenti? Ora stanno posando e basta. Quanto è lontana dal vero quella piccola mano della donna nello sfondo – e che rapporto c'è tra la caffettiera, la tavola e la mano che sta sopra il manico? Che mai sta facendo la caffettiera? – non è posata, non la stanno neppure sollevando – e allora? E perché quell'uomo sulla destra non ha il diritto di avere un ginocchio, una pancia e dei polmoni? O forse li ha nella schiena? E perché mai deve avere un braccio di gran lunga troppo corto? E

perché mai deve arrangiarsi senza mezzo naso? E perché mai quella donna a sinistra deve avere al posto del naso un bocchino di pipa con un cubetto al fondo?»

Van Gogh si infuriò per il giudizio dell'amico, soprattutto per la parte finale della sua lettera: «E poi, dopo aver lavorato in questo modo osi invocare i nomi di Millet e di Breton? Via! A mio parere l'arte è cosa troppo sublime perché la si possa trattare con tanta noncuranza». Qui veniva messa in dubbio la sua integrità artistica e Van Gogh ebbe difficoltà a dimenticare queste parole. Benché rimasero in contatto fino a settembre, in quasi ogni lettera successiva Van Gogh tornò sull'argomento. Accusava Van Rappard di essere troppo convenzionale nel suo modo di intendere la tecnica, in altre parole troppo accademico e nella battaglia artistica tra i due è possibile ravvisare il classico conflitto fra "puristi" e "astrattisti", tra quelli che dimostrano il vigore della pittura con la perfezione tecnica e quelli che usano la tecnica per l'espressività emotiva. Van Gogh comunque era consapevole che la sua litografia conteneva degli errori, ma da quel momento in poi aveva tracciato un suo percorso all'interno del quale la sola abilità tecnica non era garanzia sufficiente per un buon risultato.

TM

87. *Mietitore*, agosto 1885
gesso nero su carta velina
mm 418 x 565
Otterlo, Kröller-Müller Museum
The Netherlands, inv. n. 121.257 *recto*

VINCENT VAN GOGH
83. *Zappatore*, maggio - giugno 1885
gesso nero su carta vergata
mm 348 x 207
Otterlo, Kröller-Müller Museum
The Netherlands, inv. n. 122.987

85. *Mietitore*, luglio - agosto 1885
gesso nero, grigio acquarellato, tracce di
fissativo su carta velina, mm 533 x 367
Otterlo, Kröller-Müller Museum
The Netherlands, inv. n. 126.880

88. *Mietitore*, agosto 1885
gesso nero su carta velina
mm 418 x 565
Otterlo, Kröller-Müller Museum
The Netherlands, inv. n. 121.257 *verso*

84. *Mietitore*, luglio - agosto 1885
gesso nero, acquerello opaco bianco e
grigio su carta velina, mm 562 x 378
Otterlo, Kröller-Müller Museum
The Netherlands, inv. n. 121.581

86. *Mietitore*, luglio - agosto 1885
gesso nero, tracce di fissativo, tracce di
quadrettatura su carta velina,
mm 447 x 283
Otterlo, Kröller-Müller Museum
The Netherlands, inv. n. 128.635

89. *Contadina che lega fasci di frumento*
luglio - agosto 1885
gesso nero, grigio acquarellato, tracce
di fissativo su carta velina, mm 554 x 434
Otterlo, Kröller-Müller Museum
The Netherlands, inv. n. 115.212

91. *Spigolatrice vista di fronte*
luglio - agosto 1885
gesso nero, grigio acquarellato, tracce
di fissativo su carta velina, mm 525 x 379
Otterlo, Kröller-Müller Museum
The Netherlands, inv. n. 122.483

93. *Contadina che raccoglie il fieno*
luglio - agosto 1885
gesso nero, grigio acquarellato, tracce
di fissativo su carta velina, mm 552 x 368
Otterlo, Kröller-Müller Museum
The Netherlands, inv. n. 120.378

90. *Spigolatrice*, luglio - agosto 1885
gesso nero, grigio acquarellato, acquerello
bianco opaco, tracce di fissativo su carta
velina, mm 522 x 432
Otterlo, Kröller-Müller Museum
The Netherlands, inv. n. 119.134

92. *Contadina che porta il grano
nel grembiule*, luglio - agosto 1885
gesso nero, grigio acquarellato, acquerello
grigio opaco su carta vergata
mm 582 x 380
Otterlo, Kröller-Müller Museum
The Netherlands, inv. n. 112.766

94. *Contadino con la zappa*
agosto - settembre 1885
gesso nero e tracce di quadrettatura
su carta velina, mm 436 x 328
Otterlo, Kröller-Müller Museum
The Netherlands, inv. n. 126.338

95. *Contadina che zappa*
agosto - settembre 1885
gesso nero, lavatura (probabilmente con fissativo), tracce di fissativo su carta velina
mm 442 x 556
Otterlo, Kröller-Müller Museum
The Netherlands, inv. n. 127.599 *recto*

96. *Contadino al lavoro*
agosto - settembre 1885
gesso nero e tracce di fissativo
su carta velina, mm 441 x 332
Otterlo, Kröller-Müller Museum
The Netherlands, inv. n. 122.652

Sulla scia delle critiche mossegli per *I mangiatori di patate*, Van Gogh iniziò degli studi per dare più volume e più vita alle sue figure. Così, nell'estate del 1885, cominciò dei disegni con modelli su larga scala. È rimasto un gruppo di circa 50 disegni, cui appartengono tutti quelli qui in esame. È estremamente difficile datarli con precisione. «Lavoro sodo ogni giorno sui disegni di figura», scrisse a Théo nella lettera del 28 giugno. «Devo averne fatto un centinaio e anche più [...]. Siamo nel periodo della mietitura e quindi devo dedicarmi tanto a essa quanto alla piantagione di patate. Mi era doppiamente

difficile, a quell'epoca, trovare persone che accettassero di posare per me, eppure è necessario» (l. 510). All'inizio di luglio scrisse che aveva, tra le altre cose, il disegno di una donna «curva a spigolare il grano» (l. 515). È improbabile che avesse potuto osservare davvero qualcuno intento in quell'attività dei campi in quel periodo. È invece possibile che avesse fatto posare i suoi modelli per le più diverse attività, tra le quali la mietitura, in un periodo lungo, cosicché quando arrivava il momento giusto nel quale si svolgevano non serviva che lui si trovasse sul posto. Il 6 agosto, quando Théo andò a Nuenen gli lasciò un messaggio: «Sono molto occupato perché stanno mietendo il grano nei campi e come sai dura pochi giorni ed è una delle cose più belle.» L'epistolario testimonia il fatto che Van Gogh continuò a realizzare studi di figura fino a settembre, e questo è il motivo per il quale alcuni di questi disegni sono datati erroneamente tra giugno e settembre. A settembre, gli sarebbe stato molto difficile trovare modelli perché, come scrisse in una lettera dell'inizio settembre, «il prete cattolico della comunità riteneva che fossi entrato troppo in confidenza con le persone che posavano per me e dunque le aveva consigliate di smettere.» Sappiamo che Van Gogh ascoltò ciò che Théo gli aveva consigliato in occasione del loro incontro ad agosto, e cioè di inserire più "entourage" intorno alle sue figure per far sì che i disegni risultassero più appetibili, e così parecchi fogli si possono datare con precisione tra agosto e settembre, come ad esempio *Contadino con la zappa*, *Contadino al lavoro*, e *Contadina che zappa*. Van Gogh usava per il pastello lo stesso fissativo che usava per i disegni a matita all'Aia: una soluzione di acqua e latte. Non applicava questa soluzione su tutto il foglio ma solo sulla figura, cosicché è spesso visibile una scoloritura della carta che attornia i personaggi raffigurati. Occasionalmente Van Gogh bagnava il foglio e dopo che si era asciugato a volte lo strofinava con la gomma per creare delle grinze e accenti più luminosi. Dove non usava il fissativo bagnava il pastello con il pennello e creava così intensi effetti di grigio.
Il lavoro complessivo di questa estate 1885 fu dunque una serie di figure vigorose di contadini nel bel mezzo delle loro attività. In una lunga lettera a Théo di luglio Van Gogh spiega e difende il suo lavoro; a Parigi, Théo aveva fatto vedere i suoi lavori al mercante d'arte Alphonse Portier e a un pittore, un po' più anziano, il litografo Char-

les Serret e le loro opinioni non erano state troppo benevole. Van Gogh prese immediatamente spunto da esse per convincere i due delle proprie idee. «Quando mando a te e a Serret gli studi di zappatori e di contadini che strappano erbaccia, spigolano e così via, come inizio di una serie intera di ogni tipo di lavoro nei campi, allora potrà darsi che tu o Serret possiate scoprirvi degli errori che sarà utile per me sapere o che possa ammettere.» Questi commenti, ancora una volta, si riallacciavano alla discussione avuta con Van Rappard sulla grossezza delle sue figure, dato che, anche se scriveva che voleva ammettere i propri errori, nello stesso tempo era anche timoroso di essere giudicato sulla perizia tecnica, proprio quando stava cercando di ottenere qualcosa di nuovo con i suoi metodi. Nella lettera Van Gogh era all'inizio incapace di esprimere con precisione quali fossero le sue intenzioni. Non voleva e non poteva dipingere un contadino in modo accademico, come un nudo dipinto da Alexandre Cabanel e, in sua difesa, Van Gogh tirò fuori esempi da lui amati, Lhermitte, Millet, Israëls e Daumier, tutti autori non troppo preoccupati dell'esattezza delle proporzioni: «Dì a Serret che mi dispererei se le mie figure fossero corrette, digli che non voglio che siano accademicamente corrette, digli che intendo questo: se si fotografa uno zappatore, indubbiamente allora non sta zappando. Digli che amo le figure di Michelangelo anche se le gambe sono troppo lunghe, con la schiena e i fianchi troppo larghi. Digli che ritengo Millet e Lhermitte dei veri artisti, proprio perché non dipingono le cose come sono, tracciandole in modo asettico e analitico ma come essi – Millet, Lhermitte, Michelangelo – le sentono. Digli che la cosa che più desidero esprimere sono proprio quelle manchevolezze, quelle deviazioni, quelle alterazioni della realtà che poi fanno sì che risultino alla fine delle falsità, sì, ma più vere della verità letterale.»
Probabilmente Van Gogh scrivendo questo aveva in mente gli studi di figura ai quali stava lavorando in quel periodo. Dalle lettere emerge con insistenza il fatto che voleva mandare questi grandi studi a Théo e, tramite Théo, a Serret, ma al contempo gli risultava difficile separarsene. «Sto aggiungendo altri studi che mi serviranno per dipingere delle figure che decisamente non verranno più grandi di una spanna e forse meno, in modo che tutto in esse risulterà più concentrato» (l. 515, 14 luglio 1885).

Per una spanna Van Gogh intendeva la distanza tra la punta del mignolo e il pollice di una mano aperta. Le figure in questi disegni sono in genere grandi più del doppio di quella misura, cosicché Van Gogh poteva dedicare più attenzione ai dettagli, cosa che non lo avrebbe aiutato in seguito, quando avrebbe disegnato figure più piccole in composizioni con numerosi personaggi. Van Gogh stava probabilmente progettando di realizzare grandi composizioni a olio e anche oli più piccoli, e il modo per prepararsi a questo gli ricordava il progetto dei *Mangiatori di patate* di inizio anno. In questo caso naturalmente aveva una scena più ambiziosa in mente, dato il gran numero di mietitori e contadini che raccolgono il grano di questo gruppo di disegni. Otto disegni sulla mietitura sono rimasti e forse servivano per dei possibili quadri.

Generalmente in questi disegni si può osservare come Van Gogh applicasse il fissativo con l'acquerello e poi aggiungesse luminosità alle figure con la gomma (si veda, ad esempio, *Mietitore*, F1323). Anche in *Contadina che lega fasci di frumento*, sulla destra del disegno, applicò in un primo tempo l'acquerello con il pennello e bagnò il pastello prima di passare il fissativo, con il quale coprì solo la parte bassa del fascio di frumento sulla sinistra (acquarellato in precedenza). Le figure femminili di questi disegni – contadine, mietitrici, spigolatrici – sono molto simili: hanno curve abbondanti, sono disegnate diagonalmente, curve in avanti, per creare effetto volumetrico, come ad esempio in *Spigolatrice vista di fronte*. Qui la spigolatrice è presa da davanti e questo consente a Van Gogh di creare un volume compatto. Anche qui il fissativo è visibile attorno alla figura. In questo caso deve essere stato dato con grande vigore contro la carta, come si vede dalle numerose, lunghe striature a sinistra della donna.

Tutti questi disegni fecero parte della collezione di Hidde Nijland, tranne *Spigolatrice vista di fronte*, che fu acquistato da Mrs Kröller-Müller nel 1912 a una vendita avvenuta nel mese di maggio ad Amsterdam. È possibile che appartenesse alla cosiddetta "collezione di famiglia", quella che Johanna van Gogh-Bonger tenne dopo la morte di Théo. Nel novembre 1896 ella inviò 56 quadri, 54 disegni e una litografia a Ambroise Vollard a Parigi per una mostra di Van Gogh nella sua galleria. Vollard acquistò un numero di quadri che in seguito vendette e anche dieci disegni.

TM

VINCENT VAN GOGH
97. **Fasci di frumento**
luglio - agosto 1885
olio su tela, cm 40,2 x 30
Otterlo, Kröller-Müller Museum
The Netherlands, inv. n. 102.692

Luglio è tradizionalmente il mese della mietitura e il mese in cui il frumento viene raccolto e legato in fasci. Così è possibile che questo quadro di cinque o sei fasci di frumento appoggiati l'uno all'altro, sia stato realizzato nell'estate del 1885. La composizione si articola su diversi piani. In primo piano, Van Gogh ha dipinto un piccolo campo di stoppie: il grano appena raccolto. Nello sfondo c'è la parte del frumento ancora da raccogliere che si perde in lontananza fino al limitare di un bosco e sopra il cielo. I diversi piani sono messi in risalto dai fasci di frumento che sembrano contrastarli come un elemento distinto e verticale. Van Gogh era intenzionato ad esercitarsi nella *texture* e nel tocco. Modellò con il colore il campo di stoppie, rendendole con strisce vigorose. Per contrasto, dipinse gli steli sottili del frumento con linee molto fini usando un pennello piccolo, un pennello che usava per definire i particolari. La scena è dipinta su uno sfondo chiaro nel quale Van Gogh, diversamente dal solito, dipinse prima il cielo per raffigurare poi i fasci di frumento. Questo quadro occupa un posto speciale nell'opera di Van Gogh, proprio per la singolarità del soggetto: un semplice fascio di frumento. Il motivo, di per sé, compare in molti disegni ma sempre inserito in un campo, spesso con una figura intenta a legare il frumento. In seguito, ad Arles e a Saint-Rémy, continuò a ispirarsi al tema del grano dorato; dipinse dozzine di lavori con campi di frumento o temi affini. Naturalmente fasci legati compaiono talvol-

ta in questi lavori, ma più come elementi aggiuntivi in un paesaggio, mai raffigurati in modo enfatico e in primo piano, come in questo quadro.

AV

VINCENT VAN GOGH
98. **Due donne che zappano**
luglio - agosto 1885
gesso nero e grigio acquarellato su carta vergata, mm 196 x 318
Otterlo, Kröller-Müller Museum
The Netherlands, inv. n. 127.978

Anche a Nuenen Van Gogh disegnò e dipinse numerosi lavoratori intenti a zappare, un soggetto a lui molto caro.
Questa piccola composizione fu realizzata nell'estate del 1885 ed è un esercizio per la composizione di gruppi di figure.
Due donne che zappano probabilmente gli servì come modello per lo studio a olio *Contadine che raccolgono le patate*. Anche se la composizione non fu ricopiata esattamente, ci sono grandi somiglianze nella posa delle figure – ed entrambi i lavori si basavano probabilmente su studi separati di figure. Nel disegno le donne sono in piedi ma lievemente inclinate l'una dietro l'altra e non è chiaro che cosa siano intente a zappare. Van Gogh fece un altro disegno sullo stesso soggetto, *Uomo e donna che zappano* (KM 124.090), dove usò il pennello per applicare gesso bagnato lungo la linea dell'orizzonte creando così un bordo scuro. Ciò conferisce alla composizione un effetto piuttosto surreale, un cielo notturno accanto a un primo piano illuminato dal sole. Sia dai disegni che dal quadro si evince che Van Gogh era interessato a sperimentare la collocazione delle figure contro un fondo parzialmente scuro. Anche in *Due donne che zappano*, Van Gogh sperimenta l'abbinamento della luce e del buio, ma evita a fatica l'impressione che si tratti di un cielo serale.

TM

VINCENT VAN GOGH
99. *Contadine che raccolgono le patate*
agosto 1885
olio su tela, cm 31,5 x 42,5
Otterlo, Kröller-Müller Museum
The Netherlands, inv. n. 106.520

Dopo i suoi numerosi studi di teste e di figure realizzati in interni di case contadine che lo avevano portato a realizzare *I mangiatori di patate*, Van Gogh trascorse molto tempo all'aperto durante l'estate e l'autunno 1885 per schizzare contadini che lavoravano la terra. Mrs Kröller-Müller ha acquistato parecchi lavori su questo tema, incluso questo quadro, che raffigura due contadine intente a raccogliere patate. Il quadro si basa probabilmente su uno schizzo precedente di due donne che zappano la terra (della collezione Kröller-Müller). Van Gogh aveva senza dubbio preso questo soggetto da Jean-François Millet. Già nell'ottobre del 1880 aveva copiato il famoso quadro di Millet *Agricoltori che zappano* (1856) da una fotografia che gli era stata prestata da Schmidt (l. 160, 1 novembre 1880). Aveva inoltre letto un passaggio nella biografia di Alfred Sensier *La vie et l'œuvre de Jean-François Millet*, scritta nel 1881, che riportava una lettera del pittore: «Nei campi arati, ma talvolta anche in zone poco adatte all'aratura, puoi vedere figure che lavorano la terra con zappa e piccone. Uno di loro ora si solleverà e poi si asciugherà la fronte dal sudore con il dorso della mano. "Con il sudore della fronte avrai il tuo pane".» La fatica del lavorare la terra evocò associazioni specificamente religiose in Millet, in questo caso tratte dalla Genesi (3:19): «Mangerai il pane dal sudore della tua fronte finché tornerai alla terra.» Le stesse associazioni sono evocate in Van Gogh. In questo quadro, fece del suo meglio per ritrarre due figure che lavorano: «Dal mio schizzo puoi vedere che mi sono impegnato molto per rendere l'azione – il lavoro – delle mie piccole figure, per mostrarle intente nel-

la loro attività» scrisse a Van Rappard, e per dimostrare cosa intendesse illustrò la lettera con un piccolo disegno. Il fatto che le figure fossero curve in avanti era un modo per suggerire l'azione, espediente, questo, usato anche da Van Rappard. Per Van Gogh il punto era raffigurare uno zappatore che stesse veramente zappando. Come scrisse a Théo, «il contadino deve essere un contadino e lo zappatore deve zappare.»

RV

VINCENT VAN GOGH
100. *Zappatore*, agosto 1885
olio su tela, cm 45,4 x 31,4
Otterlo, Kröller-Müller Museum
The Netherlands, inv. n. 102.175

In questo quadro Van Gogh raffigurò lo zappatore così come gli piaceva vederlo, mentre suda e lavora, vivendo, insomma, la sua faticosa esistenza. Il contadino che zappa è un tema sul quale aveva già lavorato sia a Etten che all'Aia, e diventa uno dei soggetti principali nel suo periodo olandese, insieme a quelli del seminatore e del tessitore. Ma, diversamente da ciò che fa con gli altri, Van Gogh non colloca il contadino nel suo contesto, e cioè nei dintorni del luogo. In questo caso Van Gogh si concentra soprattutto sulla resa della figura in se stessa e sui suoi vestiti. Della figura aveva fatto uno schizzo e a febbraio aveva parlato a Théo di quanto apprezzasse la semplicità del suo abbigliamento: «Le figure dei contadini qui di regola sono azzurre. L'azzurro del grano maturo o contro le foglie appassite di una siepe di betulle – di modo che le tonalità stinte di azzurro più scuro o più chiaro siano sottolineate e parlino per contrasto con le to-

nalità dorate del marrone rossastro – è una cosa molto bella che mi ha colpito sin dai primi tempi» (l. 483, 5/26 febbraio 1885). La luce sulla spalla crea una tonalità verde-blu del tessuto nel suo insieme e contrasta con il tono rosso scuro del viso e delle mani. Van Gogh era consapevole che non stava affatto rendendo la figura umana in accordo con le proporzioni anatomiche, così come vengono insegnate nelle accademie. E tuttavia difende il suo modo di lavorare in una lunga lettera a Théo del luglio 1885, nella quale si mette in posizione di contrasto con pittori accademici quali Alexandre Cabanel e Gustave Jacquet. Le loro figure «trattano il corpo tutte nello stesso modo: forse grazioso, accurato nelle proporzioni e nei dettagli anatomici.» Ma questo non era ciò che cercava Van Gogh e in questa ricerca si sentiva supportato dall'esempio di altri pittori quali Jozef Israëls, Honoré Daumier e Léon Lhermitte: «Quando, ad esempio, Daumier o Lhermitte disegnano una figura, si sentirà molto di più la sua forma, eppure – ed è per questo motivo che parlo anche di Daumier – le proporzioni a volte saranno quasi arbitrarie, l'anatomia e la struttura appariranno spesso completamente errate a uno sguardo accademico. Quelle figure, però, vivranno.» E faceva pressione sul fratello per contestare il pittore Charles Serret, che aveva espresso le sue critiche sulle figure dei *Mangiatori di patate* a Théo, che a sua volta le avrebbe criticate (si veda la l. 515, 14 luglio 1885). Voleva raffigurare «il contadino mentre lavora»: «il contadino deve essere un contadino, lo zappatore deve zappare.» Questo modo di dipingere la figura, secondo Van Gogh era ciò che lo distingueva. «È questa una figura [quella del contadino, del lavoratore] essenzialmente moderna, proprio il nocciolo dell'arte moderna, cosa che né i Greci, né il Rinascimento, né la vecchia Scuola olandese hanno fatto […]. Hanno dipinto i contadini e i lavoratori come "genere" ma, al momento, con la guida del grande Millet, è questo il vero nocciolo dell'arte moderna, e tale resterà.»

RV

VINCENT VAN GOGH

101. *Natura morta con ciotola e pere*
settembre 1885
olio su tela, cm 33,5 x 43,5
Utrecht, Centraal Museum
in prestito dalla Stichting Van Baaren Museum

102. *Natura morta con patate*
settembre 1885
olio su tela, cm 47 x 57
Rotterdam, Museum Boijmans-van
Beuningen
in prestito da una collezione privata

Nell'inverno 1884-1885 Van Gogh dipinge
e disegna dal vero molte teste di contadini
del luogo, riprendendole di profilo, di fronte,
in controluce, alla luce artificiale. Realizza
anche studi a figura intera: lavora sui lineamenti dei volti, sottolineandone i caratteri
marcati e definendo i volumi con un fitto
tratteggio. Tutto questo lavoro l'avrebbe
portato alla composizione più famosa del
periodo di Nuenen: i contadini seduti intorno alla tavola dei *Mangiatori di patate*, datato
aprile 1885.
Dopo essersi dedicato al paesaggio durante
l'estate, a settembre ha nuovi problemi nel
procurarsi i modelli. Il parroco cattolico cercava di convincerlo a evitare un'eccessiva
confidenza con persone di condizioni inferiori alla sua e nel contempo pagava i contadini perché non posassero per lui. Privato
della possibilità di proseguire i suoi studi

sulla figura, Van Gogh decide allora di dedicarsi alle nature morte.
Tra settembre e ottobre 1885 dipinge un
gruppo di sette nature morte con oggetti in
terracotta e bottiglie, ma anche frutta e ortaggi; sono lavori dai colori scuri, bituminosi, soprattutto di mele, patate e nidi di uccelli, le cui forme modellate con i colori paiono
staccarsi dalla superficie pittorica.
Verso la metà di ottobre scrive a Théo:
«Oggi ti ho inviato per corriere una cassetta contrassegnata V4 con le nature morte»
e nella lettera seguente Van Gogh spiega
come e perché le ha realizzate.
Sicuramente queste nature morte sono
da mettere in relazione «al modellare con
diversi colori», così come si esprime Van
Gogh, specificando: «questi studi sono studi
sul colore».
Molto diverse dalle nature morte degli anni
precedenti, dove l'essenza della composizione era tratta dalla pittoricità delle caraffe e
di altri oggetti antichi, questo gruppo di lavori non reca quasi traccia di "ariosità e di
abbellimenti". Gli elementi predominanti
sono qui chiaramente il tentativo di rendere
tangibili le cose e la sperimentazione sull'uso
e gli accostamenti di toni e colori.
Quando Théo fa alcune giuste obiezioni sui
colori delle nature morte che aveva ricevuto,
Vincent scrive una lunga spiegazione che dimostra quanto avesse lavorato con metodo
a questi lavori e quanto studiasse il colore e
i suoi effetti.
«Sono molto contento che tu abbia notato
una combinazione [...] uno degli studi ti è
sembrato una variazione sul tema del marrone-grigio, ebbene, è davvero così, però
tutti e tre gli studi delle patate sono una
variazione sul tema marrone-grigio solo
con questa differenza, che l'uno è uno studio in terra di Siena, l'altro in terra di Siena bruciata e il terzo in ocra gialla e rossa.
Quest'ultimo, il più grande, è secondo me il
più riuscito, malgrado lo sfondo opaco nero
che ho lasciato volutamente opaco perché
anche gli ocra sono per loro natura dei colori non trasparenti» (l. 536, 20 ottobre 1885).
Non manca poi la difesa del bianco e del
nero, per i quali Van Gogh si richiama a
Frans Hals («Frans Hals utilizza circa ven-
tisette neri») e a Delacroix («Delacroix li
chiamava [i bianchi e i neri] "di riposo" e li
impiegava come tali.»
E di conseguenza scrive a Théo: «Non devi
avere pregiudizi nei loro riguardi, perché se
solo li si utilizza nel posto giusto, in armonia

con il resto del quadro, logicamente si possono usare tutte le tonalità.»
Nello stesso tempo naturalmente questi
quadri non sono esclusivamente studi sul
colore, ma anche l'espressione della lotta di
Van Gogh per dare forma plastica e solidità
agli oggetti che rappresenta; un'ambizione
che lo collega, ad esempio, a quello che Cézanne stava facendo con le sue nature morte
di frutta.
«Riceverai una natura morta con patate in
cui ho cercato di ottenere una corposità; voglio dire, ho cercato di esprimere la materia
in modo tale che diventassero dei blocchi
pesanti e solidi – che ti ferirebbero se te li
gettassero addosso, ad esempio» (l. 533, 4
ottobre 1885).
Quello che Van Gogh scrive qui è valido
sia per *Natura morta con patate*, che per *Natura
morta con ciotola e pere*, sia, più in generale, per
gli altri quadri di questo genere. Sono studi che si riconoscono e si distinguono per la
loro qualità "grumosa", e alcuni anche per
la semplicità e linearità compositiva.
Non si può infine ignorare la scelta dei
soggetti; infatti, dopo aver trascorso molto
tempo a disegnare la vita e le persone della campagna, Van Gogh si dedica, in modo
coerente, a ritrarre anche gli oggetti appar-
tenenti e in sintonia con quella vita
Da questa prospettiva sembra che l'artista in
Natura morta con ciotola e pere, *Natura morta con
patate*, così come in un quadro grande come
*Natura morta con un cestino di patate, circondato
da foglie autunnali e ortaggi* (cm 75 x 93, F102),
voglia mostrare come sia possibile creare
una vera e propria sinfonia di forme e di colori sulla base di soggetti mondani e prosai-
ci quali un cestino di patate, una ciotola di
pere, qualche cavolo, foglie secche.
In uno studio del 1837, Walter Vanbeselae-
re aveva del resto giustamente notato: «La
scelta dei soggetti è così intimamente col-
legata al suo coinvolgimento nella vita dei
contadini che noi possiamo sentire l'odore
della terra nel contadino, nelle piccole abitazioni, nelle patate e nei nidi.»

SZ

MATTHIJS MARIS
103. *Cava di pietra a Montmartre*
1871-1873
olio su tela, cm 55 x 46
L'Aia, Collection Gemeentemuseum
The Hague

Come i fratelli Jacob e Willem, Matthijs
(1839-1917) viene incoraggiato dal padre
a diventare artista. Si iscrive all'Accademia
dell'Aia nel 1852 e nel 1855 riceve una borsa
di studio che gli consente di proseguire gli
studi ad Anversa, dove alloggia con il fratello
Jacob, che era arrivato in città l'anno precedente. Nei tre anni durante i quali frequenta
l'Accademia di Anversa, Matthijs conosce i
romantici tedeschi ed è particolarmente attratto da Alfred Rethel e Ludwig Richter.
Nel 1859 trascorre un breve periodo a Oosterbeek e nel 1861 viaggia in Germania,
Francia e Svizzera. Nel 1865 parte per Parigi, dove rimane anche durante la Guerra
franco-prussiana, diversamente dal fratello
Jacob. Povero e solo, realizza alcune delle
sue opere più belle durante questo periodo,
come *Ricordo di Amsterdam*, *La ragazza con le
farfalle* e questo *Cava di pietra a Montmartre*, nel
quale dipinge la collina di Montmartre dalla
stessa cava di pietra che Van Gogh avrebbe
scelto come soggetto nel 1886.
Cava di pietra a Montmartre appartiene ancora
al periodo in cui Matthijs Maris condivideva
la poetica degli artisti della Scuola dell'Aia.
Il dipinto è un paesaggio tipicamente olandese dove è inserita una figura impegnata
nel lavorare la pietra. I toni sono tutti giocati
sulle variazioni dei marroni – dal marrone
scuro a quelli dorati – così tipici delle opere
degli artisti della Scuola dell'Aia.
Matthijs rientra all'Aia nel 1871 e raggiunge
una buona notorietà dipingendo quadri di
fanciulle in interni, che vendeva attraverso

Goupil. In seguito prende le distanze dalle
opere che aveva eseguito su commissione dei
mercanti d'arte, considerandole "potboiler",
prodotti adatti alla vendita ma non validi da
un punto di vista artistico.
Tramite Elbert Jan van Wisseling, un collezionista conosciuto a Parigi e che era ancora
assistente alla Goupil, incontra il collezionista scozzese Daniel Cottier, che rimane
affascinato dalle sue opere e lo convince a
trasferirsi a Londra. Nella capitale inglese
Maris rimane dal 1877 al 1887, modifican-
do sensibilmente la sua poetica: inizia a dipingere scene più fantasiose, personaggi da
fiaba, castelli incantati; una serie di spose in
toni grigi, delicati e nebbiosi con effetti oni-
rici. Realizza numerosi ritratti, specialmente
di figli di amici: i bambini, insieme agli animali, sono uno dei suoi soggetti preferiti.
Dai primi paesaggi come *Apertura nei boschi,
vicino a Oosterbeek*, del 1860, alla più ampia
Concezione monumentale dell'Umanità del 1887 il
suo lavoro mostra un cambiamento notevole
non solo nella scelta dei soggetti, ma anche
nella tecnica. In entrambi i lavori, si nota la
padronanza di Maris per la manipolazione
pittorica, la capacità di sfruttare appieno le
variazioni di viscosità, così come le opacità
e le trasparenze della pittura. Se Matthijs
fu sempre piuttosto riservato sui suoi metodi di lavoro, spesso definiti enigmatici e
complessi, così scrisse Ernest D. Fridlander,
suo collega e amico: «Il suo stile è costituito
dai mezzi grazie ai quali ci comunica quella
qualità di mistero che è caratteristica dominante della sua arte matura; una qualità
che non è mai tanto manifesta nella scelta
del soggetto o nella composizione, quanto
piuttosto nella natura e nell'ampiezza della
trama indefinita e suggestiva delle sue opere.
In questo è unico.»

SZ

VINCENT VAN GOGH
104. *Il mulino "Blute-Fin",
Montmartre*
primavera 1886
gesso nero, blu e rosso, penna, inchiostro
e acquerello su carta velina, mm 310 x 250
Amsterdam, P. & N. De Boer Foundation

Questo disegno di Van Gogh sul mulino Le
Blute-Fin sembra quasi un ingrandimento
della parte centrale del suo dipinto *Butte
Montmartre*, infatti la prospettiva è pressoché
la stessa, come pure la stagione dell'anno.
Fino a oggi i colori scuri avevano indotto a
datare il disegno all'autunno del 1886, tuttavia un'analisi più attenta ha evidenziato
tratti di verde freschi e brillanti, che fanno
pensare piuttosto alla primavera. Proprio sul
bordo superiore del muro di fronte al mulino si vedono sbucare cespugli verdi. Un
po' più in alto si notano macchie di colore
verde chiaro, molto probabilmente le foglio-
line fresche appena cresciute sugli alberi che
si trovavano effettivamente proprio in quel
punto. Sulla base di tali considerazioni, dunque, si è ritenuto più opportuno datare il disegno alla primavera del 1886, come pure il
dipinto *Butte Montmartre*. E proprio una foto
dell'epoca e un dipinto di Van Gogh dell'e-
state 1887, con una veduta sui giardini di
Montmartre, mostrano quanto verdi e rigogliosi fossero d'estate quei luoghi. Un altro
elemento che suffraga questa teoria è il fatto
che nel disegno le pennellate non seguono
un modello ritmico proprio ma sono ancora
molto descrittive, caratteristica questa delle opere realizzate nei primi mesi parigini,
quando Van Gogh non aveva ancora fatto
propria la tecnica neoimpressionista.
L'effetto buio è ottenuto con il gesso nero,
che tra l'altro Van Gogh usò per il disegno
di partenza. Mentre la base del mulino è di

un colore nero intenso, nelle parti rimanenti il gesso viene lavorato con l'acquerello coprente. Per il cielo Van Gogh utilizzò – oltre a un po' di gesso nero in alto – il gesso blu, che è stato poi ritoccato con l'acquerello bianco coprente. In basso, a destra e a sinistra del mulino, lo sfondo bianco bluastro è stato ripassato con l'acquerello coprente giallo chiaro, ottenendo così una sorta di effetto in controluce. Le parti più chiare sono ritoccate con il gesso blu, che si nota qua e là anche sul gesso nero del mulino.

Le pale si stagliano nel cielo tutto intorno, e mentre lo spazio tra gli assi delle due pale inferiori è lavorato con acquerello, nelle due pale superiori rimane visibile il supporto di carta marrone, la cui grana crea l'effetto della tela da pittura. Con il gesso è stata disegnata la struttura degli assi, successivamente rifinita con disegni a penna e a inchiostro. Per la bandiera in alto, sopra il mulino, l'artista ha utilizzato un po' di gesso rosso-arancio ripreso anche sul tetto del fienile, a destra. Immaginando l'opera senza acquerello e solo con il disegno a gesso di base – cosa non particolarmente difficile dato che in molti punti l'acquerello lascia ancora intravedere il gesso nero –, si può avere un'idea della serie di vedute di Parigi che Van Gogh disegnò con il gesso nell'estate del 1886.

Blute-Fin era l'antico nome del mulino costruito nel 1622 ispirato alla sua funzione originaria che era quella di setacciare la farina. All'epoca di Van Gogh, il mulino non era più in funzione da tempo e veniva chiamato Moulin Debray oppure anche Moulin de la Galette, nome che in realtà indicava tutta la zona, dove si trovavano anche gli altri due mulini Le Radet e Le Moulin à Poivre (Butte Montmartre e Moulin de la Galette.) Le Blute-fin fu costruito sul punto più elevato di Montmartre ed era molto famoso fra i visitatori che salivano sulla piattaforma in cima al mulino per godersi la vista su Parigi e i suoi dintorni. Mentre su questo disegno e sul dipinto *Butte Montmartre* il mulino sembra trovarsi appena al di là del muro, in realtà era molto più distante. Inoltre, nel disegno manca la seconda piattaforma che era posizionata dietro al mulino sulla destra e dalla quale si poteva ammirare la città dall'alto. Van Gogh fece numerosi disegni e dipinti di queste zone, per lui non molto lontane. Infatti la collina confinava a sud proprio con Rue Lepic, la via dove Van Gogh abitava con il fratello Théo al numero 54.

TM

VINCENT VAN GOGH
105. **Vaso con garofani**, estate 1886
olio su tela, cm 46 x 37,5
Amsterdam, Collection Stedelijk Museum
acquistato con il generoso supporto del VVHK

Durante l'estate del 1886, a Parigi, Van Gogh dipinge numerose nature morte con fiori. È una successione di tele piene di colore, brillanti e festose, nelle quali questo semplice soggetto viene variato in combinazioni infinite. Benché di tanto in tanto possa ricomparire un vaso particolare o un vaso di zenzero, la sistemazione generale e la combinazione di colori dei *bouquet* sono molto diversi l'uno dall'altro. In questi quadri Van Gogh rappresenta tutti i tipi di fiori estivi: garofani bianchi e rossi, gerani e zinnie, rose e altee rosate, gladioli e altri. Anche queste nature morte parigine, così come quelle dell'autunno del 1885 a Nuenen, sono «studi sul colore», come scrive in una lettera all'amico Horace Mann Livens da Parigi: «Per quanto riguarda il mio lavoro, non ho soldi per pagare i modelli, altrimenti mi sarei dedicato completamente alla figura. Allora ho dipinto una serie di studi a colori, semplicemente dei fiori, papaveri rossi, fiori di campo e non-ti-scordar-di-me azzurri, rose bianche e rosa, crisantemi gialli, alla ricerca di contrasti di blu e arancione, di rosso e di verde, di giallo e di viola, cercando *les tons rompus et neutres* che facciano armonizzare questi estremi così brutali. Cercando di rendere dei colori intensi e non una grigia armonia (l. 569, settembre o ottobre 1886).

Anche Théo aveva scritto alla madre in una lettera della fine di luglio 1886 che Vincent era occupato con delle nature morte «per rendere il suo lavoro più fresco di colore.»

Le nature morte con fiori rappresentano una fase e un passaggio importanti nella pittura di Van Gogh. Nella sola estate 1886 ne dipinge almeno una trentina, la maggior parte contro un fondo scuro e in uno stile ispirato a Delacroix. E così in breve tempo trasforma completamente la sua tavolozza, mettendo da parte i toni scuri e terrosi del periodo olandese in favore di colori e toni più brillanti. In questi «studi sul colore» cercava di applicare le teorie apprese da Charles Blanc, i cui scritti su Delacroix aveva letto a Nuenen nel 1884. Ciò di cui parlava Blanc e che Van Gogh avrebbe cercato di realizzare era il contrasto fra colori primari – blu, rosso e giallo – e i loro complementari – verde, arancione e porpora.

Oltre alle novità nella scelta dei colori, uno dei tratti più sorprendenti di questi quadri è l'impasto pittorico, che era già emerso a Nuenen ma che diviene sempre più importante nel periodo parigino, sotto l'influenza del pittore di Marsiglia Adolphe Monticelli, morto nel giugno del 1886, qualche mese dopo l'arrivo di Van Gogh a Parigi.

Van Gogh probabilmente conosceva la sua produzione dal suo primo soggiorno a Parigi nel 1874-1875; Théo stesso, sperando in un profitto dalla fama dell'artista appena morto, aveva comprato alcune sue opere per la sua collezione, inclusa una natura morta floreale, che Vincent ammirava.

Molte lettere scritte a Théo da Arles e da Saint-Rémy esprimono la grande ammirazione per questo artista, che viene descritto come uno dei suoi maestri, insieme a Delacroix. Di Monticelli, Van Gogh ammirava anche i paesaggi che lui e Théo avevano potuto vedere nelle gallerie di Reid e di Delarebeyrette.

Soprattutto parla ripetutamente degli impasti di Monticelli e dei suoi colori "vibranti", tutti elementi che sentiva di avere in comune con il pittore marsigliese. Così scrive al pittore australiano John Russell, a proposito di Monticelli: «Ci regala qualcosa di appassionato e di eterno – il colore ricco, il sole ricco del Sud glorioso in un modo coloristico autentico che scorre parallelo alla concezione del Sud di Delacroix.»

In molte altre occasioni Van Gogh scrive a Théo che sente di essere il successore di Monticelli in Provenza. E dunque non sorprende che molte delle nature morte floreali realizzate nel 1886 siano rese non solo con la ricchezza coloristica di Monticelli, ma anche con pennellate brevi e pastose, utilizzate per "scolpire" i suoi fiori.

SZ

VINCENT VAN GOGH
106. *Il Moulin de la Galette*
metà ottobre 1886
olio su tela, cm 38,4 x 46
Otterlo, Kröller-Müller Museum
The Netherlands, inv. n. 103.198

Al tempo di Van Gogh , per i parigini "Moulin de la Galette" era sinonimo di divertimento; in realtà si trattava del punto più alto della collina di Montmartre. Il mulino qui raffigurato, che compare anche nel dipinto *Butte Montmartre* sulla sinistra, si chiamava Le Radet, tuttavia è probabile che il proprietario avesse battezzato la sala da ballo annessa al locale "Moulin de la Galette" per ragioni puramente commerciali. Ed è proprio qui che alcuni artisti, come Renoir e in seguito anche Toulouse-Lautrec, dipinsero i famosi quadri ispirati alle frivolezze della società parigina.
Tuttavia Van Gogh si concentrò su una pura veduta di città, un motivo molto più discreto se raffrontato ai soggetti decisamente più mondani dei suoi colleghi. Nel dipinto, la collocazione topografica del luogo è abbastanza esatta, sebbene una foto dell'epoca riveli che le case sulla destra erano effettivamente più vicine al mulino. Inoltre, Van Gogh dipinse volutamente scura la silhouette del mulino per farla risaltare meglio contro lo sfondo chiaro e intenso. La pennellata è molto fluida e il colore è steso prevalentemente "bagnato su bagnato". Il primo piano ha toni bui e cupi, con qualche tocco di nero che rende l'effetto grafico forte e grossolano. Sono estrosi invece gli accenti un po' più chiari di rosso e blu per le diverse figure e in alcuni punti della tela. Anche la bandiera sul mulino contrasta leggermente con il bianco intenso del cielo. Van Gogh disegnò una seconda versione dello stesso motivo, un po' più chiara in primo piano e con una pennellata più "asciutta", con meno figure. Van Gogh scambiò queste due opere con il pittore d'avanguardia Charles Angrand.

TM

VINCENT VAN GOGH
107. *Camposanto nella pioggia*
ottobre - dicembre 1886
matita, penna, pennello, inchiostro,
acquerello, gesso colorato, acquerello
opaco bianco su carta vergata
mm 369 x 483
Otterlo, Kröller-Müller Museum
The Netherlands, inv. n. 123.588

In un angolo del camposanto, sotto un cielo grigio e piovoso due uomini stanno scavando una profonda buca alla fine di una lunga fila di croci. Non è chiaro se stanno scavando o aprendo delle tombe perché entrambi sono in piedi davanti alla fossa e molte croci sporgono storte nella buca; sembra più probabile che siano impegnati nella dissepoltura. Un uomo con l'ombrello osserva la scena. Nello sfondo due uomini stanno trasportando la bara piccola di un bambino, seguiti da una donna, sicuramente la madre. Il piccolo corteo non sembra interessarsi a quello che stanno facendo i due uomini in primo piano. Il camposanto è recintato da un muro bianco oltre il quale si intravedono delle case. I due piccoli alberi di fronte al muro sulla destra hanno ancora qualche foglia gialla, un'indicazione che si tratta di una giornata di autunno.
Una grande parte del disegno fu prima riempita energicamente dall'artista con ampi tratti di matita. I particolari non vennero delineati ma lasciati bianchi – come la fila di croci e i due zappatori – o disegnati sullo sfondo, come le altre figure, gli alberi e i cespugli. Per raffigurare il muro Van Gogh ha cancellato parte delle ombreggiature a matita. In altri punti, come nel campo a destra, egli ottenne i piani più luminosi prima di tutto cancellando la grossolana ombreggiatura a matita. Quindi continuò a disegnare con penna e pennello in inchiostro nero. Alla fine inserì accenti di colore e qua e là ripassò l'inchiostro di nuovo con la penna, come

si può vedere nella parte bassa a destra. È soprattutto l'ombreggiatura intensa, prima a matita e poi a penna e inchiostro, che produce un convincente effetto di pioggia. Benché Van Gogh assistette realmente alla scena della dissepoltura, per i due scavatori utilizzò degli studi di figura che aveva realizzato nell'autunno del 1882 all'Aia e questo ha creato, in passato, confusione circa la datazione del disegno. Probabilmente Van Gogh lo realizzò alla fine dell'autunno del 1886, poiché in termini di stile e di tecnica è strettamente collegabile alle vedute cittadine di inizio 1887. Con questo disegno (una versione più piccola, di formato più allungato e senza colore è conservata all'Albertina di Vienna) Van Gogh si concentra sugli aspetti meno gradevoli della società moderna ed è possibile che una importante fonte di ispirazione siano stati due capolavori della letteratura naturalista francese: *Germinie Lacerteux* dei fratelli de Goncourt del 1865 e *L'Oeuvre* di Zola del 1886. Nelle sue due versioni di *Camposanto nella pioggia (La fossa comune)* Van Gogh sembra aver combinato diversi aspetti delle descrizioni dei Goncourt e di Zola ma senza seguirle troppo letteralmente. La sua raffigurazione del camposanto e del funerale di un bambino è una sorta di omaggio ai suoi modelli letterari.

TM

VINCENT VAN GOGH
108. *Interno di un ristorante*, estate 1887
olio su tela, cm 45,5 x 56
Otterlo, Kröller-Müller Museum
The Netherlands, inv. n. 110.328

L'arrivo di Van Gogh a Parigi, all'inizio di marzo del 1886, significava dare sostanza al suo desiderio di conoscere le nuove scoperte dell'arte moderna. E in ultima istanza, di essere egli stesso il rappresentante dell'arte del proprio tempo. Era stato il fratello Théo, nelle sue lettere, a invitare ripetutamente Vincent a Parigi, per imparare a conoscere soprattutto l'arte degli impressionisti, ma anche quei pittori che erano succeduti all'amatissimo Jean-François Millet nella rappresentazione della vita in campagna.

L'*atelier* di Fernand Cormon, pittore di *Salon* ma con evidenti accenti di naturalismo, è per Van Gogh il luogo dei primi esperimenti nel corso di quel 1886. Quando la sua tavolozza comincia a schiarirsi rispetto al tempo olandese e diventa maggiormente luminosa. Perfino negli studi accademici condotti su statuette di gesso, come accade a ogni allievo che si rispetti. Una luce più secca e solare, che identificava in Parigi il luogo comunque più meridionale da Vincent dipinto fino a quel momento. La probabile visita all'ottava e ultima mostra impressionista, nel mese di maggio, gli valse la scoperta folgorante, dal vivo, dell'opera di Seurat e Signac e della loro pittura data per tocchi accostati di colore. Era un nuovo modello, audace, di colore prismatico.

Ma è il 1887 che consegna l'immagine del nuovo Van Gogh, quando, soprattutto durante l'estate, l'influenza di Signac – nel frattempo partito per il sud della Francia – si fa più forte. Un'accelerazione vertiginosa dell'apprendere e dell'essere un pittore nuovo, ciò che avrebbe dato frutti meravigliosi negli oltre due anni che da fine febbraio 1888 trascorrerà in Provenza. Era arrivato a Parigi come un pittore contadino, che aveva ancora molto da apprendere, ma quando lascerà la capitale francese per Arles, sarà diventato un esponente dell'avanguardia sperimentale. Appena mitigato, questo pensiero così moderno, dal rispetto che sempre provava per gli artisti del naturalismo vissuti alla metà del secolo.

Non vi sono dubbi circa il fatto che questo *Interno di un ristorante*, dipinto da Van Gogh appunto nell'estate del 1887, rappresenti il punto più alto della sua fase neoimpressionista. Si tratta del tipo di quadro attraverso il quale intendeva fare un vero e proprio omaggio alla nuova arte, e soprattutto avvicinarsi all'amico Paul Signac, suggerendogli la sua affinità con il movimento.

Il soggetto, un tipico ristorante della classe media parigina, era uno dei più fortunati sia tra gli impressionisti che tra i neoimpressionisti, anche se era del tutto inusuale vederlo rappresentato in una versione come questa, vuota di commensali eppure entro un'aria così percepibile di festa, con tutte le tavole

preparate con vasi di fiori. Si tratta comunque di uno dei relativamente rari esempi di motivo davvero impressionista nella sua opera, e in modo particolare nel tempo parigino che corre da inizio marzo 1886 a fine febbraio 1888.

La tela appare come una vera e propria quintessenza della tecnica neoimpressionista e dei suoi motivi. C'è una precisa gestione della pennellata *pointilliste*, attraverso l'uso del colore nei contrasti dei complementari: il rosso e il verde per le pareti; il giallo e il grigio-viola del pavimento; il giallo-arancio degli arredi con il blu nelle tovaglie. Nessuno dubita che questo dipinto sia stato per Van Gogh un vero e proprio esercizio di stile, eppure, come sempre gli è capitato, egli è riuscito a farlo diventare una pagina di altissima, pura e sottile poesia visiva. Sebbene si tratti della sua opera forse più ortodossa nello stile del *pointillisme*, sappiamo perfettamente come il pittore abbia sempre rifiutato di conformarsi rigidamente alle regole dello stile, mescolando senza problemi diverse suggestioni. Anche qui, solo per fare un esempio, le gradazioni dei toni sono usate per suggerire le ombre, modalità che nulla ha a che vedere con il neoimpressionismo e piuttosto si rifà alla pratica del realismo, da Vincent tenuto sempre in considerazione. Sia come sia, siamo davanti a uno dei quadri più belli e motivati dell'intero suo periodo parigino.

MG

VINCENT VAN GOGH
109. *Salici potati al tramonto*
marzo 1888
olio su tela su cartone, cm 31,6 x 34,3
Otterlo, Kröller Müller Museum
The Netherlands, inv. n. 107.313

E poi finalmente viene il Sud. La luce tanto desiderata, l'assoluto dei colori, la rifrazio

ne loro attraverso il prisma luminoso. L'aria secca e tutta incisa di un'emozione che travolge, scuote dal di dentro, si deposita nella profondità del cuore. Nel pieno di un grave stato di depressione, sedato anche da un vero e proprio abuso di alcol, Van Gogh dipinge a Parigi un ultimo autoritratto, sul finire di gennaio del 1888. Si raffigura davanti al cavalletto, avvolto in una giubba blu sulla quale lampeggiano gialle fioriture come piccole stelle nel cielo. In mano tiene la tavolozza e un mazzo di pennelli, lo sguardo è fisso sulla tela. Più tardi, giunto in Provenza, scriverà in una delle sue lettere: «Quando lasciai Parigi, ero sulla strada della paralisi mentale.»

In preda a questi sentimenti di desolazione e frustrazione, Vincent parte per il Sud. La Provenza è la sua meta. Cominciano in lui a venire a compimento quei pensieri che lo spingevano alla creazione, assieme a Gauguin specialmente, di un vagheggiato "*atelier* del Sud". Così, il 20 febbraio 1888 lascia Parigi e con il treno raggiunge Arles, dove arriva nel pomeriggio del giorno seguente. Dalla stanza che prende in affitto al Restaurant Carrel, al numero 30 di rue Cavalerie, scrive subito al fratello Théo, informandoci circa qualcosa di sorprendente, per lui che se n'era andato cercando la forza e la potenza del colore: «Ora ti dirò che, per cominciare, ci sono dovunque almeno 60 centimetri di neve già caduta, e che continua a caderne. Arles non mi sembra più grande di Breda o di Mons.» Il bianco della neve quindi, anziché il giallo, l'azzurro, il rosso, il verde.

Ma arrivando, dal finestrino del treno, già nota quanto potrà valere successivamente per la pittura. Dapprima, nei pressi di Tarascona, «un magnifico paesaggio d'immense rocce gialle», poi «alberelli tondi dal fogliame di un verde oliva o verde grigio», e infine «bellissimi terreni rossi coperti di vigne, con sfondi montagnosi del più fine lilla.» Nel modo del diario di un viaggiatore che giunge in un luogo per la prima volta, e ne fa quasi un inventario della visione, Van Gogh capisce all'istante ciò che sarà per la sua pittura, quanto essa diventerà. Ma in quel momento deve fare il conto soprattutto con la neve, con il bianco: «E i paesaggi nella neve con le cime bianche contro un cielo tanto luminoso quanto la neve, erano belli come i paesaggi invernali fatti dai giapponesi.»

In un bellissimo, e poco noto, *Paesaggio con la neve* (1888), vediamo Van Gogh alle prese con la campagna bianca che si estende fino alla cinta di Arles, che spicca sul fondo nella luce azzurrina con le sue torri, come in un paesaggio olandese di Van Ruisdael a metà Seicento. Citato in una lettera a Théo scritta attorno al 2 marzo, questo quadro fa parte di una manciata di pochi altri dedicati a quella neve inattesa trovata nel Sud in luogo della tempesta del sole. Ma già nella lettera a Théo del 9 marzo, la situazione sta volgendo al meglio: «Caro Théo, finalmente questa mattina il tempo è cambiato e si è fatto più mite – ho così avuto modo di conoscere questo mistral. Ho fatto diverse incursioni nei dintorni, ma non ho mai potuto far niente a causa di questo vento impossibile. Il cielo era di un azzurro terso, con un sole talmente lucente da sciogliere quasi tutta quanta la neve, ma il vento era così freddo e secco, da mettermi la pelle d'oca.» È il principio del cammino di Van Gogh nel sole di Arles, nel sole del Sud. Quando l'azzurro, tonante come uno schiocco, comincerà a manifestarsi in tutta la sua assolutezza di presentazione. A cominciare dall'immagine celebre del ponte di Langlois, lungo il canale parallelo al Rodano che unisce, verso sud, la città a Port-de-Bouc. Sono passate solo tre settimane dall'arrivo di Vincent in Provenza, ed egli pare aver trovato il centro della sua visione. Aver trovato il centro del suo cuore.

Nelle stesse giornate di marzo in cui il ponte di Langlois attirava la sua attenzione, quasi sicuramente egli mette mano anche ad altri due quadri. Il primo è ancora un ponte, in pietra e con due archi ribassati, con delle lavandaie in primo piano e una fila di salici potati lungo la linea dell'orizzonte. Con un fumo di fabbriche e di nuvole che invade l'azzurro del cielo. Il secondo è proprio *Salici potati al tramonto*. In tutte queste opere citate, lo schema del colore appare il medesimo, dipinte come sono in un giallo molto luminoso, in arancio-rosso e con toni tra l'azzurro e il blu. Inoltre, la datazione a marzo delle tele in questione appare rinforzata anche dall'essere tutte con alberi privi di foglie. Quasi certamente è anche a questo quadro che Vincent si riferisce nella sua lettera del 10 marzo al fratello, quando parla di «4 o 5 cose che sto pensando di cominciare a dipingere.» Si sente anche una certa vicinanza stilistica dell'erba secca in primo piano rispetto a certi soggetti di prati che Van Gogh aveva realizzato nella sua seconda primavera parigina, quella del 1887. Ciò per dire che la datazione prima proposta per questo quadro – autunno 1888 – appare difficile da essere

sostenuta, e in questo condivido in pieno la lettura di Teio Meedendorp.

Questa visione di salici al tramonto quindi, appare conficcata perfettamente in un punto di passaggio tra le residuali esperienze impressioniste parigine e la piena accettazione dell'antinaturalismo che investe la descrizione della natura in Van Gogh nel periodo di Arles e Saint-Rémy. In questo senso appare indicativo, e meraviglioso, il lavoro tono su tono nel cielo, con quel dialogo insistito giallo su giallo. Cui si aggiunge la lunga linea azzurra sottostante come di un orizzonte inventato, quasi a simulare la sua più che amata catena delle Alpilles, che nell'anno trascorso a Saint-Rémy diventerà talvolta motivo quasi di specchio del cuore. Ma adesso, giunto ad Arles solo da poche settimane, è la luce infuocata del tramonto a spremere tutti i succhi, subito, della pittura. A tracciare, quel sole avventato e splendente ancora prima di sera, un segno che ci consegna una visione nuovissima della natura. Dove insieme si consumano il tempo e il destino.

MG

VINCENT VAN GOGH
110. *Il ponte di Langlois ad Arles*
maggio 1888
olio su tela, cm 49,5 x 64,5
Colonia, Wallraf-Richartz-Museum
& Fondation Corboud, Collezione dei Dipinti acquistato nel 1911, inv. n. WRM 1197

Nell'autunno del 1886, quando è a Parigi da pochi mesi, arrivato da Anversa probabilmente il primo giorno di marzo, Vincent van Gogh scrive in questi termini all'amico pittore inglese Horace Mann Lievens: «In primavera, ma potrei dire in febbraio o anche prima, potrò andare nel Sud della Francia, la terra dei toni azzurri e dei colori brillanti.» Anche se poi spenderà oltre un anno ancora nella capitale francese, si tratta del primo accenno consapevole circa il suo

desiderio di scendere a incontrare la luce del mezzogiorno, quella che darà sostanza alle sue opere del periodo consumato in Provenza, prima ad Arles e poi a Saint-Rémy. Sarà dopo i cinque giorni trascorsi sulle rive del Mediterraneo, a Saintes-Maries-de-la-Mer, tra fine maggio e inizio giugno 1888, che si convincerà della giustezza della sua decisione di essere andato al Sud. La luce così diversa rivelava colori essi stessi diversi da quelli olandesi o da quelli polverosi e secchi parigini. Era entrato nel territorio da lui stesso definito della «esagerazione del colore».

Il Sud è per Vincent però anche il luogo nel quale tenere insieme la casa e lo studio, secondo una modalità già sperimentata nei due anni trascorsi all'Aia, tra 1882 e 1883, assieme a Sien, la prostituta che gli divenne compagna in quel tempo. La prevista creazione del cosiddetto *"atelier* del Sud", mutuava ciò che una comunità di artisti stava vivendo a Pont-Aven, in Bretagna, ed è dalla fine di maggio del 1888 che Vincent, con l'aiuto del fratello Théo, inizia a blandire Gauguin affinché lasci proprio Pont-Aven per giungere ad Arles, per formare quel gruppo che assieme a Emile Bernard e ad altri, avrebbe dovuto costituire la nuova gloria della pittura francese.

La mattina del 19 febbraio 1888, Vincent visita assieme a Théo lo studio di Seurat a Parigi, per una sorta di ultimo omaggio al giovane pittore che aveva rivoluzionato le modalità del fare arte, secondo una scansione cromatica che aveva grandemente interessato lo stesso Van Gogh. Il quale, nel pomeriggio, sale su un treno che in una quindicina di ore, il giorno dopo, lo vede arrivare ad Arles sotto la neve, che sta cadendo dalla sera precedente: «Caro Théo, ti dirò, per cominciare, che ci sono dovunque almeno 60 centimetri di neve già caduta e che continua a caderne.» Arles è un po' la quintessenza della regione provenzale, e quando Vincent vi giunge conta circa 30.000 abitanti. Nei quindici mesi di permanenza, dal 20 febbraio 1888 all'8 maggio 1889, realizza lì circa duecento quadri, cento tra disegni e acquerelli e scrive circa duecento lettere. La scelta di Arles poteva essere stata dettata da fattori diversi. Di sicuro si trovava non lontana da Marsiglia, dove aveva vissuto Monticelli, pittore molto amato da Van Gogh e che è alla base per esempio di tante sue nature morte eseguite a Parigi. Degas stesso, nel 1855, era stato ad Arles. Poi l'amore per le stampe giapponesi, le cui luci lo riconducevano proprio alla Provenza. Ancora, il senso di gaiezza che colorava soprattutto il *Tartarin de Tarascon* di Daudet, da Vincent molto apprezzato. Di certo, anche la leggendaria bellezza delle donne arlesiane.

A conclusione di due settimane di cattivo tempo, il 9 marzo 1888 il pittore comincia le sue esplorazioni del paesaggio, e come aveva fatto a Parigi, all'Aia e a Nuenen, esclude dalla pittura il centro della città, concentrandosi piuttosto sui suoi bordi che diventano campagna. Attorno ad Arles lo impressionano dapprincipio due luoghi: a nord la piana della Crau con la bellissima abbazia di Montmajour, a sud l'area che costeggia il canale Bouc, originariamente pensato, negli anni trenta di quel XIX secolo, per mettere in comunicazione Arles con il Mediterraneo. Ma la progettazione non tenne nel dovuto conto le dimensioni che sempre più aumentavano dei vascelli, per cui il canale non servì più per quella funzione. Il ponte levatoio di Langlois, situato vicino alla città su quel canale, e detto Ponte di Réginelle, era un manufatto le cui caratteristiche potevano essere piuttosto famigliari a Van Gogh, dal momento che molti di simili se ne potevano vedere in Olanda e diversi artisti della Scuola dell'Aia, subito dopo la metà dell'Ottocento, ne avevano dipinti. Del resto, erano stati proprio ingegneri olandesi che avevano realizzato lo sviluppo dei canali attorno ad Arles nel XVII secolo.

Le prime immagini del ponte di Langlois dipinte da Van Gogh, tra la manciata che ne fece, sono della metà di marzo, mentre una brevissima ripresa avvenne tra l'11 aprile e la metà di maggio, sempre di quel 1888, quando il 15 del mese porta a termine questa versione, di certo la più celebre tra tutte. Van Gogh pensa ai vantaggi di lavorare su scene simili a quelle viste in Olanda, ma più ricche e colorate quanto a temi e motivi. Alla sorella Wil, scrive in una lettera che aggiorna quelle scene con la «tavolozza di oggi», con lo stupendo e luminoso azzurro del grande cielo e dell'acqua in basso, con i verdi squillanti dell'erba e quelli più profondi dei due cipressi, con il giallo che di lì a poche settimane diventerà quello dei campi di grano e finanche il rosso appena esibito del vestito della piccola lavandaia e del tetto della casa sulla destra. Questi dipinti sul ponte sono la sintesi della strategia di Van Gogh, di far diventare il Sud come il Nord, però nella variazione del colore. Il ponte di Langlois venne demolito nel 1935 e

ricostruito nel 1962, non perché servisse nella sua originaria funzione, ma per soddisfare la curiosità dei turisti che cominciavano ad essere attratti dai luoghi nei quali Vincent aveva vissuto.

MG

VINCENT VAN GOGH
111. ***Cestino con limoni e bottiglia***
maggio 1888
olio su tela, cm 53,9 x 64,3
Otterlo, Kröller-Müller Museum
The Netherlands, inv. n. 111.196

Questa natura morta ricorda il periodo parigino di Van Gogh, specialmente per i tocchi a puntini della pennellata (si veda ad esempio *Fiori in un vaso blu*) e fu dunque assegnata a questo periodo nel 1928 da De la Faille che, comunque, in seguito lo collegò a una nota che Van Gogh scrisse intorno al 20 maggio 1888 a Bernard, nella quale riferiva che aveva dipinto «una natura morta, dei limoni in un cestino su sfondo giallo» (l. 612, 22 maggio 1888).
Se con «sfondo» egli intende la tavola e non lo sfondo vero e proprio, che è grigio, allora certamente allude a questo quadro. L'uso di diverse tonalità di uno stesso colore e una «sinfonia di giallo», in particolare, era una delle ambizioni di Van Gogh da parecchio tempo, ma i tentativi scarsi ed esitanti che fece per realizzarla suggeriscono che erano avvenuti molto tempo prima di considerarsi all'altezza del compito. Il problema era come utilizzare il più possibile un colore e i suoi derivati evitando il rischio che il quadro perdesse in definizione.
Fu solo nell'agosto del 1888 che Van Gogh si arrischiò a realizzare un numero di nature morte di girasoli concepite esclusivamente nei toni del giallo. Le prime tre versioni di questa serie, considerate come decorazio-

ni per la sua "casa gialla" raffigurano tutte girasoli contro uno sfondo blu. Circa una settimana dopo, intorno al 26 agosto, parla in una lettera non spedita a Théo di una quarta versione «contro uno sfondo giallo, proprio come la natura morta di mele cotogne e limoni che feci un po' di tempo fa.» Si riferisce qui a un quadro ora alla National Gallery di Londra, mentre la frutta della natura morta è molto probabilmente una natura morta parigina nella quale ha dipinto la frutta gialla in questione contro uno sfondo giallo. I ricercatori hanno evidenziato come tra la natura morta di Parigi fatta nell'autunno del 1887 e i girasoli (ora a Londra) dell'agosto 1888, Van Gogh dipinse solo un unico lavoro simile a essi: questa natura morta con limoni, databile al maggio 1888. La sua riluttanza a lavorare giallo su giallo è tradita qui dall'aspra differenza di tono fra il giallo dei limoni e quello della tavola, così come dall'aggiunta di altri colori: il verde scuro della bottiglia, il verde chiaro del fondo, l'arancione del tappo della bottiglia. È anche evidente dalle ombre forti di luce blu a cui ricorre per compensare ancora di più i limoni scuri contro il giallo chiaro del cestino e della tavola, così come per sottolineare la divisione tra la tavola e lo sfondo realizzati nello stesso tono. È come se, dopo aver creato un esperimento ardito, egli volesse abbassare i toni applicando dei contrasti di colore più familiari. Un'altra indicazione di questo è la linea sottile rosso arancione con cui incornicia la tela.

JtB

VINCENT VAN GOGH
112. *Veduta di Saintes-Maries-de-la-Mer*, 1-3 giugno 1888
olio su tela, cm 64,2 x 53
Otterlo, Kröller-Müller Museum
The Netherlands, inv. n. 106.327

Il 30 maggio 1888, di mattina presto, Van Gogh prese la diligenza per un viaggio di cinque ore attraverso la Camargue fino a giungere al paese di Saintes-Maries-de-la-Mer, sul mar Mediterraneo. Il paese era famoso per le sue tradizioni cattoliche – poteva vantare le reliquie di due "sante Marie", che, secondo la leggenda del primo cristianesimo, sarebbero arrivate in questi luoghi dopo aver vagato in mare su una barca priva di remi. Questa gita era per lui una sorta di pellegrinaggio. Il mare gli ricordava lo zio Jan, della marina olandese, con cui aveva vissuto nel 1877-1878 ad Amsterdam, quando studiava teologia per l'ammissione all'università; le piccole case malandate gli ricordavano quelle della Drenthe, mentre la regione costiera lo convinceva una volta di più che il sud della Francia somigliava al Giappone. Paragonata alla tavolozza di colori crudi del suo *Ponte ad Arles*, di oltre un anno prima, qui la tavolozza è molto più sommessa e morbida, anche se il campo di malva e di lavanda originariamente era sicuramente di un tono più rossiccio. Van Gogh scrisse a Théo che lì, a Saintes-Maries-de-la-Mer, sperava di sviluppare la sua tecnica di disegno in qualcosa «di più spontaneo e più esagerato», mentre i contorni degli edifici che si ergono dietro i campi di lavanda sono ben delineati in un modo che gli ricorda il *cloisonnisme* e il giapponismo. Il mosaico dei campi è riempito con toni arancioni per le facciate esposte al sole e un blu complementare per quelle in ombra. Sia la com-posizione dei campi che la *palette* ricordano Cézanne, i cui colori brillanti Van Gogh professava di ammirare qualche tempo dopo, intorno al 12 giugno, benché in questo contesto facesse riferimento a Delacroix: «Ovunque c'è dell'oro antico, del bronzo, si direbbe del rame, e ciò con l'azzurro verde del cielo scaldato fino a diventare bianco, dà un colore delizioso, estremamente armonioso, con dei mezzi toni alla Delacroix [...]. Se tornando al mio quadro mi dico: "ecco, guarda un po' che sono arrivato finalmente al tono di *père* Cézanne", voglio soltanto dire questo: che Cézanne, come Zola, si sente a casa nella campagna e la conosce così intimamente che io devo aver percorso la sua stessa strada per arrivare a dei toni simili.»
Da Saintes-Maries-de-la-Mer Van Gogh scrisse a Théo di aver realizzato tre tele, due marine e la veduta di un villaggio. In più, fece almeno nove disegni, tre dei quali furono la base per dei quadri che realizzò una volta tornato ad Arles. Di questo quadro esiste anche un disegno, ed entrambi furono probabilmente eseguiti *in loco*, anche se non è chiaro quale dei due fu fatto prima e se uno servì come modello per l'altro. Il dipinto differisce dal disegno solo nei particolari e nell'assenza del sole.
Cosa accadde alle tre tele realizzate a Saintes-Maries-de-la-Mer non si sa. Van Gogh scrisse che avrebbe dovuto lasciarle lì perché «non sono ancora abbastanza asciutte per sopportare cinque ore di viaggio». Forse intendeva riprenderle in un secondo viaggio a Saintes-Maries-de-la-Mer, che però non ebbe modo di realizzare.

JtB

VINCENT VAN GOGH
113. *Sentiero nel parco*
intorno al 17-18 settembre 1888
olio su tela, cm 72,3 x 93
Otterlo, Kröller-Müller Museum
The Netherlands, inv. n. 100.251

È probabilmente nella giornata del 16 settembre 1888 che Vincent van Gogh si trasferisce nella"casa gialla" di place Lamartine ad Arles. In una lettera a Théo del 17 settembre, infatti, si trova scritto come vi abbia dormito la notte precedente per la prima volta. Come molti tra gli impressionisti, anche Vincent, nei suoi due anni parigini, aveva dimostrato particolare interesse per i giardini, e li aveva però spesso trasformati in giardini dell'amore, assegnando a essi un significato, oltre che di descrizione naturalistica, anche simbolico con l'inserimento di coppie di innamorati.
È invece certo come abbia trascorso l'intero suo primo giorno quale abitante della "casa gialla", dipingendo nel modesto e piccolo giardino che si trovava dalla parte opposta della piazza, affacciato sul corso del Rodano.
In una lettera al fratello inviata in quei giorni, forse lo stesso 17 settembre, scrive di avere letto un articolo sugli antichi poeti provenzali e italiani, e come questo avesse suscitato in lui una forte impressione: «Petrarca visse qui vicino, ad Avignone, e io vedo gli stessi cipressi e gli stessi oleandri.» L'articolo a cui Van Gogh fa riferimento era uscito solo due mesi prima nella «Revue des Deux Mondes», e ciò che più lo colpì fu l'evocazione del senso dell'amicizia relativamente al giardino nel quale Petrarca e Boccaccio, a Padova, si incontrarono a metà XIV secolo. Questa immagine fece nascere nel pittore l'idea di dare il via a una serie di giardini dipinti, e l'allusione ai due grandi scrittori italiani sembrava anticipare la relazione artistica che Van Gogh sperava si sarebbe

instaurata presto tra lui stesso e Gauguin. Infatti, con questo gruppo di giardini realizzati
a partire da inizio ottobre, e che denominò
"Il giardino del poeta", Vincent pensava
di decorare, all'interno della "casa gialla",
le pareti della stanza che avrebbe riservato proprio a Gauguin. Dunque, nell'attesa
del suo probabile arrivo dalla Bretagna, si
trattava anche di evidenziare, proprio attraverso la pittura, la relazione d'amicizia tra i
due. In una lettera a Gauguin del 3 ottobre,
gli scrive così: «Ho espressamente creato
una decorazione per la stanza nella quale
starai, un *Giardino del poeta*. Pur se il giardino è ordinario e contiene arbusti e piante, si
possono immaginare i paesaggi nei quali ci
piace pensare a Botticelli, Giotto, Petrarca,
Dante e Boccaccio. Nella pittura ho cercato
di inserire la forma essenziale che costituisce
il carattere immutabile di questa regione. E
quanto io desideravo era di dipingere il giardino in un modo per cui si poteva pensare
da qui al vecchio poeta Petrarca (o piuttosto
da Avignone), e allo stesso tempo pensare al
nuovo poeta che vive qui, Paul Gauguin.»
Questo quadro, *Sentiero nel parco*, è però dipinto prima della serie sui "Giardini del poeta", ed è descritto in una lettera tra il 17 e il
18 settembre di quel 1888: «In questo momento sto lavorando a un'altra tela da 30,
un altro giardino o piuttosto una passeggiata
sotto agli alberi, con una terra verde e neri
rami di pini.»
Senza avere quel tono simbolico dei successivi, questi primi giardini in place Lamartine
sono comunque l'emblema di una natura
che Van Gogh definisce straordinariamente
bella, sotto un cielo senza paragoni, chiazzato di azzurro, e una radiazione sulfurea
del sole. Sono giardini prodotti da una accumulazione di colori quasi incisi sulla tela,
secondo una modalità che di qui in avanti si
produrrà come segno sempre più distintivo.
Ma rappresentano anche la vita moderna
in provincia, con quella gaiezza provenzale, cara a Daudet, determinata dalle figure
che passeggiano e dalle donne arlesiane con
i loro ombrellini colorati. Inoltre, il pittore
pensa che questa parte del giardino di place
Lamartine, dal momento che era vicina al
bordello che lui stesso frequentava, avesse
una sua ragione di moralità e castità pae-
saggistica da essere priva della fioritura degli
oleandri. Solo pini ordinari ed erba: «Ma
tutto è intimo! Monet dipinse giardini come
questo.»

MG

VINCENT VAN GOGH
114. ***Ritratto del sottotenente Milliet
(L'amante)***
fine settembre - inizio ottobre 1888
olio su tela, cm 60,3 x 49,5
Otterlo, Kröller-Müller Museum
The Netherlands, inv. n. 102.392

Van Gogh incontrò Paul-Eugène Milliet,
sottotenente nel terzo reggimento degli zua-
vi, a metà giugno 1888 ad Arles. Strinsero
subito amicizia e Van Gogh gli diede lezioni
di disegno. Il ritratto dell'amico risale al-
l'autunno dello stesso anno, sebbene Van
Gogh ne avesse già dipinto uno in estate ad
Arles, dopo essersi esercitato con gli autoritratti a Parigi.
Secondo Van Gogh, Milliet era un modello
impegnativo: «Posa male, o dipende forse
da me, cosa che non credo, ho inoltre bisogno con urgenza di un paio di studi su di lui,
dato che è un tipo alquanto affascinante, affatto artificioso e dalla postura molto sciolta,
potrei persino utilizzarlo per un dipinto di
amanti. Gli ho già promesso uno studio ma
non riesce a stare fermo sulla sedia» (l. 689,
26 settembre 1888 circa).
Il dipinto ritrae Milliet in uniforme con il
simbolo del suo reggimento sullo sfondo:
la luna e la stella. La luna è stata ritocca-
ta successivamente per ingrandirne la metà
inferiore. Poco o nulla traspare, invece, della posa inquieta del modello. La staticità
forzata e lo sguardo fisso contribuiscono a
rafforzare la nitidezza della figura; il capo è
raffigurato con precisione e lo sguardo è al
contempo fermo e risoluto. L'ombreggiatura del verde smeraldo sullo sfondo è ottenuta
con ritocchi qua e là di blu "bagnato su bagnato". Le linee di colore sono abbastanza
larghe e stese energicamente, infatti sui bordi rimangono sbavature di colore che viva-
cizzano la base. Il rosso acceso del berretto,

meno pastoso, forma un piacevole contrasto,
assieme ai bordi dei contorni più scuri. Il
contorno leggero solo sulla parte destra della
testa permette di ottenere un effetto meno
stilizzato, tanto che il ritratto del volto fa
pensare a una riproduzione più illusionista.
Questo dipinto venne chiamato anche *L'a-
mante* e Van Gogh lo utilizzò per decorare la
"casa gialla", insieme a un altro dipinto, *Il
poeta*, per il quale posò invece l'artista belga
Eugène Boch. Ogni tipologia di uomo era
la personificazione di una visione diversa
del mondo: l'amante doveva simboleggiare
la vita vera, dei sensi, mentre il poeta rappresentava la vita artistica, delle idee e del
pensiero. Secondo Van Gogh solo raramente questi due mondi erano racchiusi in un'u-
nica persona, fatta eccezione per Delacroix,
Rembrandt e Gauguin. Incorniciò entrambi
i quadri in arancione e li appese sopra il suo
letto, come testimonia il dipinto della sua camera da letto dell'ottobre 1888.

TM/RV

VINCENT VAN GOGH
115. ***Il vigneto verde***
intorno al 3 ottobre 1888
olio su tela, cm 73,5 x 92,5
Otterlo, Kröller-Müller Museum
The Netherlands, inv. n. 104.607

Il 3 ottobre 1888 Van Gogh indirizza una
lettera a Paul Gauguin, nella spasmodica
attesa del suo possibile arrivo ad Arles, con
l'idea di costituire, anche assieme ad altri artisti a cominciare dal comune amico Emile
Bernard, il tanto nominato e desiderato "*atelier* del Sud", sulla scia del circolo di pittori
che era stato creato, proprio con Gauguin
quale principale esponente, a Pont-Aven
in Bretagna. In quella lettera, Vincent così
scrive: «Sono febbrilmente al lavoro in questi giorni. Proprio adesso sto lottando con un

cielo blu sopra un grande vigneto che è verde, viola e giallo, con viti nere e arancioni. Piccole figure femminili tengono in mano ombrellini rossi e vignaioli con il loro piccolo carretto rendono il tutto così gaio. In primo piano c'è una sabbia grigia. Si tratta di un'altra tela da 30 per decorare la casa.» La cosiddetta tela da 30 corrispondeva a una misura più o meno di 70 x 90 centimetri, la massima dimensione utilizzata da Van Gogh, a parte qualche rarissima eccezione negli anni olandesi per certi formati orizzontali, e in quelli parigini, quando la base del dipinto superò in talune circostanze il metro. Su quel formato aveva iniziato a lavorare nell'estate da poco trascorsa, nella pianura della Crau, pochi chilometri a nordest di Arles, uscendo da place Lamartine. Si trattava della serie con i sette campi di grano, cui aveva messo mano subito dopo aver concluso i dipinti su Saintes-Maries-de-la-Mer, una volta ritornato il 3 giugno, con un viaggio di cinque ore in diligenza, dalla costa mediterranea. La Crau e Montmajour, che sono aree contigue – e forse ancor di più della zona del Canal de Bouc fino al ponte di Langlois –, sono il paesaggio che maggiormente attira Van Gogh vicino ad Arles, e non a caso sarà lì che accompagnerà Gauguin subito dopo il suo arrivo nella città provenzale il 23 ottobre.

La lettera citata del principio del mese si riferisce chiaramente al dipinto Il vigneto verde, che quindi Vincent sta realizzando quale ulteriore decorazione per la "casa gialla", unitamente al gruppo dei giardini che aveva da poco concluso.

Come una sorta di prosecuzione dei paesaggi gialli del grano maturo in giugno, l'idea per Van Gogh è quella di dare il via, su tele del medesimo formato, a una serie di visioni autunnali, delle quali Il vigneto verde sia la prima. Nella stessa lettera del 3 ottobre a Théo, sembra che questo lavoro gli stia procurando non pochi problemi: «Ah, il mio quadro del vigneto – ci ho sudato sangue e lacrime, ma è finalmente concluso.» La tela è stata dipinta forse tutta in quella giornata, o al massimo con qualche ora in più nel pomeriggio precedente, nei vigneti vicino a Montmajour. La prima indicazione della zona, dove sorge una meravigliosa abbazia benedettina, Vincent la dà, arrivato ad Arles da due settimane, in una lettera a Théo del principio di marzo. Passata la neve e il cattivo tempo, inizia a fare le sue passeggiate per scoprire il territorio attorno alla città e

scrive di «una abbazia in rovina su una collina coperta di agrifoglio, pini e uliveti.» Ci torna poi verso la fine di maggio, prima della veloce fuga sulla costa del Mediterraneo. Da quel momento diventerà il suo riferimento principale per quanto riguarda il paesaggio dipinto ad Arles, e le soste saranno lunghe e frequenti, a cominciare da quelle di giugno e della seconda settimana di luglio. È un panorama quasi romantico e pittoresco, quello che emerge all'inizio dai primi disegni da lui realizzati della pianura della Crau e di Montmajour. La Crau venne bonificata e poi coltivata nel XIX secolo, specialmente con vigneti. Alla fine Van Gogh vi si recherà non meno di una cinquantina di volte, sperimentando il senso delle distese pianure e dell'infinito che lo riportava alla memoria dei campi dipinti da un grande olandese prima di lui, Jacob van Ruisdael nel corso del Seicento.

La formidabile e tempestosa stesura delle brevi pennellate contenute in Il vigneto verde, richiama l'opera tarda di Adolphe Monticelli, il pittore marsigliese tanto amato e al cui esempio si possono riferire anche talune nature morte di fiori del periodo parigino. Il cielo di questo dipinto venne eseguito da Van Gogh, in bianco e blu, con la tecnica detta "bagnato su bagnato", cioè senza attendere l'asciugatura del colore a olio. Sono poi evidenti i sottili contrasti dei colori complementari. Poco più di un mese dopo, prodotta però interamente nello studio e con una forza maggiore dei complementari e ispirata a Gauguin che stava lavorando in quel momento su un soggetto simile, Vincent dipinge un Vigneto rosso. Si tratterà del secondo e ultimo esempio di quella che avrebbe dovuto diventare invece, nelle intenzioni del pittore, una serie intera su questo argomento. Van Gogh fu particolarmente soddisfatto del risultato ottenuto con Il vigneto verde, tanto che chiese a Théo di farne menzione ad alcuni mercanti. E dopo averla spedita, nel maggio dell'anno seguente, al fratello assieme a un vasto gruppo di altre opere, la tenne sempre in mente, tanto da chiedere a Théo di averla sempre cara, con la pulitura costante e la rimozione delle incrostazioni del colore a olio.

MG

VINCENT VAN GOGH
116. **Natura morta con un piatto di cipolle**, gennaio 1889
olio su tela, cm 49,6 x 64,4
Otterlo, Kröller-Müller Museum
The Netherlands, inv. n. 111.075

La collaborazione artistica tra Van Gogh e Gauguin durò circa due mesi e si concluse tragicamente poco prima del Natale 1888. In seguito a un violento litigio Gauguin lasciò "la casa gialla", trascorse la notte ad Arles e partì per Parigi il giorno seguente. Van Gogh si tagliò un pezzo di orecchio e lo diede a una prostituta di Arles. La mattina dopo fu ricoverato in ospedale. In seguito Van Gogh dirà di non ricordare quasi nulla dell'incidente. Dimesso dall'ospedale il 7 gennaio 1889, torna nel suo studio e riprende a lavorare. Scrive a Théo: «Domani torno a lavorare. Sto iniziando due nature morte giusto per riabituarmi a dipingere.» Natura morta con un piatto di cipolle è una di esse. Dipinse anche due autoritratti con l'orecchio fasciato oltre a questa natura morta che, a sua volta, può essere vista come un autoritratto.

Un certo numero di oggetti compare anche in due quadri che aveva realizzato alla fine di novembre 1888: La sedia di Van Gogh e La sedia di Gauguin. Nel primo vediamo una cassetta di cipolle sul pavimento nello sfondo, una pipa e un sacchetto di carta con tabacco sopra la sedia, mentre cipolle, pipa e tabacco sono i soggetti principali nella natura morta. Egli crea un contrasto tra la sua sedia rustica e quella più confortevole e comoda di Gauguin, collocata su un tappeto riccamente decorato e illuminato da una lampada a gas sulla parete. Sulla sedia c'è una candela accesa con lo stesso tipo di supporto della candela raffigurata nella natura morta.

Nei due quadri *pendant* con le sedie, Van Gogh cercava di caratterizzare i destinatari: se stesso, come un semplice pittore contadino, e Gauguin come artista raffinato e uomo di mondo. La candela è sicuramente un simbolo, il simbolo di Gauguin, più esperto e grande viaggiatore, modello per Van Gogh ed esempio luminoso. La candela nella natura morta svolge una funzione molto più prosaica, come ad esempio quella di fondere la cera usata per sigillare le lettere. È interessante il libro, *Annuaire de la santé* e il nome dell'autore: F.V. Raspail. Il *Manuel annuaire santé ou Medicine et pharmacie domestiques* era stato pubblicato nel 1847 e forniva rimedi omeopatici e istruzioni per il loro utilizzo domestico.

Ciascuno di questi oggetti possiede un significato autobiografico, come se la natura morta dovesse dire al mondo che tutto sarebbe andato bene all'artista se solo lui avesse potuto fumare in pace la sua pipa, scrivere e ricevere lettere e prendersi cura della propria salute. La bottiglia in primo piano, comunque, è quasi certamente una bottiglia (vuota) di assenzio. L'assenzio è una bevanda dannosa che portò alla rovina un buon numero di alcolisti alla fine del XIX secolo. Forse Van Gogh la colloca come una sorta di ammonimento, giusto di fronte a una grande caffettiera verde. Anche il caffè era una tra le bevande preferite di Van Gogh, e molto meno dannosa. Malgrado fosse stato dimesso velocemente dall'ospedale, la sua salute continuò a dargli problemi. Tra gennaio e maggio 1889 fu colto da un certo numero di crisi che lo costringevano a trascorrere le notti in ospedale. La sua speranza di alleviare la depressione dipingendo autoritratti e nature morte e ritratti di amici non funzionò e alla fine decise di farsi ricoverare nell'istituto Saint-Paul-de-Mausole a Saint-Rémy.

TM/RV

VINCENT VAN GOGH
117. ***Due zappatori (da Millet)***
gennaio - marzo 1889
olio su tela, cm 74 x 93
Amsterdam, Collection Stedelijk Museum

A Saint-Rémy Van Gogh esegue diverse copie da opere di artisti che ammira. Nella maggior parte dei casi ne rispetta piuttosto fedelmente la composizione, aggiungendovi però una nuova interpretazione, derivante da un utilizzo moderno di colore e pennello. Molte sono re-interpretazioni di opere di Jean-François Millet, che l'artista olandese ama proprio per la predilezione per soggetti d'ambientazione rurale. Nonostante i temi delle opere di Millet suscitino l'interesse di Van Gogh, la tecnica dell'artista francese non è adatta a un pittore moderno. Si chiede: «*Il seminatore* di Millet è di un pallido grigio, […] ora, è possibile forse dipingere il *Seminatore* a colori, con un contrasto, ad esempio di giallo e viola? […] Sì.» La passione di Van Gogh per il colore lo porta a sperimentare l'effetto di tinte vivaci su un soggetto rurale.

In questa copia, Van Gogh descrive la faticosa attività degli zappatori, senza curare nei particolari la riproduzione del modello. Riprende in generale la postura degli uomini e alcuni elementi dello sfondo, come una donna che accende un fuoco, accennandoli e senza precisi dettagli. Le figure degli zappatori sono disegnate frettolosamente, quello in primo piano in particolar modo, e la loro attività non è resa in modo chiaro. Al contrario, Van Gogh pone la sua attenzione sugli effetti e interazioni tra i colori. Come in molte altre copie da opere di Millet, la contrapposizione cromatica principale è quella di giallo e blu. Van Gogh modifica l'aspetto dei personaggi: i capelli biondi del secondo uomo formano un forte contrasto sia con il cielo che con i suoi abiti blu, la tinta verde-marrone dei pantaloni del primo uomo

contrasta con il marrone rossiccio del suolo. L'artista struttura la superficie dell'intero dipinto con pennellate capaci di sostenere i contrasti complementari e di creare effetti di movimento. Ne risulta un'opera molto diversa dall'originale. Nella versione di Van Gogh, la scena rappresentata diviene elemento di un più generale gioco di colori; l'attenzione dello spettatore è catturata dallo schema cromatico e dalla struttura delle pennellate e in egual misura dal contenuto della composizione.

È vero tuttavia che Van Gogh si avvicina all'opera innanzitutto per il suo soggetto. Gli zappatori fanno parte del contesto rurale olandese che l'artista ritrova anche nel sud della Francia. Proprio come seminare o mietere, zappare la terra è la quintessenza del lavoro nei campi. Esprime un aspetto del mutare delle stagioni, che Van Gogh ama dipingere perché offre analogie di tipo religioso, una tematica che interessa molto l'artista, per quanto esiti ad affrontarla nei suoi quadri. Un'immagine come quella degli *Zappatori* di Millet è perfetta perché è una composizione che si basa sull'esperienza di vita, ma con connotazioni di tipo religioso. Lavori fisicamente stancanti come vangare e zappare la terra simboleggiano la fatica dell'uomo in questo mondo per guadagnarsi la salvezza nell'aldilà. È un immaginario ben noto nel XIX secolo, al quale anche Van Gogh fa riferimento più volte nelle sue lettere. Il tema gli è noto dalla Bibbia (Genesi 3,19), ma lo ritrova nella biografia di Millet scritta da Alfred Sensier, che legge con passione. Riferendosi agli *Zappatori*, Sensier cita una lettera di Millet che Van Gogh riporta spesso: «A volte, in luoghi in cui la terra è sterile, si vedono figure che vangano e zappano. Di tanto in tanto uno si tira su raddrizzando la schiena, si asciuga la fronte con il dorso della mano. "Mangerai il tuo pane col sudore della fronte." È questo il lavoro allegro e gioviale che alcuni ci fanno credere? Tuttavia per me è umanità autentica e grande poesia!» (A. Sensier, *Jean-François Millet. Peasant and Painter*, ed. inglese Boston 1881, p. 93.)

Van Gogh è convinto che tali riferimenti biblici siano ampiamente espressi nella vita e nelle opere di Millet, e *Zappatori* ne è un esempio. Questa è la prima di una serie di interpretazioni di *Zappatori* che Van Gogh esegue separatamente nei primi mesi del 1890. È probabile che l'artista non consideri le fatiche degli zappatori solo come una generale dichiarazione morale, ma che li faccia anche assurgere a simbolo delle sue battaglie con la malattia nel periodo di Saint-Rémy.

CH

VINCENT VAN GOGH
118. *Il giardino dell'istituto a Saint-Rémy*, maggio 1889
olio su tela, cm 91,5 x 72
Otterlo, Kröller-Müller Museum
The Netherlands, inv. n. 101.508

Mercoledì 8 maggio 1889, Van Gogh prende il treno da Arles in direzione di Saint-Rémy-de-Provence, ai piedi della piccola catena montuosa delle Alpilles. Ha deciso, volontariamente, di farsi ricoverare nella casa di cura per malattie mentali di Saint-Paul-de-Mausole. Si trattava di un antico monastero romanico, che già nel 1605 era stato utilizzato per malati mentali, mentre all'inizio dell'Ottocento venne del tutto trasformato in un istituto solo a questo dedicato, con un reparto maschile e uno femminile. Van Gogh vi arrivò accompagnato dal reverendo Frédéric Salles, che aveva conosciuto in ospedale ad Arles al tempo del ricovero in seguito all'alterco con Gauguin, e si era preso cura del pittore olandese dal punto di vista psicologico e religioso. Salles scrisse subito a Théo che «il signor Vincent era del tutto tranquillo e spiegò da solo al direttore il suo caso, come un uomo completamente consapevole della propria condizione.»
Il dottor Peyron espresse il giorno dopo la sua prima impressione, arrivando alla conclusione che il paziente soffrisse di gravi attacchi di epilessia, che avvenivano a intervalli molto irregolari. Il suo avviso fu che il paziente dovesse rimanere a lungo sotto osservazione nell'istituto. Teneva Théo re-

golarmente aggiornato sullo stato di salute del fratello, il quale sembrava del tutto convinto di questa sua decisione volontaria di ricovero: «Potrà essere una cosa buona, lo stare qui per un tempo anche lungo. Non mi sono mai sentito così bene come qui e come in ospedale ad Arles.» La sua camera era al primo piano, da dove poteva vedere un campo di grano recintato da un muretto e sullo sfondo le Alpilles che tanto amava e che nelle sue lettere chiamava Alpines.
Due settimane dopo essere arrivato lì, scrive a Théo: «Da quando sono qui, il giardino desolato, alberato da grandi pini sotto i quali cresce, mal tenuta, un'erba mista a erbacce diverse, mi è stato sufficiente per mettermi al lavoro e non sono ancora andato fuori.» Con quest'ultima espressione, «andato fuori», intende al di là delle mura dell'ospedale. Soltanto il 9 giugno successivo, a un mese esatto dall'arrivo a Saint-Rémy, il dottor Peyron, annunciandolo in una lettera a Théo, permetterà al pittore di uscire dall'istituto, per perlustrare i campi attorno e dare il via alla sua pittura, che dapprincipio indugerà su alcune visioni di ulivi.
Van Gogh arrivò da Arles a corto di tele e colori, per cui le prime settimane sono occupate da rari quadri e invece soprattutto disegni, fino a che i nuovi materiali gli giunsero dal fratello. Il giardino, situato nel lato orientale del complesso monastico, gli forniva comunque una gran quantità di soggetti e sulla manciata di tele che aveva a disposizione cominciò a dipingere gli iris e i lillà delle aiuole. Per questo quadro, *Il giardino dell'istituto*, meraviglioso tra quelli, di rara bellezza, di quel tempo benedetto dalla grazia del colore, sistemò il cavalletto nell'ala nord del reparto maschile, al pianoterra del quale aveva potuto allestire il suo studio. Mentre in altri dipinti il giardino viene visto nella sua assolutezza, in questo compare anche l'architettura dell'edificio, che produce un'angolazione insolita per avere il pittore posizionato il cavalletto stesso troppo vicino alla facciata. Dopo avere realizzato uno schizzo a matita o piuttosto con un pastello nero, ancora visibile in alcuni punti, dipinse gli alberi con un impasto denso di colore, con nervosi tocchi di pennello, mentre l'edificio è realizzato con un colore più liquido e meno pastoso. Molti tratti di questo quadro sono realizzati con la tecnica "bagnato su bagnato" direttamente sul posto, mentre sul finire, quando il colore doveva essere quasi del tutto asciutto, Van Gogh impre-

ziosì la tela con pennellate morbide, con tocchi di un blu scuro trasparente e rosso, come si vede sui rami fioriti. Vere e proprie pietre preziose sospese nell'aria chiara di Provenza.

MG

VINCENT VAN GOGH
119. *Angolo del giardino dell'istituto*
fine maggio - inizio giugno 1889
gesso nero, cannuccia, pennello, inchiostro bruno su carta vergata
mm 463 x 602
Otterlo, Kröller-Müller Museum
The Netherlands, inv. n. 114.435

Durante i suoi ultimi sei mesi ad Arles, Van Gogh si era dedicato soprattutto alla pittura. Riprese il disegno subito prima di decidere di farsi ricoverare nell'istituto Saint-Paul-de-Mausole vicino Saint-Rémy. Arrivò all'istituto l'8 maggio 1889 e ci sarebbe rimasto per oltre un anno. Durante i primi mesi non aveva il permesso di lavorare all'esterno dell'istituto, ma dietro gli edifici del reparto maschile c'era un ampio giardino ricoperto di erba, edera, arbusti e pini che gli fornirono materiale a sufficienza per i suoi lavori. In due sole settimane dopo il suo arrivo dipinse quattro grandi tele con soggetti tratti da questo giardino e realizzò numerosi disegni di piante e di una farfalla. I suoi materiali per dipingere finirono in fretta e, in attesa di un nuovo invio di tele, colori, pennelli che gli giunsero da Parigi intorno all'8 giugno, continuò a disegnare soprattutto nel giardino.
«È intento a disegnare tutto il giorno nel parco», scrive il dottor Peyron a Théo il 26 maggio. Van Gogh stesso non scriverà nulla di questo periodo, ma un gran numero di disegni con soggetti tratti dal giardino possono essere collocati cronologicamente tra la fine di maggio e l'inizio di giugno, incluso questo *Angolo del giardino dell'istituto*.

Si tratta del disegno più grezzo della serie di questi lavori e raffigura una veduta presa dall'angolo sud-est del giardino. Dietro il muro sulla sinistra c'è il viale d'ingresso all'istituto. Van Gogh tiene il punto di vista alto e si concentra sulla vegetazione selvatica in primo piano e la composizione di tre tronchi parzialmente ricoperti di edera.

Sotto le graffiature in inchiostro applicate soprattutto con la cannuccia c'è un rudimentale schizzo in gesso nero che indica poco più delle linee principali e le zone più scure. Le linee in gesso del muro corrono proprio attraverso i tronchi degli alberi. Nei punti in cui non c'è o c'è poco gesso nello sfondo, le linee a penna sembrano più definite. Queste parti sono anche più chiare e creano dei motivi convincenti di luce solare sul terreno. C'è un sentiero che corre attraverso il centro. Meno sistematicamente rispetto ad altri disegni del giardino, egli dà un ritmo alla composizione con i diversi tipi di linee di inchiostro. Il muro e il sentiero, ad esempio, sono gli unici elementi visivi accentuati con brevi linee verticali.

L'inchiostro è sbiadito in marrone nel corso del tempo. Van Gogh originariamente forse deve aver disegnato con un inchiostro di anilina blu scuro, che ha la proprietà di trasformarsi in marrone velocemente se esposto alla luce. In un altro studio simile del giardino dello stesso periodo tracce di blu sono state trovate nelle linee più spesse e più scure.

TM

VINCENT VAN GOGH
120. *Ulivi*, novembre 1889
olio su tela, cm 51 x 65,2
Edimburgo, Scottish National Gallery
acquistato nel 1934

Nel periodo in cui visse ad Arles, tra la fine di febbraio del 1888 e la prima settimana di maggio del 1889, Vincent van Gogh non si soffermò su uno degli elementi centrali del paesaggio di Provenza, gli ulivi. Scrisse al fratello in quei mesi della sua difficoltà a dipingerli: «Il mormorio di un campo di ulivi ha qualcosa di molto intimo, di immensamente antico. È troppo bello perché io possa dipingerlo o concepirlo.» Così, in quei quindici mesi saranno altri i motivi della sua pittura, quando il pittore aveva eletto il paesaggio a sostanza del vivere: dagli alberi in fiore ai campi di grano ai vigneti.

Ma giunto a Saint-Rémy, l'8 maggio del 1889, la situazione cambia. Dopo il primo mese nel quale il direttore dell'istituto di cura per malattie mentali di Saint-Paul-de-Mausole non gli permise di uscire dai confini dell'ospedale, finalmente poté avventurarsi al di fuori delle mura, alla ricerca di nuovi soggetti per la sua pittura. Sotto la cornice quasi protettrice come un mantello della piccola, e amatissima, catena delle Alpilles. Proprio gli uliveti divennero centrali nel suo lavoro, poiché gli sembravano contenere tutti i veri motivi provenzali, che egli rendeva con un impasto di materia alta e grassa. Ma poi si esprimeva anche attraverso dipinti più stilizzati, realizzati con tratti curvilinei. Quel che è certo è che Van Gogh, alla ricerca di un suo stile personale, raggiunse l'apice del suo sforzo, con molti capolavori, proprio nei dodici mesi di Saint-Rémy. Quando la natura, con la sua forza, è come non mai l'immagine dell'anima.

Il 9 giugno il dottor Peyron annunciava, in una lettera a Théo che si trovava a Parigi, che finalmente aveva potuto dare il permesso a Vincent di uscire dall'istituto, per iniziare a conoscere il paesaggio e dipingere. Furono allora lunghe camminate in quello stesso paesaggio che aveva desiderato così tanto incontrare. Partiva presto la mattina e rientrava molte volte tardi la sera, portando con sé solo del pane e del latte. Vennero quindi, dapprincipio, alcune meravigliose versioni di ulivi, tutte giocate sul contrasto tra i verdi e gli azzurri. Dal mese di giugno fino al mese di dicembre Van Gogh ne realizza una quindicina, quasi infilandosi fra i tronchi come un insetto goloso, con una prospettiva molto abbassata. In altre occasioni invece facendoli danzare come su grandi onde del mare, alla base del monte Gaussier che vedeva orientando lo sguardo verso sinistra uscendo dal portone principale dell'istituto, talvolta su uno sfondo notturno. In ogni caso, la temperatura del colore cambia tra gli ulivi dipinti durante l'estate e quelli conclusivi che vengono tra novembre e dicembre, quasi sempre in una luce affocata di tramonto.

Scrivendo a Théo nel mese di dicembre 1889, quando ha concluso il suo ciclo sugli ulivi, realizzando a fine novembre tra l'altro anche questo quadro, esprime la sua disapprovazione per quanto stanno facendo Gauguin e Bernard, gli sperati compagni del suo "atelier del Sud". Il primo tra l'altro ha da poco dipinto il *Cristo nel giardino degli ulivi*, dove il paesaggio ha un quoziente di forte contenuto di carattere simbolico e «nulla è rispettato.» Van Gogh ritiene che «il pensiero, e non il sogno, fosse il nostro dovere», intendendo che occorre sempre partire dalla realtà e semmai sognare davanti a essa. Ma prima, sempre e solo la realtà, il senso di verità che da essa promana, come un grido, come un lampo. Questi *Ulivi* del museo di Edimburgo sentono un cielo quasi argentato dell'inverno che sta per venire, ma l'inverno dentro le luci del Sud. E poi materia di pittura che si dà per volute giocate in punta di pennello, in una distorsione della visione che poche altre volte Van Gogh ha toccato in modo tanto allucinato dentro il colore.

MG

VINCENT VAN GOGH
121. *Sentiero nel giardino dell'istituto*
novembre 1889
olio su tela, cm 61,4 x 50,4
Otterlo, Kröller-Müller Museum
The Netherlands, inv. n. 108.828

Come *Pini nel giardino dell'istituto*, questo quadro fa parte del gruppo che Van Gogh dipinse nel giardino dell'istituto di Saint-Paul-de-Mausole nel novembre 1889. Poiché Théo stava indugiando nell'inviargli nuove tele e colori, Van Gogh era stato costretto, nel mese di ottobre, a disegnare nel giardino, cosa che gli fece realizzare una gran quantità di studi di alberi. Egli inoltre ebbe modo di fare lunghe passeggiate. Una volta arrivati i materiali richiesti e inoltre un invio aggiuntivo soprattutto di colori delle tonalità ocra – i colori autunnali –, Van Gogh decise di realizzare con i colori il grande pino caratteristico che si trovava nel giardino. In questo studio si concentrò su un piccolo sentiero che attraversava il giardino, puntellato da grandi alberi le cui cime sono tagliate dal bordo superiore della tela. Molti di questi studi contengono delle piccole figure. Qui c'è un uomo seduto su un muretto basso; appoggiato tranquillamente contro il tronco di un albero, sembra quasi che stia posando per il pittore. Il muro nello sfondo, reso con pennellate verticali in tono piuttosto monocromo e colori sabbia, è presumibilmente quello che delimita la zona destinata al reparto maschile dell'istituto.

La tela sembra essere stata intesa dall'artista come un esercizio nella composizione e nelle tonalità e gradazione dei colori. La scena è piuttosto crudamente tagliata e gli alberi forniscono un contrasto verticale rispetto all'ondulazione del terreno dipinta con pennellate diagonali. La tavolozza è delicata e neutra, riproduce fedelmente i colori degli oggetti senza eccessivi contrasti ed effetti. Negli altri studi Van Gogh si concentra di più sul gioco di linee nei tronchi degli alberi e dei rami, dipingendoli dai punti di vista più strani, e osando qualcosa di più nell'uso del colore.

TM

VINCENT VAN GOGH
122. ***Pini al tramonto***, dicembre 1889
olio su tela, cm 91,5 x 72
Otterlo, Kröller-Müller Museum
The Netherlands, inv. n. 102.808

Nell'edizione del 1990 delle lettere, questo quadro è correlato con alcuni passaggi contenuti nella lettera del 3 novembre 1889 circa (l. 816), nella quale Van Gogh scrive di aver fatto «un effetto di pioggia e un effetto di sera con grandi pini.» E aggiunge alla fine della lettera: «Li vedrai in un grande paesaggio con pini e tronchi di ocra rossa con contorni neri, c'è più carattere qui rispetto al precedente.» L'effetto di pioggia a cui accenna nella prima citazione viene generalmente identificato con il quadro *Campo recintato nella pioggia* (F650), mentre l'effetto di sera sembra invece far riferimento a *Pini al tramonto*. Per quanto riguarda la seconda citazione, invece, il collegamento con questo quadro è sbagliato. Van Gogh parla chiaramente di tronchi rosso ocra con neri contorni, e questo si può collegare soltanto alla tela *Il giardino dell'istituto* (F659), un lavoro che descrive dettagliatamente in una lettera a Bernard parecchie settimane dopo. I pini nel quadro, acquistato da Mrs Kröller-Müller nel 1912, non hanno i tronchi in ocra rossa con contorni neri. È anche possibile che *Pini al tramonto* non sia affatto menzionato nella lettera di Van Gogh e che «effetto serale con grandi pini» si riferisca a *Il giardino dell'istituto*. Nessun altro lavoro si propone come possibilità perché durante questo periodo Van Gogh non dipinse nessun altro quadro grande con alberi rosso ocra.

Non si sa con certezza, dunque, se Van Gogh lavorasse a questo quadro già all'inizio di novembre del 1889. Secondo le indicazioni di Pickvance, sembra plausibile che non lo iniziò prima dell'inizio di dicembre o

alla fine di novembre, dopo aver realizzato numerosi piccoli studi di pini nel giardino. Van Gogh cita questo quadro in modo più preciso in una lettera alla sorella Wil, scritta un mese dopo: «Sto lavorando a 12 grandi tele, specialmente ulivi [...]. E poi a grandi pini contro il cielo del tramonto» (l. 827, 9/10 dicembre 1889). Più avanti torna al soggetto del quadro dando al contempo una descrizione meravigliosa del suo modo di lavorare: «Mentre scrivevo questa lettera mi sono alzato per andare a dare alcune pennellate a una tela alla quale sto lavorando – è precisamente quella con i pini contorti contro un cielo rosso, arancione e giallo – ieri era molto fresca – dei toni puri e squillanti – bene, scrivendoti non so che pensieri mi venissero e riguardando il mio quadro mi dicevo che non andava bene. Allora ho preso un colore che avevo sulla tavolozza, del bianco opaco e sporco, che si ottiene mescolando bianco, verde e un po' di carminio. Questo tono verde l'ho buttato giù su tutto il cielo ed ecco che guardando da lontano i toni si ammorbidiscono perché sono stati rotti, ma intanto mi sembra di aver sciupato e sporcato la tela.»

In *Pini al tramonto* si può vedere chiaramente come queste morbide linee verdi ravvivino il cielo. Quando spedì a Théo undici tele all'inizio di gennaio, questo quadro non c'era. Ciò significa che forse non era ancora abbastanza asciutto per essere imballato e venne dunque mandato con la seconda spedizione di circa 17 lavori il 29 aprile 1890. Analisi tecniche hanno rivelato che il sole nel dipinto venne grattato via e ridipinto con pittura arancione. Nel passaggio della lettera sopra citata Van Gogh parla solo di un intervento «con una tonalità verde». Sembrerebbe dunque che questo ritocco in arancione e la firma siano stati applicati in un periodo successivo e non dal pittore. Qualcosa di simile accadde per *Stradina di campagna di notte in Provenza* (F683). Entrambi i quadri appartennero a Amédée Schuffenecker. È stato ipotizzato che Jo van Bonger, cognata di Vincent, gli abbia venduto *Pini al tramonto* nel dicembre 1900, ma, poiché non c'è traccia di questa vendita nei registri, è più probabile che l'acquirente sia stato il fratello di Amédée, Emile, che acquistò il quadro direttamente dalla signora Kröller-Müller in quei giorni. È possibile che o lui o qualcun altro sia responsabile di questi interventi sulla tela. Il motivo è che forse l'arancione sbiadì quando venne esposto alla luce solare.

Esami tecnici hanno dimostrato anche che l'arancione pallido nel cielo doveva essere più vivido: in alcuni punti lungo i margini, dove il colore era più protetto dalla cornice, è visibile un arancione brillante. Accanto a esso i soffici accenni blu negli alberi creano un sottile contrasto di complementari. Per quello che si sa, prima del 1912, questo quadro, fu esposto solo una volta, nel 1910 nella Galleria di Paul Cassirer a Berlino, come sostiene Elisabeth du Quesne-van Gogh, che ne incluse un'illustrazione nel suo libro di memorie sul fratello.

TM

VINCENT VAN GOGH
123. *Il seminatore (da Millet)*
gennaio 1890
olio su tela, cm 64 x 55
Otterlo, Kröller-Müller Museum
The Netherlands, inv. n. 110.673

Dopo la forte depressione che lo colpì nell'estate del 1889 mentre si trovava a Saint-Rémy, Van Gogh fu costretto a lavorare per un breve periodo all'interno dell'istituto. In quell'occasione chiese esplicitamente a Théo di inviargli alcune stampe e riprese nuovamente a lavorare basandosi sulle opere di Millet: «Vorrei copiare anche *Le semeur* e *Les bêcheurs* […]. E ancora *Les quatre heures de la journée*; […] è un esercizio che sento il bisogno di fare, poiché voglio apprendere. E che il copiare sia un sistema sorpassato non mi interessa affatto» (l. 805, 20 settembre 1889). In realtà, per Van Gogh copiare era più che puro apprendimento. Egli stesso parlava di «tradurre in un'altra lingua» i suoi esempi; infatti lavorò sempre basandosi su stampe in bianco e nero di formato più piccolo rispetto alle sue tele.
Una prima versione del *Seminatore* risale al novembre 1889. Van Gogh dipinse questa copia più piccola solo qualche mese più tardi. In una lettera al fratello scrisse che non era andata come «avrebbe dovuto», sebbene non specificasse a cosa si riferisse esattamente. In questa versione si notano tuttavia diverse sovrapitture, soprattutto nel cielo. Inoltre, in alcuni punti l'arancione viene utilizzato per ottenere un contrasto di colore complementare che è rimasto incompleto. Anche la testa del seminatore è piatta e grossolana e risulta sproporzionata rispetto al corpo. L'ombra viola scuro che attraversa il dipinto sullo sfondo è dovuta all'emulsione utilizzata da Van Gogh per fissare la tela che l'ha scolorita. Infatti in quell'occasione Van Gogh non aveva utilizzato una tela pronta. Per un'artista alla continua ricerca di uno stile proprio come Van Gogh erano di enorme importanza le «traduzioni nel colore». Quando a settembre iniziò questo dipinto, egli scrisse: «Pur conoscendo molto bene il prestigio, l'originalità e la superiorità ad esempio di Delacroix e Millet, posso affermare: ebbene, anch'io sono qualcuno, io posso [fare] qualcosa. Tuttavia quegli artisti devono essere il mio punto di partenza e poi devo cercare di fare nello stesso modo, almeno quello di cui sono capace.»
E nel mese di gennaio 1890, colpito da un altro grave attacco, scrisse esausto: «Perché [gli originali] sono dei tali capolavori…»
Verso la fine del periodo trascorso a Saint-Rémy tradusse ancora i colori di Rembrandt, Delacroix e di alcuni suoi disegni, mentre abbandonò definitivamente Millet.

TM

VINCENT VAN GOGH
124. *Vecchio che soffre*
("Alle porte dell'eternità"), maggio 1890
olio su tela, cm 81,8 x 65,5
Otterlo, Kröller-Müller Museum
The Netherlands, inv. n. 111.041

Il 24 novembre 1882 Van Gogh scrive a Théo: «Ieri e oggi ho disegnato due figure di un vecchio che siede con i gomiti sulle ginocchia, tenendosi la testa fra le mani. Molto tempo fa Schuitemaker ha posato per me e ho tenuto il disegno perché ne volevo fare uno migliore un giorno. Quant'è bella la figura di un vecchio operaio, con i suoi abiti rattoppati in fustagno e la testa calva.» Quando scrive questa lettera Van Gogh è all'Aia ormai da un anno, e in questo tempo si dedica al disegno studiando in particolare la figura umana: «Per me i disegni sono come il seme, e più si semina più si può sperare di raccogliere.» Disegna quindi «un'intera massa di povera gente», in particolare le persone dell'ospizio. Qui conosce Adrianus Zuyderland, l'anziano che gli è servito da modello per il disegno, citato nella lettera, dal quale trarrà la litografia *Alle porte dell'eternità* da cui deriva il titolo dell'opera presente. Più di sette anni dopo, infatti, esattamente nel maggio del 1890, Van Gogh riprende, trasponendolo per la prima volta sulla tela, questo soggetto tanto amato.
Il «vecchio che siede assorto nei suoi pensieri», e che altre volte l'artista aveva descritto come raccolto in preghiera, assume questa volta una connotazione dolorosa cui non è estranea la condizione stessa dell'artista che, da fine febbraio a fine aprile del 1890, ha trascorso un periodo di forte prostrazione psicologica nell'istituto di Saint-Paul-de-Mausole a Saint-Rémy, dov'è ricoverato dal maggio dell'anno precedente. Dopo aver su-

perato questa crisi che aveva messo «in pericolo ciò che mi resta di ragione e di capacità
lavorativa», l'artista recupera quel po' di
serenità che gli consente di tornare al lavoro. Scrive infatti a Théo il 14 maggio 1890:
«Ti assicuro: per il lavoro mi sento la mente
assolutamente serena, e i colpi di pennello
mi vengono e si susseguono in modo molto
logico», aggiungendo, qualche giorno dopo,
«ancora una volta ti scrivo per dirti che la salute continua ad andare meglio anche se mi
sento un po' spossato da questa lunga crisi e
oso credere che il cambiamento progettato
mi rinfrescherà di più le idee.»
In quest'ultimo tempo a Saint-Rémy, che
precede di poco la tragica conclusione a
Auvers della sua esistenza, Van Gogh signi-
ficativamente riprende alcuni motivi del periodo di Nuenen intitolandoli *Ricordi del Nord*.
Questo ritorno alle immagini delle terre del
Nord esprime tutta la dolorosa nostalgia per
l'esistenza che lì vi ha trascorso.
L'opera qui esposta può dunque essere letta anche nei termini di un'identificazione
tra lo stato d'animo dell'artista e quello del
soggetto dipinto che sente, ormai, la propria
esistenza "alle porte dell'eternità".
Rispetto al disegno originale, Van Gogh
modifica in minima misura solo le proporzioni della sedia e della figura, mantenendo
identica la posizione di totale raccoglimento
che ha il suo fulcro nei pugni nervosamente
chiusi a nascondere il volto.
Amplificato dalla nuda stanza, di un tenue
verde violaceo, in cui arde appena un piccolo fuoco dalle deboli fiamme, il senso di
muta sofferenza è ulteriormente accentuato
da una pennellata frammentata, breve e insistita che costruisce i volumi della figura. A
contenerli, con morbido *ductus*, corre lungo
tutto l'abito una linea di un blu profondo.

DM

VINCENT VAN GOGH
125. *Castagni in fiore*, 22-23 maggio 1890
olio su tela, cm 63,3 x 49,8
Otterlo, Kröller-Müller Museum
The Netherlands, inv. n. 105.479

Dopo aver lasciato l'istituto di Saint-Rémy
il 16 maggio 1890, Van Gogh trascorre dei
giorni a Parigi con Théo e Jo prima di recar-
si ad Auvers-sur-Oise, un villaggio rurale a
nord-est della capitale, dove giunge giovedì
20 maggio. Dopo aver conosciuto il dottor
Gachet che l'avrebbe avuto in cura, Van
Gogh si sistema nella locanda gestita da Gustave Ravoux. Dopo solo tre giorni scrive a
Théo di aver finito quattro studi a olio e due
disegni. Tra questi c'erano due raffigurazioni di castagni in fiore, uno dei quali è di proprietà del Kröller-Müller Museum.
A una prima occhiata è difficile capire se qui
Van Gogh abbia dipinto uno o due alberi.
In un disegno con lo stesso soggetto, si possono distinguere due grossi tronchi sulla parte
sinistra; essi sembrano fondersi verso l'alto
come se fossero in qualche modo intrecciati
fra loro. Per quanto riguarda il quadro, l'artista scelse invece una posizione leggermente spostata da sinistra facendo sì, in questo
modo, che la facciata della casa scomparisse
tra le fronde, ed egli optò per un formato
verticale, diversamente da quello quadrato
del disegno.
Il 25 maggio Van Gogh scrisse al fratello che
aveva appena fatto «uno studio di un albero
di castagno rosa e un altro bianco» (l. 875).
La variante rosa è *Castagni in fiore* (F751),
la raffigurazione di un filare di castagni su rue
de la Gare. L'altra deve riferirsi a questo
quadro e nella sua lettera Van Gogh dice
espressamente che ha fatto un quadro di
«castagni», usando il plurale. E infatti, possiamo a malapena scorgere una lieve spacca-
tura tra i due tronchi; comunque, dato che

ha spostato il punto di vista a sinistra, un castagno è completamente nascosto dal primo
ed è scarsamente visibile; questo è il motivo
per il quale in un primo tempo il quadro era
intitolato *Castagno in fiore*; il titolo più vecchio, risalente al 1908, è *Castagno ad Auvers*.
Il castagno era probabilmente all'ultima fase
della sua fioritura quando Van Gogh iniziò
il suo studio. Le foglie sono realizzate con
pennellate piatte mentre brevi svirgolate di
blu scuro danno loro forma e struttura. Qua
e là Van Gogh ha realizzato dei contorni blu
spessi attorno al bianco a forma di candela
che si rizza sulle fronde come tanti piccoli
tetti a punta. Van Gogh avrebbe usato questo stile grafico e spigoloso, fatto di linee contorno nette in numerose nature morte del
periodo. Il cielo è dipinto "bagnato su bagnato", utilizzando una pennellata sovrap-
posta a zigzag, una variante più morbida
rispetto alle linee incisive usate per l'albero.
Le pennellate arcuate del cespuglio sulla destra, il blu vivace del primo piano e ancora
una porzione di tela non dipinta sotto, tutto
ciò dà equilibrio alla composizione.
Mentre si trova ad Auvers, Van Gogh inizia
a sperimentare diversi tipi di pennellate, e
questo piccolo studio è da considerarsi quasi
un compendio delle numerose variazioni.
Paul Gachet Jr, il figlio del dottor Gachet,
ricorda i monumentali castagni di rue de la
Gare, che furono in seguito tagliati per ragioni di sicurezza.

TM

VINCENT VAN GOGH
126. *Campo di papaveri*, giugno 1890
olio su tela, cm 73 x 91,5
L'Aia, Gemeentemuseum Den Haag
prestito a lungo termine dal Netherlands Institute
for Cultural Heritage

Occorre essere d'accordo con Emile Bernard quando scrive, nel 1891, che Van
Gogh, partito dall'*atelier* parigino di un pit-

tore di *Salon* come Cormon, e passato attraverso le procedure del *pointillisme*, e dopo il suo volo libero dentro le opere di Monticelli, Manet, Gauguin, non appartiene a nessuno e a nessuno deve qualcosa. Egli è il più personale di tutti, colui che inventa una lingua nuova che è della mano e del cuore insieme, che tocca i confini inesplorati della vastità. Una lingua fatta di parole vibranti, chiuse in se stesse eppure pronte a esplodere come una stella cadente. Vive lui per se stesso, per rendere testimonianza di una solitudine nella quale crea a piene mani bellezza tragica, quasi irrintracciabile in un modello. È così forte l'ansia di pittura di Van Gogh, così forte l'ansia di esprimere una vita che non riusciva a esprimere, che il modello non esiste, il suo viaggio non può essere copiato. Tutto torna a quell'unico punto che è Van Gogh stesso, dentro una circolarità della pittura che parte da lui e in lui viene a chiudersi.

Le ultime settimane della sua vita a Auvers-sur-Oise sono il continuo andirivieni tra la realtà percepita e il dramma di una coscienza che si sganciava da quella realtà e procedeva vagando senza punti più di ancoraggio. L'azione di svellere il colore e non di fissarlo sulla tela. Fino a che questo viaggio, infinito e immenso, senza parole per poterlo definire, non viene interrotto con un gesto di estrema consapevolezza. Non si può procedere oltre.

Ma nell'abbassarsi dei rutilanti colori di Saint-Rémy, la pittura a Auvers sembra quasi richiamarsi, talvolta, alle esperienze nel Brabante olandese. Del resto, era diventato forte il richiamo del Nord, un ritorno perfino necessario dopo le tante crisi vissute negli ultimi dodici mesi nell'istituto di Saint-Paul-de-Mausole. In questa direzione vanno i primi paesaggi, che sono dedicati alle strette strade del villaggio, alle case con quei tetti che entusiasmano Vincent, che ne scrive anche a Théo. Poi certi castagni in fiore, molti disegni di forte e suggestiva concentrazione. Un mondo che sembra acquietarsi, come il pittore stesse recuperando un equilibrio che di tanto in tanto lo faceva vicino, per immagini, a quelle di Cézanne e Pissarro, vissuti a lungo nei pressi e molto amati dal dottor Gachet, che nella sua casa conservava alcuni loro dipinti.

A partire dalla seconda settimana di giugno, subito dopo la visita che Théo e Jo resero a Vincent nella domenica 8 giugno, vennero i primi campi di grano e qualche campo con vigneti. Data la stagione, il grano è ancora verde e tra tutti spicca il grande quadro, ricordato in una lettera al fratello datata 14 giugno, con i papaveri: «In questo momento sto lavorando a un campo di papaveri in mezzo all'erba medica.» Si tratta di un'opera importante, perché dal punto di vista del sentimento che l'avvolge è la prefigurazione di quanto Van Gogh realizzerà a partire dalla seconda settimana di luglio, quando ormai sarà il giallo a dominare il paesaggio e dunque la sua visione delle ultime settimane di vita.

È la saldatura ormai avvenente, se non già del tutto avvenuta, tra natura e anima. Nella natura è il segno riconoscibile dell'interiorità e questo avviene nella dimensione di un tempo che ha delle evidenti caratteristiche di ciclicità. Se Monet aveva dipinto diversi campi di papaveri, non può certo far pensare a Monet questo quadro. Che è invece forte di materia, ha una sua secchezza e un istinto grafico che non può non ricordare i Giapponesi soprattutto negli alberi sul fondo, che mai Vincent aveva dipinto in questo modo. Semplificati oltre ogni dire, mentre insieme galleggiano e affondano in un cielo tutto frastagliato di nuvole che sono striature bianche dentro l'azzurro profondo. Galleggia e non affonda invece il rosso dei papaveri sul verde dell'erba, tutto portato e mosso da un vento che giunge da destra e sembra andare verso la valle del fiume Oise, forse nascosto sotto la linea dell'orizzonte.

MG

VINCENT VAN GOGH
127. ***Ritratto di giovane donna***
fine giugno - inizio luglio 1890
olio su tela, cm 51,9 x 49,5
Otterlo, Kröller-Müller Museum
The Netherlands, inv. n. 106.498

Ad Auvers-sur-Oise Van Gogh decise di dedicarsi nuovamente ai dipinti di ritratti e di figura. A incoraggiarlo furono soprattutto le impressioni estremamente positive espresse sull'*Arlésienne* sia dal fratello Théo sia da Gauguin e dal dottor Gachet, il medico che lo ebbe in cura mentre si trovava ad Auvers. Fra gennaio e febbraio 1890, Van Gogh dipinse numerose versioni del ritratto della signora Ginoux, basandosi su un precedente disegno di Gauguin, nel tentativo di apportare una nuova dimensione, più profonda, a questo genere tradizionale proprio attraverso il dipinto di un ritratto. Alla sorella Wil egli spiegò cosa intendesse con «ritratto moderno»: «Sto tentando con il colore, e non sono l'unico che sta tentando quella via. Farei – vedi che non dico mai che sono in grado di farlo, ma infine, che tento – farei così volentieri ritratti che fossero delle vere e proprie rivelazioni per le persone che vivranno fra un secolo. Dunque non tento di ritrarre la somiglianza fotografica, bensì di esprimere le nostre passioni, con l'ausilio della nostra conoscenza e del gusto moderno intorno al colore come strumento di espressione e di rappresentazione del carattere» (l. 886, 13 giugno 1890).

Quando scrisse queste parole egli stava proprio lavorando a un ritratto del dottor Gachet, nel quale cercava di tradurre in colore la malinconia che pervadeva il medico.

Si ritiene che questo ritratto di giovane donna o ragazza risalga a fine giugno, inizio luglio 1890. Il nome della modella è sconosciuto, ma si tratta probabilmente di una ragazza della campagna che veniva a posare per lui. Spicca la forma insolitamente quadrata di questo ritratto, che egli tuttavia sperimentò proprio ad Auvers. Dipinse la ragazza su fondo rosso con puntini verdi formati da due virgolette rivolte l'una verso l'altra. Con il passare del tempo, la luce ha sbiadito il fondo originariamente rosso riducendolo a un colore rosa grigiastro. Con il rosso e il verde Van Gogh ottenne un emozionante contrasto complementare, paragonabile al contrasto fra blu e arancione del vestito della ragazza, ancora più evidente. Questa tecnica di lavoro ricorda il *pointillisme* e torna in diversi ritratti e figure del periodo di Auvers, sebbene rimanga un elemento caratteristico del periodo parigino. Sembra quasi che Van Gogh riesca a ripescare e a utilizzare nuovamente, anche se riadattate, determinate componenti delle tecniche già sperimentate in passato.

TM

VINCENT VAN GOGH
128. *Paesaggio con la pioggia, Auvers*
luglio 1890
olio su tela, cm 50 x 100
Cardiff, Amgueddfa Genedlaethol Cymru
National Museum of Wales
lascito di Gwendoline Davies 1952

Paesaggio con la pioggia, Auvers è stato dipinto non più che dieci o quindici giorni prima che Vincent van Gogh lasciasse questa terra, assieme ad altre visioni orizzontali di campi di grano, nel sole o nell'ora che segue il temporale. Dipinto avendo in mente l'amato Hiroshige, e forse ripensando al bellissimo quadro che aveva realizzato nel 1887 quando si trovava a Parigi, rifacendo in pittura una delle xilografie più celebri dell'artista giapponese, Ponte nella pioggia, con i segni diagonali a indicare l'acqua che cade dal cielo. Forse anche tenendo a mente il tema di una delle poesie da lui più amate, *Il giorno di pioggia* di Henri Wadsworth Longfellow.
Sono i giorni in cui il pittore cammina su e giù per le colline attorno a Auvers. Lo si può immaginare, un po' piegato su se stesso e affannato. Forse sa che saranno gli ultimi suoi passi nel mondo e per questo ha occhi che accolgono tutto del mondo, come quando non si vuole lasciare niente indietro di non visto. Tutto negli occhi e tutto nell'anima. Poi si ferma, si siede sulla sua piccola seggiola, sceglie il punto da cui partire per il nuovo viaggio e comincia a dipingere, «ma il pennello mi cadeva quasi di mano»: l'emozione ormai è troppa, l'anima preme per uscire dal corpo e andare altrove. Aveva detto, Seneca, cose non dissimili.
Alla madre e alla sorella, che sono in Olanda, scrive in quelle giornate di metà luglio come si senta e come viva questo sentimento estremo: «Io sono completamente immerso nella vasta pianura con i campi di grano contro le colline, senza confini, come un mare, di un giallo, di un verde tenero, delicato, il viola tenero di un pezzo di terreno zappato e sarchiato, con il verde delle piante di patate in fiore che forma un disegno a scacchi regolari, e tutto ciò sotto un cielo a tonalità delicate di azzurro, bianco, rosa e violetto. Sono di un umore fin troppo calmo,

sono dell'umore adatto a dipingere questo.» Dipingerlo ancora una volta, come farà in quelle ultime settimane a Auvers, con il desiderio di trasformare, dentro il potere di un colore straordinariamente nuovo, l'antica visione che gli veniva da Jacob van Ruisdael, da Van Goyen e da Koninck nell'Olanda seicentesca, pittori che distendevano lo spazio di campi che correvano a perdita d'occhio verso l'infinito. E poi i cieli di Georges Michel, invece al principio del suo secolo, assieme ai grandi naturalisti di Barbizon. Ma tutto questo era grammatica, utile, ma pur sempre grammatica. E Van Gogh ha invece inventato una lingua nuova, che nessun altro ha parlato se non lui. L'esperanto dell'anima e del colore, e proprio per questo comprensibile da tutti, amato da tutti.
Perché poi bisogna camminarci, su quelle colline di Auvers, per capire fino in fondo. Per capire cosa sia l'estate lì, cosa sia il giallo del grano sotto il cielo, cosa sia quell'ondulazione continua di orizzonti e piccole alture, di alberi e tetti di case. Cosa sia, soprattutto, farsi piccoli in mezzo all'oro del grano e stare lì, nel canto delle cicale che non smette mai. Viene uno stordimento, un profumo inespresso e però udibile che si spande nell'aria. E si vedono sentieri che s'inoltrano in piccoli boschi. Senza alcuna fatica, s'immagina il pittore camminare su quei sentieri e poi trovare un punto nel quale si protegga dalla pioggia che cade, mentre le colline si rovesciano in onde continue e sono dorsi d'animali, schiene di schiuma dorata e bianchi tetti di case come piccole balene spiaggiate.
La pioggia continua a cadere su tutto il giallo dei campi, continua a cadere azzurra e viola, ritornando verso il cielo. Il pittore guarda e dipinge, non può fare altro che guardare e dipingere. Lui sente. Sente che in tutta quella vastità, in quell'essere insieme di giallo e d'azzurro, sgomitola un volo nero di corvi, ali che attraversano il cielo e i campi. E sono aria che li muove e li sposta, sopra il frinire d'insetti come un vasto magma di vita. Il pittore non aveva mai dipinto un quadro come questo, fatto tutto di bellezza e d'anima, fatto di tutte le cose della vita. Non aveva mai dipinto insieme, con tale forza e con tale misura, l'essere e lo scomparire, il vento e un profumo, la prossimità e l'orizzonte, l'esito finale del destino. Il pittore lascia che la pioggia cada su di lui come cade sulla natura, diventati una cosa sola tra il grano e l'onda.

 MG

VINCENT VAN GOGH
129. *Covone sotto un cielo nuvoloso*
luglio 1890
olio su tela, cm 63,3 x 53
Otterlo, Kröller-Müller Museum
The Netherlands, inv. n. 109.773

Il ritorno di Van Gogh nel nord della Francia, sembra rinsaldare il legame ideale con i naturalisti. Tutti i suoi nuovi campi di grano hanno una fortissima presenza di cielo e questo rimanda alla caratteristica principale di un pittore da Van Gogh particolarmente amato, e assai citato nelle lettere del tempo olandese, Georges Michel, precoce esponente della Scuola di Barbizon. In una lettera di qualche anno prima, inviata a Théo dall'Aia, aveva scritto come «il segreto di Michel sta nel prendere le misure giuste, nel saper calcolare in modo corretto la proporzione tra lo sfondo e il primo piano e nel sentire con precisione qual è la direzione delle linee viste in prospettiva.»
Ma poteva essere stato attratto anche dalle parole di Sensier, di cui aveva letto soprattutto la grande biografia dedicata a Jean-François Millet. A proposito di Michel, Sensier scriveva come «egli possieda il senso della profondità e un'abilità di penetrare nelle superfici e di rendere le distanze che pochi pittori hanno eguagliato.» E soprattutto, poiché i campi di Van Gogh hanno così tanto a che fare con la poesia, Sensier evidenziava in Michel la sua capacità di «riprodurre la profonda assenza di suono delle ampie distese del cielo», come «una terra promessa, un principio poetico: l'immensità.»
Parole come queste non potevano che agire nel pittore olandese quale ulteriore detonazione che mescolava anima e sole, sangue e pioggia, vibrazione e vento. Egli solcava così i sentieri attorno a Auvers come si naviga un piccolo fiume, che mano a mano, senza averlo

previsto, diventa una grande acqua che conduce al mare, e infine sfocia. Lo si può vedere ancora, con la cassetta dei colori in mano e il cavalletto con la tela sulle spalle. Lo si può vedere ancora, perché la pittura non finisce mai. Aveva scritto a Théo, parlando proprio dei suoi ultimi campi di grano: «Penso che queste tele ti diranno qualcosa che non sono in grado di esprimere con le parole, la salvezza e la forza di conforto che vedo nella natura.» Ancora una volta, nella pittura sembrava risiedere la sola salvezza possibile.

Assieme ai campi di grano, ai covoni disposti come teste di cavalli in fila, agli intrecci delle radici, ai panorami del villaggio e della campagna, ai boschi e al giardino di Daubigny, tutti nel formato del doppio quadrato, realizza anche un altro quadro, di straordinaria atmosfera e di formato invece verticale rispetto all'insistita orizzontalità degli altri, il *Covone sotto un cielo nuvoloso*, che è stato spesso considerato come l'ultimo di Vincent van Gogh. Sia come sia, si tratta di una tra le sue tele estreme, dipinta al massimo due settimane prima di morire, nel luglio del 1890 ad Auvers-sur-Oise. Sono i covoni, con i corvi che volano via, come fossero un veliero di nuvole nel cielo. La forza estrema della natura vi è rappresentata, i suoi gangli, il reticolo di spighe e cielo, il riflesso delle nuvole e del volo nella grande pozzanghera blu al centro.

È caduta pioggia sull'estate a Auvers, il vento da est muove il cielo e le nuvole, sposta quel volo di corvi nella loro lenta sospensione. È, quel levarsi, il segno di una partenza, dentro una natura che si dona come un corpo compatto. Il corpo di un pittore si offre come segno dell'occhio che sente e della mano che vede. Si tratta di adagiarsi e stare, contemplare ancora e ancora e ancora. Non c'è altra possibilità che questa, qui sotto nuvole scure dove il giallo del grano sta sotto l'azzurro del cielo e il blu dell'acqua. Il pittore sente la pioggia come un canto, il sole per un momento si sospende, il cavalletto resta piantato a terra. Il cavalletto prende il vento come farebbe una vela verso l'immenso e si gonfia, del bianco di una nuvola improvvisa. Il pittore si siede, aspetta che venga il tempo e orientando il timone sceglie la rotta. Come a riprendere il viaggio. Per un'ultima volta dipinge il giallo e l'azzurro insieme, vicini. Il giallo del grano e l'azzurro del cielo e dell'acqua. Ondeggiare dello sguardo e del respiro. Il giallo come una prossimità e l'azzurro come una lontananza che dilaga. In un altrove.

MG

Finito di stampare per conto di
Linea d'ombra
da Grafiche Antiga spa
Crocetta del Montello (Treviso)
ottobre 2017